동아시아의
우   물

(상)

동아시아의 우물 ⑧
한국

초판1쇄 발행 2017년 12월 30일

글쓴이 김광언
펴낸이 홍기원

총괄 홍종화
편집주간 박호원
편집 · 디자인 오경희 · 조정화 · 오성현 · 신나래
           김윤희 · 이상재 · 이상민
관리 박정대 · 최기엽

펴낸곳 민속원
출판등록 제18-1호
주소 서울 마포구 토정로 25길 41(대흥동 337-25)
전화 02) 804-3320, 805-3320, 806-3320(代)
팩스 02) 802-3346
이메일 minsok1@chollian.net, minsokwon@naver.com
홈페이지 www.minsokwon.com

ISBN 978-89-285-1127-3 94380
S E T 978-89-285-1126-6

동아시아의
우 물

ⓢ—한국

김광언

민 속 원

일러두기

1. 한시는 주로 여섯 구절만 가려 실었다.
2. 다른 기사와 연관되는 부분은 ☞로 알렸다.
3. 사진과 그림 번호는 나라마다 달리 붙였다.
4. 남의 사진이나 그림은 있는 데를 밝혔다. 인터넷 자료 가운데 일본의 것(야후 재팬)은 '야후'로, 중국의 것(百度一下)은 '백도'로 적었다. 그러나 보고서나 논문의 것은 따로 밝히지 않았다.
5. 북한의 지명은 글에 실린 대로 적었다.

머리말

1.

내가 1939년에 태어난 집(서울시 서대문구 옥천동玉川洞 85번지) 장독대 앞에 우물이 있었다. 깊이 7미터에 입 지름 1.5미터쯤이었으며, 모레 시멘트로 빚은 둥근 전은 높이 90센티미터에 너비 8센티미터였다.

우리 동네(3통統 9반班)는 초가 셋, 기와집 다섯, 왜 기와집 한 채로 이루어졌으며 우물을 갖춘 집은 네 집이었다. 그러나 두 집에서 우물 전 가운데에 낮은 널벽을 치고 같이 썼으므로 실제로는 다섯이 있었던 셈이다. 나머지 한 집에서는 수도를 끌고, 한 집은 이웃에서 길어갔다.

우물을 함께 쓰는 안쪽의 서울 토박이 한씨네와 바깥쪽의 함경도 황씨네는 늘 앙숙이어서 오르내리던 두레박이 서로 부딪기라도 하면 곧 다툼으로 번졌다. 이들의 소리가 워낙 커서 온 동네에 울려 퍼진 것은 말할 것도 없지만, 특히 황씨네 부부가 쉬지 않고 쏘아대던 함경도 사투리는 하도 귀에 설어서 신기하기 그지없었다. 나는 바로 그곳으로 다가갔고, 조용해지면 오히려 아쉬웠다.

젖은 손으로 문고리를 잡으면 쩍쩍 들러붙는 한 겨울에 우물에서 무럭무럭 김이 솟는 모습도 신기하였다. 할아버지가 얼굴을 씻으시며 오른 손에 움켜쥔 물을 뒤통수에 끼얹으시는 것을 볼 때마다 감기 들지 않으실까 걱정도 되었다. 물을 따로 데우기 어려운 시절이라, 나는 언제나 물을 얼굴에 서너 번 찍어 바르는 고양이세수로 마쳤다.

우물은 여름철에 빛났다. 그 안에 채워두었던 참외나 수박 따위를 저녁 무렵에 끌어올려서 식구들끼리 둘러 앉아 맛보는 것은 큰 행복이었다. 겨울과 달리 얼굴을 씻는 일도 즐거웠다. 놋대야에 손을 담그자마자 잔물결이 퍼지고, 이에 따라 햇빛이 춤을 추면서 번쩍번쩍 빛이 뿜어 나왔던 것이다. 물을 휘저을수록 황금빛이 온 집안과 천지에 가득 차는 듯하여, 나는 아예 눈을 감기도 하였다. 넋을 앗아갔던 그 물결은 지금도 어른거린다.

한 여름 날 저녁의 등목도 뺄 수 없다. 빨래 돌에 손을 뻗치고 엎드린 내 등위로 쏟아지는 우물물은 숨이 막힐 듯 차가워서 '어어' 소리가 절로 터졌다. 대여섯 살 적 여름날 저녁, 나를 대야에 들여앉히고 씻기시던 어머니 손길도 그립다.

우리 집에는 수도가 1955년에야 들어왔다. 할아버지가 '멀쩡한 우물을 두고 왜 수도를 쓰느냐?'고 하신 까닭이다. 이 때문에 할머니는 빨래는 수돗물에 헹구어야 빛이 난다며 앞집으로 들고 가셨다.

1945년 무렵에는 공동수도가 자주 끊겼고, 그때마다 물통을 들거나 멘 사람들이 우리 집으로 몰려들었다. 어느 해인가는 하도 퍼 댄 바람에 우물 바닥의 모래가 드러나기도 하였다.

할머니가 동지冬至고사 때, 여러 켜의 팥떡을 우물가에 놓고 자손의 건강과 집안의 평안을 축원하시던 일과, 물을 헤피 쓰면 저승에 가서 그것을 다 마시는 벌을 받는다고 이르시던 말씀도 떠오른다.

2.

우물은 서너 해마다 쳤다. 이웃집에서 빌려온 긴 사다리를 벽에 비스듬히 기대 놓은 뒤, 내가 들어가고 아버지는 위에서 두레박을 끌어올리셨다. 물을 다 푸고 손으로 바닥을 훑으면 설거지하다가 빠뜨린 비녀, 젓가락과 숟가락 짝, 빗 따위가 걸렸다.

그 날도 이런저런 것을 거두고 나서 바닥을 더듬는 내 손에 묵직한 막대기가 잡혔다. 그것은 번쩍이는 황금 막대기였다. 나는 얼른 주머니에 넣었다. '아버지를 속이다니…' 꺼림칙하고 송구스러웠지만 욕심을 버리지 못하였다. 혹시나 하는 마음으로 바닥에 손을 한 번 더 대는 순간, 이번에는 작은 은방울 두 개가 들어왔다. 이마저 챙겼다.

그것은 꿈이었다. 그 무렵 아내가 첫 아이를 가졌었다. '황금 막대기에 은방울 두

개'는 틀림없는 사내이므로 '가람'이라는 이름을 짓고 기다렸다. 과연, 녀석은 고추에 방울 두 개를 차고 나왔다. 그러나 이태 뒤, 둘째 때는 아무 징조가 없더니 이 무슨 조화인가? 딸, 그것도 쌍둥이가 태어난 것이다. 그제야 막대기는 아들 몫이고, 은방울은 딸네들 차지였음을 알았다. 고맙게도 셋이 제 몫을 하며 지내고 있으니, 태몽이 빗나갔다고 할 수는 없을 터이다. 나는 지금도 우물의 신령스러움을 굳게 믿는다.

또 하나.

맑고 찬 물이 끊임없이 솟던 우물이 1985년 무렵, 지하철 3호선이 개통되면서 점점 흐려지다가 두어 해 뒤에는 퀴퀴한 냄새까지 났다. 나는 독립문 어름에서 경복궁쪽으로 꺾인 노선이 인왕산仁王山(338미터)의 물길을 끊은 탓이라는 사실을 그제야 깨달았다. 집이 안산鞍山(295.9미터) 기슭이라, 물도 이 산에서 흐르거니 여긴 나머지, 인왕산이 어미라는 사실을 꿈에도 올랐던 것이다. '열 길 물속은 알아도 한 길 사람 속은 모른다'는 속담은 '열 길 사람 속은 알아도 한 길 물속은 모른다'로 바꿀 일이다.

나와 30여 년을 함께 지낸 우물은 이렇게 빛을 잃어갔다.

3.

사진 1은 2012년 봄, 경주에 온 중학생들이 다투어 분황사芬皇寺 우물을 들여다보는 모습이다. 바로 앞의 국보 30호로 지정된 모전석탑模塼石塔은 아랑곳 않고, 우물에 모여든 것은 태어나서 처음 보는 신기한 시설이었던 까닭이다.

일본도 마찬가지이다. 사진 2는 북해도北海道 삿포로시札幌市 개척촌 펌프에 둘러선 초등학생들이다. 어린이뿐만 아니라 청소년들도 몰려들어서 아예 19세기 관리복장을 한 사람이 종일 해설을 하

사진 1

는 판이다.

중국에서 들어온 우물문화는 신라에서 꽃피었다. 벌써, 1920년대에 일본학자들이 우물 전이 일본은 말할 것도 없고 저 유명한 바빌론의 석조 미술품보다 뛰어난 예술품이라며 찬탄해 마지않은 것이 좋은 보기이다. 그러함에도 정작 우리는 보호는커녕 오래 전부터 경주박물관 뒷

사진 2

마당에 팽개쳐 놓았다. 또 기자조선箕子朝鮮 적의 기자정箕子井이 1930년대까지 평양시에 있었던 것을 까맣게 잊고 있다.

어디 그 뿐이랴? 김대성金大城(?~774)이 석굴암 본존불本尊佛을 지금의 자리에 앉힌 것이 바로 그 아래에서 요내정遙乃井이라는 샘이 솟은 까닭임을 아는 이도 없다. 요내정은 불교에서 이르는 알가정閼伽井이고, 석굴암은 샘을 기리려고 세운 알가옥閼伽屋에 지나지 않는다. 진실이 이러함에도 일제강점기에 세 차례나 보수공사를 벌이면서 샘물을 빼돌리기에만 정신을 팔았다. 그리고 1960년대의 우리도 그 본을 떠서 석굴암에서 200여 미터 떨어진 아래로 물을 뺀 다음, 감로수甘露水라는 얼토당토않은 이름을 붙이고 말았다. 따라서 지금의 석굴암은 알맹이 빠진 껍데기라고 할 밖에 없다. 답답하고 한심한 일이다.

사진 3

사진 4

우리와 달리 일본은 우물문화를 아끼면서 가꾸었다. 우물을 영물靈物로 떠받드는 나머지 좀체 메우지 않고, 하는 수 없으면 반만 메우며, 그렇더라도 지기가 숨을 쉬도록 마디를 뗸 청죽靑竹 따위를 꽂아둔다. 또 중국 산동성의 제남시濟南市나(사진 3), 휘주성의 황산시黃山市에서, 나이 먹은 우물을 문화재로 지정해서 기리는 일도 배울 만하다(사진 4).

4.

중국 안휘성 휘주시徽州市의 우물 조사는 윤영기 박사 덕분에 이루어졌다. 학위논문을 위해 여섯 달이나 머무는 동안, 음덕을 어찌 깊이 쌓았던지 만나는 이마다 반겼다. 공무원 왕위동汪衛東님은 이틀, 나래한羅來漢·장요상張躍祥님은 하루 길라잡이로 나섰고, 휘주문화박물관 진기陣琪관장은 우리 일행을 지역신문에 소개하였다. 또 고봉高峰선생은 '무릉도원武陵桃源의 만찬'에 불러주었다. 윤 박사는 중요한 문헌을 찾는 외에 여러 곳의 사진도 찍어 보냈다. 이러한 후배를 다시 만나기 어려울 터이다.

사진가 김기운 선생은 그 많은 자료 가운데 우물 필름을 골라서 사진관에 맡겨 인화까지 해서 보내주셨다. 사진은 두어 달 뒤 한 차례 더 왔으며, 고맙다는 인사에 '좋은 책 내세요' 할 뿐이었다.

북경의 길라잡이 최수현님은 비행장으로 가던 차를 일부러 유명 과자점으로 돌리더니 두 봉지를 사 건네며 이렇게 덧붙였다. '좋은 일 하십니다.'

전북문화재연구원 오승환 부위원장을 비롯한 국립민속박물관 정연학 박사, 중국민속학회 부회장 섭도葉濤 박사, 문화재청 김재길 사무관, 산동성의 길라잡이 전화자田禾子님, 국립국악원의 송현석님, 낯선 이를 위해 자동차를 반나절이나 몰아준 제주도의 김순이님, 우물 찾기에 따라나서 준 아내 등 여러 분의 도움을 크게 입었다. 민속원의 천사표 조과장의 공도 적지 않다. 새 자료가 나올 때마다 넣어달라고 떼를 써서 끌탕하였을 터임에도 다 들어주었으니 여간 고마운 일이 아니다.

2017년 10월
지은이

CONTENTS

한국

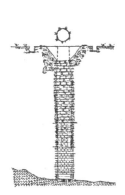

CONTENTS

중국

일본

한국

1장

어원

1. 샘

『국어어원사전』 설명이다.

> 샘은 물이 솟아나는 곳이다. (…) 싀다의 어간은 싀로서 '스이'가 준 말이다. 술
> 〉 술이 〉 스이 〉 싀의 변화로서 '술'은 물의 본뜻을 지닌다. 셔리泉〈滿〉. 어근
> '셜'이 샘泉의 뜻을 지니고 있는 말과 동원어同源語가 된다고 하겠다. 심은 '술'에
> '임' 접미사가 붙어서 술임 〉 스임 〉 심의 변화를 거친 형이다.
> 18세기에 나오는 '싀암, 싀옴'은 특수한 조어법이다. 싀다의 어간에 '암/옴' 접미
> 사가 붙었다고 보기는 어렵다. 암/옴 접미사는 자음 하에 붙는 접미사이다. 단음
> 절인 심이 '싀암'의 이음절로 늘어난 것으로 추정된다(서정범 2000 ; 352).

'술이 물의 본뜻을 지녔다'는 말은 근거가 부족하다.

1) 샘의 용례

샘의 본디 말은 '심'으로 '물이 솟는 데'라는 뜻이다.

⊙ 싐 爲泉[『훈민정음해례』; 26 · 『구급방』 상 59]

(샘은 천이다)

ⓛ 피믈 싐듯ᄒ야[血如湧泉[『구급방』 상 59]

(피가 샘솟듯 하여)

ⓒ 걇쳔渴川에 싐이 나니 그 낤 쌍셔祥瑞롤 다 슬ᄫ아잇리가[『월인천강지곡』 127]

(마른 내에 샘이 솟으니 그 날의 기쁨을 어찌 다 아뢰겠습니까?)

ⓔ 언 시믄 ᄀᆞᄂᆞ 돌해 브텟고凍泉依細石[『두시언해』 초 9 ; 25]

(샘은 작은 돌에 얼어붙고)

ⓜ 泉 싐 쳔[『훈몽자회』 초 상 13 · 『신증유합』 상 ; 5]

(천은 샘 천이다)

───

(1) '싐'은 17세기에도 바뀌지 않았다. 그 용례이다.

───

⊙ 겨을히 극히 치온 제 몸을 언 싐의 ᄌᆞᄆᆞ기를 ᄒᆞ 듀야를 ᄒᆞ고[『동국신속 삼강행실
도 열녀도』 2 ; 36]

(겨울에 아주 찬 제 몸을 얼어붙은 샘에 담그기를 한 주야를 하고)

───

남이 잘 된 것을 부러워하여 '샘이 난다'이르고, 이러한 마음을 적극적으로 나타내
는 것을 '샘 낸다' 또는 '시샘 한다'고 일컫는다. 몸에서 나오는 침을 침샘, 땀을 땀샘
이라 부르는 것도 마찬가지이다. 그 용례이다.

───

⊙ 滄海옛 빈출 비르수 도ᄅᆞ고 敬亭ㅅ 그를 새오디 말라試回滄海棹 莫妬敬亭詩
[『두시언해』 22 ; 18]

(이로써 시험 삼아 동해의 삼산三山을 향해 창해로 노를 저어 가거니와, 육조
六朝의 사조謝朓가 경정산을 읊은 것처럼 자연에 젖어든 것을 부러워해서는 안
된다)

───

사조(464~499)는 중국 남북조南北朝시대 제齊나라 시인이고, 경정산敬亭山(286미터)은 안휘성安徽省에 있다. 당唐의 이백李白(701~762)도 이곳에서 시(「경정산에 홀로 앉아獨坐敬亭山」)를 지었다.

(2) '샘'에는 '샌다漏'는 뜻도 있다. 그 용례이다.

㉠ 百年後 부텻 ᄂᆞ치 비옷 싀면[『월인천강지곡』 23 ; 77]

(백 년 뒤 부처의 낯에 빗물이 새면)

㉡ 阿修羅ㅣ 바룴 가온ᄃᆡ 나아 바룴를 싀ᄂᆞᆫ 굼긔 드러 이셔[『석보상절』 13 ; 10]

(아수라 바로 가운데에 바람이 새는 구멍이 들어 있어)

㉢ ᄒᆞ다가 氣分이 싀면 救티 몯ᄒᆞ리라若漏氣則不可救矣[『구급방』 상 ; 78]

(하다가 기분이 새면 구할 수 없으리라)

'기분이 샌다'는 말이 지금 살아 있는 것을 떠올리면 신기한 느낌마저 든다.

2. 우물

① 『어원사전』 설명이다.

'우물'을 옛날에는 '움물'이라고 하였는데 이것은 움에서 나오는 물이라는 뜻이다. 그 후 '움'의 끝소리 'ㅁ'이 떨어져 나가 '우'로 되었다. 『용비어천가』에서는 '赤島 안행 움물'이라고 하였는데 이것은 '움물'에서 'ㅁ'이 빠져 오늘의 '우물'로 되었다는 것을 말해 준다(안옥규 1989 ; 446~447).

'움'은 곧 '샘'이다. 이로써 샘이 발전하여 우물이 되었음을 알 수 있다.

② 『국어어원사전』 기사이다.

―――――

우물은 '우'와 '물'과의 합성어다. '우'는 '울'의 ㄹ 탈락형일 것이다. '울'은 물水의 뜻을 지닌다. 물에 우려내다의 어근 '울'이 물의 뜻을 지니는 명사가 된다. 만주어에 ura(江)가 있는데, 어근 ur이 물水의 뜻을 지닌다고 하겠다. 한편, 우물의 우는 움穴의 말음 탈락형으로 볼 수도 있다. 움물〉우믈, 울믈〉우믈의 쌍형의 변화를 생각해 볼 수 있다(서정범 2000 ; 456).

―――――

③ 『우리말 어원사전』 설명이다.

―――――

중세어형은 '우믈'이다. 『계림유사』에서 '정왈오몰井日烏没'이라고 한 것을 보면 고려말과 현대어가 일치함을 알 수 있다. 우물은 '움ㅎ'과 '물'로 분석된다. 곧, 움푹 파인 '움에서 나오는 물'이라는 뜻이다. (움ㅎ+물 → 우믈)우물)
'움ㅎ'은 내포內包 개념어로 평면에서 움푹 파인 자리나 흙무더기를 파낸 '굴'을 의미한다(백문식 2014 ; 397).

―――――

④ 『지봉유설芝峰類說』 기사이다.

―――――

고려高麗라는 나라 이름은 산이 높고高, 물이 맑다麗는 뜻에서 왔으므로 려麗를 마땅히 높은 소리去聲로 내야 함에도, 『운서韻書』에서 짧은 소리(평음)라고 한 것은 의문이다.
중국으로 가는 길에 고려촌高麗村과 고려포高麗舖가 있고, 요동관遼東館에도 고려정高麗井이라는 우물이 있다. 예부터 고려의 인마人馬가 그 관에 머물면 비록 가뭄이 들어도 물이 언제나 넘쳐서 마르지 않았다고 한다. '고려정'이라는 이름도 이에서 왔다고 한다(권2 지리부 「우물」).

―――――

'고려'에 대한 지금까지 없던 독특하고도 그럴듯한 새김이다.

1) 우물의 용례

––––––

㉠ 엇게 우희 金鑵子 메샤 우믈에 믈 긷더시니[『월인석보』 8 ; 84 ·『월인천강지곡』 237]

(어깨 위에 쇠 두레박 메시고 우물물 길으시더니)

㉡ 井 우믈 졍[『훈몽자회』〈초〉) 상 ; 3]

(우물 정)

㉢ 淘井 우믈 츠다[『역어유해』 상 ; 8]

(옹기우물 치다)

––––––

(1) '우믈'은 17세기에도 바뀌지 않았다. 그 용례이다.

––––––

㉠ 다시 우믈 가온대 디니[『동국신속 삼강행실도 열녀도』]

(다시 우물 가운데 빠지니)

㉡ 우리 뎌긔 우믈은 다 돌로 무은 거시라[『노걸대』 상 32]

(우리 저기 우물은 모두 돌로 쌓은 것이라)

––––––

2장

샘과 우물

1. 샘의 종류

샘 또는 샘물은 땅에서 솟아오르는 물이며, 그 자리를 샘터라고 한다. 중부 이북지역에서는 두레박으로 푸는 것은 우물, 바가지로 뜨는 것은 샘이라 부르지만 남부 지방에서는 모두 샘이라 이른다. (☞ 19)

샘은 흔히 물 뜨는 기구에 따라 달리 부른다. 이에는 바가지로 뜨는 바가지샘과, 쪽박(표주박)으로 뜨는 쪽샘이 있다.

사진 1은 충청북도 괴산군 칠성면 각연리에 있는 각연사覺淵寺의 쪽박우물이다. 큰법당 쪽에서 끌어온 물을 통나무에 박은 관을 통해서 물이 흘러내리게 하였다. 사과처럼 둥그스름하게 깎은 물확과 옛 맷돌을 받침으로 삼은 것도 볼거리이다. 사진 2가 물통 좌우에 놓인 쪽박이고, 사진 3은 이것을 판

사진 1

사진 2

사진 3

이가 많은 정성을 기울인 것을 보인다. 손잡이를 아래쪽으로 구부린 것도 그렇거니와 쥐기 쉽도록 살을 두툼하게 붙였다. 어디 그뿐인가? 조금 좁게 다듬은 목도 날렵한 맵시를 뽐낸다. 이 쪽샘은 깨달음의 못覺淵 그 자체이다.

사진 4는 1998년, 충청북도 청주시 청원구 오창마을에서 한 아낙이 바가지로 물을 뜨는 모습이다. 이처럼 여덟모 전을 갖춘 우물은 아주 적다.

사진 4(ⓒ 김가운)

경주시 황남동의 있던 쪽샘은 물빛이 쪽빛인 데서 왔다거나, 쪽박으로 뜬 데서 왔다는 말이 있다. 본디 쪽박으로 물을 푸다가 주위에 돌을 쌓고 돌 귀틀을 얹었으며 길이 1~2미터의 줄이 달린 두레박으로 길었다. 물이 차면 옆 구멍으로 흘러서 미나리 밭으로 흘러들어간 덕분에 미나리 맛이 좋았다고도 한다. 지금은 지붕을 세우고 현판을 달았으며, 물은 거북이 등에 얹은 돌에서 나온다(사진 5).

황남동·황오동·인왕동 일대의 쪽샘 지구는 4~6세기 신라 왕족과 귀족들의 무덤 자리였다.

이밖에 전북지방에서는 뒤웅박(표주박의 다른 이름)으로 푸는 샘을 두름박시암이라고 한다.

사진 5

인터넷 네이버 국어사전에서 '두레샘'을 들고 '〈농업〉 논에 물을 퍼붓기 위하여 나무로 만든 기구. 단단한 판자로 밑바닥은 좁고 위는 넓게 하여 두서너 말이 들도록 만들고 네 귀에 줄을 달거나 장대에 매단 모양이다. 낮은 곳에 있는 물을 높은 곳의 논으로 퍼 올리는 데 쓴다'고 한 다음, 어원이 '〈드레 〈훈민정음(해례본)〉'이라고 덧붙인 것은 옳지 않다.

'단단한 판자'는 맞두레이고, '장대에 매단 모양'은 길고(용두레)이므로 샘이나 우물과는 아무 연관이 없다. 국립국어연구원에서 1999년에 낸 『표준국어대사전』에도 보이지 않는 점에서 '만든 말'임이 분명하다. 또 '드레'는 두레박의 본디말이다. 농촌에서는 마을의 한데우물을 흔히 두레우물이라 부른다. '모두 함께 쓰는 우물'이라는 뜻이다.

물이 고이는 후미진 곳에 있는 작고 오목한 샘을 옹달샘, 땅을 조금 파서 만든 작은 우물을 옹달우물이라고도 한다지만(『표준국어대사전』), 곳에 따른 다른 이름일 가능성이 높다. 이들은 앉아서 쪽박이나 바가지로 뜬다.

사진 6은 전라남도 보성군 득량면 오봉리의 옹달샘이고, 사진 7은 1976년 충청북도 제천시 한수면의 한 노인이 옹달샘의 물을 쪽박으로 퍼서 동이에 담는 모습이다.

사진 6

사진 7(ⓒ 김가운)

한편, 『용비어천가』의 '샘이 깊은 물은 가뭄에 아니 그치므로 냇물이 되어 바다에 가나니源遠之水 旱亦不竭 流斯爲川 于海必達'라는 구절의 '샘'은 바가지로 뜨는 '얕은 샘'이 아니라 '깊은 우물'로 보는 것이 옳다(「제2장」).

이로써 16세기에 샘을 우물의 뜻으로 쓴 것을 알 수 있다.

2. 샘의 상징

1) 샘은 돈을 나타낸다

경상남도 김해시 봉황동 옛 회현리 원삼국시대 유적을 비롯한 여러 곳에서 화천貨泉이 나왔으며 우리도 중국처럼 이를 상업의 뜻으로 썼다. 최치원崔致遠(857~?)이 지은 『계원필경집』의 '화폐의 샘물貨泉이 촉촉이 적셔 주는 것이 참으로 자모의 이름에 걸맞습니다'는 기사가 그것이다(20권 「謝賜弟栖遠錢狀」). 이는 본전에 이자가 자꾸 불어나듯이 화폐의 샘물로 흠뻑 적셔주어 돈에 여유가 생겼다는 말이다. 자모는 본전과 이자를 가리킨다.

① 『고려사절요』 기사이다.

백성士農工商이 모두 자기 일에 열심을 내는 것이 나라의 뿌리가 됨에도 서경西京에서 상업에 등한한 탓에 백성이 이利를 못 얻는다고 한다. 화천별감貨泉別監 둘을 뽑아 날마다 저자의 가게를 돌아보게 해서 장사꾼들이 모두 물건을 팔고 사는 이익을 거두게 하라(숙종 7년[1102]).

이에 따라 현지의 유수관留守官이 화천별감을 추천하고 임금이 임명하는 절차를 밟았다. 그의 구실은 시장과 상인을 감독하고 상행위를 부추기는 일이었다. 서경은 지금의 평양이다.

② 『고려도경高麗圖經』 기사이다.

고려인들은 예서법隸書法을 존중해서 중화中和의 것을 잣대로 삼으며, 화천貨泉의 글자와 부절符節 그리고 인장의 각자刻字를 마음대로 바꾸지 않으니 문물의 아름다움이 중국에 뒤지지 않는다(권40 「유학」).

----

③ 『가정집稼亭集』 기사이다.

지원至元 3년(1338) 4월 초하루, 신공申公이 태황태후太皇太后의 명을 받아 용천사
龍泉寺 불전佛殿을 중건하였다. 그리고 땅을 시주해서 해마다 그 수입으로 장명
등長明燈의 비용으로 쓰게 하는 외에 (…) 고려의 계명戒名(?~?)스님을 주지에 앉
혔다.

그때 서역에서 온 참반달법사站班達法師의 법사法嗣 영고로숭참팔관永古魯崇站八灌
(?~?)이 다시 이 절에 머물려다가 신공이 그동안 해 온 일을 듣고 흔연히 뜻이
서로 맞아 천폐泉幣(전폐錢幣) 8,000관貫을 바치고 절은 차지하지 않았다고 한다(제6
권 「大都 大興縣 龍泉寺 重建碑文」).

태황태후는 고려 충혜왕忠惠王(1330~1332,
[재] 1339~1344)의 할머니이다. 대도는 중국
북경시이고, 대흥현은 위성도시이며, 용천
사는 북경시 해정구海淀에 있다(사진 8). 신
공은 전서사典瑞使 신당주申當主이나 자세한
것은 모른다.

사진 8(ⓒ 百度)

④ 조준趙浚(1346~1405)의 시(「양주 객사의 시운을 빌림次襄州홈숄韻」)이다(부분).

古郡經營自國前	나라 서기 전부터 옛 고을 경영 하렸더니
太平風月半千年	태평세월 오백 년 흘렀네
鳥還官柳三竿日	새는 관청 버들 물어오고 해 높이 솟았는데
人語漁村一帶煙	사람소리 들리는 어촌 안개에 잠겼구나
邇來漬賦民憔悴	그동안 끔찍한 세금에 백성 모두 헐벗으니
欲到東溟作布泉	동쪽 바다에서 포천을 만들면 좋으리라

『송당집松堂集』 제2권 「칠언율시」

양주는 지금의 강원도 양양군이며 포천은 돈을 가리킨다. 세금에 시달리는 백성들

을 위해 동해바다에 가서 돈을 잔뜩 찍어다가 나누어주고 싶다는 말이다.

이밖에 『효종실록』에 시독관試讀官 김수항金壽恒(1629~1689)이 '돈이라는 것은 샘물처럼 흘러서 떨어지지 않는 재물이라' 하였다는 기사가 있고(5년[1654] 3월 26일), 『각사등록各司謄錄』에도 '화천이 돌지 않은 탓에 백성의 형편이 갈수록 나빠진다'는 대목이 보인다(「忠淸監營啓錄」 哲宗 4년[1853] 11월 19일).

⑤ 이응희李應禧(1579~1651)의 시(「돈錢」)이다(부분).

孔方居大貨	공방은 큰돈이 되어
通用古今傳	고금에 두루 돌았지
滿眼沽三百	만안을 삼백 전에 사고
盈樽換十千	술 한 동이 만전과 바꾸네
瓊林充朽貫	경림에 썩은 돈꿰미 가득하고
金谷溢流泉	금곡에서 샘물처럼 솟누나

『옥담시집玉潭詩集』「만물편萬物篇」

공방은 돈의 다른 이름이다. 진晉 노포魯褒(?~?)의 글(「錢身論」)에 '지금 사람들이 돈을 좋아하여 공방이라는 자字를 짓고 형이라 부른다'는 기사가 있다. 만안滿眼은 술통이나 술이 담긴 술병이다. 당 두보杜甫(712~770)의 시(「입주행증 서산검찰사 두시랑入奏行贈西山檢察使竇侍郎」)에 '그대 위해 술을 사되 만안으로 사고爲君酒滿眼 / 종에게 이밥을, 말에게 푸른 꼴을 주리라奴白飯馬靑芻'는 구절이 보인다. 만안의 '안'은 술 담는 죽통竹筒 위에 달린 끈 꿰는 구멍으로, 술을 가득 채운다는 뜻이다.

경림瓊林은 당 덕종德宗(780~804)이 봉천奉天에 세운 공물貢物 곳간이고, 금곡金谷은 진晉의 큰 부자 석숭石崇(249~300)의 별장이 있는 금곡원金谷園이다. 그는 늘 이곳에 빈객을 모아 시를 짓고 술 마시며 호사스럽게 지냈다. 덕릉德陵은 고려 충선왕忠宣王(1308~1313)의 능호陵號이고, 심왕瀋王은 원元이 고려를 누르려고 심양瀋陽에 둔 심양왕瀋陽王을 가리킨다.

2) 샘은 황천을 상징한다

땅 속의 샘을 가리키는 황천黃泉은 저승을 나타낸다. 황토黃土·구천九泉·명도冥途라고도 한다. 중국의 오행에서 땅 빛을 누르게 보는 데 따라 지하를 나타내는 말로 쓴 것이다. 죽은 사람을 황천객, 저승으로 가는 길을 황천길이라 부르는 것도 마찬가지이다. 황천으로 돌아가는 것을 귀천歸泉이라고도 한다. 무교의 「황천무가」에서 바리데기가 부모를 살리는 선약仙藥을 얻으러 저승으로 가려고 황천수를 건너는 대목이 있다.

① 이곡李穀(1298~1351)의 시(「차운하여 이승통의 시권에 적음次韻題李僧統詩卷」)이다(부분).

理極從來必返原	극에 이르면 근원으로 돌아가나니
親喪自盡是恒言	늘 친상 자진이라 이르지 않던가
九泉永訣無尋處	구천에 영결하면 찾아뵐 길이 없는데
三敎同歸豈異門	삼교도 귀결 같으니 무슨 차이 있으랴
宰樹搖搖風不止	바람 멎지 않아 흔들리는 무덤의 나무이자
佳城鬱鬱日長昏	햇볕 들지 않는 캄캄한 지하 세계로세

『가정집稼亭集』 제15권 「율시律詩」

'친상자진'은 '어버이 상이야말로 참으로 극진히 치러야 한다親喪固所自盡也'는 『맹자』의 말을 줄인 것이다(「滕文公章句」 上). '삼교…'는 부모에 대한 자식의 도리는 유교儒敎·불교佛敎·도교道敎가 모두 같다는 뜻이다.

'바람이 멎지 않아'는 다시는 뵐 수 없는 어버이를 그리워하며 시묘하는 자식의 애달픈 심정을 나타낸다. 『설원說苑』에 '나무가 조용하고자 하나 바람이 그치지 않고, 자식이 받들려 하나 어버이가 기다려주시지 않는다'는 기사가 있다(「敬愼」).

② 정몽주鄭夢周(1337~1392)의 시(「한신의 무덤韓信墓」)이다.

| 嗣子屛柔諸將雄 | 어리숙한 황태자에 범 같은 장수들 |
| 高皇無復念前功 | 고황이 옛 공훈 저버린 탓에 |

| 楚王飮恨重泉下 | 초왕은 먼 황천에서 한 품고 누었으니 |
| 千載知心只晦翁 | 천 년 뒤 그 마음 아는 이 회옹뿐일세 |

『포은선생문집圃隱先生文集』 권1 「시」

나라 세우기에 공을 세운 장수들의 세력이 커지자 어리석은 후계자의 뒷날이 걱정된 한漢 고조 유방劉邦(전 256~전 195)이 그들의 힘을 꺾는 술책을 썼고, 그 첫 대상이 대장군 한신韓信(?~전 196)이었다. 버림받은 그는 마침내 여후呂后(?~전 180)에게 주살되었다.

회옹은 주희朱熹(1130~1200)이다.

③ 『연려실기술練藜室記述』 기사이다.

성삼문成三問(1418~1456)이 형장으로 끌려 나가며 좌우의 옛 동료들에게 '너희들은 어진 임금을 도와 태평성세를 이룩하라. 나는 돌아가 옛 임금을 지하에서 뵙겠노라' 하였다. 이어 수레에 실릴 때 이렇게 읊었다.

擊鼓催人命	목숨 재촉하는 북소리
回頭日欲斜	돌아보니 해 떨어지누나
黃泉無一店	먼 황천길 주막조차 없으니
今夜宿誰家	오늘밤 뉘 집에서 잘 것이랴

대여섯 살짜리 딸이 수레를 따르며 울자 '사내자식은 다 죽지만 너는 딸이라 살 것'이라 하였다(「端宗朝 故事本末 六臣上王 復位謀議」).

'황천 가는 길에 주막도 없다'는 구절은 오늘날에도 가슴에 와 닿는 명구이다.

④ 최립崔岦(1539~1612)의 시(「동군록 정랑 이미백의 만사東郡錄 寄挽李正郎美伯」)이다.

| 母儀咸說大家賢 | 대가의 현부라는 어머니 |
| 孝愛如君行亦全 | 그대의 효성 끝없었으리 |

未有平生失懽志　　늘 지극정성으로 받들더니
忍貽憂慟入黃泉　　황천으로 가 슬픔 안겨 드렸네

『간이집簡易集』 제8권 「여덟 수八首」

———

어머니보다 먼저 세상을 뜬 탓에 큰 불효를 저질렀다는 뜻이다.

⑤ **송시열**宋時烈(1607~1689)**의 시**(「이익지 유익을 위한 만시李益之惟益挽」)**이다.**

———

貴多卑還貴　　워낙 귀한지라 낮추어도 귀해지고
賢路方蹉跎　　벼슬길 더러 빗나가기도 하였지
送君泉下去　　그대를 샘 아래로 보내고
將如倚門何　　장차 어찌 문에서 기다리랴

『완역 송선생시집』 권3 「오언절구」

———

'문에서 기다림'은 의문지망倚門之望, 곧 어머니가 문에 기대서서 자식이 돌아오기만을 기다린다는 뜻으로, 어머니의 자식에 대한 애틋한 정을 가리키는 말이다.

⑥ **안민영**安玟英(1816~?)**의 시조이다.**

———

닉 죽고 그딕 살라 使君知我 此時悲 허셰
　　　　　내가 죽고 그대가 살아 그대로 하여금 내가 얼마나 슬픈지 알게 하세
달은 날 黃泉길에 그 丁寧 만날연니
　　　　　다른 날 황천길에서 반드시 만날 터이니
닉 엇지 그딕의 無限헌 폭빅을 건될 쥴리 잇쓰리
　　　　　내 어찌 그대가 말하는 한없이 억울하고 분한 사정을 건드리겠는가

『금옥총부金玉叢部』 105

———

죽은 이에 대한 지극한 사랑이 하늘에 닿은지라, 차라리 내가 죽어 사랑하는 이가 죽었을 때 받아야 하는 고통이 얼마나 큰가를 깨닫게 하겠다는 뜻이다.

3. '샘'의 분포지역

이들은 삼치계·새:ㅁ·새암계·시암계·옹달계·물통계 따위로 갈린다(최학근 1977 ; 137~139).

1) 삼치계

_____

① 삼치

함경남도(정평·신흥·함주·오로·부전)

함경북도(길주·경성·명천)

② 삼치물

함경남도(정평·함주)

③ 삼침물

함경남도(함흥·신흥·홍원)

④ 삼취

함경남도(정평·신흥·신고산·안변·덕원)

평안남도(중화)

황해도 거의 전 지역(신천·태탄·황주·이천·

금천·연안·옹진·신계·재령·수안·곡산)

_____

'삼치·삼취' 분포도

삼치는 황해도의 뿌리를 둔 것이 분명하나 본디 말이
무엇인지 알 수 없다. 그리고 칼로 자른 듯이 경기도나 강원도에 나타나지 않는 것도
의문이다.

2) 새:ㅁ계

_____

① 새:ㅁ

경상북도 거의 전 지역(영주·안동·봉화·울진·영덕·대구·서산·의성·
예천·문경·상주·김천·청송)

전라남도의 많은 지역(고흥·구례·여수·순천·진상·보성·강진·목포)

충청북도(충주·단양)

충청남도(서천)

강원도(양양·강릉·삼척·울진·평해)

평안북도 전지역

함경남도(신고산·안변·덕원)

② 새미

경상북도(안동·청송·영천·대구·고령·의성)

경상남도 전지역

제주도(제주·대청)

③ 새:미

경상북도(영주·경산·군위)

경상남도(울산·창녕·합천·하동·남해·거창)

전라남도(구례)

④ 새미

경상남도(부산·김해·마산·충무)

⑤ 새미물

경상북도(대구·고령·의성)

경상남도의 많은 지역(동래·부산·김해·
하동·거창·합천·창녕·밀양)

⑥ 샘

경상북도 거의 전지역(영주·봉화·청송·
경주·경산·대구·성주·왜관·군위·선산
·의성·문경·김천)

경상남도(사천)

강원도(삼척·호산·옥계·도계·홍천·
춘성)

'샘' 분포도

충청북도(청주 · 연풍 · 괴산 · 보은 · 단양 · 영동 · 음성 · 충주)

충청남도(조치원 · 예산 · 부여 · 논산 · 서천 · 청양 · 안면 · 당진)

전라북도(전주 · 김제 · 남원 · 임실 · 진안)

전라남도(담양 · 순천 · 보성 · 해남 · 진도 · 화순)

제주도(하원 · 세화 · 조천 · 조수)

⑦ 샘물

경상북도(예천 · 영주 · 안동)

충청북도(청주 · 보은 · 충주 · 단양)

충청남도(서천 · 홍성 · · 천안)

전라남도(여수 · 순천 · 보성 · 강진 · 목포 · 나주)

제주(서귀포)

경기도(개성 · 장단 · 연천)

함경남도(문천 · 고원 · 영흥)

함경북도(길주 · 종성 · 경성)

———

주류를 이루는 샘계는 전라남북도 · 충청남북도 · 강원도 영동지역이 포함되기는
하나, 뿌리는 경상도에 박혔다.

3) 새암계

———

① 새암

경상북도(김천 · 왜관 · 선산 · 예천 · 문경 · 상주)

충청남도(청양 · 홍성)

전라남도(장성 · 담양 · 고흥 · 영광 · 함평 · 목포 · 장흥)

황해도(은률 · 안악 · 재령)

② 새암물

경상북도(김천)

충청북도(영동)

전라남도(광주·장성·곡성)

③ 새얌

경상북도(김천)

충청남도(홍성·서천·대천)

전라남도(순천·영암·화순)

———

4) 시얌계

———

① 시얌

전라북도 거의 전지역(무주·이리·부안·정읍
·순창·남원·임실·진안·장계·김제)

전라남도 전 지역

충청북도(영동·보은)

충청남도(공주·강경·천안)

황해도 거의 전지역(장연·옹진·배탄·몽금
포·송화·은률·안악·신천·재령·해주)

② 시얌물

전라북도 거의 전지역(운봉·남원·순창·
정읍·김제·전주·임실·장수·진안·무주)

전라남도(영암·담양)

충청남도(금산·공주·강경)

황해도 거의 전 지역(해주·옹진·배탄·장연
·은률·안악·신천·재령·송화)

③ 시얌

전라남도(화순·보성·영암·순천)

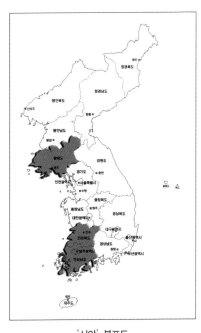

'시얌' 분포도

———

시얌계가 전라도에 뿌리를 둔 것은 그럴듯하지만, 황해도가 들어간 것은 뜻밖이다.

5) 옹달계

옹달샘(경상북도 남부지역 일부)
옹동샘(경상북도 서북부지역 일부)
웅딩이(경상북도 경산지역)
물웅딩이(경상북도 북부지역 일부)

6) 물통계

물통(제주도 서귀포시)
우물통(제주도 제주시)

4. 우물의 상징

1) 우물은 마을을 가리킨다

① 백제 노래 「정읍사井邑詞」이다.

둘하 노피곰 도드샤   달아 높이 높이 돋으시어
어긔야 머리곰 비취오시라   멀리 멀리 비춰 주소서
어긔야 어강됴리   어기여차 어강됴리
아으 다롱디리   아으 다롱디리
全져재 녀러신고요   저자에 가 계신가요
어긔야 즌ᄃᆡ를 드ᄃᆡ욜셰라   위험한 곳에 계실까 두렵습니다

(…)

어느이다 노코시라　　　　어디서나 짐 내려 놓으세요

어긔야 내가논대 졈그랄셰라　　그대 계신 곳 날 저물까 두렵습니다

(…)

『악학궤범樂學軌範』

———

지금까지 알려진 단 하나의 백제노래이다. 정읍현井邑縣(전라북도 정읍시)에 사는 봇짐
장수 아낙이 남편이 돌아오지 않자, 높은 산에 올라가서 지아비가 간 곳을 바라보며
혹시 밤길에 해를 입지 않았을까 걱정하는 내용이다.

② 이곡李穀(1298~1351)의 시(「화평부로 가는 김회옹을 보낸 시의 서문送金晦翁赴化平府序」)이다.

———

井邑蕭條異舊時　　　우리 동네 옛적과 달리 쓸쓸한데

送人作郡謾吟詩　　　원님 친구 보내며 시만 읊조리네

興來飮酒寧無偶　　　흥일 때 술 마실 짝 어찌 없으랴

我有同年不甚癡　　　그다지 어리석지 않은 나의 짝 있느니

『가정집』 제10권 「서序」

———

회옹은 김연金曣(?~?)의 호이다.

'원님…'은 정작 자신은 고을을 맡지 못하면서 친구를 보내며 시나 짓는다는 농담
이다. '흥이 없으리오'는 광주로 간 김연이 불현듯 생각나 찾아가고 싶은 때가 있으리
라는 말이다.

③ 이에 대한 『세설신어世說新語』 기사이다.

———

탁 트인 성품에 구속받기 싫어하는 동진東晉의 나우羅友(?~?)를 환온桓溫(312~373)
은 마땅치 않게 여겼다. 그가 어느 날 태수太守로 떠나는 이의 송별연에 뒤늦게
나타난 나우를 나무라자 이렇게 말하였다.

"길에서 만난 귀신이 '나는 당신이 태수로 나가는 다른 사람을 전송하는 것만

보았지, 다른 이가 태수로 부임하는 당신을 보내는 것은 못 보았다'고 하였습니다."

속으로 부끄러움을 느낀 환온은, 뒤에 그를 양양태수襄陽太守에 앉혔다(「任誕」).

―――――

또 앞 책에 '진晉 왕휘지王徽之(338~386)가 눈 덮인 달밤에 산음山陰에서 홀로 술을 마시다가 불현듯 섬계剡溪의 벗 대규戴逵(326~396)가 보고 싶어서 밤새 배를 저어 그 집 앞까지 갔다가 그냥 돌아오고 난 뒤, 흥이 나서 찾아갔다가 흥이 다해 돌아왔다고 하였다'는 대목이 있다(「임탄」).

④ **안축**安軸(1282~1348)**의 시**(「큰비 탄식하며 화주에서 지음大雨歎在和州作」)**이다.**

―――――

暴流漲南川	큰 물 시내 남쪽으로 넘치더니
浩浩沒原隰	넘실넘실 들판 삼켰구나
水溢雨不止	물 넘쳐도 비 그치지 않아
皆言及井邑	마을까지 덮칠까 걱정일세
惟恐卷人家	오로지 살림집 휩쓸고
更憂傷穀粒	곡식 상할까 근심이로세

『근재집謹齋集』 제1권 「시」

―――――

물이 점점 불어나는 모습이 눈에 보이는 듯하다.

신천辛蕆(?~1339)의 시(「공북루拱北樓」)에도 '고을과 산천 좋을시고井邑山川好 / 주민들 아직 태고의 풍속 지녔네居民尙太初'라는 구절이 있다.

⑤ **정몽주**鄭夢周(1337~1392)**의 시**(「봉명 사신으로 일본에 가서 지음鄭圃隱奉使時作」)**이다**(부분).

―――――

山川井邑古今同	산과 고을 예나 이제나 같은데
地近扶桑曉日紅	부상에 가까우니 새벽 해 붉구나
但道神仙居海上	신선 바다에 산다지만
誰知民社在天東	민사 동쪽에 있는 줄 뉘 알리
斑衣想自秦童化	아롱진 옷맵시 진동의 영향인 듯

染齒曾將越俗通　　물들인 이는 월의 풍속이로세

『동문선』 제16권 「칠언율시」

정몽주는 1377년에 사신으로 일본에 갔다.

부상은 해 뜨는 동쪽 바다 속에 있다는 신성한 나무이고, 민사民社는 백성人民과 사직社稷, 곧 나라를 가리킨다.

진동(?~?)은 시황始皇의 명에 따라 어린남녀 3천 명을 데리고 불사약不死藥을 구하러 떠난 뒤 돌아오지 않고 일본으로 갔다는 진秦의 방사方士이다. 곧 서복徐福(?~?)이 데려간 사람들을 가리킨다. 우리 제주도 서귀포시에 기념관이 있으며 일본에도 그 자취가 남았다.

월속越俗의 '월'은 지금의 절강성浙江省일대이며, 이齒에 물을 들이는 풍속이 있었다고 한다.

⑥ **기대승**奇大升(1527~1572)**의 시**(「광주향교 대성전 상량문光州鄕校大成殿上樑文」)**이다**(부분).

兒郎偉抛樑上　　어영차 떡을 들보 위에 던지노니

文焰應知高萬丈　　문학의 기세 만 길이나 솟으리

輔佐吾君致太平　　우리 임금 도와 태평성대 이룩하니

井邑翩翩多將相　　고을마다 장수와 정승 많이 나오리라

『고봉집高峰集』 제2권

'아랑위'는 상량문 앞뒤에 붙이는 후렴이다.

이원李原(1368~1429)의 시(「양주의 시에 차운함次梁州詩」)에도 '백 리 산수에 고을 열리고百里湖山開井邑 / 누각의 풍월 시선에게 부치노라一軒風月屬詩仙'는 구절이 있다(『容軒集』 제2권 「시」).

양주는 경상남도 양산梁山의 다른 이름이다. 이 시는 명明 장청張淸(?~?)이 양산 쌍벽루雙碧樓에 와서 지은 시에 운을 빌려 지었다. 누각은 징심헌澄心軒 남쪽에 있으며, 그 아래에 물과 대나무가 서로 비친다고 하여 쌍벽루라 불렀다.

2) 우물은 고향을 상징한다

『계원필경집桂苑筆耕集』 기사이다.

———

왕승문王承間(?~?) 등에게 알립니다. 오래도록 변방을 지키느라 애쓰고 또 전정戰
征에 시달리다가 멀리서 돌아오게 된 것을 아주 기쁘게 생각합니다. (…)
더구나 왕승문은 3년의 기한을 넘기고 부대를 잘 거느리면서, 국가에 닥친 여러
가지 어려움을 알고 향정鄕井에 돌아갈 생각을 잊은 채, (…) 군문軍門에 평생을
바쳤습니다. 그리하여 마침내 군대를 떠나, 고관高官의 영광스러운 자리에 높이
오르게 되었습니다. 성실하게 근무하였으니 (…) 어찌 헛되이 버려지겠습니까?
(…) (제12권 委曲「楚壽兩州防秋廻戈將士」)

———

중국에 머물던 최치원崔致遠이 변경을 지키다가 승진해서 돌아오는 군인의 노고를
기린 글이다.

초주는 중국 장수성 회안淮安에, 수주는 안휘성 수현壽縣 남쪽에 있다.

3) '정'자를 성이나 이름에도 넣었다

① 상고上古부터 한말韓末 사이의 문물제도를 설명한 『증보문헌비고』에 실린 정씨 관련 내
용이다.

———

고려 명종明宗(1170~1197) 때 정종후井宗厚(?~?)가 문과에 급제, 청풍감무淸風監務를
지냈다.
정씨는 진강정씨鎭江(강화의 속현)井氏ㆍ연천정씨漣川井氏ㆍ면천정씨沔川井氏ㆍ치등정
씨置等(순창지방)井氏ㆍ음성정씨音聲(고부지방)井氏ㆍ정읍정씨井邑井氏ㆍ답곡정씨畓谷(정
읍지방)井氏ㆍ장수정씨長水井氏ㆍ배천정씨白川井氏 따위가 있다(제53권 제계고 14 부록 씨
족 8 「정씨」).

———

② 『삼국사기』에 실린 '정'자가 들어간 지명이다.

고구려 : 천정군泉井郡 · 예천군醴泉郡 · 주천현酒泉縣 · 천정구현泉井口縣

백제 : 정촌井村

신라 : 정읍현井邑縣 · 탕정군湯井郡(충청남도 온양시) · 정촌현井村縣을 비롯하여, 이름만 남고 위치를 모르는 냉정현冷井縣 · 천상성泉山城 · 사정성沙井城 따위가 있다(권제33 잡지 제5 「지리」).

4) '정락井落'을 마을의 대명사로도 썼다

김정희金正喜(1786~1856)의 시(「청계의 복거에 씀寄題靑溪卜居」)이다(부분).

錦山秀而冶	금산 빼어나게 아름답고
錦水淸且冽	금수 맑고도 차구나
脩竹靑琅玗	키 큰 대나무 푸르러 낭간 솟고
簷葍花如雪	첨복이라 흰 꽃 눈 같으이
井落開小境	작은 터에 생긴 마을
一笠圍茆楔	삿갓처럼 동그란 모정茅亭 한 채

『완당전집阮堂全集』 제9권 「시」

청계는 누구인지 모른다. 중국에서 짙은 녹색 또는 청록색의 반투명한 비취를 낭간이라 부르며, 아주 아름다운 것은 청낭간靑琅玗이라 한다. 첨복은 치자나무의 다른 이름이다.

5) '시정市井'은 마을과 저자를 이른다

시정은 인가가 모여 있는 곳을 가리키며 이밖에 저자의 뜻으로도 썼다. 장사꾼을 낮추어 부르는 '시정아치'가 그것이다. '시정배市井輩'도 저잣거리의 장사꾼을 나타낸다.

『고려사』에 '노관盧珀(?~?)은 시정 출신으로 성품이 약삭빨랐다. 최충헌崔忠獻(1149~1219)이 이부吏部 원외랑員外郎으로 삼자, 기세가 날로 사나워지더니 뇌물 주고받기에 거리낌이 없었다'는 기사가 보인다(권29 열전 42 반역 3 「최충헌」).

한편, 우리도 중국처럼 우물을 마을의 대명사로 썼다.

6) '정井'은 신령스러운 글자이다

───────

정자가 든 유물은 5세기에 고구려에서 시작하여 6~7세기에는 신라에서, 8~10세기에는 일본에도 널리 그리고 오랜 동안 퍼졌다. (…) 이는 삼국 전 영역에서 가장 광범위하고 빈번하게 나오는 글자 중의 하나로 200여 점이 넘는다. 통일신라시대의 안압지 유적에서만 60여 점이 선보였다(하범영 2008 ; 1~60).

───────

이들 가운데 대표적인 것이 6세기 후반의 경주 호우총壺杅塚에서 나온 구리 주발 밑에 돋을새김한 글이다(井乙卯年 國(岡)上 廣開土地 好太王 壺杅 十). '을묘년(415)에 돌아가신 광개토대왕廣開土大王(391~413)을 기리려고 만든 그릇'이라는 뜻이다. '정井'과 '십十'자에는 아버지의 권위를 높이는 외에 내세의 평안을 비는 장수왕長壽王(413~419)의 소망이 들어 있다. 사진 9가 앞의 글자를 새긴 주발 바닥이고, 그림 1은 글 내용이다.

사진 9

이것이 신라무덤에서 나온 것은 내물왕奈勿王이 37년(392), 고구려에 볼모로 갔다가 46년(401)에 돌아와 이듬해 임금이 되고, 실성왕實聖王 11년(412)에 그의 아들 복호卜好(?~?)가 다시 고구려에 볼모로 갔다가 눌지왕訥祇王 2년(418)에 돌아오기도 하는 등 교류가 잦았던 것과 연관이 있다. 따라서 이것을 고구려에서 신라에 선물로 보냈을 터이다.

그림 1

우물지기에게 바친 토기에 정자를 새긴 것도 적지 않으며, 이는 물이 그치지 않기를 바라는 주술적인 뜻이 들어 있다. 부여 궁남지宮南池에서 나온 정명井銘 선문線紋 암키와, 경기도 하남河南 이성산성 A지구 1차 저수지에서 나온 정명 주발 바닥조각, 경상남도 창녕昌寧 화왕火旺산성의 통일신라시대 연못에서 나온 정자명 납작병, 함안 최종저수지와 안압지에서 나온 같은 글자를 새긴 토기들이 그것이다.

사진 10은 서울 풍납토성 경당扃堂지구에서 나온 단지와 그 어깨에 새긴 '정'자이다.

사진 10

7) 불에 오목하게 우물져 들어가는 자국은 볼우물이다

(1) 보조개를 우물에 견준다.

① 성현成俔(1439~1504)의 시(「녹주하綠洲河」)이다(부분).

月斧纖纖照金椀	월부가 곱디곱게 금 사발 비추니
光輝射面何氳氳	얼굴에 닿는 빛 환 하구나
盈盈兩井搖秋波	넘실넘실 두 우물에 가을 물결 일렁이자
小輔欲蹙微生渦	작은 뺨 오므라져 보조개 판 듯
默默相看不得語	말없이 서로 바라 볼 뿐 입 다물자
望斷芳草靑無涯	아득히 향기로운 풀 푸르기만 하네

『허백당집虛白堂集』「허백당시집」 제4권

'녹주하'는 사막의 오아시스를 가리키는 낱말로, 중국 감숙성과 청해성 사이의 기련산祁連山(5,547미터) 일대에 있다.

'월부…'는 당 태화太和 때(827~835), 중국 하남성 등촌시登封市의 숭산嵩山(1,440미터)에 오른 이가 보자기 베고 자는 사람을 만나 '어디서 왔느냐?' 묻자, 웃으며 '그대는 저 달이 칠보로 이루어진 것을 아는가? 늘 8만 2천 호가 손을 보는데 내가 바로 그

중의 하나'라며 보자기를 열었더니 그 안에 도끼와 자귀 두어 자루가 들어있었다는 고사에서 왔다. 이 뒤부터 월부는 글 잘 짓는 것을 이르게 되었지만, 이 구절에서는 금 사발과 함께 달의 다른 이름으로 쓰였다.

'넘실넘실 두 우물'은 보조개를 작은 소용돌이에 견준 말이다.

② 한용운韓龍雲(1879~1944)의 시(「예술가」)이다(부분).

———

나는 서투른 화가여요

잠 아니 오는 잠자리에 누어서 손가락을 가슴에 대히고, 당신의 코와 입과 두 볼에 새암 파지는 일까지 그렸습니다.

『한용운 시전집』

———

이밖에 움푹 팬 곳의 우물도 볼우물이라 한다.

(2) 우묵한 눈을 깊은 샘에 견준다.

성현成俔의 시(「만랄가국 사람滿剌加國人」)이다(부분).

———

鬆髮森森半彫額	거친 머리 뭉치고 이마에 문신
麤容一一渾漆黑	험한 얼굴 칠흑처럼 검구나
兩顋磊磈高於丘	두 뺨 불룩 튀어나와 언덕보다 높고
深井眼花如鬼蜮	깊은 샘처럼 우묵한 눈 귀역 닮았네
駃舌啁啾語不辨	격설이 지저귄 듯 말 못 알아 들으니
半帶南蠻半西域	반은 남만사람 반은 서역사람인 듯

『허백당집』「허백당시집」제4권

———

외국인을 지나치게 깔보았다.

말랄가는 지금의 말레이시아 반도의 항구도시 말락카Malacca이며 옛적에는 왕국이었다.

'이마에 새긴 것'은 옛적 남방 소수민족의 습속인 이마에 놓은 꽃무늬花紋를 가리킨다. 귀역은 귀신이나 사람 눈에 띠지 않으면서 사람 그림자에 독기를 쏘아 병들게 하는 물에 사는 독충 물여우이다. 『시경』에 '귀신이나 물여우는 보이지 않거니와, 너는 뻔뻔스레 얼굴 들어 끝없이 사람을 보는구나'라는 구절이 있다(「小雅 何人斯」). 본디 남을 몰래 해코지한다는 뜻이지만, 이 글에서는 추악한 모습을 나타낸다.

격설은 꽥꽥대는 왜가리 소리로, 남만南蠻의 알아들을 수 없는 말에 견주었다. 『맹자』에 '지금 남만의 왜가리 혀를 놀리는 사람이 주장한 것은 선왕先王의 도가 아니라'는 기사에서 왔다(「膝文公章句」上).

8) 작고 오목한 샘은 옹달우물이다

여상현呂尙玄(1914~?)**의 시**(「호접도胡蝶圖」)**이다**(부분).

————

있어서 질거운 것, 더 많이 서러운 님아

잊어버리고

옹달우물가 외로운 사슴처럼 서글퍼 눈물짓던 흐므륵한 너의 달밤과

서뿔리 말고삐를 고누던

『칠면조七面鳥』

————

'옹달우물가의 외로운 사슴'이라니 이보다 더 외로운 존재는 없을 터이다.

9) 바가지로 푸는 우물은 박우물이다

백석白石(1912~1996)**의 시**(「백화白樺」)**이다.**

————

산골집은 대들보도 기둥도 문살도 자작나무다

밤이면 캥캥 여우가 우는 山도 자작나무다

그 맛있는 모밀국수를 삶는 장작도 자작나무다

그리고 甘露 같이 단샘이 솟는 박우물도 자작나무다

山너머는 평안도 땅도 뵈인다는 이 山골은 온통 자작나무다

『백석시 전집』

———

바가지로 푸는 곳은 우물이 아니라 샘이므로 '박샘'이라야 옳다.

1930년대에 시인이 함경도 자작나무 숲을 돌아보고 지은 시이다.

5. '우물'의 분포지역

우물에는 우물계·운굴계·움물계·웅굴계 따위가 있다(최학근 1977 ; 152~153).

———

ㄱ 우물계

　　경상북도(영주·봉화·울진·청송·군위·예천·김천)

　　경상남도(창녕·부산)

　　충청북도(청주·연풍·괴산·보은·단양·음성·제천)

　　충청남도(조치원·예산·부여·청양·서천·홍성·천안)

　　전라남도(진상·담양·영암·광주)

　　강원도(영월·원성·춘성)

　　제주도(전역)

　　전라북도(익산)

　　평안남도(용강·강계)

ㄴ 운굴계

　　강원도(도계)

　　황해도(거의 전지역)

ㄷ 움물계

　　평안남도(전 지역)

'우물' 분포도

황해도(전 지역)

함경북도(회령·종성·온성)

평안북도(전 지역)

함경남도(전 지역)

경기도(파주)

강원도(양양·강릉·삼척)

ㄹ 웅굴계

경상북도(거의 전 지역)

경상남도(울산·울진·평해)

강원도(삼척·호산·옥계·도계·양양·강릉)

―――――

다음은 『한국언어지도』의 설명이다.

―――――

'우물'의 방언형은 크게 '우물'계와 '샘'계로 나누고, '샘'계에서 다시 '새미'계를 갈라낼 수 있을 것이다. 이는 다음과 같다.

① '우물'계 ; 우물 움물 운물 웅굴

② '샘'계 ; ㉮ 샘 샴 새암 시암

㉯ 새미 새미물 새매 시미 새물

③ 기타 ; 물통 우물통 등

'우물'계는 경기, 강원 전역과 경북 동반부에 걸쳐 있다. '우물'계에서는 '우물'보다 '움물 / 운물'이 더러 쓰이는데 조금 특이한 형태로 '웅굴'이 강원, 경북 동부에 몰려 있는 것이 눈길을 끈다. '웅굴'은 '움굴'의 'ㅁ'이 뒤의 'ㄱ'에 동화된 형태로 보이고, 그렇다면 '우물'도 애초 '움굴'처럼 'ㄱ'을 가진 형태에서 유래된 것이 아닐까 하는 추측을 일으킨다.

'샘'계에서는 '샘'이 그 중 큰 세력으로 주로 충북, 경북에 분포한다. 이에 반해 충남, 전북에서는 '시암'이 많이 쓰이고, 경남은 '새미'계로 독자적인 세계를 이루었다. 그리고 제주도는 '물통'으로 또 다른 세계를 이루어서 주목된다.

———

　'우물'의 방언형을 크게 '우물'계와 '샘'계로 나눈 것은 사리에 어긋난다. 이 둘은 이름처럼 다른 것이기 때문이다.

　한편, 한글학회에서 낸 『우리말큰사전』(1991)과 국립국어연구원의 『표준국어대사전』(1999) 따위의 사전류에서 두레우물을 '두레박으로 물을 긷는 우물'이라고 새긴 것은 잘못이다. '두레'는 '두레반'처럼 '여러 사람'이라는 뜻이다. 음식을 여러 사람들이 둘러앉아 먹는 것을 '두레 먹는다', 마을 가운데의 한데(공동)우물을 '두레우물'이라 부르는 것도 마찬가지이다. 또 북한에서 나온 『조선대백과사전』의 '드레우물은 드레박을 이용하는 우물'이라는 설명도 옳지 않다.

3장
우물의 종류

우물은 벽을 친 형식 따위에 따라 여섯 가지로 나눈다.

---

1. 맨우물
2. 귀틀우물
3. 옹기우물
4. 돌우물
5. 도르래우물
6. 길고우물桔橰
7. 물레우물轆轤
8. 용두레
9. 펌프pump

---

1. 맨우물

맨우물은 물이 솟는 데까지 땅을 파기만 하였을 뿐, 벽을 쌓지 않은 우물이다. 가장 원초적인 형식으로 여기 저기 많이 있었을 터이지만 유적으로 남은 것은 아주 드물다. 무너지기 쉬운데다가 고고학도들의 관심도 엷었던 탓이다.

그림 2는 신라시대 주거지인 경기도 화성시 청계리 1호 유적에서 선보인 맨우물이다. 통桶처럼 위아래의 형태가 같으며 크기는 179×146센티미터에 깊이 1미터이다. 썩돌을 뚫어서 바닥을 2단으로 꾸몄다(황보경 2015 ; 135).

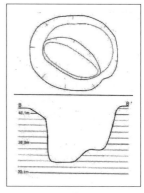

그림 2

2. 귀틀우물

귀틀우물은 통나무나 한쪽을 평평하게 쪼갠 널을 우물 정井자 꼴로 짜 맞추어서 벽으로 삼은 우물이다. 옛적 강원도 산간지대에서 벽을 귀틀로 짜고 나무 사이를 흙으로 메워서 지은 집도 귀틀집이라 불렀다.

사진 11은 충청남도 논산시論山市 연무읍鍊武邑 마전리麻田里에서 모습을 드러낸 전형적인 귀틀우물이다. 지금까지 알려진 가장 오랜 청동기시대(전 10세기)의 것으로, 100×902센티미터의 널을 네모로 짜고 빈틈은 잔나무쪽으로 메웠다. 사진 12는 옆모습이다.

사진 11

시대가 지나면서 어린이나 물긷는 이의 안전을 도우려고 우물 주위에 귀틀을 짜서 박아두게 되었다. 대표적인 것이 사진 13의 전라북도 정읍시 산외면 오공리 김동수네 귀틀 전이다(1971년 5월). 강원도나 경상도의 산간지대에서는 동굴이 나무를 엇갈아가며 쌓기도 한다. 사진 14는 강원도 평창군 봉평면의 한데우물 모습이다(1969년 6월). 귀틀에 깡통 두레박을 걸어놓았다.

사진 12

사진 13   사진 14

3. 옹기우물

옹기우물은 바닥을 뗀 옹기를 쌓아올려서 벽으로 삼은 우물이다. 깊이에 따라 한 개에서부터 서너 개를 이어 쌓는다.

사진 15(ⓒ 윤영기)

한 개짜리는 충남 부여읍 관북리官北里의 것으로 둥근 것(사진 15)과 네모꼴 두 개가 나왔다. 보고서에는 공방지로 올랐지만 둥근 토기 아래에 길게 깔아놓은 기와는 물을 흘려보낸 우물 자취로 보인다.

삼국시대의 대구시 칠곡 택지유적에서도 옹기 우물 넷이 나왔다. 이들 가운데 둘만 설명한다.

그림 3은 1지구 26호로 입 지름 20센티미터에 깊이 1.34미터이다. 바닥을 뗀 붉은 옹기 여섯 개를 쌓아서 벽으로 삼고 바닥에는 자갈을 깔았다. 옹기 한 개의 높이는 30~40센티미터이다. 형태는 위가 너르고 아래가 조붓한 화분형이며, 다섯 번째와 여섯 번째 옹기 사이에 납작 돌을 덧대어 힘을 보탰다.

그림 4는 위아래 지름이 모두 26센티미터이며 깊이는 60센티

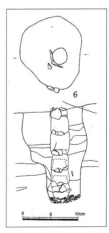

그림 3

미터쯤이다. 둥글게 판 벽 한쪽에 바닥을 뗀 붉은색 옹기 두 개를 이어 붙였다. 바닥에는 4~7센티미터의 납작 돌을 깔고 연결부위는 다른 토기를 덧붙였다(김창억 1996 ; 519~520).

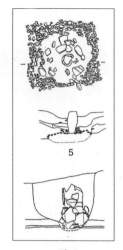

그림 4

카네카타 마사키鍾方正樹는 '이 형식은 일본보다 아주 이른 시기에 널리 퍼졌을 가능성이 높다'고 하였다(2003 ; 88).

같은 것이 전라북도 부여읍 가탑리佳塔里와 익산시益山市 왕궁면 왕궁리王宮里에서도 나왔다. (☞ 105~106)

사진 16은 경상북도 경산시慶山市 하양읍河陽邑 대학리大鶴 里의 것으로 우물 벽에 대신한 푸레독이다. 입 지름 90센티 미터에 바깥지름 1미터이며, 몸통은 높이 65센티미터에 두 께 2.8센티미터이다. 무게를 받을 수 있도록 위에 좁은 입술 을 붙이는 외에(사진 17), 어깨에 띠를 둘러서 힘을 실었다.

사진 16

사진 17

한편, 호남지방에서는 옹기로 구운 전도 썼다. 사진 18은 전라북도 군산시 옥구군 서수면 도르래우물의 것으로, 입 지름 74센티미터에 높이 59센티미터이며, 밑 지름 62센티미터이다(원광대학교박물관 소장).

주위에 두툼한 입술을 붙이고 좌우 양쪽에 두레박줄 구멍을 뚫었다. 또 그 아래에 줄 셋을 돋을새김하고, 사이에 물결무늬도 베풀었다(사진 19). 물이 마르지 않기를 바 라는 뜻으로 새긴 크고 작은 물고기 두 마리가 보인다(사진 20).

같은 것이 전라남도 무안군 몽탄면에서 발견된 것을 보면 널리 퍼진듯하다.

사진 19(ⓒ 오승환)

사진 18(ⓒ 오승환)

사진 20(ⓒ 오승환)

4. 돌우물

크고 작은 냇가의 돌이나 반듯하게 다듬은 돌로 벽을 친 우물이다. 이 형식은 근래
까지 널리 퍼져 있었다.

사진 21은 대구광역시 수성구壽城區 시지동時至洞에서
발견된 6~7세기 우물의 입이고, 사진 22는 벽 모습이다.
네 귀의 구멍은 지
붕이 있었던 것을
알려준다. 바닥에서
복숭아씨·목탄·
깨진 토기 따위가
나왔다.

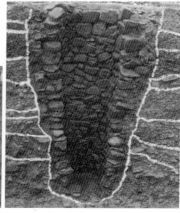

사진 21

사진 22

5. 도르래우물

　도르래우물은 우물 양쪽에 세운 기둥 위에 가로대를 걸고 가운데에 도르래를 붙박아서 물을 푸는 우물이다. 도르래에 걸친 줄 양쪽에 두레박을 매달면 줄을 당기는 데 따라 하나는 올라가고 다른 쪽은 내려간다. 쇠 도르래는 일제강점기에 들어왔다.

　사진 23은 전라남도 보성군 득량면 오봉리 강골마을 조병엽네 도르래우물이다. 왼쪽이 안채이고 우물은 부엌 반대쪽인 안마당 동쪽에 있다. 입 주위에 시멘트로 네모꼴 물 확을 짓고(남북 1.34미터에 동서 79센티미터이고 높이 55센티미터이다) 널 덮개를 마련하였다(사진 24). 깊이는 10미터이며 확에서 물까지는 2미터이다.

사진 23　　　　　　　　　　　　　사진 24

　지금도 쓰는 작은 도르래는 높이 18센티미터에 너비 12센티미터이며 바퀴 너비는 6.6센티미터이다(사진 25). 지붕 들보에 달린 줄에 붙박고 두레박 줄을 양쪽으로 걸었다.

　사진 26은 지붕 들보 가운데에 감아놓은 굵은 철사(길이 40센티미터)에 매단 물음표꼴 고리에 걸었다. 도르래 자체와 도르래집의 보존을 위해 쇠 조각을 둘렀다. 높이 18센티미터에 너비 12센티미터이고 바퀴 너비는 17센티미터이다.

사진 25　　　　　　　사진 26

플라스틱두레박을 줄 양쪽에 매달아서 하나를 당겨서 물을 푸면, 다른 하나는 내려간다. 사진 27에서 안주인이 퍼 올린 물을 대야에 쏟는다. 사진 28은 지붕 기둥에 매달아 놓은 옛적의 작은 도르래이다. 예비용인가?

한편, 『고려도경』의 도르래 우물 관련 기사는 우리가 일찍부터 쓴 것을 알려준다. (☞ 260)

사진 27

사진 28

사진 29는 도르래 옆모습이고, 사진 30에 제조회사 이름을 찍은 것이 보인다.

조선시대 학자나 시인 묵객들의 글에 녹로轆轤가 등장하지만, 다음의 ①처럼 '도르래'를 가리키는 것은 아주 드물고, 흔히 두레박의 뜻으로 썼다(②).

이들을 보기로 든다.

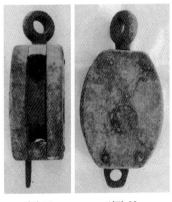

사진 29   사진 30

① **서거정**徐居正(1420~1488)**의 시**(「금헌 김자고 집에서 취해 돌아와 이튿날 써서 **부침**琴軒金子固家醉歸明日題寄」)**이다**(부분).

玉露溥溥金風緊	흰 이슬 흠뻑 내리며 서풍 세게 불더니
芙蓉已老兼葭冷	연꽃 이미 시들고 갈대숲도 썰렁하네
陰陰簾幙淸畫長	어둠침침한 휘장 해는 길기만 하고

轆轤宛轉響桐井	도르래 또르르 우물 난간 울릴 제
高人坐撫一張琴	고상한 사람 앉아 거문고 타니
峨洋眞趣深復深	아양의 참다운 정취 깊기도 하구나

『사가시집四佳詩集』 제50권 「시류詩類」

김자고金子固는 김뉴金紐(1420~?)로 행서와 초서를 잘 썼다. '고상한'은 중국의 백아伯牙(?~?)와 종자기鍾子期(전 387~전 299) 고사에서 왔다.

백아는 거문고를 잘 타고 종자기는 그 소리를 알아들었다. 높은 산에 뜻을 둔 백아가 거문고를 타자, 상대는 '좋구나, 태산泰山 모습 같도다' 하였고, 흐르는 물流水에서 뜯자 '좋구나, 광대한洋洋 강하江河 같구나' 일렀다. 이처럼 백아의 생각을 다 알았다. 그 뒤 종자기가 죽자 백아는 자신의 소리를 아는 사람이 없다며 거문고를 부숴 버리고 다시 타지 않았다고 한다. 이에서 '끊긴 거문고 소리'를 죽은 친구에 견주기도 한다(『列子』「湯問」).

② **송상기**宋相琦(1657~1723)**의 시**(「연구의 운자에 맞추어 박여후 태순에게 보임次聯句韻示朴汝厚泰淳」)**이다**(부분).

半夜嚴風凍碧池	간밤 모진 바람에 푸른 연못 얼고
禁林殘雪亦多時	금림에 잔설 쌓였구나
銀蟾送彩籠簷角	은빛 밝은 달 처마 끝에 어리고
玉虎凌寒臥井眉	도르래 추위 견디며 귀틀에 누웠네
鑾掖恩榮知我忝	난액의 영광 내 분수에 넘치지만
錦囊才思見君奇	그대는 금낭의 재주보다 뛰어나네

『옥오재집玉吾齋集』 제1권 「시」

박여후朴汝厚는 박태순朴泰淳(1653~1704)이다.

3·4구절에 한 겨울의 추위가 운치있게 드러났다. 난액鑾掖은 난파鑾坡의 시신侍臣이라는 말이다. 난파는 당대唐代 한림원翰林院의 별칭으로 우리네 승문원承文院이나 예문관藝文館과 같다.

'금낭錦囊의 재주'는 박태순의 뛰어난 글 솜씨를 가리킨다. 당의 이하李賀(790~816)가

걸으며 시를 지을 때마다 어린 종이 들고 따르는 비단 주머니에 넣었다가, 저녁에 돌아와 펴보면 가득 차 있었다는 고사에서 왔다.

6. 길고우물桔橰

길고는 물가에 세운 기둥 위에 긴 장대를 걸고, 한쪽에 두레박, 반대쪽에 돌을 달아맨 것이다. 줄을 당겨서 두레박을 우물에 넣었다가 물이 찼을 때 줄을 놓으면 돌의 무게로 저절로 올라온다.

길고의 본디 고장은 중국이며 우리는 함경북도 산간지대에서 썼다. 황해도 안악고분 벽화에도 보이지만 널리 퍼지지는 않았다. 한편 북한에서 용두레라고 부르는 것은 잘못이다. (☞ 59~61)

그림 5는 양강도(함경북도)의 길고우물이다. 가위다리꼴로 벌어진 짧은 받침대에 올려놓은 장대 한쪽에, 같은 굵기의 나무 토막을 잡아매고 다른 끝에 두레박줄을 걸었다. 그리고 우물에 귀틀 전을 놓았다.

'길고'를 처음 실은 문헌은 1517년에 나온 『훈몽자회』이다. '길桔'은 '믈자새 길', '고橰'는 '믈자새 고'라고 새긴 뒤 '길고는 냇가에서 쓰며 흔히 수차라고 한다

그림 5(ⓒ 조선향토대백과)

桔橰用於河 俗稱 水車'고 덧붙였다. 따라서 이는 길고가 아니라 무자위이다.

1778년의 『북학의北學議』도 중국 『농서農書』의 옥형玉衡 · 용미龍尾 · 통거筒車와 함께 길고를 들고 '널리 퍼뜨려야 한다'고 덧붙였을 뿐이다. 1798년의 『재물보才物譜』는 길고를 '급수구汲水具 · 룡두레'라 하여 전혀 다른 기구로 다루었으며, 1820년의 『물보物譜』도 드레, 같은 무렵의 『사류박해事類博解』도 '믈자이'라고 새겼다. 더구나 이들은 농서가 아니라 한자를 우리말로 새긴 사전이므로 기댈 것이 못된다. 또 『과농소초課農小抄』처럼 우리 농기구를 다룬 농서류에도 보이지 않는다.

1886년에 나온 『농정촬요農政撮要』 기사이다.

─────

만일 물길引水之道이 전혀 업셔 가뭄걱정乾枯之憂을 막을 도리 업는 곳은 논밭 사
이田畝之間에 깁히 우물을 파고(掘井흐고) 길고를 만드러 전무田畝에 주급注汲한다
(12장 「論農器」).

─────

'깁히 굴정흐고'를 보면 저자 정병하鄭秉夏(?~1896)가 길고를 알고 쓴 듯하지만, 실
제로 썼는지는 의문이다. 일본 학자들이 20세기 초부터 낸 여러 농기구 관련 서책
에 보이지 않는 것도 증거의 하나이다. 또 1969년 이후에 벌인 전국적인 조사 때도
발견되지 않았고 썼다는 이야기도 듣지 못하였다. 우리와 달리 일본에서 이용하였
지만 그것은 18세기 이후이다. 따라서 우리를 거치지 않고 중국에서 바로 들어갔을
터이다.

실상이 이러함에도 고려부터 조선시대에 이르는 시인 묵객들의 시에 비교적 자주
등장하지만, 길고의 실체를 모른 채 중국 문헌의 것을 지레 짐작으로 들었을 뿐이다.
그리고 이들을 우리말로 옮긴이의 잘못도 있다. 그들 또한 '코끼리를 더듬은 장님'이
었던 것이다.

고려 및 조선시대 문헌이나 문학작품에 등장하는 길고를 살펴보면 길고류와 용두
레류 두 가지가 있다.

1) 길고류

① 이색李穡(1328~1396)의 시(「느낌을 읊음有感」)이다(부분).

─────

功名憂病巧相侵　　공명과 근심 걱정에 시달려
白髮年來不滿簪　　이제 흰 머리털 비녀도 꽂지 못하네
懶與桔橰同俯仰　　천천히 길고처럼 오르내리며
誓從鄕里便浮沈　　세상 따라 마음 펴고 살기 바라네
寒聲送雨來泉石　　찬 바람 비 보내 샘에 뿌리고

清影隨風散月林　　맑은 그림자 바람 따라 달 숲에 흩어지네

『목은고牧隱藁』「목은시고牧隱詩稿」 제13권

───────

『장자』에 '그대는 어째서 당기면 올라가고 놓으면 내려가는 길고를 보지 못하였는가?' 물었다는 기사가 있다(「天運」). 이는 남이 하는 대로 따라 하여 세상을 조금도 거스르지 않는 것을 가리킨다.

② 김종직金宗直(1431~1492)의 시(「물에 막혀 금산 촌장에 머물며 진보에게 부침金山村莊阻水寄鎮甫」)이다(부분).

───────

鷄竿使者卸征駒　　금계사자 가던 길 멈추고
阻雨關山剩滯留　　관산의 비에 막혀 머무네
桔槹已失低昂勢　　길고 벌써 오르내리지 못하니
猩狂須寬縲絏愁　　이곳에 갇힌 시름 견딜 수밖에
咫尺東隣同萬里　　가까운 동쪽 이웃 만리 떨어진 듯
佇聞林外一聲鳩　　숲 밖의 비둘기 소리 서서 들으리라

『점필재집佔畢齋集』「점필재시집」 제4권

───────

길고가 본디 사람이 당기고 놓는 데 따라 움직이는 데서, 비 때문에 길이 끊겨서 꼼작할 수 없는 사정을 빗댄 것이다.

번역자가 '계간사자'를 '금계사자'로 옮겼지만 무슨 뜻인지 알 수 없다.

③ 신흠申欽(1566~1628)의 시(「동파의 운을 빌림次東坡韻」)이다(부분).

───────

解職無拘束　　벼슬 물러나 자유로운 덕에
足以娛歲年　　세월 즐겁게 보내고 있네
往哲有微言　　옛 어른들
魚不可脫淵　　고기는 못을 못 떠난다 일렀지만
桔槹誠可恥　　길고처럼 살기 부끄러워
未老當歸田　　늙기 전에 전야로 돌아가려네

———

남 따라 생각 없이 살지 않고 전원으로 돌아가겠다는 뜻이다.

④ **이덕무**李德懋(1741~1793)**의 글**(「조자의 유호축에 씀題趙子遊湖軸」)**이다.**

———

조자趙子의 성격이 뻣뻣하니 마땅히 길고처럼 오르내리는 것을 달갑게 여기지 않을 것이다. 그러므로 자연에 그대로 두어서 마음대로 읊고 노래하고 웃고 떠들게 두는 것이 좋다.

만일 그의 성령性靈을 어겨서 좁은 서울에 얽매 둔다면, 반드시 미친병이 도질 것이다. 나의 이 말을 그가 어찌 여길지 모르겠다.

남산촌사南山村士 씀(『靑莊館全書』 권4 「嬰處文稿」 2).

———

성격이 강해서 남을 따르지 않는다는 말이다.

조자는 조귀명趙龜命(1691~1737)이다. 영희전永禧殿 참봉參奉에 뽑혔으나 사퇴하였고, 공조좌랑 · 태인현감泰仁縣監 따위도 받지 않았다. 성리학에 밝고 문장에 뛰어났다.

앞 사람의 시(「가을의 여러 느낌을 적음秋日雜題」)에 '용두레처럼 세상 따라갈 마음 없어俯仰無心逐桔槹 / 가난 원망 않고 꿋꿋이 지내네迂疏不怨隱蓬蒿'라는 구절이 있다(『청장관전서』 권2 「영처시고」 2).

2) 용두레류

① **서거정**徐居正**의 시**(「농가田家」)**이다.**

———

家家野飯蕨芽香	집마다 들밥 내가자 고사리 향기롭고
鰪罷田頭笑語長	밭머리에서 먹고 웃으며 떠드는구나
可是今年春水足	올 봄 참으로 비 넉넉히 내려
桔槹閑立送斜陽	용두레도 한가히 석양에 섰구나

용두레가 '한가히 석양에 섰다'는 말에 농촌의 풍년이 떠오른다. 그것은 어떻든, 길고가 무엇인지 모른 번역자가 용두레로 잘못 옮겼다. 다음 시들도 마찬가지이다.

② 이윤李胤(1462~?)의 시(「병인년 9월 6일, 공석택지 및 세 아우 전·육·여와 함께 거제도 주봉에 올라가 바다를 바라보며 호毫 자 운을 얻음丙寅九月六日與公碩擇之暨三弟腆育篸登巨濟主峰望海得豪字」)이다(부분).

我欲測以蠡	표주박으로 헤아리고
我欲汲以橰	용두레로 알려고 들었네
疎狂不量身	거친 성품 돌아보지 못하니
無乃祇自勞	한갓 스스로 고단할 뿐이네

『동문선』 권3 「오언고시」

불가능한 일을 이루려고 헛된 짓을 한 것은 모두 자신의 거친 성품 때문이라는 탄식이다.

③ 신흠申欽(1566~1628)의 글이다.

도정道政을 마치고 돌아오면 책임은 더 무겁고 힘도 더 들게 마련이므로 공公이 성문 밖에서 말한 대로 자유롭지 못할 것이 틀림없네. 그러나 나아가서 무슨 일을 하든지, 물러나 제 일을 하든지, 결과가 같음에도 왜 꼭 물러나려드는가? 나는 용두레桔槹일세. 공은 나아가 할 일이 없음에도 물러설 줄 모르는 내게 왜 묻나? 평소에 생각한 것, 스스로 품었던 것들을 차례로 적어서 작별 인사로 가름하네(『상촌선생집』 제22권 「送海西鄭觀察賜湖序」).

벼슬자리를 떠나려는 친구에게 자신처럼 꾹 참고 지내라는 말이다.

④ 『숙종실록』 기사이다.

신익상申翼相(1634~1697)은 조정이 오이처럼 노론과 소론으로 갈리자, 송시열宋時烈(1607~1689)이 조부申應榘를 내친 것에 한을 품고 소론의 무리가 되었다. 갑술년 경화更化 때, 특별히 팔좌八座에 승진, 얼마 뒤 태부台府에 들어갔지만 정사는커녕 남구만南九萬(1621~1711)과 유상운柳尙運(1636~1707) 붙좇기를 용두레桔橰처럼 하였다. 늘그막의 절개에 대해서는 더 말할 것이 없다(23년[1697] 11월 3일 「行判中樞府事 申翼相 卒記」).

'갑술년 경화'는 정권의 주도권이 갑술년에 다시 바뀐 것을 말한다.

⑤ 신익상은 『한민족문화대백과』·『두산백과』·『인명사전』 따위에는 전혀 다른 사람으로 올랐다. 맨 앞 책의 간추린 기사이다.

검열檢閱·봉교를 거쳐 오랫동안 사관史官으로 있으면서 사실을 올바로 기록하여 명성을 얻고, 1672년에 홍문록弘文錄에 올랐다. 숙종肅宗 즉위 후 남인이 득세하자 충청도 아산에 은거했다가, 1680년(숙종 6)에 도승지·부제학·대사성을 거쳐 평안도관찰사를 지냈으며 뒤에 우의정이 되었다.
교리 적에 복창군福昌君 정楨 등을 처벌할 것과 시무時務를 논한 상소를 올려서 임금이 선견지명을 인정하였다. 시문에 능하고 필법, 특히 전서篆書에 조예가 깊었다.

그렇다면 『숙종실록』 기사는 당파가 다른 사관의 모함인가?

⑥ 정약용丁若鏞(1672~1836)의 시(「유월 사흘날 비내려 절에 머물며滯寺六月三日値雨」)이다(부분).

田家憫苗枯	모 말라들어 애타는 농부
君子所悲酸	군자도 가슴 아프네
枯橰竟夜鳴	용두레 밤새 삐걱대고
百夫爭井欄	귀틀에서 백 사람 다퉈도

點滴救燋釜	타는 솥에 물방울 셈이니
力浩功則屛	힘만 들 뿐 효과는 없구나

『다산 시문집茶山詩文集』 제5권 「시」

―――

바쁘게 움직이는 용두레 사이, 귀틀에 둘러서서 물다툼을 벌이는 사람들 모습이 선하다.

⑦ 『**심리록**審理錄』 기사이다.

―――

정조 임금의 말이다.

"전주全州 이유신李維愼(?~?)의 옥사에 관련된 가장 중요한 증인 엇만이가 심문 때마다 용두레처럼 말을 바꾸는 것이 두 번째 의문이다"(제21권 「1790년 10월」).

―――

용두레가 오르내리듯 바꾼다는 말이다.

⑧ 『**일성록**』 기사이다.

―――

정조 임금의 말이다.

"그대의 좋은 점과 나쁜 점을 나만큼 아는 사람이 없다. 그대는 솔직한 것이 병이지만 좋은 점이기도 한다. 지금까지 버리지 않은 이유가 이것이다. (…) 김종수金鍾秀(1728~1799)에 대한 그대의 성토는 (…) 모두 옳으므로 유배지에서 처형하라 이르겠다.

그러나 법전에 구애받지 말고 사실을 조사하여 왕법에 따라 벌을 주라는 말은 잘못이다. 법은 쇠나 돌처럼 불변하는 것이므로 용두레처럼 바꾸면 안 된다. 그는 참으로 말할 것도 못 되는 위인이지만 일찍이 의정을 지냈고, 이제 70세가 넘었으니 전례를 깨뜨리며 국청鞫廳을 설치하여 고초를 줄 수는 없다"(정조 18년 [1794] 4월 6일 「대사간 김이성金履成(1739~?)의 상소에 대한 비답」).

―――

임금의 너그러운 인품이 잘 드러나면서도 법을 어길 수 없다는 단호함이 두드러진 말이다. 벌을 먼저 묻자는 대사간에게 예우를 해야 한다고 타이르는 말도 새겨둘만하다.

⑨ **정약용**丁若鏞**의 시**(「서호 부전도에 씀題西湖浮田圖」)**이다**(부분).

───────

下田多水常苦雨　　아래의 무논 비오면 넘치지만
高田高燥旱更苦　　메마른 고지대 가물면 난리나지
西湖浮田兩無憂　　서호의 부전 두 쪽 다 걱정 없어
歲歲金穰積高庾　　해마다 풍년이라 큰 곳간 넘치네
苗根常與水面齊　　벼 뿌리 늘 물에 잠긴 덕분에
暴亢無聞桔槹響　　호되게 가물어도 두레박 쓰지 않네

『다산 시문집茶山詩文集』 제5권 「시」

───────

⑩ 『**충청감영계록**忠淸監營啓錄』 **기사이다.**

───────

모내기가 늦고 가뭄이 깊어서 힘을 곱절 들여 샘물이 나올 때까지 땅을 파야 합니다. (…) 때가 늦어 농사를 망칠까 염려되어 두레박틀桔槹을 마련하지 않았습니다. 만약 한 국자의 물이라도 나는 곳이 있으면 갑절로 들어가는 공을 아까워 않고 옮겨 심도록 해야겠습니다(「高宗」 13년[1876] 6월 초7일).

───────

'때가 늦어 농사를 망칠까 염려되어 두레박틀을 마련하지 않았다'니 무슨 뜻인가? '한 국자의 물'은 가뭄의 정도를 알리는 정확한 표현이다.

7. 물레우물轆轤

물레우물은 우물 양쪽에 세운 낮은 기둥에 둥근 가로대를 걸고 한 끝에 손잡이를 붙박아서 물을 긷는 우물이다. 손잡이를 물레 돌리듯이 돌리면 가로대에 걸린 두레박

줄도 감기거나 풀리고 이에 따라 두레
박이 오르내린다.

그림 6이 그것으로 함경도 일부 지
역에서 썼을 뿐, 중부 이남으로는 퍼지
지 않았다. 앞 지역에서는 두레우물이
라 부른다.

녹로를 처음 소개한 『훈몽자회』는
'녹轆'을 '믈자애 녹', '노轤'를 '믈자애

그림 6(ⓒ 조선향토대백과)

로'라고 새긴 뒤, 우물에서 물을 긷는다며 중국 이름도 같다고 덧붙였다. 이어 『역어유
해』는 '자애'라 하여 무자위로 다루었다.

한편, 1748년에 나온 만주말 자습서 『동문유해同文類解』는 '수두水斗'를 '드레', '통
량桶梁'을 '드레 ㄱ릇세'라고 풀었다. 수두는 문자 그대로 두레박이고, 'ㄱ릇세'는 물
레우물의 굴대이므로, 곧 '두레우물 굴대'라는 뜻이다. 따라서 앞의 기사는 만주의 두
레우물을 소개한 것에 지나지 않는다. 또 뒤에 나온 『북학의』의 녹로는 도르래 우물의
잘못이므로 연관이 없다.

1779년에 선보인 만주말 소개서 『한한청문감韓漢淸文鑑』의 녹로 새김(우물의 ㅈ애)
은 『동문유해』와 같지만, 통량을 '통우희 ㄱ릇세'로 새겨서 차이를 보인다. 이는 '물통
위에 가로 걸어서 손잡이로 삼거나 물지게 고리를 거는 막대기'를 가리키는 까닭이다
(김광언 1986 131~132). 실제로 통량을 물통 손잡이로 새겨야 함에도 1798년의 『재물보才
物譜』와 1820년의 『물보物譜』는 앞에서 든 『동문유해』의 새김을 따랐다. 생각 없이
그대로 베긴 탓이다. 1856년의 『자류주석字類註釋』은 '녹'을 '무쟈애 녹', '노'를 '무쟈
애 노'라고 하여 『역어유해』를 본떴다.

길고우물처럼 물레우물이 주로 중국어 자습서에 등장할 뿐, 우리 농서에 보이지 않
을 뿐더러, 일제강점기와 그 뒤의 여러 보고서류에 실리지 않은 점 따위는 널리 쓰지
않은 것을 알려주는 반증이다.

실상이 이러함에도 조선시대의 시인 묵객들은 다투어가며 녹로에 관한 시문을 남
겼다. 본 일도 없으면서 중국문헌의 것을 짐작으로 읊어댄 것이다.

녹로에 관한 시문도 도르래류, 두레박류, 물레류 따위가 있다.

1) 도르래류

① **이규보**李奎報(1168~1241)**의 시**(「혜문 장로 수다사 팔영에 차운함次韻惠文長老水多寺八詠」·석정石井)**이다.**
대사의 시에 '물 나르던 중 가버리고 산에 달 떠오르자 아주 맑은 거울이 차갑게
담긴 가을빛이네汲罷僧歸山月上 十分淸鏡冷涵秋'라는 구절이 있다.

轆轤聲斷睡寒虯　도르래 소리 끊기고 이무기 잠들자
石罅狂噴自在流　돌 틈 사이로 막힘없이 흐르네
水性人心若無垢　물처럼 사람에게도 마음의 때가 없다면
不須憑仗月輪秋　굳이 가을 달 바퀴 부러워 않으리라

『동국이상국전집東國李相國全集』 제2권 「고율시」

용이 되려다가 사람의 방해로 뜻을 못 이룬 큰 구렁이가 이무기라는 전설이 있지
만, 이 시의 이무기는 용을 가리킨다. 지기인 용이 잠든 틈을 타서 샘물이 자유롭게
흐른다는 말은 아주 새롭다.

② **윤두수**尹斗壽(1533~1601)**의 시**(「경진년[1580] 이월 보름날, 해주 고산사에서 해주목사 황경문, 사제 유수
월정과 함께 묵다. 회암 선생의 '열두 봉우리 앞에서 바다의 달이 밝도다十二峯前海月明'라는 구절을 읊조리다가 운을
따라 각기 세 수 짓다. 감사 최복초 왔다가 공무로 먼저 돌아감庚辰二月十五日 海州高山寺 與海牧黃景文及舍弟留守月汀同宿
朗詠晦庵先生十二峯前海月明之句 遂步其韻 各得三首 監司崔復初亦來會 因公幹先歸」)**이다**(부분).

황경문黃景文 정욱廷彧의 시이다.

臥聞古甃轆轤聲　누워 옛 우물 도르래 소리 들으니
却喜胡僧亦有情　스님도 정 있어 도리어 기쁘구나
解我淸愁因病渴　소갈 앓는 처량한 심사 풀어 주려고
一瓶新汲露華明　이슬처럼 맑은 물 새로 길어 보냈네

『오음유고梧陰遺稿』「시」

소갈은 당뇨병과 같은 병으로 물을 자주 마셔야 한다.

2) 두레박류

① 정약용丁若鏞의 시(「가을의 마음秋心」)이다(부분).

───────

金井寒煙鎖碧梧   우물가 차가운 연기 푸른 오동 감싸고
轆轤聲斷度啼鳥   두레박 소리 끊기자 까마귀 울며 나네
偏知日沒星生際   이제 잘 알겠네, 해 지고 별 뜰 무렵의
銷得黃昏一刻殊   저물녘 시간 보내기 어려운 줄을

『다산 시문집茶山詩文集』 제2권 「시」

───────

금정金井은 궁궐이나 정원의 우물을 아름답게 나타낸 말이지만, 시인은 실제로 금정이라는 곳으로 귀양을 갔다. 그곳에서 특히 해가 저물 때 여러 가지 상념에 사로잡혔을 터이다.

② 김시습金時習(1435~1493)의 시(「궁전宮殿」)이다(부분).

───────

桐花已謝玉階傍   오동꽃 이미 시든 섬돌 옆
人靜香銷月傳廊   달은 고요히 향불 꺼진 행랑으로 드네
百尺轆轤聲正緊   깊은 우물물 긷는 두레박 소리 한창인데
羊車疑過屋西廂   임금의 수레 궁궐 옆 서쪽으로 간 듯

『매월당전집梅月堂全集』 제2권

───────

양거는 양이 끄는 수레이다. 한 무제武帝(전 156~전 87)가 궁전에서 타고 다니다가 수레가 멈추는 곳의 궁녀와 동침하자, 모두 길섶의 풀에 소금을 뿌려서 양을 꾀었다고 한다.

3) 물레류

① 신흠申欽의 시(「성균관 대사성 이민구 만사挽詞成均館大司成李敏求」)이다.

———

羊曇多涕淚	양담은 하염없이 눈물 흘렸고
杜甫每酸辛	두보는 늘 가난에 시달렸지요
亂世猶榛梗	혼란한 세상 가시덤불 여전히 막히고
邊陲尙戰塵	변방은 아직 전란으로 어수선한데
乾坤轉深阻	하늘과 땅 갈수록 험악해져
回首想陶甄	머리 돌려 도공의 물레 떠올립니다

『상촌선생집』 부록 3 「만사」

———

'도공의 물레'는 옹기 따위를 빚을 때 흙덩이를 올려놓고 발로 빙빙 돌려서 손으로 형태를 잡는 둥근 나무 판이다.

양담(?~?)은 동진東晉 사람으로 외삼촌이자 재상인 사안謝安(320~385)의 사랑을 듬뿍 받았다. 그가 죽자 여러 해 동안 음악을 멀리했고 서주로西州路에서 밖으로 나오지 않았다. 일찍이 크게 취한 탓에 주문州門까지 갔다가 슬픔을 주체 못하여 조식曹植(192~232)의 '살아서 화려한 집에서 살더니生存華屋處 / 죽은 뒤에 산언덕으로 돌아갔구나零落歸山丘'라는 구절을 읊조리고 통곡한 뒤 돌아온 적도 있다.

당의 두보杜甫(712~770)는 시성詩聖으로 불렸음에도 평생 가난에 시달렸으며, 난리를 겪는 중에 아들이 굶어죽기까지 하였다.

② 정약용丁若鏞의 시(「원진사 일곱 수를 지어 아내에게 줌蚖珍詞七首贈內」)이다(부분).

———

아내가 누에치기를 매우 즐거서 서울에 살면서도 해마다 실을 잣는 까닭에 이 시를 짓다.

盆中納繭數宜明	질솥에 앉힌 고치 수효 잘 맞추고
莫把斠兒信手傾	국자로 함부로 뒤집지 말아야하네
熱竈熏蒸絲易爛	아궁이 불로 고치 익으면

繅車須向轆轤鳴   씨아 향해 물레 돌리는 소리 울리누나

『다산 시문집茶山詩文集』 제1권 「시」

———

씨아는 목화의 씨를 빼는 틀이고, 물레는 솜이나 털
따위를 자아서 천을 짜는 기구이다.

그림 7은 19세기 김준근金俊根의 풍속도('녀인 방적하는
모양') 가운데 물레로 실을 잣는 장면이다.

그림 7

8. 용두레

용두레는 세모꼴로 묶은 장대 위에서
내린 줄에 좁고 길게 판 배船꼴 그릇을 매
달고 손잡이를 당겼다가 밀어서 웅덩이의
물을 건너쪽으로 떠 옮기는 기구이다.

사진 31은 1970년대에 충청북도 문의
면에서 물을 떠 옮기는 장면이다.

이밖에 웅덩이가 깊으면 가로대 한 쪽
을 언덕에 걸고 물을 퍼서 떠넘기기도 한
다. 사진 32는 1969년 여름, 극심한 가뭄
이 들자 전라남도 고흥군 봉래면 나로도에
서 웅덩이의 물을 떠서 논으로 옮기는 모
습이다.

따라서 깊이가 아주 낮은 샘이라면 모
를까, 우물에서는 쓸 수 없다.

**(1) 조선시대 농서에 실린 용두레 관련 기사
이다.**

사진 31(ⓒ 김가운)

사진 32

① 『**북학의**北學議』(1778년간)

———

용두레로 물을 뜰 때 바가지를 이용하는데, 그 안에 담긴 물이 그네 뛰는 모양
같고 아주 둔해서 우습다(「農蠶總論條」).

———

'바가지'는 번역자의 잘못이다.

② 1779년의 『한한청문감』에서 '오룡烏龍'을 '룽드레'라고 새겼지만 '오룡烏龍'의 '烏'
는 '鳥(조)'의 잘못일 터이다. 나아가 '오룡'이 옳다고 하더라도 용두레와는 아무 연관
이 없다.

③ 1798년의 『재물보才物譜』에서 '桔槹 급수기汲水器 룽두레'라고 하였지만, 앞에서 든
대로 길고는 용두레가 아니다.

④ 『**응지진농서**應旨進農書』(18세기 말)

———

물웅덩이는 낮고 땅은 높아 물을 대기 어려운 곳에서 긴 작대기 셋을 위는 모아
묶고 아래는 솥발처럼 벌려 세웁니다. 삼태기 모양으로 판 나무 끝에 손잡이가
달린 것을 매달고 물 흐름에 거슬러서 키를 까부르듯 흔들어 물을 떠 옮깁니다
(「水利具」).

———

용두레에 대한 가장 올바른 설명으로 '키 까부르 듯한다'는 대목이 썩 어울린다.

9. 펌프

펌프는 입을 덮은 우물에 지름 10센티미터쯤의 긴 관을 박고 손잡이를 위아래로
움직여서 물을 길어 올리는 시설이다. 물을 뜨기 전 마중물을 부어서 위의 마개를

막은 다음, 손잡이를 아래로 내리면 밑의 마개가 열리면서 물이 관으로 들어 들어오고, 다시 올리면 위의 마개가 열리면서 물이 흘러나온다. '왕복펌프'라는 이름은 이에서 왔다.

우리나라에는 일제강점기에 일본에서 들어왔으며, 1980년대 무렵에는 모터를 장치해서 수도처럼 꼭지를 틀면 바로 물이 나오는 '자동펌프'가 선보였다. 이에 따라 두레박이 필요 없는 따위의 대변신이 일어난 것은 물론이고 우물자체가 사라지는 원인이 되기도 하였다.

사진 33

사진 33의 안쪽으로 위의 마개가 보인다.

사진 34는 경상북도 구미시 상모동上毛洞에 있는 박정희朴正熙(1917~1979) 전 대통령 생가 펌프에 마중물을 붓는 모습이고, 사진 35는 물이 쏟아져 나오는 장면이다. 우물

사진 34

사진 35

사진 36   사진 37

입을 흙으로 덮지 않고 펌프를 나무 판에 설치한 외에, 한 우물에 두 대를 박은 것이 눈을 끈다(사진 36). 사진 37의 몸통에 '환대식丸大式'이라는 일본글자가 보인다.

농촌에서는 펌프의 손잡이를 위아래로 움직이는 것이 작두로 풀을 써는 동작을 닮았다고 흔히 작두샘이라고 불렀다. (☞ 539)

사진 38에서 충청북도 제천시 한수면의 아낙이 물을 잣고 있다(1982년).

사진 38(ⓒ 김가운)

4장

옛적우물

—

1. 고구려

1) 황해남도 안악安岳 제3호 무덤의 그림

그림 8·9는 안악군 오국리에 있는 4세기 흙무지돌방무덤 벽화의 길고우물이다. 북한에서 한때 미천왕美川王(300~331)무덤이라고 하더니, 오늘날에는 주인공을 고국원왕故國原王(331~371)으로 바꾸었다. 이밖에 전연前燕의 모용황慕容皝(289~357)을 따르다가 336년에 고구려에 망명하여 357년에 죽은 동수冬壽의 것이라는 설도 있다.

① 『안악 3호분 발굴보고서』 기사이다.

그림 8

그림 9

북벽에는 정#이란 글자를 붉은 것으로 썼으며 용드레우물을 그렸다. 용드레의 제양은 긴 기둥을 땅에 꽂고 그 꼭대기에 가늘고 긴 막대를 걸쳐 코를 꿰뚫어 저울처럼 움직이게 한 것으로서 추를 단 것이라든지 코를 꿰뚫은 것은 요즈음 자강도(함경북도와 평안남도의 일부) 일대에서 많이 볼 수 있는 그것과 조금도 다름이 없다. 그 안에 있는 우물은 네모진 우물전이 있고 부근에 밑이 약간 뾰족한 자배기 한 개와 큰항아리 두 개가 있으며 또 그 앞에는 물동이와 긴 구유통 같은 설거지통이 놓여 있다. 그리고 우물 시울에는 바로 井자 모양의 귀틀을 만들고 거기에 판자를 붙여 허리쯤까지 올라오도록 만들었으며, 그 옆에는 큰 머리를 한 녀인이 우물 귀틀을 잡고 서 있는데 그 우에는 '아광阿光'이란 두 글자를 붉은 글씨로 썼다(1957).

───

우리겨레 붙이들이 살던 중국 길림성 용정시龍井市에 같은 이름의 우물이 있지만, 근래 새로 꾸민 것이다. 그러나 이것은 한 눈에 보아도 용두레가 아니라 중국의 길고 우물 그대로이다. (☞ 743~751)

또 널쪽을 길이로 세워서 꾸민 귀틀도 중국식이다. 우리는 널이 아닌 통나무로 쌓았으며 정읍 가정리의 것을 빼면 모두 가로로 걸었다. 이러한 점에서 주인공은 미천왕이나 고국원왕이 아니라 전연前燕의 동수일 가능성이 있다.

보고서의 '긴 구유통 같은 설거지통'은 '설겆이용'이 아니라 마소에게 물을 먹이는 구유이다. '아광'은 우물물을 긷는 하녀인가?

2008년에 나온 『조선향토대백과』에 양강도兩江道(동은 함경북도, 서는 자강도, 남은 함경남도, 북은 압록강과 두만강을 사이에 두고 중국에 닿은 지역)와 자강도(압록강 중류지역) 일대에서 썼다고 적혔다.

② **그 내용이다.**

───

드레우물에는 드레박이 달린 드레대가 달린 것도 있는데 이를 용드레우물이라고 하였다. 용드레우물은 우리나라 북부지대 즉 평안도와 함경도 산간지대에 많았는데 그것은 지레대와 같은 원리로 된 드레대가 있는 것이 특이하였다.
이러한 형식의 용드레우물이 고구려무덤벽화에 그려져 있는 것으로 보아 그 유래가 매우 오래다는 것을 알 수 있다. 용드레우물이 우리나라 북부산간지대에 널리 분포되어 있는 것으로 미루어 보면 추운 겨울에 맨 손으로 물에 젖은 드레 박줄을 다루기가 어렵기 때문에 드레대를 이용하는 우물이 생겨났고 또 그것이 널리 보급되었다고 할 수 있다. 그것은 기원전에 북방에 위치하였던 고구려인민 들이 사용하였다는 사실로써 더욱 확증된다(2008 ; 18『민속』315).

앞 책에서 길고우물을 그림으로 대신한 것을 보면 2000년대에는 자취를 감춘 듯 하다. 땅에 박은 가위다리꼴로 갈라진 나무에 장대를 걸고 같은 굵기의 나무토막을 덧붙였다. 그리고 점점 가늘어진 반대쪽에 두레박줄을 걸었다. 동구리나무로 짠 귀 틀은 옛 모습 그대로이다. 이러한 기구는 1960년대 중반에 강원도 평창군 일대에도 있었다.

'겨울에 맨손을 쓰기 어려워서 드레대를 이용하는 우물이 생겼다'는 말은 그럴 듯 하나, 실제로는 중국에서 들어왔을 터이다.

2) 평양시 역포力浦구역 용산리龍山里 정릉사定陵寺

정릉사는 고구려 시조 동명왕東明王(전 37~전 19)의 명복을 빌려고 왕릉을 옮기면 서 지은 5세기 초의 유적이다. 절은 근래 다시 지었으며, 북한에서 국보유적 제137 호로 지정하였다(사진 39).

사진 39

① 우물에 대한 『고구려의 건축』기사이다.

벽돌로 특별히 품을 들여 정연하게 축조한 8각형 모양의 우물 벽이 드러났다. 우물터 맨 바깥쪽 가녘에는 잘 가공한 돌로 두 돌기로 된 기단을 쌓았다. 기단의 높이는 20센티미터 정도이다. 우물터의 8각형 기단 한 변 길이는 2.8미터이고 중심점을 지나는 대각선의 길이는 6.2미터이다.

우물터 변두리의 기단 돌로부터 70센티미터 안쪽으로 들어와 벽돌을 전면에 걸쳐 깔아 놓았는데 벽돌들이 밖으로 밀려나가지 않도록 8각형 한 변에 5장 이상씩의 벽돌들을 길이로 세워 놓았다. 벽돌로 포장한 부분의 길이는 4.8미터이고 그 한 변의 길이는 2.1미터이다. 이처럼 우물터에 벽돌 포장까지 한 것은 정릉사

우물에서만 볼 수 있는 독특한 것이다. (…) 동쪽과 서쪽은 수평으로 되어 있고 남쪽과 북쪽의 높이 차는 15센티미터이다. (…) 물이 남쪽 도랑으로 잘 흘러내리도록 하기 위해서였다고 추측된다.

사진 40이 우물이고 사진 41은 여덟 모 전 안 모습이며, 사진 42는 반듯하게 다듬은 돌로 쌓은 벽이다.

사진 40(ⓒ 조선향토대백과)

사진 41(ⓒ 문화재청)

사진 42(ⓒ 문화재청)

정릉사 우물 벽은 밑으로부터 4각형, 8각형, 원형, 다시 8각형으로 비교적 정연하게 쌓아올렸다. 우물의 제일 밑에는 (…) 4각형의 나무방틀이 놓여 있었다. 방틀 한 변의 길이는 1.2미터이고 높이는 50센티미터이다. 4각형의 방틀은 두 단으로 되어 있으며 그 높이는 1.6미터이다. 우물 벽의 두 번째 부분은 8각형으로 이루어졌으며 (…) 4각형의 네 모서리를 3각형으로 죽여 8각형이 되게 하는 방법으로 돌을 올려 쌓았다. (…) 세 번째 부분에는 큰 돌들을 둥글게 가공하여 원형으로 쌓아올렸다. 이 부분은 올라가면서 약간씩 넓어졌다가 다시 좁아져 입면상으로는 마치도 배부른 기둥형식을 나타내고 있다. 원형 부분의 석축 높이는

12돌기에 7.5미터이다. (…) 맨 위 부분은 다시 8각형으로 쌓아올렸는데 (…) 거의 무두 허물어져 안으로 또는 밖으로 떨어져 내렸다. (…) 높이는 1.5미터 정도에 이르며 지표면 위 (…) 8각형의 우물 시설과 면과 각이 꼭 맞게 되어 있었다. 우물 바닥은 암반이 나올 때까지 판 다음, 굵은 모래와 잔자갈을 붉은 진흙에 섞어서 50센티미터의 두께로 잘 다졌다. 그 위에 길이 40센티미터, 너비 30센티미터, 두께 20센티미터 크기의 돌을 4각형으로 돌려놓고 나무방틀을 설치하였다. (…) 이 첫 부분에서부터 맨 위층의 세 번째 부분까지의 우물 벽 총 높이는 13미터 정도에 달한다. 여기에 우물 바닥까지 (…) 포함시키면 우물 벽의 실지 총 높이는 13.5미터 정도이다. (…)

많은 퇴적물이 꽉 차 있던 3개의 퇴적층 가운데 제1퇴적층의 (…) 두께는 2.45미터이며 (…) 발방아와 물방아의 목재 부분품들, 단지, 투구, 방패, 쇠 보습, 보습덧날, 작은 짐승 뼈들이 나왔다. (…) 제2퇴적층은 (…) 두께 2.35미터로 (…) 불 탄 나무와 가래(식물)이 많이 나왔다. 그리고 위 부분에는 너구리, 노루, 사슴, 범 등의 동물 뼈가 통째로 파묻혀 있었다. (…) 큰 짐승들이 통째로 나오기는 처음이다. 제3퇴적층은 (…) 두께 7.7미터이며 (…) 불 탄 나무, 발방아 공이(돌 제품), 붉은 기와조각, 벽돌 및 각종 질그릇 조각이 포함되어 있었다. 이들은 주변에 있던 유물들이 흘러들어간 것으로 추정된다. (…) 이들은 철제품 5종에 6개, 목제품 5종에 43개, 질그릇 같은 도제품 10종에 121개, 짐승 뼈 11종에 622개, 식물류 1종에 335개, 돌제품 3종에 3개로 모두 35종에 1,130개이다. (…) 이 외에 우물주변에서 망(맷돌)과 연자방아 돌들이 새로 드러났다. 기와쪼각들도 일부 수집되었는데 거기에는 '절 사'자가 새겨진 것들도 있으며 어떤 질그릇에는 '정할 정定'자가 쓰여 있었다.

우물 구조 형식은 이미 고산동에서 발굴된 고구려시기 우물과 완전히 같다. (…) 이 우물은 5세기 초 고구려가 평양으로 수도를 옮기면서 동명왕릉과 함께 정릉사를 건설할 때 함께 축조되어 사용하기 시작한 것으로 인정된다. 우물 안에서 (…) 나온 유물들로 미루어보아 (…) 폐정될 때 큰 재난을 당하여 의식적으로 메워버린 것으로 인정되는데 그때가 바로 외래 침략자들의 의하여 고구려가 자기의 존재를 마치던 7세기 후반기였다고 생각된다(진인진 2009 ; 158~160).

———

이 우물은 시조에게 올리는 제사에 쓰려고 마련한 국정國井일 터이므로 '동명왕 우물'이라 불러야 그럴듯하다. 이를 테면 왕릉·우물·사당(절)은 뗄 수 없는 삼위일체三位一體인 까닭이다. 신라시조 박혁거세朴赫居世(전 57~4)의 나정蘿井과 그 아내의 알영정關英井이 시조부부의 탄생과 연관이 있다면, 이 우물은 시조 동명왕의 재생을 위한 것으로 보아도 좋다. 이 글 가운데의 방틀은 앞에서 설명한 귀틀이다.

그림 10은 입면도이다. 조금 흘쭉한 3~4단에 견주어 1~2단은 불룩하다. 그림 11은 평면 복원도이다.

그림 10

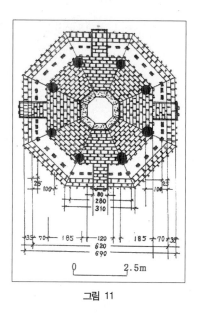

그림 11

이 우물은 다음 여러 면에서 중국 고대의 것을 연상시킨다.

㉠ 전뿐 아니라 바닥을 여덟모로 꾸미고, 벽돌을 세워서 밀리지 않도록 하는 외에 벽돌을 요철로 구워서 끼워 맞춘 점이다.

㉡ 벽을 네모에서 시작해서 여덟모와 둥근 꼴로 바꾸었다가 다시 여덟모로 쌓은 점이다. 중국 고대 우물 가운데 같은 것이 더러 있으며, 백제나 신라에서는 발견되지 않은 반면, 고구려에서는 고산동, 발해에서는 팔보유리정八寶琉璃井과 청해토성靑海土城의 동경수東京水 등지에서도 드러났다.

ⓒ 도르래우물인 점도 그렇다(그림 12). 중국 고대의 왕궁이나 상류가옥에서도 같은 것을 썼음에도 지금까지 우리네 고대 우물에서 도르래와 연관된 유물은 나오지 않은 것은 의문이다. 도르래의 허리를 잘록하게 다듬은 것이 돋보인다.

ⓔ 맷돌 위짝의 입을 좌우양쪽에 낸 점이다(그림 13). 이는 한대漢代의 전형적인 형태이다. 산동성 제남시 산동성박물관의 사진 43이 그것이다. 지금은 중국은 물론 우리 맷돌도 한 구멍으로 바뀌었으며 일본에 없는 것을 보면, 5세기 이후에 퍼진 듯하다.

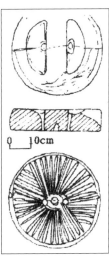

그림 12

ⓜ 바닥에 굵은 모래와 자갈에 흙을 섞어 깔고 방(귀)틀을 박은 점이다. 모래와 자갈은 물을 거르고, 방틀은 흙이 흘러드는 것을 막는 구실을 한다. 절강성 하모도에서 나온 신석기시대 우물에도 같은 것이 있다. (☞ 977) 뒤에 설명하는 팔보유리정과 보마성우물에서도 드러난 것을 보면 오랫동안 이어내린 것이 분명하다.

ⓗ 안에서 발(디딜)방아의 몸채 일부와 돌공이, 물방아의 나무 부품이 나오고, 주변에서 맷돌과 연자매 위짝들을 찾은 것

사진 43

그림 13

은 정릉사에서 늘 쓴 것을 나타낸다. 워낙 큰 절이라 콩을 비롯한 여러 곡물을 끊임없이 찧거나 빻았을 터이다.

보고자는 '폐정될 때 큰 재난을 당하여 의식적으로 메워버린 것으로 인정된다'며 '외래 침략자들'을 이유로 들었지만, 나라가 없어지는 마당에 과연 그렇게 하였는지

의문이다. 투구나 방패라면 모를까, 나머지 유물은 오히려 국가적 재난과 무관할 터이다. 이를테면 그때로는 큰 귀중품인 보습과 볏을 우물에 던진다는 것은 상상할 수도 없다. 통째로 나온 너구리·노루·사슴·범 뼈들도 마찬가지이다. 또 제3 퇴적층에서 나온 질그릇들이 깨지지 않고 본디 모습을 그대로 지닌 것으로 미루어 일부러 넣은 것이 분명하다.

두말할 것도 없이 이들은 신에게 바친 제물이다. 보습과 볏은 농사사의 풍년을, 너구리·노루·사슴·범 따위는 나라의 무사태평을 비는 제사에 바쳤을 것이다. 식물류 335개와 질그릇 같은 도기제품 석 점도 마찬가지이다. 뒤에 설명하는 대로 경주의 신라 우물에서도 제사 때 바친 듯한 짐승 뼈와 질그릇 따위를 비롯한 여러 유물들이 많이 나왔다. (☞ 152~156)

한편, 중국에서 우물지기를 받들기는 하였지만 제물을 우물에 직접 넣지는 않았다. 따라서 이는 우리 방식의 제사법으로 생각되며, 우리를 본 뜬 일본은 더 많이 그리고 여러 종류를 넣었다.

많은 식물류와 11종, 622개에 이르는 짐승 뼈를 더 상세히 밝히지 못한 것이 아쉽다. 그것은 어떻든 규모·구조·형태 어느 것을 보아도 우리 겨레가 마련했던 우물 가운데 가장 빼어나는 문화유산일 뿐더러 세계에 뽐낼만한 자랑거리이다.

② **윤두수**尹斗壽(1533~1601)**의 시**(「서산 휴정 시축에 다시 씀書西山休靜詩軸又」)**이다**(부분).

暫抛蘿月忽然來	잠시 나월 포기하고 홀연 돌아와
飽看江山表裏開	안팎으로 펼쳐진 강산 실컷 보았네
箕子餘民多化鶴	기자 백성 학으로 변한 이들 많고
東明舊井久生苔	동명왕 우물 이끼 낀 지 오래로세
已知浮世如風燭	뜬세상 바람 앞의 촛불이니
莫向昆明嘆劫灰	곤명의 겁회를 한탄하지 말게

『오음유고梧陰遺稿』 제1권 「시」

휴정(1520~1604)은 승려이자 승군장僧軍將이다. 임진왜란 때 금강산에서 1,000여 명의 승군을 모으는 한편, 문도 1,500명의 의승군義僧軍을 순안 법흥사法興寺에 집결시키고

스스로 통솔하였으며, 명의 군사와 함께 평양을 탈환하였다. 선조宣祖가 팔도선교도총섭八道禪敎都摠攝의 직함을 내렸으나 나이가 많다며 제자 유정惟政(1544~1610)에게 물려주고, 묘향산으로 돌아가 나라의 평안을 빌었다.

'기자 백성' 운운한 것을 보면 '동명왕 우물'이 평양시 역포구역 무진리 동명왕릉 앞에 있는 정릉사 우물의 다른 이름일 가능성도 있다.

나월蘿月은 등나무 덩굴 사이로 비치는 달빛으로, 속세를 떠나 숨어사는 곳을 가리키며, '학鶴으로 변한 이'는 세상을 떠났다는 뜻이다. 한대漢代 요동遼東의 정영위丁令威(?~?)가 도술을 배워 신선이 되었다가, 천년 뒤 학으로 변하여 고향으로 돌아왔다는 고사에서 왔다(『搜神記』 권1).

'겁회劫灰'는 세계가 파멸하여 불에 타고 남은 재를 이르는 불교용어이다. 한 무제武帝(전 141~전 87) 때, 곤명지昆明池 마련을 위해 땅을 파자 흑회黑灰가 나왔으나 무엇인지 몰랐다. 동방삭東方朔(전 154~전 93)의 말에 따라 서역西域의 중에게 사람을 보내 알아보니 '천지가 다 타고 남은 재'라고 하였다는 말이 전한다(『御定騈字類編』 권138 「黑灰」).

3) 평양시 대성구역 고산동

사진 44는 처음 드러난 상태의 우물 입이고, 사진 45는 그 안의 벽이며, 사진 46은 돌 전 모습이다. 그림 14는 실측도로, 우물은 국보유적 제172호로 지정되었다. 이러한 자리에 오른 우물은 한·중·일 세 나라를 통틀어 이것 하나뿐이다.

사진 44(ⓒ 문화재청)

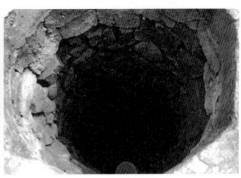
사진 45

사진 46

『고산동의 고구려 우물』 기사이다.

———

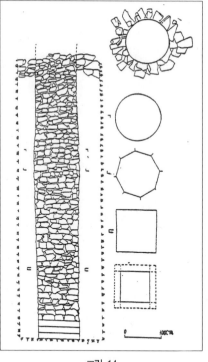

그림 14

우물 벽의 웃면은 지면으로부터 1.0미터 내려가서 나타났다. (…) 우물 벽은 세 단으로 나누어 쌓았으며, 단마다 쌓기 방법이 서로 달랐다. 제일 아래 단에서는 기초 대신에 바닥의 암반 우에 통나무(직경 13~16센티미터)로 50센티미터 높이의 귀틀을 짜서 놓은 다음, 1.7미터 높이까지 사각으로 벽을 쌓았다. 4각 벽 우에서부터 2.65미터 구간까지, 즉 두 번째 단에서는 8각으로 쌓아 올리고, 그 다음부터 원통형으로 쌓아서 마감하였다. 이와 같이 우물은 하나의 형태로가 아니라 4각, 8각, 원통형의 형태로 벽을 쌓은 관계로 직경도 서로 다르다. 즉 맨 아래단에서는 한 변의 길이가 1.15미터이고, 두 번째는 1.20미터, 마지막 구간은 1.05미터이다. 이것은 건축적으로 볼 때 우물의 견고성을 보장하기 위한 고구려 사람들의 높은 역학적 지식을 보여주는 것이라고 생각된다.

우물 벽체형식의 높은 기술적 재능과 함께 돌을 쌓는 데서도 역시 높은 기술을 요구하는 축조방법을 적용하였다는 것을 엿볼 수 있다. 즉 하나의 돌을 중심으로 하여 그 주위를 돌아가면서 6~8개의 돌을 서로 맞물리게 하여 그 견고성을 보장하였던 것이다. 벽체의 두께는 바닥에서부터 꼭대기까지 50센티미터를 보장하였다.

우물 바닥은 달걀만한 강자갈을 5~7센티미터 두께로 깔았다.

우물이 드러난 상태에서의 우물의 깊이는 7.5미터이지만 우물 웃면이 지상으로부터 1.5미터 내려가서 드러난 것을 계산한다면 본래의 깊이는 적어도 9미터가 넘었을 것이다. (…)

유물은 우물바닥에서 1.5미터 구간에서만 드러났다. 유물의 종류는 다음의 단지류, 마구류를 비롯하여 벽돌, 숫돌 등이다. (…)

㉠ 질그릇

우물에서 나온 유물 총 40여 점 가운데 질그릇이 대부분으로 30점을 차지한다. 단지, 버치, 물동이, 몸이 긴 단지, 시루, 뚝배기, 합, 병, 독 등이다. (…)

㉡ 마구류

말 자갈과 말 관자가 나왔다. 말 자갈은 청동으로 만든 두 쪽 자갈이다. 말관자는 한쪽은 가락지 모양으로 되었고, 다른 쪽은 칼집모양으로 넓게 접어 만들고 거기에 가죽을 넣고 리베트를 한 동제품이다.

㉢ 기와

암수기와 모두 붉은 색이다. 암키와 안면에 베천무늬가 있고 겉면에는 멍석무늬 또는 그물무늬가 있으며 그 가운데는 멍석무늬가 대부분이다. (…)

㉣ 벽돌

벽돌은 회색이고 넓은 한 면에만 멍석무늬가 있다. 크기는 너비 15센티미터에 두께 4센티미터이고 진흙에 가는 모래를 섞어서 구웠다. 벽돌의 색깔과 크기는 정릉사 것과 같다.

㉤ 숫돌

둘 가운데 (…) 큰 것은 일정한 장소에 고정시켜 놓고 쓰던 것이며, 다른 하나는 가지고 다니면서 쓰는 작은 숫돌이다.

이밖에 철제품과 조개껍질, 사슴뿔, 썩은 돌배, 복숭아씨, 바가지 조각 등이 질그릇과 함께 나왔다. 새로 발견된 유물 가운데 기와와 질그릇은 평양 교외 대성산성大城山城 건축지에서 나온 것과 색깔, 무늬, 형태 등에서 많은 공통성을 가졌다. 따라서 대성산성과 거의 같은 시기에 만든 것을 알 수 있다(김시봉 1986 ; 43~44).

———

진인진은 앞글을 『조선고고학전서』 28 「중세편」 5로 옮길 때, '몸긴 단지'를 '목긴 단지'로 바로 잡으면서도, 우물 연대에 대해 무슨 까닭인지 '유물들은 이 우물이 고구려시기에 만들어졌다는 것을 보여주는 중요한 자료가 된다'고 얼버무렸다. 대성산성을 4세기말에서 5세기 초에 쌓은 것이 밝혀졌으므로, 우물도 그 무렵에 팠을 터이다.

가장 큰 특징은 여러 가지 유물을 사람이 일부러 넣은 점이다. 질그릇이 깨지지 않은 것도 그렇거니와 귀한 청동 마구류와 숫돌 따위도 마찬가지이다. 더구나 숫돌은 왕을 비롯한 귀족들이 허리에 차고 다니며 썼다. 660년 무렵, 당唐의 장초금張楚金(?~?)이 짓고, 송의 옹공예雍公叡(?~?)가 주석한 『한원翰苑』에도 '허리에 찬 은띠 왼쪽에 숫돌을, 오른쪽에 오자도五子刀를 매달았다'는 기사가 있다(「고구려조」). 신라 임금의 무덤에서 나온 숫돌이 달린 황금 허리띠도 마찬가지이다. 그리고 이들이 바닥에서 150센티미터 지점에서 나온 것은 쓰던 우물을 덮기 전에 제물로 바쳤을 가능성을 알려준다. 한편, 사슴뿔·돌배·복숭아씨·바가지 조각 따위에는 부정을 가시는 외에 농사의 풍년을 기원하는 뜻도 들어 있을 터이다.

우물 벽을 돌로 쌓은 것도 돋보인다. 같은 우물은 삼국시대 다른 유적에서도 발견되며, 청동기시대의 대구시 북구의 동천동유적에서도 나왔다. 이에 대해 카네카타 마사키鍾方正樹는 '조선반도에서는 석조 기술이 분묘나 마을유적에 많이 응용되며, 우물 벽을 돌로 쌓는 기술도 그 가운데 하나이다. 따라서 7세기에 시작되는 일본의 석조형石造型 우물은 조선에서 들어왔을 가능성이 높다'고 적었다(2003 ; 94).

4) 요녕성遼寧省 단동시丹東市 호산촌虎山村

단동시에서 서쪽 15킬로미터 떨어진 관전만족 자치현寬甸滿族自治縣 호산향虎山鄉의 압록강 기슭 호산촌에 있다.

『단동에서 발굴된 고구려 우물유적』 기사이다.

———

1991년 9~12월 사이에 (…) 단동에서 발굴된 고구려 우물유적은 지금까지 알려지지 않았던 귀중한 력사 자료이다.

현재의 지면에서 약 12미터 깊이에서 4각추 모양의 잘 다듬어진 돌로 포장한 반경 14미터정도 되는 평면 부채모양의 시설물이 드러났는데 바로 이 가운데서 돌과 흙으로 메워진 우물이 발견되였다.

우물의 웃부분 직경은 4.4미터 정도이며, 아래로 내려가면서 점차 좁아졌다. 우물 벽은 바닥의 암반을 약간 까내고 그 우에 직접 4각추 모양의 돌로 질서정연하게 쌓아올렸다. 현재 남은 우물 벽의 높이는 11.25미터이며 돌로 축조한 벽은 53돌기로 되어 있다. 우물의 동, 서, 북쪽에는 같은 모양의 돌로 쌓은 돌담이 있고, 남쪽에는 아래로 내려가는 돌계단이 있으며 동쪽으로 돌 포장 면이 많이 연장되어 있다.

우물 발굴과정에서 6미터 정도에서부터 많은 유물들이 드러났다. (…) 특히 눈에 띄는 것은 하나의 통나무를 파서 만든 길이 3.7미터의 쪽배이다. 이것은 거의 온전한 상태로 남아 있었다. 이외에 노대, 쇠꼭지를 씌운 삿대, 널판자, 나무끼움판, 나무앉은가름대, 나무구유, 나무통, 봇나무 껍질통, 나무바리, 호로병 모양의 표주박, 갈대방석, 각종 굵기의 바줄 뭉치, 회색 도기단지, 손잡이가 둘 달린 단지, 민지 둘 달린 쇠 낚시, 쇠추, 물고기 뼈, 새 뼈, 식물종자 등 30여 개의 유물들이 나왔다. (…) 이들 중 회색도기단지와 두 개의 손잡이가 달린 단지는 고구려 중~말기에 많이 보이는 유물들이다. (…)

우물이 압록강과 가까운 데 있다는 것을 념두에 두고 볼 때, 강기슭에 있던 쪽배와 그 안에 있던 물건들을 통째로 옮겨다 우물 속에 처넣었다고 추정할 수 있다. (…) 이것은 어느 시기에 다른 사람들이 우물을 사용하지 못하게 하려는 목적에 의해서 진행된 일이다(리광희 1995 ; 42~43).

———

이 일대가 고구려의 중요 군사요충지였던 만큼, 적이 쓰는 것을 막으려고 넣었을 가능성도 있다.

5) 황해북도 신원군新院郡 장수산성長壽山城

『장수산성 1호 건물터에 대하여』의 간추린 기사이다.

이곳은 약 10.5킬로미터에 이르는 험준한 산의 능선을 따라 쌓은 전형적인 고구려 산성이다. 내외성으로 구성된 산성 안에는 모두 80여 채의 건물터가 있다. 이 가운데 주목되는 것은 외성에서 발굴된 1호 건물터이다. (…)

청회색, 붉은 색, 회색 혹은 흙회색 기와 층으로 이루어졌으며 붉은 기와층 유물 가운데 영가永嘉(307~313) 7년(313) 명銘 벽돌이 있었다.

1호 건물터 서남쪽 10미터 지점에 있는 우물도 건물터를 위하여 특별히 마련된 것이다. 우물은 이미 웃면이 없어지고 지면과 같은 수준으로 남아 있었으며 깊이가 6미터이다. 벽은 장수산에 일대에 흔한 규암을 다각형으로 쌓았으며 형식은 앞에서 든 고산동의 것과 같다.

위에서 4미터 깊이까지의 지름은 1.2미터이고 아래 부분은 66센티미터이다. 바닥 지름은 82센티미터로 고구려의 배부른 기둥과 같다. 물은 지금도 솟아오른다. 건물터는 왕이 유사시에 쓰던 행궁 터로 볼 수 있다(최승택 1991 ; 36~38).

전영래全榮來(?~2011)는 백제의 초기 도읍지를 한강 이남의 위례성慰禮城이 아니라 장수산성 일대로 보았다. 한사군漢四郡의 하나였던 대방군帶方郡의 영토를 백제가 첫 도읍지로 삼았다는 것이다.

『증보문헌비고』에 성에 우물 19개가 있다고 적혔지만, 남은 것은 내·외성의 여섯 개뿐이다. 앞의 것은 삼치골 1호 건물터 남쪽의 것이다(황보경 ; 2015 142쪽에서 재인용).

6) 평양시 문무정文武井

『동국여지승람』에 동명왕이 구제궁九梯宮 안에 문정文井과 무정武井을 팠다는 기사가 있다(권51 평양부 「산천」).

구제궁은 평양시 영명사永明寺 터에 있었다.

① 하연河演(1376~1453)의 시(「문무정」)이다.

長秋雨濕殘苔紋	긴 가을비로 남은 이끼 뒤엉켜
文武井名故老云	마을노인 문무정이라 일러주네
欲弔龍治千古恨	용치 천년의 한을 조문하려니
永明寺北起愁雲	영명사 뒤로 시름 실은 구름 이누나

『경재집敬齋集』 권1「시」

———

'문무'는 훌륭한 재상과 용맹스런 장군이 나오기를 바라는 뜻인가?

황해북도 봉산군 마산리 고읍동에도 같은 이름의 우물이 있다. 『봉산군지』에 '예부터 무사와 문사들이 많이 나와서 이렇게 불렀다. 이곳에 와 살던 당나라 사람들이 메워 버리자 인재들이 나오지 않더니 다시 판 뒤부터 문무를 겸한 인물들이 배출되었다'고 적혔다. 이곳 서원의 '문정文井'도 '문무정'의 준말이라고 한다.

같은 이름의 우물은 여러 곳에 있다. 인천광역시 강화군 교동면 고구리에서는 우물 둘 가운데 문정의 물이 많이 솟으면 문관이, 반대가 되면 무관이 태어난다고 여긴다.

② 이응희李應禧(1579~1651)의 시(「문무정을 보고觀文武井」)이다.

———

井名文武從何意	우물 이름 문무 무슨 뜻인가
認得當年左右穿	옛적엔 틀림없이 좌우로 뚫렸겠지
人亡不食空塡塞	쓰지 않은 탓에 속절없이 메워져
九仞雖深未見泉	아홉 길의 바닥 보이지 않누나

『옥담유고玉潭遺稿』「시」

———

물이 바닥에서 솟지 않고 좌우에서 흘러든다는 말인가? 중국 안휘성에 바닥 양쪽의 물길에서 흘러드는 우물이 있기는 하다. (☞ 중국 ; 사진 342) 그렇지 않다면 우물 이름이 글文과 칼武 두 가지를 나타낸 것인가?

③ 정두경鄭斗卿(1597~1673)의 시(「동명왕사東明王祠」)이다(부분).

———

| 王儉都雄壯 | 단군왕검 도읍지 웅장한데 |

天孫事寂寥	그 옛적 천손의 자취 쓸쓸하구나
怳惚神仙化	아득히 신선되어 갔거니와
興亡歲代遙	흥망성쇠 그 세월 멀고도 머네
獨留文武井	문무정만 예대로 홀로 남아
猶得認前朝	옛 왕조 일 알려주누나

『동명집東溟集』 제4권 「오언율시」

────────

동명왕사東明王祠는 평양시 밖에 있는 숭령전崇靈殿으로 단군과 동명왕을 함께 모셨다. 1429년(세종 11)에 단군을 서쪽, 동명을 동쪽, 곁에 기자사箕子祠를 세웠다. '천손'은 주몽의 탄생설화로, 그가 하백河伯의 딸 유화柳花와 천제天帝의 아들 해모수解慕漱 사이에서 태어난 것을 가리킨다.

한편, 홍귀달洪貴達(1438~1504)은 시(「이참찬과 함께 기성의 풍광을 감상하고 뒤에 적음車輦館 追述箕城遊賞勝跡 同遊李參贊」)에 '기린굴 새로 막히고麒麟宿茅塞 / 문무정 이끼로 뒤덮였네文武井苔封'라는 구절을 남겼으며(『虛白亭文集』 권1 「시」), 임제林悌(1549~1587)의 시(「패강의 노래浿江歌」)에도 '들 풀 문무정에 무성한데野草欲埋文武井 / 모래톱의 새는 백운교로 나는구나沙禽飛上白雲橋'라는 구절이 보인다(『林白湖集』 권2 「칠언절구」). 따라서 15세기 말에서 16세기 중기에는 본디 모습을 많이 잃었던 것을 알 수 있다.

이어 김육金堉(1580~1658)이 호조판서를 거쳐 영의정에 추증된 민성휘閔聖徽(1582~1647)에게 시호를 내려달라고 임금에게 올린 글謚狀에 '공이 전에 평양에 있을 때 문무정을 수리하고 곁에 비석을 세웠다'고 적은 것을 보면(『潛谷遺稿』 제11권 「謚狀」), 그 사이에 손을 댄 것이 분명하다.

이요李㴭(1622~1658)는 『연도기행燕道紀行』에서 '영명사永明寺와 문무정은 모두 부벽루 밑에 있다' 하였고, 김창업金昌業(1658~1721)도 『연행일기燕行日記』에 '부벽루 뒤 문무정과 기린굴을 구경하였다'고 적었지만(상 「日錄」 1656년 8월[3일-21일]), 『노가재 연행일기老稼齋燕行日記』에는 '기린굴은 동명왕 때 인마馬가 나와서 왕이 타고 승천하였으며, 문무정도 그때 팠다고 하나 모두 허물어지고 메워져 돌 언저리만 남았다'는 한탄을 남겼다(제9권 계사년[1713] 3월 24일). 따라서 18세기 초에는 사람들의 기억 속에서 사라졌을 터이다.

7) 평양시 기자정箕子井

기자는 중국 은殷(전 1600~전 1046)나라 태사太師로, 주왕紂王(?~?)의 잘못을 바로잡으려다가 노여움을 산 탓에 조선으로 들어와 전 1100년 무렵, 기자조선箕子朝鮮을 세웠다는 인물이다. 이 나라는 전 195년, 위만衛滿의 침략을 받기 전까지 900여 년 이어내렸다고 한다.

그러나 1485년에 나온 『동국통감東國通鑑』에는 '주왕을 내쫓은 주周의 무왕武王이 조선의 봉후封侯로 삼은 까닭에 평양에 도읍하고 백성들에게 예의범절과 농사짓고 누에치며 길쌈하는 것을 가르쳤다'고 적혔다.

사진 47이 기자정 모습이다. 둥글고 낮은 돌 전에 중국인으로 보이는 여성 둘이 앉았다. 두 손을 모은 왼쪽은 앞을 내려다보고, 모로 꺾어 앉은 오른쪽은 앞 사람의 옆을 지켜본다. 이들 보다 눈에 띄는 이는 동저고리바람에 갓을 쓰고 사진기를 쳐다보는 한국 노인이다.

사진 47

전은 아주 커서 눈짐작에도 2미터가 넘을 듯싶다. 삿갓을 닮은 전에 입술을 붙이고 비스듬히 다듬어서 빗물이 잘 흘러내리게 하였다. 왼쪽 끝에 '기자정'이라고 새긴 비가 있다. 사진 48은 일제강점기의 기자릉이고, 사진 49는 무덤이 없어진 뒤 중국정부에서 봉분을 만들고 세운 비이다.

한편, 일부 역사학계에서 기자조선의 실체를 부정하지만, 평양에 근래까지 기자정이 있었던 것은 사실이다. 옛 시나 기록을 바탕삼아 그 자취를 살펴본다.

사진 48

사진 49

① 하연河演의 시(「기자정」)이다.

───────

井字田中十丈淵	정자꼴 밭 가운데 고랑 열 개
靈源一脈湧涓涓	신령스러운 물 끊임없이 솟누나
元來淸濁關治亂	세상 일 정치에 달렸으니
何讓周家潤德泉	주의 덕 빛내는 샘 보다 못할 것 없네

『경재집敬齋集』 권1 「시」

───────

'정자꼴'은 기자가 베풀었다는 정전제井田制로, 기자정이 '주나라 샘에 못지않다'며 공덕을 기렸다. '정자꼴 밭 가운네 고랑 열'이라고 한 것으로 미루어, 그가 실제로 본 것이 분명하다.

② 권필權韠(1569~1612)의 시(「관서로 부임하는 감사 박자룡 동량을 보내며送朴監司子龍東亮赴關西」)이다(부분).

───────

流傳箕子井	기자정 아직 남아 있고
形勝大同門	대동문 경치 빼어나네
關樹秋先落	관새의 나무 가을에 먼저 잎 떨구고
邊雲暮更繁	변새의 구름 저물녘에 모여들리라
遙知浿水上	먼 패수 가에서 풍악 울리며
歌吹候行軒	그대 행차 기다릴 것이로세

『석주집石洲集』 제3권 「오언율시」

───────

대동문은 평양시 대동강 기슭에 있는 고구려 평양성의 동문이고, 패수는 대동강의 옛 이름이다. '관새'나 '변새'는 평양이 한양에서 먼 곳에 있음을 말한다.

앞 사람은 다른 시(「동사후회에서 지은 연구의 운을 빌림用東槎後會聯句韻」)에서 '마을 연기 기자정에서 오르고人烟箕子井 / 사공루 꽃에 달빛 비치네花月謝公樓'라고 읊조렸다(『석주집』 제3권 「오언율시」).

사공루謝公樓는 남조 제齊나라 시인 사조謝朓(464~499)가 선성태수宣城太守 적에 세웠으며 북루北樓라고도 한다.

③ 이기李墍(1522~1600)의 글이다.

―――

평양 영귀루詠歸樓를 (…) 지나는 곳의 정전井田 터는 밭두둑과 고랑이 뚜렷하고 동서로 뻗친 이랑과 종횡縱橫으로 뚫렸던 길이 모두 곧으며 (…) 정전의 모습과 제도가 그대로 남았다.
길 북쪽 살림집 담 밖의 우물을 기자정이라 한다. 입은 작지만 안은 깊어서 깊이를 모른다(『松窩雜說』).

―――

기자정의 위치를 비교적 정확하게 나타낸 첫 기록이다. 또 '작은 입'은 뒤에 드는 홍대용의 글과, '깊은 깊이'는 『계산기정』의 말과 같다.
영귀루는 대동강 서북쪽에 있으며, 정전은 정전법을 가리킨다.

④ 배용길裵龍吉(1556~1609)의 시(「평양平壤」)이다(부분).

―――

西關形勝已神馳	관서의 명승 빨리 보고파
此日傷心過故都	오늘 마음조이며 옛 도성 지나네
瑟瑟秋風驚短策	우수수 가을바람에 짧은 지팡이 놀라고
荒荒晚日趁長途	어둑어둑 저문녘에 먼 길 달려가네
龍藏古井深千尺	용 깃든 옛 우물 깊이 천척이고
箕畫餘疇耿九區	기자의 정전 경계 아홉 구역 뚜렷하네

『금역당집琴易堂集』 제1권 「시」

―――

제3구에 나그네의 설렘이 잘 드러났으며, 제5구는 기자정이 신비롭다는 뜻이다.

⑤ 허균許筠(1569~1618)도 '정전井田과 기자정箕子井에 가 보았다'는 글(「己酉西行紀」)을 남겼다(『惺所覆瓿藁』 제19권).

⑥ 이식李植(1584~1647)의 시(「다시 절구 세 수 지음又三絶句」)이다(부분).

―――

箕王初畫井爲田　　기자가 처음 정전 마련했다지만

今世相傳只井泉　　지금은 단지 우물만 남았네

九法八條皆簡冊　　홍범구주 팔조금법 모두 책에 있건만

茫茫遺迹草迷阡　　그 자취 밭두둑 풀에 묻혀 아득하구나

- 정전은 지금 알 길이 없다. 단지 보리밭만 그때의 전안田案에 따라 길을 경계로 삼았고, 그 중간의 우물에 기자정이라는 비석을 세웠다. 그러나 이는 정전의 정井자와 다르니 자못 의심스럽다. -

『택당선생집澤堂先生集』 제3권 「시」

―――――

　정전은 기자가 시행하였다는 통치법이다. '정전의 정자와 다르다'는 말은 무슨 뜻인지 알 수 없다.

　'홍범'은 하夏(전 211~전 1600)의 시조 우왕禹王(?~?)이 천하통치를 위해 지은 것으로, 오행五行・오사五事・팔정八政・오기五紀・황극皇極・삼덕三德・계의稽疑・서징庶徵・복극福極 따위로 이루어졌다(『서경』「홍범」). 구주는 낙서구궁洛書九宮에서 본뜬 것을 가리키는 말이다. 낙서는 우왕이 홍수를 다스렸을 때, 낙수洛水에서 나온 신귀神龜의 등에 써있던 글이고, 구궁은 이에 따른 아홉 자리의 방위이다.

　팔조금법八條禁法은 고조선의 여덟 가지 국법이다. 이 가운데 ① 사람을 죽인 자는 사형에 처하고, ② 남에게 상처를 입히면 곡식으로 물며, ③ 도둑질을 하면 종으로 삼는다는 세 가지만 『한서漢書』에 전한다(「지리지」).

　⑦ **송준길**宋浚吉(1606~1672)**이 1671년, 민지숙에게 보낸 글**(「答閔持叔辛亥」)**이다.**

―――――

　'기자묘箕子墓' 석 자는 분명히 한석봉韓石峯(1543~1605)의 글씨이지만 소자小字는 그렇지 않은 듯하네. '기자정箕子井'의 것 또한 의심스럽네. 글씨 두 장을 되돌려 보내니 모두 작은 족자로 만들어 보내 주시게(『同春堂集』 제13권 「書」).

―――――

　기자묘와 기자정에 세운 비석의 글씨가 흐려져서 민지숙(?~?)이 송준길에게 감정을 청하자 의심스럽다고 회답한 내용이다.

⑧ 1614년에 나온 『지봉유설』에 '평양 남문 밖에 기자箕子 정전이 있으며, 밭 가운데의 우물이 기자정'이라고 적혔다(권2 지리부 「田」).

⑨ 홍여하洪汝河(1620~1674)의 시(「고정전가로 대동승 남재원 후를 보냄古井田歌送大同丞南載元爲別」)이다(부분).

大同江水流源源	대동강 끊임없이 흐르고
殷師井地今尙存	기자의 우물터도 남았구나
九疇縱橫法神物	구주는 남북으로 신물을 본뜨고
七十隴畝猶森列	칠십 밭고랑 아직 예 대로이네
森列田廬認八家	빽빽하게 늘어선 농려 팔가로 인정되니
井井方方無側斜	반듯한 모양 비뚤어지지 않았구나

『목재집木齋集』 제2권 「시」

'우물터井地'는 우물 자취만 남았다는 뜻인가?

남재원南載元(?~?)은 장령掌令을 거쳐 정언正言과 승지를 지냈다.

'칠십'은 『동사강목東史綱目』의 '그 가운데 함구문含毬門, 정양문正陽門 사이의 구획이 뚜렷하고 기전箕田의 유제遺制는 모두 전자꼴田字形로 이루어졌으며, 전田에 4구區가 있고 한 구는 모두 70무畝씩이라'는 글에서 왔다.

'빽빽하게'는 옛 정전제에서 사방 900무畝를 1리로 삼고 중앙의 한 구역을 공전公田, 주위의 여덟 구역을 사전私田이라 하여, 여덟 집에서 함께 지어서 거두고 나머지를 세금으로 바친 것을 이른다.

⑩ 『숙종실록』 기사이다.

도신道臣이 평양 기자정의 물이 뒤집혀서 누렇게 흐려졌다는 장계狀啓를 올렸다
(33년[1707] 6월 27일).

평안도 관찰사가 임금에게 '물이 흐려졌다'고 알린 것은 이때에도 기자정을 신령스럽게 여긴 증거의 하나이다. 아니나 다를까, 1707년 4월에 홍역이 퍼지기 시작해서

평안도 백성만 1만 수천 명이 목숨을 잃었고, 이듬해 4월에는 문둥병으로 전국에서 수만 명이 희생되는 재앙이 왔다. 또 심한 가뭄으로 흉년이 들고 이 때문에 전라도 장흥 백성들이 들고 일어나기까지 하였다.

정조임금도 이를 신령스럽게 여겼다. 그의 「숭인전崇仁殿 치제문致祭文」 가운데 '저 너른 평양被平壤 / 태사 다스리던 곳太師所治 / 신령스러운 물 솟는 우물井靈泉 / 밭이랑도 반듯하구나畝遺'라는 구절이 그것이다(『홍재전서』 제21권 「제문」).

그러나 그가 실제로 발걸음을 하지는 않았을 터이다.

기자를 모신 숭인전은 고려 말(1325년)에 세웠으며, 북한에서 국가지정문화재 국보급 제5호로 지정하였다.

한편, 중국으로 가던 홍대용洪大容(1731~1783)도 기자정에 대한 짧은 글을 남겼다(『湛軒書』 外集 10권 燕記 「用器」). (☞ 773~774)

⑪ 윤기尹愭(1741~1826)의 시(「영동사詠東史」)이다.

_____

八家同井盡爲田　　정전을 고르게 여덟 집이 갈아먹던
遺跡至今尙宛然　　그때 유적 지금도 뚜렷하네
若使良謨傳後世　　정전의 좋은 계책 후세에 전했다면
何憂貧富漸成偏　　빈부 걱정하지 않아도 좋았으리

평양부 남쪽 외성外城 안에 정전 유적이 있다.

　　　　　　　　　　　　　　『무명자집無名子集』 시고 제6책 「시」

_____

땅을 고루 나누어 농사를 지으면 모두 고르게 살아서 다투지 않고 평화롭게 지냈으리라는 말이다.

⑫ 「서행록」과 「북행가」의 기사이다.

김지수金芝叟(1787~?)는 「셔힝녹戊子西行錄」에 '인현원仁賢院 츳자가니 긔자箕子의 영정影幀이오, 긔자궁箕子宮 긔자뎡箕子井은 고적이 슴슴ᄒ다'고 적었다.

또 유인목柳寅睦(1839~1900)이 1866년에 지은 「북힝가北行歌」에도 '찰련문車輦院 드러가니 한수정閑似亭이 여긔로다. 긔즈궁터 보랴ᄒ고 오교문 드러가니, 긔즈정 우물우의 단가리 식겨잇다'는 기사가 보인다.

'찰련문'은 '차문원車門院'의 잘못일 터이다. 한수정은 대동강 연안의 정자이고, 인현원은 정양문 안에 있으며, 오교문은 기자궁으로 들어가는 문이다. 단가리는 무덤같은 데 세운 작고 둥근 빗돌 단갈短碣을 가리킨다.

⑬ 『계산기정薊山紀程』 기사이다.

___

평양은 옛 기자의 도읍지이다. (…) 기자 우물곁에 '기자정'이라고 새긴 비가 있다. 깊이는 열 길쯤이며 난간에서 굽어보면 푸른 물빛만 눈에 들어온다(제1권 「出城」 순조 3년[1803] 11월 1일~2일[계새]).

___

'열 길쯤'은 이만저만 깊은 우물이 아니다. 또 '난간에서 굽어보았다'니 19세기 초에도 본디 모습이 남았던 것이 분명하다.

⑭ 『승정원일기』 기사이다.

___

임금이 함녕전咸寧殿에서 서경西京에서 돌아온 대신을 만났다. 왕이 '구주단九疇壇과 기자정이 정말로 성인 기자의 옛 유적이고, 정전도 그때의 제도인가?' 묻자 이근명李根命(1840~1916)이 대답하였다.

"구주단과 기자정은 터만 남았습니다. 구주단은 영묘조英廟朝 때 감사 이정제李廷濟(1670~1737)가 쌓았고, 기자정 비석의 글은 서명응徐命膺(1716~1787)이 지었습니다. 정전은 옛 자취로 처음에 표목標木을 네 귀에 심고 법수法樹라 부르다가, 뒤에 석표石標로 바꾸었다고 합니다"(고종 40년 [1903] 10월 22일).

___

17세기 후반에 잘 보이지 않던 비문을 서명응이 다시 지었다는 말일 터이다.

⑮ 『증보문헌비고』 기사이다.

___

기자정전은 함구문含毬門 밖에 있다. 밭 가운데의 기자정을 세상에서 기자 때 팠다고 한다. 부府 안의 우물과 샘의 물맛이 모두 좋지 못한데, 오로지 이곳만 좋다.

대정大井은 남쪽 30리에, 우정牛井은 동쪽 20리에 있다. 이 두 우물에 용龍이 깃들 었다고 한다(「평양」).

———

'물맛이 좋다'고 하였으니 이때도 물을 길어 마신 것이 확실하다. 따라서 '터만 남고 말았다'는 기사는 비석 따위를 비롯한 주위의 유물이 없어진 것을 가리킬 터 이다.

⑯ 1936년 5월 7일자 『동아일보』 기사이다.

———

약 2천 년 전의 찬란한 옛 문화를 알리는 고고학 상 귀중한 유적 '기자정' 보 존문제가 일반의 주목을 끈다. 서선전기회사西鮮電氣會社에서 80만원을 들여, 올 (1936년)부터 2년 동안 평양시내 전차궤도를 고치면서 일부 구간이 바뀐다. 이 때문에 평양역 앞 경의선철도 창설기념비 옆의 고색창연한 기자정 보존에 문 제가 생겼다. 이 유적은 조선고적보존령에 따라 보존해 온 것으로 평양고적보 존회에서는 '올 안에 기자정 주위에 보호책保護柵을 두르려고 보조금 신청을 하 였다. 서선전기회사에도 설계에 기자정이 들어가지 않도록 교섭할 생각'이라 하였다.

———

「조선고적보존령」은 일제가 우리 문화재를 보존하려고 제정한 법령이다. 평양고 적보존회에서 우물에 보호책을 두르는 외에 전차 노선까지 바꾸려 했던 것을 보면 1936년 무렵에 멀쩡하게 남았던 것이 분명함에도 그 뒤 어떻게 되었는지 알 길이 없다. 아마도 북한 공산정권이 부끄러운 역사라 하여 메워버리지 않았을까? 북한 학 자들의 우물 관련 글이나 2008년에 나온 『조선향토대백과』에 보이지 않는 것이 그 증거이다.

⑰ 그림 15는 윤두수尹斗壽(1533~1601)의 『평양지平壤志』에 들어있는 「평양관부도平壤官府圖」

이다. 남문(그림의 왼쪽)인 함구문含毬門과 외성外城 사이의 네모 그림이 정전이고, 그 안의 둥근 점이 우물이다.

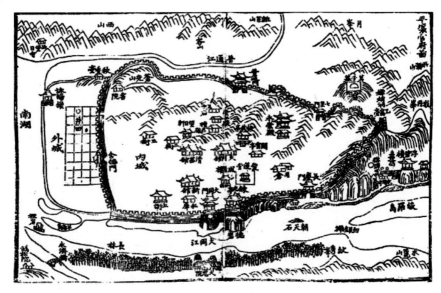

그림 15

기자정을 언제 팠는지 모르지만 조선시대에 있었던 것이 분명하고, 고려시대 사람들이 우물을 파면서 기자정이라고 부르지는 않았을 터이다. 따라서 고려는 물론, 고구려를 거쳐 기자조선시대까지 올라갈 가능성이 높다. 이러한 사실은 기자조선의 실존여부를 가리거나 위치를 가늠하는 데 방증이 될 수 있다. '기자정'을 고구려 우물로 다룬 까닭이 이것이다.

수천 년 이어온 귀중한 무화유산을 20세기 중반에 우리 손으로 없앤 것은 참으로 아쉽고 부끄러운 일이다.

2. 발해

1) 함경남도 북청군北靑郡 하호리荷湖里

그림 16이 청해토성 동경수의 입면도이다. 앞의 것들처럼 여덟모 전을 지녔으며 벽의 배가 불룩하다. 이는 고구려 우물 양식 그대로이다.

『조선고고연구』기사이다.

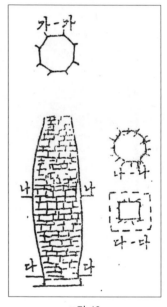
그림 16

―――

청해靑海토성 안에서 동경수東京水라고 불리는 발해시대의 돌우물이 나타났다. (서경안에서도 서경수라는 우물이 드러났다) 이 우물의 축조기술, 건축수법은 발해건축의 고구려적 성격을 바로 해명하는 증빙자료이다. (…)

동경수라는 돌우물 웃면은 8각 평면으로 되어 있고 단면은 고구려, 발해, 고려, 리조 초까지 우리나라에서 흔히 적용하여 오던 목조건물의 배부른 기둥 형태로 되어 있다. (…) 동경수와 마찬가지로 발해 상경 용천부 궁성안의 우물인 팔보유리정도 바로 이런 평면과 단면 형태로 설계되고 시공되었다.

동경수에서의 8각 평면은 고구려 사람들이 주요 건축물 창조에서 가장 많이 써오던 수법이였다. (…) 고구려시기의 정릉사 우물과 평양 대성구역 고산동의 고구려 우물이 그것을 잘 보여주고 있다.

발해시기의 우물을 고구려시기의 우물과 대비하여 보면 매우 유사하다는 것을 알 수 있다. 이것은 그것들의 계승관계를 보여주고 있다(한용걸 1997 ; 31~32).

―――

2) 흑룡강성 팔보유리정八寶琉璃井

사진 50이 우물 정자이고, 사진 51은 여덟모 돌전이며, 사진 52는 내부이고, 그림 17은 실측도이다.

사진 50   사진 51

우물은 755년부터 160여 년 동안 발해의 도읍지였던 상경 용천부上京龍泉府, 곧 지금의 흑룡강성黑龍江省 영안현寧安縣 동경성東京城 옛 궁터에 있다.

깊이 5.6미터에 입 지름 66센티미터이며, 화강암 벽은 입에서 2미터까지 여덟모이고, 나머지 부분은 둥글며 전도 여덟

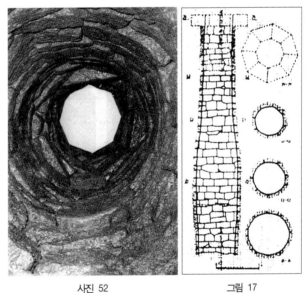

사진 52   그림 17

모이다. 팔각석정八角石井이라는 별명은 이에서 왔을 터이다. 993년의 거란족 침입 때 부서졌던 부분을 1963년에 고쳤으나 그 위의 정자는 예 그대로라고 한다.

① 『발해가는 길』 기사이다.

장분張賁(1439~?)은 『백운집白雲集』에서 '궁전 좌우에 돌로 쌓은 우물이 2개 있는데 백석白石으로 팔각형이 되게 쌓았다'고 했다. (…) 우물에 대한 상세한 역사의 기재가 없지만 (…) 『팔면정』에 따르면 궁정의 우물이 무려 64개나 되었다고 한다.

'팔면정八面井' 유래담이다.

옛 발해국의 젊은이 석통石通이 고깃배를 타고 경박호鏡泊湖에 갔다가 물 위의 수선화 한 송이를 보고 갑판에 놓았더니 흰 옷 차림의 처녀로 변하였다. 둘이 부부가 되었지만 남편은 궁성 축성에 징발되었다. 흙벽돌을 찍으려고 땅을 팠지만 물이 나지 않았다. 그때 수선화가 '제가 수선화로 변하면 꽃을 땅에 꽂으세요. 여덟 개의 꽃잎에 물방울이 맺히면 그곳이 바로 우물 자리입니다' 일러주었다. 그 말에 따랐더니 64곳에서 맑은 샘물이 솟았고 아무리 길어도 줄지 않았다. 그 우물 틀과 벽을 여덟모로 지었다고 하여 팔면정이라 불렀다. (…)

또 양빈楊賓(1652?~1722?)의 『류변기략柳邊紀略』에 '장군 안주호가 사람을 시켜 우물을 파다가 붉은 칠을 한 우물 정자井字나무를 찾았다. 이 나무의 한 변의 길이가 한 자이고 색깔이 매우 선명했다'는 기사가 있다. '(…) 벽은 원형을 이루면서 점차 직경이 넓어져서 (…) 깊이 4미터 구간은 99센티미터이다. 그 아래로 (…) 다시 좁아져서 바닥의 직경은 0.82미터라고 한다. (…) 우물 안에서 철 방망이와 동경銅鏡, 은패銀牌가 나왔다'는 기사가 보인다.

이밖에 장진언張縉(1599~1670)도 『영고탑 산수기寧古塔山水記』에 '오른쪽에 석정石井 두 개가 있다. 이 수석팔각首石八角 우물에 빗물이 가득 괴어 있어 소들이 그 물을 마셨다고 한 것을 보면, 그때 이미 샘이 솟지 않았는가 보다'고 적었다. 전설에 본디부터 물이 솟지 않았다고도 한다. 석통이 우물 판 이야기를 들은 국왕이 어화원御花園과 팔보유리정을 수건修建하라고 일렀다. 수선이 남편과 사흘 동안 향을 사르며 목욕하기를 청하자, 임금은 어악御樂을 울려주었다.(…) 그 뒤 손을 잡고 강물에 들어간 둘은 교룡으로 변해서 경박호로 사라지고 어화원과 팔보유리정도 수건 되었다. 어화원에 8,864종의 꽃이 만발했는데 유독 수선화가 없었고 수건 된 우물에서 물이 솟지 않았다는 것이다.

아마 전설이 생겨날 당시에 팔보유리정은 바닥이 말라 있었던가 보다. (…)

다른 전설은 이 우물에서 용이 승천했다고 한다. 꿈에 경박호에서 거닐던 3대 문왕文王(737~793) 흠무欽茂가 용이 승천하는 것을 보고 그곳으로 도읍을 옮겼으며 이 우물이 용우물이라는 것이다.

동경성東京城에는 용자龍字가 붙은 지명이 많고 그 지명마다에는 전설이 있고 그러한 전설들은 모두가 이 우물과 같이 물과 관련되어 있다. (…)

어느 마을에 물이 없어 곡식을 거두지 못해 굶어 죽었다. 이듬해 봄에 그녀와 아홉 새끼용이 죽은 산 중턱에 갑자기 수정水晶샘이 아홉 개가 솟아서 백리석판과 연꽃 늪에 흘러들었다. 그때로부터 이 늪 이름을 구룡천이라고 했다는 것이다

(류연산 2004 ; 249~252).

———

팔면정은 팔각정八角井과 같은 말이며, '꽃 잎 여덟 개'도 이를 가리킨다. 또 '64개의 우물'은 8의 여덟 배 곧, 팔각정을 강조한 숫자이다.

중국에서는 수선화를 물의 선녀로 여기는 외에 열두 달의 행운으로 삼는다. 그네가 우물 자리를 알려주며 '꽃 잎 여덟 개에 물방울이 맺히는 자리'라고 한 까닭도 이에 있다. 남편 이름 석통石通도 우물 파는 기술자를 연상시킨다. 뒤에 소개하는 전설에서 임금이 그에게 어화원과 팔보유리정을 '수건 하라'고 이른 것도 마찬가지이다. '수건'은 '수리'의 북한사투리일 터이다.

흑룡강성 영안현寧安縣에 있는 경박호는 1만여 년 전에 솟은 용암이 모란강牧丹江 줄기를 막아서 생겼다. 면적 95평방킬로미터에, 남북 45킬로미터, 깊이 62미터이다. 이 호수를 끌어댄 데는 물이 끊이지 않고 솟기를 바라는 뜻이 담겨 있다. 또 여덟 가지 보배라는 뜻의 '팔보'는 불교에서 많은 숫자를 상징하며, 여덟 가지 재료 또는 그 밖의 많은 재료로 만든 요리, 곧 중국의 팔보채八寶菜를 가리키기도 한다. 그리고 '유리정'은 '유리처럼 맑은 우물'이라는 뜻일 터이다.

『류변기략』의 '우물에서 찾은 붉은 칠의 정자나무'는 귀틀이며, 한 변의 길이가 '한 자'인 것은 맑은 물이 고이도록 우물 바닥에 박은 것을 알려준다.

류현산이 장진언의 말을 듣고 나서 '본디부터 물이 솟지 않았다고도 한다'고 덧붙인 것은 앞뒤가 어긋난다. '64곳에서 맑은 샘물이 솟고 아무리 길어도 줄지 않았다'고 하지 않았던가? 그의 말대로라면 곧 메운 것이 된다. 다만 석통과 아내가 '수건' 했음에도 물이 솟지도 꽃이 피지도 않은 것은 이 무렵에 물이 마른 것을 말하는 대목일

수도 있다. 강으로 들어간 석통과 아내가 교룡이 되어 승천한 것은 드물지 않은 일이
다. 어디서나 용과 우물은 한 몸을 이루게 마련이다. 문왕이 우물에서 하늘로 올라가
는 용을 보고 도읍을 옮긴 것도 이를 신성하게 여긴 까닭이다.

　팔보유리정에 관련된 이야기가 이렇게 많은 것은 임금에서부터 일반 백성, 그리고
후세들에 이르기까지 큰 관심을 기우린 것을 알려주는 좋은 보기이다.

　② 우물 형태에 대한 『력사과학』 기사이다.

　　　　─────

　　8각 돌우물(팔보류리정)은 테를 8각형 되게 곱게 만들었다. 그리고 2미터 깊이까
　　지는 8각형 단면을 유지하면서 내려갔다. 이 지점의 직경은 66센티미터이다. 그
　　밑으로는 단면이 둥글어지면서 점차 넓어졌는데 4미터 깊이에서 그 직경은 99
　　센티미터로 되었다. 그 아래로는 다시 좁아져 내려갔다. 그것이 현재의 우물 깊
　　이 5.6미터 수준에서 직경은 82센티미터 되었다. 그 전체 모습은 마치 배부른
　　기둥같기도 하고 병을 땅에 묻어놓은 듯도 하다. 이러한 형태의 곡선으로 된 물
　　체가 압력에 잘 견디어 낸다는 것은 잘 알려진 사실이다.
　　이 8각 돌우물에서는 전체 형태를 역학적 곡선에 맞추었을 뿐 아니라 우물 내부
　　의 형태적 미에도 깊은 주의가 돌려졌다. 우물벽을 쌓은 돌의 표면은 매 돌기의
　　곡률에 맞추어 둥그스름하게 다듬어졌다.
　　우물을 만든 재료와 우물의 형태도 민족성을 나타내고 있다.
　　얼마 전 평양시 대성구역 고산동에서 발굴된 고구려우물은 발해 8각 돌우물의
　　원류가 어데 있었는가 하는 것을 뚜렷하게 밝혀준다. 고산동우물의 단면은 깊이
　　3.65m 정도까지 둥글게 내려가다가 거기에서 8각형 단면으로 변하여 2.65m 정
　　도 내려가며 그 아래로는 조금 좁아지면서 4각형 단면으로 변했다. 고산동우물
　　도 물론 돌로 쌓았다.
　　고구려 고산동우물과 발해 8각 돌우물의 축조재료와 형식상 공통성은 우연
　　하게 이루어진 것 아니며 그 계승관계를 보여주는 것이다(진인진 1990 ; 59~64).
　　(☞ 67~70)

　　　　─────

3) 흑룡강성 고정古井

『발해 가는 길』 기사이다.

———

발해국 상경 용천부上京 龍泉府 유지遺址 (…) 성벽 앞에는 팔각으로 된 옛 우물이 있다. 근래에 용과 자라를 조각한 대리석으로 복원을 하고 그 앞의 현무암에 고정古井이라고 글을 새겨서 세워놓았다. 그런데 우물 뚜껑을 쇠로 만들어 덮고 주먹만한 자물쇠를 채워놓았다(류연산 2004 ; 232).

———

사진 53이 고정으로, 흑룡강성 영안현에 있다. 전의 면마다 새겨 놓은 용과 자라 따위의 동물은 물이 끊임없기 솟기를 바라는 뜻을 지녔다.

사진 53

4) 길림성 보마성寶馬城

안도현安圖縣 이도백하향二道白河鄕 서북 6킬로미터 떨어진 곳의 보마성은 무왕武王과 문왕文王 초기(742~757)의 수도였던 중경中京 현덕부顯德府에 딸려 있었다. 지금의 길림성吉林省 화룡시和龍市 서고성자西古城子 자리이다.

『발해 가는 길』 기사이다.

———

발해 시기 홍주興州의 장군과 병졸과 백성들이 살았던 성안은 지금은 옥수수 밭이다. (…) 그 한 가운데에 우물이 있다. 깊이는 5미터는 족히 될 것만 같았다. 바닥에 돌과 흙이 묻힌 것으로 미루어서 아마 더 깊었을 가능성이 많다. (…) 주정부州政府에서 나온 관리들이 비석을 세울 때 물었더니 발해우물이라고 알려주었다고 한다. 마을의 한 노인은 '우물은 꽤나 깊었는데 사면 벽은 참나무로 귀틀을 짠 것이었수다. 아마 1958년도였지우. 정목나무를 팔면 큰돈이 된다고 믿은 마을 사람들이 우물을 팠다우. (…) 그러나 아쉽게도 맨 밑의 나무는 정목이 아니라 홍송이었다우' 하였다(2004 ; 101~104).

———

'사면 벽을 참나무로 짠' 발해시대의 우물이 60여 년 전까지 남아 있었다니 믿기 어려울 정도이다(사진 54). '정목나무'가 물푸레나무과에 딸린 광목 또는 여정목이라고도 불리는 것인지는 알 수 없다.

앞에서 살핀 대로 발해의 우물은 고구려의 것과 다르지 않다.

사진 54

3. 백제

이제까지 백제 우물은 22개소의 유적에서 31개가 모습을 드러냈다. 이들의 중요 분포지역은 서울, 충청남도 부여, 전라북도 익산 등지이다(이한솔 2015). 이들 가운데 12개에 설명을 붙인다.

1) 논산 마전리麻田里 1 · 2호

충청남도 논산시論山市 연무읍鍊武邑 마전리의 청동기시대(전 5~전 7세기) 유적에서 나온 우물 둘 가운데 하나이다.

① 『마전리 유적』 기사이다.

———

1호의 평면은 H자꼴이고, 단면은 위는 조붓하나 아래로 가면서 퍼졌다(사진 55 · 그림 18).

사진 55

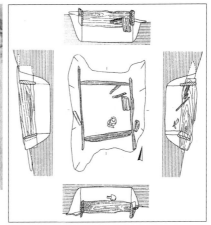

그림 18

긴 길이 1.7미터, 짧은 길이 1.55미터에

깊이 63센티미터이고, 바닥(깊이)은 1미터씩이다. 널은 바닥에서 30센티미터 높이의 ㅍ자꼴로 짰다.

우물의 목재는 긴쪽 1.46~1.7미터에 너비 30~31센티미터이며, 두께는 5~7센티미터이다. 짧은 쪽은 길이 1.01~1.03미터, 너비 25~31센티미터이며, 두께는 3~6센티미터이다. 토광과 우물 사이는 진흙으로 메웠다.

바닥 20센티미터 높이에서 엎어진 민무늬토기 아랫도리가 나왔다.

2호는 땅을 거의 수직으로 판 다음, 여러 개의 널을 쌓아서 벽으로 삼았다(사진 56·그림 19). 아래쪽은 널로 기본 형태를 잡았으며 그 위로 가공한 나무를 쌓아올렸다. 평면은 ㅁ자꼴이다. 북쪽 널은

길이 1.4미터에 두께 18센티미터,

사진 56

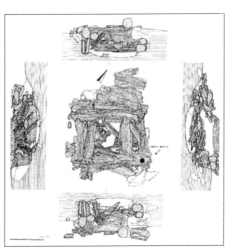

그림 19

남쪽은 길이 1.43미터에 두께 25센티미터, 동쪽은 길이 1.12미터에 두께 14센티미터, 서쪽은 길이 1.59미터에 두께 6센티미터이다.

바닥은 긴 길이 1미터에 짧은 쪽 92센티미터로 1호와 크게 다르지 않다.

안에서 민무늬토기 쪽이 나왔으며, 1998년 충남대학교에서 팠을 때는 온전한 모양을 갖춘 송국리松菊里형 토기도 선보였다(이홍종·박성희·이희진 2004 ; 133).

———

민무늬토기 쪽과 송국리형 토기는 이 우물이 청동기시대의 것임을 알려준다. 또 함께 나온 길이 21.4센티미터에 너비 13.5센티미터(쯤), 두께 5.4센티미터의 새 몸통과 날개를 닮은 유물도 주목할 일이다(사진 57·그림 20).

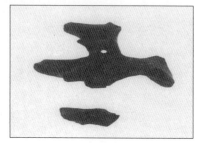

사진 57

② **손준호의 설명이다.**

———

양쪽 날개를 펴고 있는 형태이지만 한쪽은 유실되었다. 배와 날개에 받침을 붙이기 위한 것인 듯한 구멍 둘이 뚫렸다. (…) 이는 민속자료의 솟대와 유사한 성격을 띠는 청동기시대의 농경의례품일 가능성도 있다. (…) 이러한 새 모양 목제품과 관련된 유물로는 나뭇가지에 앉은 새가 묘사된 광주 신창동新昌洞, 몽촌토성, 궁남지 출토품 따위가 있다. 또 일본에서도 20여 점이 나왔으며 이들은 (…) 풍작을 기원하는 곡령穀靈의 사자로 보인다(2000 ; 139).

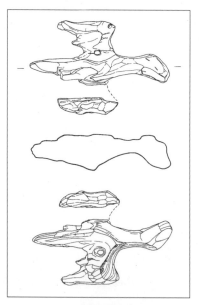

그림 20

———

이들은 '땅을 거의 수직으로 판 다음, 여러 개의 널을 쌓아서 벽으로 삼은' 귀틀벽 우물의 귀중한 본보기이다. 앞에서 든 대로 고구려(발해)에서도 이 방법을 썼다. (☞ 89~90) 송국리형 토기는 입 지름 16.2센티미터에 높이 30.3센티미터이다.

2) 정읍 덕천면德川面 하학리下鶴里 가정佳井마을

초기 철기시대인 1~2세기의 옹기우물과 귀틀우물이 발견되었다.

「정읍 가정리 정호유적井邑 佳井里 井戸遺蹟」 기사이다.

─────

이곳은 1894년 동학농민전쟁의 전적지로 유명한 황
토현 기슭으로서 그 남쪽에서는 옹기우물石槨陶管井이,
동쪽에서는 귀틀우물圓形割木井이 각기 나왔다.

옹기우물(그림 21)은 네모로 쌓은 돌벽 바닥에 밑바닥
을 뗀 큰 항아리 몸통을 묻은 샘이며, 귀틀우물은 반
으로 쪼갠 나무를 둥글게 박아서 흙이 들어가지 않으
면서 물이 고이게 한 우물이다.

옹기우물은 땅 속 4미터 지점에서 위가 드러났으며
깊이는 약 1.5미터이다. 땅 거죽을 뺀 부분은 황토층,
아래는 회색진흙층, 바닥은 모래층이다. 쪼갠 돌로 쌓
은 벽 위는 1.3~1미터로 좁아졌다.

서남쪽 한쪽의 석축을 다른 3면보다 2단 낮추어서 샘물
이 넘쳐흐른다. 모래 바닥에 윗지름 98센티미터에 높이
32센티미터로 자른 큰항아리를 거꾸로 엎어 놓았다. 이
로써 진흙이 우물 안에 흘러들지 않는다. 항아리는 거친
모래를 섞은 두께 3센티미터의 회색 기와질 토기이다.

귀틀우물(그림 22)은 땅 속 1.5미터쯤을 경계로 위는 황토
층, 아래는 회색 진흙층이다(…). 이 경계선에 우물 위언
저리가 나타났고, 다시 50센티미터쯤 내려간 동쪽에 잇
닿아 큰 항아리가 나타났다.

이것은 지름 5~20센티미터의 통나무를 길이 155센티미

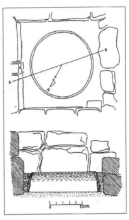

그림 21

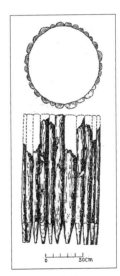

그림 22

터쯤 잘라서 반으로 쪼갠 다음 한 끝을 뾰족하게 다듬었다. 그리고 쪼갠 면을
안으로 두고 둥글게 박았다. 지름 95센티미터에 말뚝은 28개이다. (…)

일본의 야요이弥生시대(전 3세기~3세기) 가라코唐古유적에서도 말뚝을 둥글게 박고 그 사이를 갈잎으로 얽어 벽을 짠 형식이 발견된 일이 있다.

옹기우물은 삼국시대에도 얼마동안 썼을 터이다(전영래 1973 ; 25~40).

―――――

옹기우물도 귀중한 유적이지만, 귀틀우물은 마전리 것과 달리 나무를 길이로 세워서 귀틀벽을 친 유일한 보기이다. 바닥에 옹기를 박은 것도 특징의 하나이다.

3) 아산牙山 갈매리葛梅里 1호

『아산 갈매리(Ⅲ 지역) 유적』 기사이다.

―――――

우물 자리는 긴쪽 2미터에, 짧은 쪽 160~185센티미터이며, 남은 깊이는 25센티미터쯤이다(사진 58).

바닥을 15센티미터쯤 더 파고 앉힌 귀틀은 긴 쪽 1.3~1.45미터, 짧은 쪽 1.05미터이고 남은 높이는 15~50센티미터이다. 거칠게 다듬은 나무는 아래쪽만 남았으며, 바닥에 10센티미터 크기의 자연석을 두어 켜로 깔았다(그림 23).

유물로 주발꼴과 긴달걀꼴 토기, 조롱박, 밤 따위가 나왔다(고려대학교 고고학연구소 2007 ; 185).

―――――

사진 58

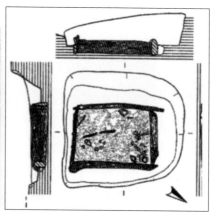

그림 23

이 우물은 원삼국~백제시대초기(전 1세기)의 것이다.

풍요를 상징하는 조롱박은 물이 그치지 않고 솟기를 바라서 지기에게 바친 제물일 터이다. 판소리 「춘향가」의 홍보 박에서도 금은보화가 쏟아져 나온다.

4) 서울 풍납동風納洞 풍납토성

『풍납토성風納土城 Ⅷ』 기사이다.

㉠ 대진동산 연립주택부지

우물 위는 땅 속 4.6미터 지점에서 드러났으며 그 위는 두께 1.5미터의 하상 퇴적층이 덮여 있었다. 평면은 정井자꼴이며 크기는 동서 1.2미터에 남북 1.2미터쯤이고, 현재 남은 높이는 2.5미터쯤이다. 우물을 파려고 동쪽을 더 넓게 잡았으며(최대 3.9미터), 외벽 중간 부위는 불룩한 반면, 위와 아랫도리는 조붓하다. 귀틀은 14단이 드러났으며 남은 것을 더하면 17단이 된다.

총 7개의 토층 가운데 제4층에서 새끼줄이 달린 뒤웅박, 나무갈고리(☞ 사진 65), 조개류, 여러 가지 씨앗 따위가, 5층과 6층 사이에서도 두레박(☞ 그림 97, 사진 622), 병, 똬리, 씨앗 따위가 나왔다.

귀틀은 양끝을 철凸자나 ㄱ자꼴로 다듬어서 맞추었으며 11단 위부터는 반으로 자른 통나무를 놓았다. 그리고 귀틀과 귀틀 사이를 짚을 섞은 진흙으로 메워서 물이 새는 것을 막았다(국립문화재연구소 2007 ; 234~289).

사진 59는 귀틀 벽이고, 사진 60은 동 및 남벽 중앙부의 짜임새이다. 그림 24는 한 쪽, 그림 25는 온 단면도이며 사진 61은 4단 모습이다.

이처럼 온전한 모습을 지닌 대형 귀틀우물은 북한을 뺀 지역에서는 처음 선보였다.

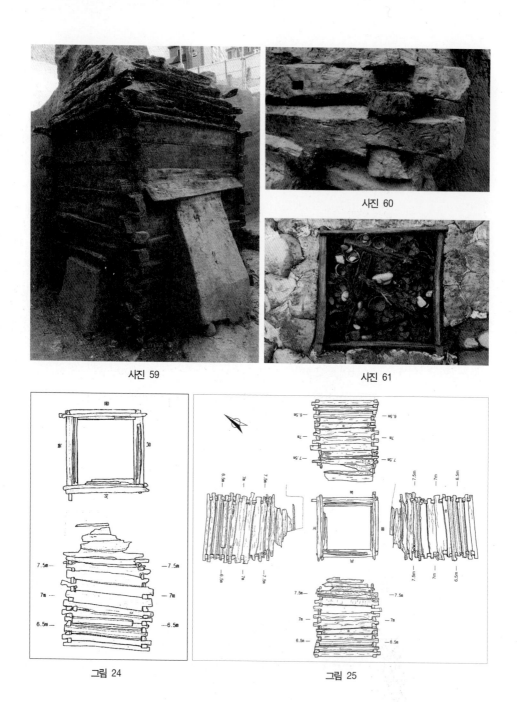

사진 60

사진 59

사진 61

그림 24

그림 25

ⓛ 경당扃堂지구 우물(206호)

깊이 3미터쯤이며, 위는 너르고 아래는 조붓하다. 위는 돌, 아래는 나무로 쌓았다. 네모 바닥(1.2×1.2미터)에 4단의 귀틀을 놓았으며 위로 올라가면서 할석으로 모를 줄여나간 탓에 위는 1.2×0.9미터의 타원형이 되었다.

아래의 귀틀이 시작되는 부위에서 병, 단지, 장군과 뚜껑 따위가 나왔다. 토기들은 다섯 층으로 포개져 있었으며, 안에 복숭아씨를 넣은 것도 선보였다.

귀틀은 길이 1.3미터 이상에 너비 20센티미터이며 끝을 앞에서처럼 철凸자꼴로 다듬어서 맞추었다. 주변의 기둥구멍, 자갈층, 도랑 따위로 미루어 개인 또는 마을의 한데우물이 아니라 궁궐이나 관청에서 쓴 것으로 보인다. 귀틀 진흙에서 나온 200여 점의 온전한 옹기류의 입이 모두 없는 것은 일부러 떼어 버린 것을 알려준다(한지선 2008 ; 249~263·김도훈 2009 ; 191~214).

———

사진 62는 우물바닥이고 그림 26은 실측도이다. 사진 63은 귀틀 한 귀퉁이의 짜임새이고, 사진 64는 토기들이 드러난 상태이며, 사진 65는 토기와 빠진 두레박을 건지는 나무고리이다.

사진 62   그림 26

사진 63   사진 64   사진 65

이 유적은 5세기 초의 것으로 아래에 돌 벽을 치고 그 위에 귀틀을 얹은 것이 돋보인다.

씨앗이 풍요를 상징하는 점은 널리 알려졌거니와, 그 가운데에도 복숭아 씨앗에는 부정을 가시는 특별한 뜻도 깃들었다. 새끼줄이 달린 뒤웅박은 물긷는데, 똬리는 물동이 받침으로 썼을 터이다. 김도훈은 경당지구의 것을 왕궁의 어정御井으로 추정하였다(2009 ; 192). (☞ 102~103)

5) 전남 광주 외촌外村

『광주 외촌유적光州 外村遺蹟』 기사이다.

───────

㉠ 1차 조사지역 1호

평면은 90×90센티미터의 ㅁ자꼴이며 깊이는 25센티미터쯤이다(사진 66).

귀틀은 통나무를 길이 70~95센티미터, 너비 20~30센티미

사진 66

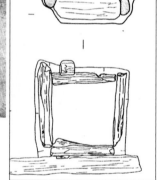

그림 27

터, 두께 10~15센티미터로 쪼갠 널 다섯 개를 1~2단으로 짰다. 이어 서쪽 벽 뒤에 길이 1.46미터, 지름 17센티미터쯤의 널을 남북방향으로 놓고 말뚝(길이 40센티미터) 두 개를 박아서 힘을 보탰다(그림 27). 그리고 껍질 그대로 쓴 널들은 자른 면을 안쪽으로 놓았다. 남과 북벽도 마찬가지이다.

바닥에서 숫돌로 보이는 돌이 나왔다(호남문화재연구원 2005 ; 88~89).

㉡ 1차 조사지역 2호

앞 우물 동북쪽 3.5미터지점에 있다. 길이 1.37미터에 너비 92센티미터의 긴 네모꼴이며, 깊이 30~50센티미터이다. 귀틀은 길이 1.1~1.37미터, 너비 26~31센

티미터, 두께 4~10센티미터의 널로 1단을 쌓고, 아래 2단은 암반과 1단의 널 사이를 할석으로 채웠다. 우물 주위에는 20~40센티미터쯤의 잔돌을 쌓아서 보강하였다(사진 67·그림 28).

귀틀은 맞물리거나 엇걸어서 연결한 1호와 달리, 북동 및 북동쪽은 맞물리면서도 동남과 서남은 끝을 다듬어 걸었다.

사진 67

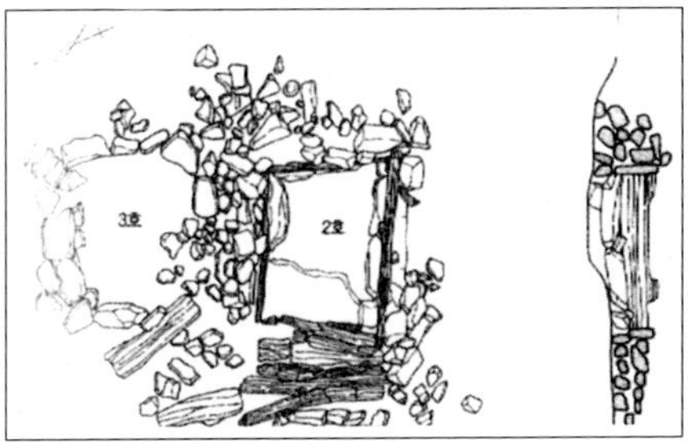

그림 28

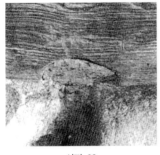

사진 68

바닥에 뚫은 타원형 구멍(지름 6센티미터쯤)은 수위 조절용(사진 68)으로 보인다(호남문화재연구원 2005 ; 90~91).

ⓒ 2차 조사지역 1호

입은 120×120센티미터의 네모이며 깊이 27~30센티미터이다(사진 69·70).

귀틀은 길이 1.1~1.4미터에

너비 26~31센티미터, 두께 4~10센티미터의 껍질을 벗기지 않은 널 넉 장

사진 69

사진 70

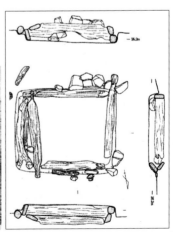

그림 29

으로 1단을 쌓고 아래 2단은 돌과 나무를 쌓아 맞추었다(그림 29) (호남문화재연구원 2005 ; 189~190).

───────

이들은 삼국시대(1~7세기)의 것이다.

6) 익산 미륵사지彌勒寺址 연못 터蓮池址 북쪽우물

『미륵사彌勒寺 발굴보고서Ⅱ』 기사이다.

───────

땅속 3.3미터 깊이의 모래층에 널과 통나무를 반으로 자른 나무로 짠 귀틀(130×90센티미터)이 나왔다(사진 71). 우물 동벽 위에 지름 30센티미터쯤의 통나무를 반으로 쪼갠 나무를 평평한 면이 아래로 가도록 놓았다. 서벽 아래도 같은 형식과

사진 71

크기의 널을 깔고, 위에 너비 30센티미터의 널을 세웠다. 남벽은 두께 6센티미터에 너비 30센티미터의 널 한 장을 세웠으며, 남쪽에도 앞과 같은 널을 놓았다. 북벽 아래에는 너비 30센티미터의 널 한 장을 세우고 위에 지름 10센티미터의 통나무를 놓았다. 바닥에는 모래를 깔았다.

안에서 신라 통일시대의 기와 및 그릇 조각·밤 껍질·솔방울 따위가 나왔으며, 귀틀 서북쪽에서도 바닥이 깨진 구리주발이 선보였다.

한편, 귀틀 서북쪽 10센티미터 아래에 할석이 어지럽게 깔려 있었고, 동남쪽에 지름 5센티미터쯤의 말뚝을 박아서 보강하였다(국립부여문화재연구소 1996 ; 166~167).

───────

광주 외촌리 것과 더불어 논산 마전리의 우물구조를 이어 받은 통일신라시대(7세기 후반~10세기 전반)의 유적이다.

7) 부여 구아리舊衙里

『부여 구아리 백제유적 발굴조사보고서』 기사이다.

─────

㉠ 북쪽 우물

동벽 길이 1.85미터, 서벽 2.1미터, 남벽 1.63미터, 북벽 1.58미터의 장방형을 닮은 돌우물로 깊이 2.7미터이다(사진 72). 맨 위에서 1.7미터까지는 반듯한 돌로, 이곳에서 바닥까지는 머릿돌 크기의 자연석으로 쌓았다. 바닥 맨 아래의 석축은 동 1.44미터, 서 1.4미터, 남 1.38미터, 북 1.37미터로, 위보다 좁은 네모꼴이다. 이 우물 남벽과 남쪽 우물 북쪽(사진 73) 사이에, 너비 9센티미터 높이 11센티미터의 홈통(20×20센티미터)을 놓고 두께 2.5센티미터의 덮개를 덮었다(사진 74·그림 30). 그리고 남쪽 것보다 높여서 한 번 거른 물이 아래로 흐르게 하였다(부여문화재연구소 1993 ; 12~13).

─────

이신효는 이 우물을 성왕聖王(523~554) 때 팠다가, 6세기 후반 무렵에 메웠다고 하였다(2004 ; 161).

사진 72

사진 73

사진 74

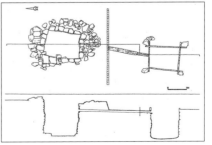

그림 30

ⓛ 남쪽 우물

앞의 것에서 남으로 3.6미터 떨어졌다. 바닥에
서 1.16미터 높이까지 네모 돌벽을 쌓은 것은
북쪽 것과 같지만, 위 안쪽에 널 귀틀을 짜 넣
은 것이 다르다. 널은 길이 1.57미터에 너비
18~30센티미터로 다양하나, 높이는 일정하다
(6센티미터). 귀틀 높이는 93센티미터쯤이며 너
비는 들쭉날쭉하다(사진 75).

사진 75

귀틀 안쪽은 동 1.6미터, 서 1.54미터, 남
1.5미터, 북 1.38미터이다. 귀틀과 돌 벽
의 경계지점은 1.5미터의 정방형이다. 또
바닥은 동 1.36미터, 서 1.34미터, 남 1.4
미터, 북 1.35미터로 위보다 조붓하다.
땅을 네모(2.51×2.57미터)로 바위 층(깊이
2.1미터)까지 팠고 돌을 1.06미터쯤 쌓아
올리되, 위로 가면서 들여쌓았다.

사진 76

홈통은 북벽에서 4센티미터쯤 나왔다(사진 76). 그림 31은
단면도이다(부여문화재연구소 1993 ; 14~ 15).

이들은 6~7세기 것으로, 우물과 우물 사이에 홈통을 박아
서 물이 흘러내리게 한 것이 돋보인다.

8) 부여 궁남지宮南池

「연보年報」 기사이다.

잔존 깊이는 6.2미터, 위 너비 90~100센티미터, 최대 너

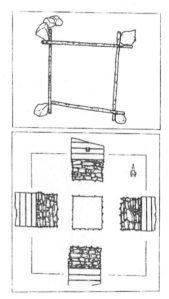

그림 31

비 2.6미터, 아래너비 1미터이며 주변에 강자갈을 깔았다. 이미 알려진 여러 우물에 견주어 남은 깊이만도 6미터에 이르므로 가장 크다고 할 수 있다. 형태는 원형이다.

벽은 10~30센티미터의 네모 또는 긴 네모꼴 돌로 층을 고르면서 완만하게 배를 불려가며 바른층 막쌓기를 하였다. 바닥에서 높이 30센티미터쯤은 돌을 쌓지 않고 맨흙의 회색 점토층을 팠으며, 바닥에는 판석조의 깬 돌을 불규칙하게 깔았다.

안에서 사비泗沘시대(538~660)의 각종 기와류, 농공구의 자루로 보이는 목재류, 동물뼈, 나무 손잡이 달린 도자, 자연목 따위가 나왔다. 시기는 6~7세기이다(국립부여문화재연구소 2003b ; 53~55).

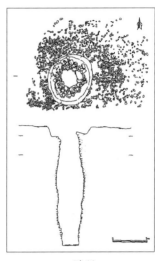

그림 32는 우물 실측도이다. 남은 깊이가 6미터라니 여간 깊은 것이 아니다.

그림 32

9) 부여 부소산성扶蘇山城

『부소산성 발굴조사보고서Ⅴ』 기사이다.

우물은 동서 70센티미터에 남북 80센티미터이고 깊이는 60~80센티미터로 암반의 자연경사면을 이용한 까닭에 일정하지 않다. 길이 30~60센티미터에 두께 10~20센티미터의 비교적 얇은 네모 돌을 바위 위에 쌓았으며, 높은 곳은 5단까지 남았다(그림 33).

서벽 아래의 바닥에 바위를 파고 만

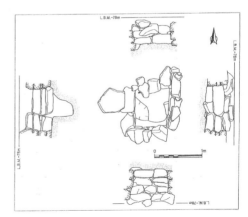

그림 33

든 둥근 구덩이가 있으며, 이곳에서 물이 많이 솟는다. 안에 모래와 진흙이 한 켜씩 차 있었다(국립부여문화재연구소 2003 ; 41~42).

———

10) 부여 어정御井

『한국고고학사전』 기사이다.

———

부여읍 화지산花枝山 서편, 급하지 않은 경사가 유지되는 밭에 '어정'이라고 하는 판석으로 짠 8각형 우물이 지금도 전해 오고 있다(2001 ; 1311~1312).

———

실제로 사람들은 부여읍 쌍북리 부여여자고등학교 안에 있는 이 우물을 백제시대 어정이라고 부른다(사진 77). 부소산성 바깥쪽인 부소산 남쪽 기슭이지만 성벽과 아주 가깝다. 다음은 한국전통문화연구소에서 낸 발굴 보고서의 한 대목이다.

사진 77(ⓒ 윤영기)

———

팔각정은 자연 암반으로 이루어진 바닥 위에 활석과 잔돌로 어느 정도 수평을 만든 후, 그 위에 가로 50~70센티미터에 세로 50~60센티미터 내외의 잘 치석된 정방형 또는 장방형의 석재로 북벽에서 동벽을 지나 남벽에 이르는 5면을 2층으로 바른층 줄눈쌓기를 하였다. 서쪽의 세 면은 현재 1층의 면석이 남아 있는데 그 상부로 가로 20~30센티미터 세로 30~40센티미터 내외의 활석을 부정형으로 쌓았다. (…)

팔각정의 바닥은 부여여고에서 이미 우물 청소를 위해 긁어낸 적이 있으며 그 이전에도 같은 상황이 벌어졌을 가능성이 없지 않은 상태이다. 우물 내부에서 출토된 유물은 없다(2008 ; 27~28).

———

이글에서 '어정'이 아니라 팔각정으로 적은 까닭을 알만하다. 온전한 모습을 잃었을 뿐더러, 가장 중요한 증거의 하나인 유물도 나오지 않은 까닭이다. 그러나 우물 바로 서쪽에서 백제 및 고려시대의 유물이, 북쪽에서 백제 및 고려와 조선시대의 기와가 선보인 점 따위를 떠올리면 백제시대의 어정이 오랜 세월을 거치는 동안 모습이 바뀌었다고 볼 수도 있다. 무엇보다 주민들이 어정이라고 부르는 것을 증거로 삼아도 좋을 터이다.

사진 78은 벽 모습이고 그림 34는 실측도이다.

사진 78

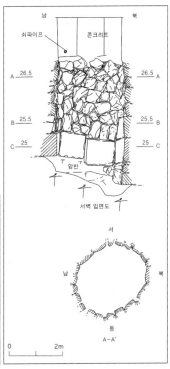
그림 34

11) 부여 가탑리佳塔里

『부여 가탑리 · 왕포리旺浦里 · 군수리軍守里유적』 기사이다.

———

이곳에서 움집터 22개, 다락집(고상건물) 세 채, 구상유구 한 개, 우물 두 개, 독무덤(옹관묘) 셋 따위가 드러났다.

우물은 논 가운데에 1호, 이에서 서쪽 10여 미터 거리에 2호가 있다.

1호는 원형에 지름 1.55~1.6미터이며(사진 79·그림 35) 남은 깊이 50센티미터쯤이다. 바닥은 아무 것도 깔지 않은 흙바닥 그대로이다.

2호는 동남쪽 벽을 25~30센티미터쯤 판 다음, 위쪽 50센티미터를 조금 좁혔으

사진 79

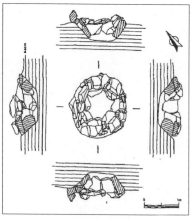

그림 35

며, 북서쪽은 비스듬히 내려갔다(사진 80). 바닥에 물을 끌어들이는 도랑(너비 52센티미터에 깊이 50센티미터쯤)을 마련하고, 바닥에 모래와 옹기조각을 덮고 나서 몸 전체에 지름 2센티미터 크기의 구멍을 뚫은 옹기(지름 50센티미터에 높이 60센티미터)를 얹었다. 그리고 또 하나의 옹기(지름 44~75센티미터에 높이 78센티미터)를 올려놓았다(그림 36·37).

사진 80

원형으로 판 첫 구멍은 너비 3.5미터이며, 가운데는 길이 2.7미터에 너비 2미터, 깊이 90센티미터이다. 바닥은 너비 52센티미터에 깊이 50센티미터쯤이다(허의행 2003 ; 77~80).

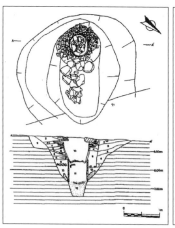

그림 36

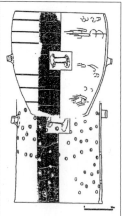

그림 37

이 우물은 6~7세기의 것으로 옹기가 거의 제 모습을 지닌채 드러난 좋은 보기이다.

12) 익산 왕궁리王宮里

① 『왕궁리 발굴 중간보고 Ⅴ』 기사이다.

우물은 황갈색 점토층의 구 지표를 직경 140센티미터의 원형으로 깊게 판 다음, 그 안쪽에 직경 80센티미터의 원형으로 크고 작은 화강암 잡석을 이용하여 벽면을 쌓고 뒤쪽에는 약간 부석한 진한 회갈색 미세사질 점토로 채웠다. 벽면 채움돌에는 작은 화강암 활석을 썼다(사진 81).

사진 81

내부는 원형으로 화강암 활석과 자연석의 평평한 면을 맞추어 수직으로 둥글게 쌓아올렸다. 위 1~2단은 유실되어 3미터쯤 조사하였다. 바닥은 나타나지 않았으며 물이 새어나와서 조사를 더할 수 없었다.

안에서 도장을 새긴 백제기와 조각, 통일신라시대의 기와·백자·옹기조각 따위가 돌과 흙에 묻혀 있었다.

안으로 내려 갈수록 백제시대 유물들이 나오고 지표면 가까이에서 옹기조각이 나오는 것을 보면 오랜 동안 썼을 터이다.

이 유적에서 동벽 안쪽의 고려시대 건물터에서 우물 한 개가 나왔으며, 백제시대 것으로는 이것 하나뿐이다(『국립부여문화재연구소』 2006 ; 309).

② 이 우물에서 나온 옹기에 대한 「왕궁리 우물유적」 기사이다.

생활용기로 쓰던 토기 두 개를 겹쳐 놓고 벽을 삼았으며 안쪽 25센티미터 아래에 진흙·돌·토기 파편을 깔았다. 주발을 닮은 위의 것의 지름은 1.32미터이며 높이는 61센티미터까지 남아 있었다. 두께는 아랫도리 2.3센티미터에 어깨쪽 1.3센티미터이다. 손잡이는 길이 18.5센티미터에 너비 3.3센티미터, 두께 1.4센티미터이다(그림 38).

한편, 아래의 둥근 것은 긴지름 48센티미터에 짧은
지름 43센티미터이며, 현재 남은 부위는 높이 49센
티미터에 두께 1센티미터이다. 이를 닮은 토기들이
왕궁리 일대에서 나오는 것으로 미루어 왕궁에서 썼
을 가능성이 있다.

깊이 1.1미터쯤이어서 고이는 물도 1.5입방 미터쯤
에 지나지 않을 터이므로 한데우물로 쓰기는 어려웠
을 것이다(이신효 2002 ; 83~100).

───────

그림 39는 실측도이다.

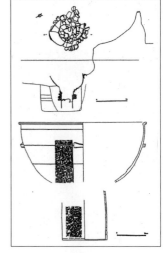

그림 38

③ 백제우물이 지닌 특징에 대한 김도훈의 설명이다.

───────

대부분의 우물 깊이가 2미터 내외인 것은 굴착 기술의
부족 때문이 아니라 우물을 저습지·강변·계곡 등지
에 마련한 까닭이다.

풍납토성 경당지구처럼 나무와 돌을 섞어서 쌓은 벽은
고구려 고산동 우물을 닮았으며 이밖에 광주 동림동,
광주 외촌, 부여 구아리 우물도 마찬가지이다. 벽을
친 재료는 깨끗하게 다듬은 나무, 거칠게 다듬은 나무,

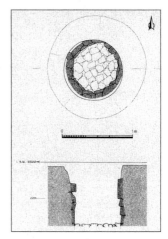

그림 39

돌, 토기류이다. 풍납동에서는 모두 나무로 짠 반면, 경당지구에서는 아래는 돌이고,
위는 나무이다. 그러나 후기에 이르면 나무보다 할석割石, 판석板石, 장대석長大石처
럼 주위의 것을 이용하였다.

벽과 생토 사이에 점성이 강한 진흙을 두껍게 발랐으며 바닥에도 진흙을 깔거나
그 위에 토기를 얹어서 방수처리를 하였다.

경당지구에서 나온 완형 토기 200여 점의 입 주위가 모두 떨어져 나간 채 층층
이 쌓인 것은 우물을 팔 때 일부러 넣은 것이 분명하다(사진 82). 또 이들 가운데
충청과 전라지역의 것이 섞인 것은 지방과 교류가 있었던 것을 알려준다.

사진 82

풍납토성 우물에서는 자갈층 위의 귀틀을 철凸자나 ㄱ자꼴로 짠 반면, 한성漢城시
대(전 18~475) 이후에는 한 끝을 요凹자꼴로 파고 맞물려서 시대에 따라 다른 방
법을 쓴 것을 알 수 있다(2009 ; 191~214).

────────

한편, 권오영은 풍납동 경당지구 우물 바닥에서 발견된 다섯 겹으로 차곡차곡 넣은
220여 점의 완형토기는 우물을 메울 때 한꺼번에 넣었다고 하였다. 그리고 이들을 4
세기 말에서 5세기 초에 구웠으므로 백제와 영산강 유역의 정치체제 사이에 연관이
있었던 것으로 보인다면서 함께 나온 마소의 머리뼈는 수신에게 바친 제물이라고 덧
붙였다(2012 ; 4~5).

4. 신라

1) 옛 우물

(1) 대구 동천동東川洞 유적

우리나라의 가장 오래된 청동기시대 우물 가운데 하나이다. (☞ 88~89)

『대구 동천동 취락聚落 유적』 기사이다.

———

모두 넷으로 1,2호와 3,4호를 짝을 지어서 마련하였다.

㉮ 1호

규모는 110×79센티미터에 깊이 61센티미터인 네모꼴이
다. 위에서부터 동은 35센티미터, 서는 40센티미터 아래에
턱을 붙여서 좁아졌으며, 아래쪽은 원형으로 지름 53센티
미터이다. 물은 바닥의 모래자갈층에서 흘러나온다. 위의
지름 40센티미터에 바닥은 37센티미터이다.

벽은 지름 10~20센티미터의 냇돌로 쌓고 바닥에 평평한
돌 두 개를 깔았다. 상부에서 무문토기 조각이 나왔다(그
림 40).

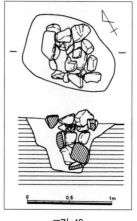
그림 40

㉯ 2호

1호에서 북동쪽 1.5미터 떨어진 곳의 원형우물이다. 위
의 지름은 90센티미터이며 돌벽 내부는 27~35센티미터
이고, 바닥은 벽이 시작되는 곳에서 63센티미터 떨어져
있다. 지름 90센티미터쯤이며, 바닥은 20센티미터로 아
래로 내려가면서 좁아진다.

한편, 위에서 29센티미터 떨어진 곳에 턱을 붙인 까닭에
지름이 50센티미터로 좁아졌다. 바닥은 모래층이다. 바
닥에 놓인 돌은 앞의 우물처럼 위에서 떨어졌을 터이
다. 위쪽에서 무문토기 조각이 나온 것도 앞의 것과
같다(그림 41).

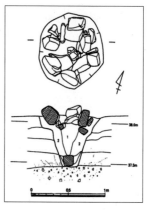
그림 41

㉰ 3호

앞 우물에서 1.1미터 떨어졌으며 앞의 것들처럼 주위
에 냇돌을 둘러놓았다. 남은 부위는 지름 70센티미터

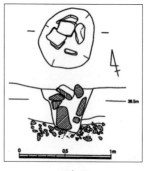
그림 42

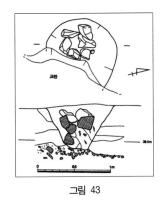

그림 43

에 안쪽은 30센티미터이고, 남은 깊이는 50센티미터이다. 바닥은 모래자갈층이며 벽 한쪽에 놓인 큰 돌은 처음부터 있었던 것으로 보인다. 유물은 나오지 않았다(그림 42).

㉩ 4호

앞의 것에서 북동쪽 1.1미터 지점에 있다. 위 지름 80센티미터, 지름 20센티미터쯤이며 남은 깊이 61센티미터이다(그림 43). 무문토기 조각이 선보였으며 바닥은 모래층이다(경북대학교박물관 2002a ; 374~376).

보고서에 설명이 없지만, 입 주위에 둘러놓은 크고 작은 돌은 외부의 물이 흘러드는 것을 막기 위한 것일 터이다.

(2) 양산梁山 순지리蓴池里 토성

산에서 흘러드는 물이 고이는 곳에 마련한 귀틀우물이다(사진 83). 전면 5.9미터에 측면 4.7미터, 깊이는 2.08미터이다. 바닥에 네모꼴 나무를 떼처럼 짜서 깔고 가장자리에 일정한 간격으로 앞쪽에 기둥 다섯 개, 옆에 넷을 세우고 일고여덟 개를 걸어서 벽으로 삼았다(사진 84). 삼국시대 초기 우물이다(심봉근·김동호 1983[김창억 2009 ; 55~56]에서 재인용).

귀틀을 지탱시키려고 기둥을 촘촘히 박은 것이 특징이다(그림 44).

사진 83

사진 84

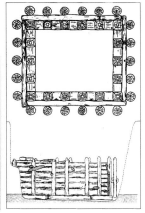

그림 44

(3) 문경聞慶 고모산성姑母山城

돌우물 둘과 귀틀우물이 나왔으며 돌
우물 하나는 원형이다(사진 85). 남은 지
름은 60~80센티미터이다. 아래로 내려
갈수록 넓어져서 1미터가 더 되고 깊이
는 1.8미터까지 확인하였다.

사진 85

다른 하나는 네모꼴로, 남은 바닥
70×80센티미터에 깊이 90센티미터이
다. 돌을 3~9단으로 쌓았으며 한 단의 높이는
25~95센티미터이다(그림 45).

귀틀우물은 돌우물 1호 아래에 있다. 장방형으
로 크기는 93×76센티미터이다. 현재 1단만 남은
탓에 상부구조는 알 수 없다(『문경 고모산성 2차 발굴조
사 현장설명회 자료집[3]』).

5세기의 우물이다.

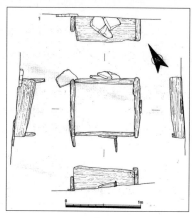

그림 45

(4) 대구 칠곡동漆谷洞 택지개발지 유적

3단 귀틀 가운데 위쪽 2단은 일부만 남고 마지막 3단은 거의 온전하다. 한 변의
길이 82~85센티미터에 깊이 90센티미터쯤이다. 널은 통나무를 일정한 간격으로 쪼갠
뒤 불에 그슬려서 강도를 높였다. 남쪽의 것은 119×31센티미터에 두께 7센티미터,
북쪽은 130×27센티미터에 두께 6센티미터, 동쪽은 98×27센티미터에 두께 5센티미
터쯤이다. 동과 서쪽 널 가장자리에 구멍(6×6센티미터)을 뚫고, 남과 북쪽의 널을 끼워
넣었다. 바닥에 5~20센티미터의 돌과 자갈을 깔았다.

삼국시대 우물이다(김창억 2009 ; 59~60).

이곳에서 돌우물도 나왔다. 하나는 위가 너르고 아래로 내려가면서 좁아진 것으로
10~40센티미터의 돌 벽을 쳤으며, 둥근꼴의 다른 하나는 30~40센티미터의 돌과 5~10
센티미터의 냇돌로 쌓았다. 바닥에 4~8센티미터의 돌과 자갈을 깔았다(양화영 2003 ; 13).

사진 86

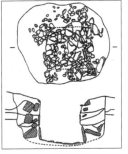
그림 46

사진 86이 우물이고, 그림 46은 단면도이다.

(5) 함안咸安 소포리小浦里유적

돌우물과 귀틀우물 둘이 나왔다. 돌우물은 일부 허물어져서 지름 1.8미터에 깊이 1.9미터만 남았으며, 아래는 조붓하고 위는 조금 너르다. 바닥은 생땅이며 옹기 한 점, 복숭아씨, 밤 등이 선보였다(사진 87).

귀틀우물은 2×2미터에 깊이 1.4미터이다. 사진 88에 나타난 대로 반으로 쪼갠 통나무를 홈에 끼워 넣어서 벽으로 삼았다. 사진 89는 위에서 본 모습이다(경남발전연구원 2007 ; 67).

사진 87

사진 88

사진 89

(6) 울산蔚山 반구동伴鷗洞유적

바닥에 널 두 장을 간 다음, 길이 2.12미터에 너비 30센티미터쯤 되는 널 일곱 장을 정#자꼴로 쌓아서 벽을 삼았다. 5단까지의 크기는 1.15×1.15미터에 깊이 12.7미터이다. 우물 벽 7단 가운데 1~4단은 우물을 메운 뒤 자연히 생겼으며, 5단은 메울 때 일부러 만들었고, 6~7단은 사용 중에 이루어졌다(사진 90·91).

2단에서 연화문 수막새, 7단에서 등잔과 손잡이 달린 병 따위가 나온 것은 통일신라시대의 우물임을 알려준다(김창억 2009 ; 59~60).

그림 47은 단면도이다.

사진 90   사진 91   그림 47

(7) 대구 시지동時至洞 생활유적

보고서의 간추린 내용이다.

———

우물은 모두 17개가 드러났다. 이 가운데 14개는 삼국시대, 둘은 조선시대의 것
이며 나머지는 알 수 없다. 형태는 위는 너르게, 아래로 내려가면서 좁게 판 것이
대부분이다.

벽을 쌓은 방법은

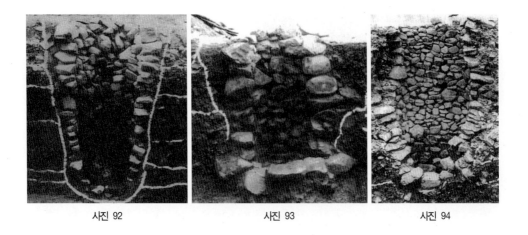

사진 92   사진 93   사진 94

㉠ 아래는 좁고 위는 너른 화분형(사진 92)

㉡ 위 아래가 같은 원통형(사진 93)

㉢ 아래는 너르고, 위는 좁은 사다리형(사진 94)

의 셋이 있다.

평면은 원형 또는 타원형이며, 크기는 깊이 1.5~3미터에 위 지름 70~100센티미터이다. 바닥은 자갈과 모래를 다지거나, 파낸 청석 바닥을 그대로 이용하거나, 생토층인 자갈바닥을 조금 다지거나 하였다.

바닥에서 40~60센티미터는 갯벌이고, 그 위는 우물 벽의 돌·모래·진흙 따위가 들어찼다(사진 95). 갯벌에서 목 짧은 단지, 병류, 옹기 따위의 토기와 복숭아씨, 살구씨, 바가지 조각, 솔방울, 밤 껍질, 나뭇가지, 두레박 따위가 나왔다. 그리고 조선시대 우물에서는 백자접시와 종지가 선보였다(『대구 시지지구 생활유적』I, 1999 ; 516).

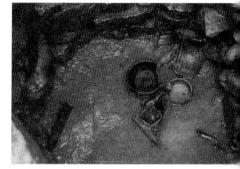

사진 95

─────

복숭아씨는 한 우물에서 100여 개가 나왔다(사진 96). 또 같은 우물 바닥 1미터쯤 되는 곳에서 동물 뼈가 통째 드러난 것은 특기할 만한 일이다. 보고서에서 '포유류로 보이는 개과犬科'라 하였으나 전문가의 정밀검사를 거치지 않은 것은 아쉬운 일이다.

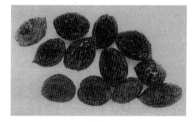

사진 96

벽의 형태는 ㉠이 둘, ㉡이 다섯, ㉢이 아홉으로 시대적인 차이는 보이지 않는다. ㉢이 반이 넘는 것(52퍼센트)은 우물을 파기 편리한 까닭일 터이지만, 같은 곳임에도 ㉠이나 ㉡의 방법을 쓴 까닭이 무엇인지 궁금하다. 지질에 따라 파는 방법을 달리한 결과인가?

평면 형태는 원형 열 하나에 타원형 다섯이고, 깊이는 가장 깊은 것이 2.82미터이고, 얕은 것이 95센티미터이다. 입 지름은 너른 것 1.1미터에 좁은 것 64센티미터이다. 가장 깊은 우물의 입 지름이 제일 좁은 것은 뜻밖이다.

또 하나 특이한 점은 제철관련 유구가 둘 발견된 점이다. 연대측정 결과, 하나는

5세기 말에서 6세기 초의 것이고, 다른 하나는 14~15세기 이후의 것으로 드러났다. 뿐만 아니라 '제철과 관련된 유구가 2기 밖에 발견되지 않았으나 송풍관과 같은 유물이 일부 지역에만 국한되어 나오는 것이 아니라 곳곳에서 출토되고 있는 것으로 보아 2기 이외에도 더 있을 것으로 판단되는 점'(앞의 보고서 517쪽)은 이 일대의 우물이 제철 생산의 필요에 따라 팠을 가능성을 알려준다. 같은 지역에서 도가니 쪽과 가마 쪽이 나온 외에(『대구 시지동 Ⅱ-공동주택지 구간-』, 문화재연구소, 1997), 일부 우물바닥에서 목탄木炭과 불에 탄 흙燒土이 나온 것도 방증의 하나이다. 따라서 이 일대는 천여 년에 걸친 철생산지였을 터이다. 경주에서도 철 생산에 필요한 우물을 여러 개 마련하였다는 보고가 나왔고, (☞ 1406) 일본에서도 이에 관련된 논란이 있었다. (☞ 1403~1404)

한편, 김창억은 8G-2호 우물 바닥에서 나온 조금 깨진 접시 위에 얹은 조선시대 종지를 들어 '인위적으로 그렇게 하지 않으면 나타날 수 없는 현상'이라며 제사와 연관된 것으로 보았다(2004 ; 103).

(8) 경주 왕경지구 월지(안압지) 우물

김현희의 보고이다.

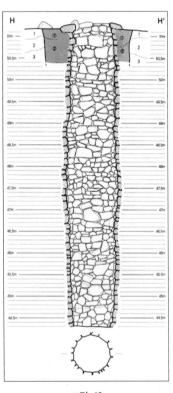

월지 북쪽인 왕경유적에서 배수로를 갖춘 깊이 7미터에 지름 80센티미터의 원형 석조우물이 나왔다. 굵은 모래를 깔아놓은 바닥에서 다양한 동물 뼈, 두레박, 석제 인물 모양 따위의 제품이, 그 위(깊이 4.3~6.5미터)에서는 통일신라시대의 많은 토기류를 비롯한 철제품, 동곳, 화살촉, 주사위가 나왔다. 이어 그 위에서 큰 냇돌 두 장과 적은 양의 동물 뼈가, 깊이(0.7~3.3미터)의 층위에서는 적지 않은 암수막새 따위가 선보였다.

맨 위에 쌓인 냇돌은 메울 때 넣었을 것이다(2015 ; 24~25).

그림 48은 이 우물의 단면도이다.

그림 48

400여 점이나 되는 동물 뼈 가운데 말뼈는 제물로 바쳤을 가능성이 가장 높다. 옛적에도 죽은 말의 뼈를 갖추어서 땅에 묻었고 이를 말무덤이라고 따로 불렀으며 근래까지 적지 않게 남아 있었다. 말을 신령스러운 동물로 여긴 까닭이다. 『삼국사기』에도 문무왕文武王(626~681)이 665년, 백제 의자왕의 아들 부여 융扶餘隆과 회맹會盟할 때에도 흰말을 잡아서 피를 나누어 마시고 뼈를 비롯한 제물을 제단 북쪽에 묻었다는 기사가 있다(신라본기 제6).

2) 옛 기록 고증

지금까지 경주시 일대에서 찾은 신라시대 우물은 270개가 넘는다. 이 가운데 통일신라시대의 것은 215개로 80퍼센트에 이르며, 고려 및 조선시대의 것도 60여 개 드러났다(김현희 ; 2015 ; 123).

고기록 따위에 나타난 순서에 따라 대표적인 것을 설명한다.

(1) 나정蘿井

① 『삼국사기』 기사이다.

고허촌高墟村의 우두머리 소벌공蘇伐公(?~?)이 양산楊山을 바라보니 나정蘿井 옆 숲 사이에서 말이 무릎을 꿇은 채 울었다. 그곳에 가자 말은 보이지 않고 큰 알만 있었다. 그 안에서 나온 아기는 여남은 살이 되면서 엄장이 장대하고 용모 또한 빼어났다. (…) 6부 촌장들은 남 달리 태어난 그를 임금으로 삼았다(신라본기 제1 「始祖 赫居世 居西干」).

------

② 『삼국유사』의 기사는 조금 다르다.

여섯 촌장들이 높은 곳에서 남쪽을 보자 양산 밑 나정 옆으로 번개 같은 이상한

기운이 비쳤다. (…) 그곳 자주 빛 알에서 아이를 얻었으며 (…) 동천東泉에서 씻기자 몸에서 빛이 났다. (…) 그가 혁거세왕赫居世王(전 57~4)이다.

이날 사량리沙梁里 알영정閼英井에서 나온 계룡鷄龍이 왼쪽 갈비뼈에서 여아를 낳았으며 (…) 닭의 부리를 닮은 입술을 북천에서 씻기자 떨어졌다. 발천撥川이라는 이름이 나온 까닭이다. (…) 이름 알영閼英은 이 우물에서 왔다(권제1 기이 제1「신라 시조 혁거세왕」).

———

거서간은 건국시조 혁거세의 왕호王號이다. 『삼국유사』는 이와 달리 거슬감居瑟邯이라면서 '진한辰韓에서 왕이나 왕의 존칭으로 썼다'고 하였으나, 부족장을 가리키는 고구려의 고추가高鄒加와 같은 말로 보기도 한다.

고허촌은 경주시의 북천北川·서천西川·남천南川이 ㄷ자꼴로 둘러선 사정동沙政洞 일대라는 설, 상주尙州 부근이라는 설, 경주시 서악동西岳洞이라는 설 따위가 있다. 뒤에 사량부로 바뀌었다가 고려에 들어와 남산부南山部로 불렸다. 소벌공은 『삼국유사』에 소벌도리蘇伐都利로 올랐다.

나정은 경주시 탑동에 있다. 사진 97이 비각이고, 사진 98은 현판이다.

사진 97

사진 98

가. 양산

미시나 쇼에이三品彰英는 '조선시대 이후 남산서쪽 기슭에서 제사를 받들었고 나정이 이곳에 있다면 양산은 지금의 남산이라'고 하였으며, 『역주 삼국사기』도 이를 일반적인 견해로 보았다.

이곳은 일찍부터 신라의 성지였다. 양산촌楊山村의 우두머리 알평謁平(?~?)이 하늘에서 내려와 이李씨 네 조상이 된 것과, 나해왕奈解王(25년[220])과 미추왕味鄒王(20년[281])이 서쪽에서 군대를 사열한 것도 연관이 있다.

지증왕智證王(500~514)이 신궁神宮을 세우고(3년[502]), 법흥왕法興王(514~540)이 제사를 올리자 우물(나정?)에서 용이 나타난 것도 우연이 아니다(『삼국사기』 권제1 「신라본기」 제4). 양산의 '양楊'이 봄과 새 생명을 나타내는 점도 새겨둘 일이다.

나. 나정

양주동梁柱東(1903~1977)은 '나는 생生의 뜻이고, 을은 정천井泉의 고훈古訓인 '얼'로 생각되므로 '나을'은 '시조가 태어난 우물' 곧 나정을 가리킨다'며, 지증왕이 시조 탄생지인 나을奈乙에 신궁을 짓고 제사 지낸 기록을 들었다(1935 ; 16).

미시나 쇼에이도 '나을이 nar-날日이라는 설이 있지만 나蘿(ra→na)와 나奈는 동음이고, na(出る[나오다] 生まれる[태어나다])의 의미로 보면 나정은 시조가 태어난 우물로 해석된다'며, 신라에서 월출산月出山을 월나악月奈岳, 고려(초)에서 월생산月生山이라 부른 것을 '나'가 '생'의 뜻이라는 증거로 삼았다(1974 ; 435).

이처럼 나정이 우물이라는 것을 아무도 의심치 않았고, 국정國井이라는 말까지 돌았다. 그러나 중앙문화재연구원의 3차에 걸친 발굴 결과, 초기 철기시대에서 문무왕文武王 4년(679)에 이르는 시설물과 함께 담장 안쪽에서 세 개의 작은 웅덩이가 드러나고 이밖에, 팔각 건물지 가운데에서 구멍(길이 4.3미터에 너비 2.5미터, 깊이 1.5미터) 한 개가 나왔을 뿐이다. 따라서 나정은 백마白馬가 자색 알을 가져온 장소를 가리키는 이름일 터이다.

이안눌李安訥(1517~1637)이 『월성록月城錄』에 마정터馬井基라고 적은 것도 반증의 하나이다(「迎春軒 第三首」). 이문기도 『삼국사기』나 『삼국유사』 이후에 사라졌던 나정이 1481년의 『동국여지승람』을 시작으로 여러 문헌에 등장한 것은 박씨 문중에서 시조를 숭모하기 위한 장소로 떠올린 결과라고 하였다(2009 ; 225).

한편, 나정이 우물이라면 법흥왕法興王(514~540)이 제사지내자 용이 나타났다는 양산정楊山井일 가능성도 없지 않으며, 『동국여지승람』의 '신라 소지왕炤智王 12년(490) 부府 남쪽 7리에 있는 추라정鄒羅井에서 용이 나왔다'는 대목도 이를 가리키는 듯하다. 그러나 위치가 낭산狼山 서쪽인데다가 한 우물을 따로 부르는 것은 비합리적이므로 의문은 그대로 남는다.

다. 알

조상이 알에서 나왔다는 남방해양문화 특유의 난생설화卵生說話 그대로이다. 『가락국기』 수로왕首露王신화에도 그와 여섯 시조가 황금 알에서 태어났다고 적혔고, 고구려 시조 동명왕東明王(전 37~전 19)도 큰 알에서 탄생하였다. 북방의 동명왕설화는 남방문화와 북방문화가 만난 자취일 터이다. 혁거세가 나정 옆의 알에서 나온 것은 우물의 생명력을, 알영이 계룡의 옆구리에서 나온 것은 신성한 존재임을 드러내기 위한 것이다. 굳이 계룡鷄龍이라 적은 것도 마찬가지이다. 설화에서도 우물과 용은 대체로 짝을 이룬다. 또 '나타났던 용이 죽자 그 배를 갈라서 여아를 꺼냈다'고 덧붙인 것은 죽었다가 다시 사는 영생을 나타낸 듯하다. 신라 시조 부부 탄생에 연관된 나정·동천·알영·북천 따위는 백제나 고구려는 물론, 다른 나라 시조 출생담에 없는 특징이다.

아기를 바로 옆 나정에서 씻기지 않고 동천으로 데려간 것은 의문이다. 『삼국유사』는 '동천사東泉寺는 사뇌야詞腦野 북쪽에 있다'고 하여 절집 우물임을 알리는 한편, 원성왕元聖王(785~798) 때는 용이 드나들며 불법을 들었다고 덧붙였다. 따라서 불교와의 연관성을 부추기려고 동천을 들먹였을 가능성이 있다. 『삼국사기』에 동천이 보이지 않는 것도 마찬가지이다. 또 사뇌야 일대에서 주로 중들이 부른 사뇌가詞腦歌가 신라 노래의 대명사가 된 것도 무관하지 않다. 동천과 사뇌야의 위치는 모른다.

이찬구는 '사는 동쪽을 이르는 [새]이니 동풍을 샛바람이라 하며, [뇌]는 검은 머리에서 검은 물로 이어지니 신성한 샘물을 의미한다. 노래의 뇌[腦 뇌]는 곧 뇌[雷]인 것이다. 노래는 [뇌]에서 나와 [뇌]처럼 울리기 때문이다. 우리말 [울대], [웃대], [울리대]는 다 뿌리가 같다. 『강희자전康熙字典』에도 [뇌는 혹 노라고 쓴대]'고 하였다(2013).

그러나 미시나 쇼에이는 '사뇌는 사내思內·시뇌詩腦·신열辛熱로, sae-nae로도 불리며, sae의 본디 뜻은 신新·서畧·동으로, 서벌徐伐의 서와 닮은 듯하다. nae는 천川·물가水邊地·지방·나라 따위와 통한다. 따라서 사뇌가는 신라 노래로도 보이므로 국가의 노래, 곧 향가를 가리킨다'고 적었다(1975 ; 479).

(2) 알영정閼英井

『삼국사기』 기사이다.

혁거세 거서간 5년(전 53) 정월에, 용이 알영정에 나타나 오른쪽 옆구리에서 여자 아이를 낳았다. 한 할멈이 이상히 여겨 거두어 키웠다. 우물의 이름을 그네 이름 으로 삼았다. 자라면서 덕행과 용모가 뛰어났다(신라본기 권제1).

알영정의 다른 이름은 아리영정娥利英井이며(『삼국유사』권1 기이 제1 「신라시조 혁거세왕」), 『신증동국여지승람』(권21 경주부 「고적」)과 『동경잡기東京雜記』에 경주부 남쪽 5리에 있 다고 적혔다(권2 「고적」). 또 『삼국유사』의 사량리沙良里는 경주시 남산 서북쪽 기슭으 로 추정된다.

한편, 『삼국사기』에 실린 용 관련 기사는 21건으로, 앞에서처럼 위치가 알려진 것 은 11건이고 이 가운데 아홉 건이 우물이나 못이었다(김정숙 1990 ; 73~76[『역주 삼국사기』 상 21쪽에서 재인용]). 이는 용의 속성으로 보아 당연한 일이다.

사진 99는 알영정 전각이고, 사진 100은 '신라시조왕비 탄강유지新羅始祖王妃誕降遺 址'라고 새긴 비이며, 사진 101은 우물을 덮은 돌이다. 우물을 저처 럼 작은 틈도 없이 완전히 막은 것은 잘못이다. 일본에서 우물을 메울 때 지기가 숨을 쉬라고 대나 무 따위를 일부러 박아두는 것과 대 조적이다. (☞ 1391)

그림 49는 실측 도이다.

남시진은 '우물 깊이 4.2미터에 안지름 1미터이며 물 깊이 3.4미터 쯤이고, 벽을 20~ 40센티미터의 자

사진 99

사진 100

사진 101

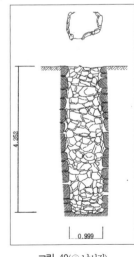

그림 49(ⓒ 남시진)

연석으로 쌓았다'면서 '장대석 단부에 은장 흠이 있는 것으로 보아 아마도 4매로 결구한 우물돌이 아닌가 생각되지만 확실하지는 않다'고 덧붙였다(2015 ; 224).

① 알영정과 알지

『삼국사기』의 알영정을 『삼국유사』는 아리영정娥利英井으로 바꾸었다(권제1 기이 제1 「신라시조 혁거세왕」). '알' 또는 '아리'는 무슨 뜻인가?

『삼국유사고증=國遺事考證』 기사이다.

———

알閼(ar)은 알卵로 곡물(ar)과 통한다. 본뜻이 곡령穀靈・조령祖靈・왕국의 시조・왕자의 이름으로 발전하였으며 (…) 이로써 알지의 곡모적穀母的 성격을 알 수 있다. (…) 알영을 알천에서 씻긴 것은 성천聖川에서 목욕재계하고 신을 맞이하는 제의를 나타낸다. 이처럼 고대의 사제자가 여성인 까닭에 알ar을 왕비 이름으로 널리 썼다. (…) 사제자 알영을 신처神妻 정비正妃로 삼은 배경이 이것이다. 이른바 알영은 강림하는 신의 아들인 알지=혁거세를 맞이하는 신모神母이자 신비神妃이기도 하다.

알지의 '지'는 존칭 어미이며, 알閼(ar)은 '알卵', '곡물', '껍질에서 나옴', '껍질을 벗고 나타남'이 본디 뜻이다. 알이나 곡물은 신비한 영력靈力을 지닌 생명의 그릇으로 여겼으며 (…) 성스러운 그릇인 알卵을 궤櫃 또는 황금궤로 적었다(1975 ; 413~499).

———

그러나 이는 알을 낟알의 '알'로 잘못 생각한 결과이다. 본디 말은 산스크리트어 아르가argha・arghya일 터이다. 불교에서 부처에게 올리는 공덕수功德水・청수淸水・향수 따위를 알 또는 아리라 부르고, 본존本尊과 성도에게 공양하는 여섯 가지 선물 가운데 하나로 꼽는 점에서, 알영정은 '성수가 솟는 아름다운 우물'로 새기는 것이 자연스럽다. 그리고 알가의 '가伽'가 절집을 가리키는 점도 고려할 일이다. 그의 말대로라면 알영閼英이 아니라 '난영卵英'으로 적어야 하지 않는가? 또 알閼이 물을 가리키는 사실은 '알천閼川'을 통해서도 알 수 있다. 이 또한 '한강수'처럼 물의 뜻이 두 번 들어간 이름인 것이다. 중국이나 일본에서도 부처에게 바치는 물을 알가수閼伽水, 그 우물을 알가정閼伽井, 그 위에 지은 집을 알가옥閼伽屋이라 부르며, 물의 라틴말 '아쿠아 aqua'도 아르가에서 왔다고 한다.

그리고 '아리'는 '알'의 ㄹ에 모음 ㅣ가 덧붙은 같은 낱말이므로 '아르가'를 잣대로 삼으면 '알'보다 '아리'가 더 가깝다. '아르'에 '영정'을 붙이려고 어미 '가'를 떼었고, 이곳의 용이 왕비를 낳은 까닭에 '꽃봉오리英'를 더한 것이다. 또 남해왕南海王(4~24)의 비이자 운제부인雲梯夫人으로 알려진 그네의 별칭 아루阿婁부인의 '아루'나 '아로阿老 부인'의 '아로'도 물을 가리키는 '아르'로 보는 것이 합당하다. 사람들이 그네를 운제 산雲梯山 성모聖母로 받들면서 큰 가뭄이 들었을 때 제사를 지내면 효과가 있었다는 것도 증거의 하나이다. 근래까지도 비를 빌 때, 내나 강의 물을 체에 떠 담고 위로 뿌려서 비 내리는 시늉을 보이는 유감주술類感呪術을 벌인 것이 좋은 보기이다.

고구려 광개토대왕廣開土大王(374~413) 비문에 보이는 아리수阿利水의 '아리'도 아르 가의 변말일 가능성이 높다. '아리'가 '크다'는 뜻이라는 설은 한가람漢江의 '한'을 연 상한 탓이다.

우리 민속과 무교신앙에서 알을 영혼의 집으로 여기는 것도 눈여겨 볼 일이다. 가을걷이 때마다 성주단지에 넣었던 묵은 벼를 꺼내고 올벼로 바꾸는 것도 조상의 혼령에 새로운 힘을 불어넣어서 이듬해에도 풍년을 거두게 해달라는 제의이다. 경상도에서 이를 풍농의 상징인 용단지라 부르고, 캄보디아 농민들이 조상의 무덤을 논 안에 쓰는 것도 마찬가지이다.

한편, 김두진은 선도성모 수희불사仙桃聖母隨喜佛事가 중국 제실帝室의 딸이라는『삼국유사』의 기사(권제5 감통 제7「선도성모 수희불사」)를 염두에 두고 '중국과의 교섭을 통해 알영이 아리영정으로 바뀌었으며 이는 아영, 곧 요堯임금의 두 비妃 아황娥黃과 여영 女英을 뜻하는 것으로 알영신화의 중국적 변용'이라 하였지만 지나친 비약으로 생각 된다(『역주 삼국사기』 2014 ; 206).

『역주 삼국사기』에서 알지의 '알'을 '알卵'로 새긴 것(Ⅰ ; 258)은 '혁거세 고사와 같으므로 이로써 알지라 불렀다'는 미시나 쇼에이의 말을 앞뒤 생각 없이 따른 결과이다. '고사'는 '자주색 구름이 하늘로부터 땅에 뻗쳤고, 나뭇가지에 황금 궤가 걸렸으며 (…) 흰 닭이 나무 아래에서 울었다'는 내용으로, 이를테면 김알지가 박혁거세처럼 기이하게 태어났다는 뜻에 지나지 않는다. 실제로 그는 '궤 안에 누워 있다가 바로 일어났으며' 알에서 태어났다는 말은 어디에도 없다. 만약 그렇다면 '고사'에 따라 '박알지'로 불러야 하고 '난卵'이나 '표瓢'로 적어야 한다. 바로 이 때문에 『삼국유사』도 '알지'라는 이름은 우리말 아기'라고 한 것이다(권제1 기이 제1 「김알지 탈해왕대」).

따라서 '알지'는 '맑은 물 같은 슬기'라는 뜻이며, '지'가 존칭이라면 '맑은 물처럼 슬기로운 분智者'이 될 것이다. 20여 년이 지나고도 우리가 그의 의견을 따른 것은 아쉬운 일이다.

또 미시나 쇼에이는 '알지는 곧 우리말 아기閼智即鄕言 小兒之稱也'라는 기사에 대해 미야자키 미치사부로宮崎道三郎의 말, 곧 '알지의 원뜻은 난생卵生과 연관된 것으로 보인다. 지금 한어韓語에서 소아를 아지阿只, 곧 a-ki라 하는 반면, ak-chi 또는 ar-ki라 부르지는 않지만 닭을 경성京城에서 tark, 부산에서 tak이라고 하는 것으로 미루어 아지는 알지, 곧 a-chi(ar-ki)의 와전으로 생각하고 싶다'는 내용을 끌어왔다(1975 ; 502). 이 또한 '아兒'나 '아阿' 따위의 글자를 젖혀두고 '알閼'로 적을 까닭이 없는 점에서 의문이 앞선다. 한편, 『삼국유사』의 알지는 아기의 경상도 사투리 '알라'나 '얼라'와 연관이 있을지도 모른다.

알타이 문화권에도 알지라는 이름이 있다.

『금관의 비밀』 기사이다.

———

알타이산맥 주변에는 '알타이'라는 마을이 여러 개 있다. 몽골 쪽에는 'Aaltay', 중국 쪽에 아러타이阿勒泰, 러시아 쪽에는 'Altay'라는 마을이 있으며, 알타이산맥 최고봉인 우의봉友誼峰(4,974미터)에서 흘러내리는 강은 카자흐스탄으로 흘러가서 아르티쉬강에 합류하는데 이 강은 여러 가지 옥과 사금砂金이 많이 나기로 유명하다. 그래서 그 산의 이름도 금산金山(알타이산)이다.

알타이 문화권에서 알지閼智(Alji)는 사회적 신분을 나타내는 보통명사로 사용되기도 한다. 중국 한漢 무제武帝 때 곽거병藿去病(전 140~117) 장군이 서역을 개척하는 과정에서 감숙성 지방에 있던 흉노 일파 가운데 휴도왕休屠王 슈띠의 아들 일제日磾를 인질로 데려 왔고, (…) 무제는 그에게 김金씨 성을 주었다. 이때 일제의 어머니도 함께 데려왔는데 그 여자의 이름이 알지였다. 알지는 흉노말로는 엔즈 Yenje라고 발음하며 군왕의 정실正室이라는 뜻이다. 신라의 시조 혁거세도 자칭하기를 '알지 거서간閼智居西干'이라고 하였다. 여기서 흉노의 알지나, 신라의 알지

가 왕후 또는 왕의 조상이라는 뜻의 사회적 신분을 나타내는 보통명사로 상용常
用되고 있음을 알 수 있다(김병모 2012 ; 125).

———

　무제는 김일제金日磾의 어머니가 자식 교육을 매우 잘하였다는 말을 듣고, 그녀가
죽자 감천궁甘泉宮에 '휴도왕 알지休屠王閼氏'
라고 적은 화상을 모셨으며 김일제는 그곳에
참배하였다. 또 전 87년, 임종을 앞 둔 무제
가 그에게 여덟 살 먹은 태자 유불릉劉弗陵(昭
帝)을 지켜달라며 투후秺侯에 봉하려 들자 자
신은 흉노 출신인 까닭에 그들이 한漢을 멸
시할 것이라며 듣지 않았다고도 한다.
　사진 102는 섬서성 함양시 홍평興平에 있
는 김일제 묘비이다.

사진 102(ⓒ 百度)

② 알천閼川 · 북천北川 · 동천東川 · 동천東泉

　『삼국유사』의 '여섯 마을 조상들이 각기 자제들을 거느리고 알천 언덕 위에서 임
금 모시기를 의논하였다'는 기사(권제1 기이 제1 「신라시조 혁거세왕」)는 이것이 예사 우물이
아니라 성천聖泉임을 알려준다. 이 때문에 물의 뜻을 덧붙였을 터이다. 알영정에서
나온 여자아이 입에 달린 닭 모양의 부리를 월성 북천에서 씻기자 떨어진 까닭도 마
찬가지이다.
　『동국여지승람』은 '경주부 동쪽 5리의 알천을 동천 또는 북천이라 한다'며(권21 경주
부 「산천」), 다시 「풍속조」에 '동으로 흐르는 물에 목욕한다. 김극기金克己(1379~1463)도
동도東都에서 6월 보름, 이 물에 목욕하여 부정을 가시고 술 마시는 것을 유두잔치라
고 불렀다'고 덧붙였다. 이로써 서라벌의 많은 사람들이 알천을 신성한 생명의 내로
받든 사실을 알 수 있다. 같은 물임에도 근원지東泉와 지류北川 · 東川를 달리 적은 것
도 이 때문이다.
　미시나 쇼에이는 같은 내의 이름이 넷인 것은 경주 중심의 분지에서 흐름이 바뀌거
나 합류하는 현상 탓이라며, 알천의 별명인 발천撥川의 '발'은 혁거세의 '혁赫'처럼 신
령한 빛이 내리는 것을 가리킨다고 하였다(1974 : 415).

알천은 토함산과 함께 동해를 지키는 군사 요충지여서 침략군도 이곳에 진을 쳤다.

『삼국사기』 기사이다.

남해왕 11년(14), 6부의 날랜 군사가 바닷가의 민가를 터는 왜선倭船 백여 척을 물리
치자, 나라가 비었으리라 짐작한 낙랑樂浪 군사들이 금성金城을 치는 바람에 위태로
웠다. 그러나 그들은 밤에 떨어지는 유성을 보고 겁이 나 알천가에 쌓았던 20개의
돌무더기를 버리고 달아났다. 6부의 군사 천 명도 토함산 동쪽에서 알천에 이르는
돌무더기를 보고 군사가 많은 것을 알고 돌아섰다(권제1 신라본기 제1 「남해 차차웅」).

이 기사는 '알에서 태어난 아기를 동천에서 씻겼다'면서 묶음표 안에 '동천사는 사
뇌야詞腦野 북쪽에 있다'고 하여, 앞의 우물들과 다른 것임을 나타냈다. 그러나 사뇌
야 북쪽은 경주 북쪽이고, 이는 북천이나 알천에 해당한다. 그리고 갓 태어난 알영을
월성 북천에서 씻기자, 닭의 부리 같은 것이 떨어졌다고 하므로 혁거세와 같은 우물
을 이용한 것으로 보인다. 다만, 갓난아기를 걸어서 한 시간 반쯤 걸리는 알천으로
데려간 것은 무리이므로 나정 부근에 같은 이름의 절이 있었으리라고도 하나, 한 이
름을 다르게 적은 보기가 없지 않으므로 동천東川과 동천東泉은 같은 우물에 대한 다
른 이름으로 보는 것이 좋을 듯하다.

한편 '진덕왕眞德王(647~654) 때 국사 논의 자리에 큰 범이 뛰어들자, 모두 놀라 일어
섰으나, (대장군) 알천공閼川公(?~?)은 앉은 채 말을 이으며 한 손으로 꼬리를 잡아 땅
에 메쳐 죽였고, 그의 힘이 이와 같아서 윗자리에 앉았어도 모두 복종하였다'는 『삼국
유사』의 기사(권제1 기이 제1 「진덕왕」)에도 알천에 대한 당시 사람들의 생각이 들어있다.

미시나 쇼에이는 알천에 대해 '현재의 북천으로 신라시대에는 생명의 내, 성스러운
내로 여겼으며, 원성왕元聖王(785~798) 즉위 때 내가 넘쳤다는 기사대로 실제 건너기
어려울 만큼 물이 불었는지 모르지만, 이를 신의 뜻으로 보는 것이 합당하다'고 덧붙
였다(1975 ; 114). 그러나 진흥왕眞興王(540~576) 때 원화原花(『삼국사기』에는 원화源花로 적혔
다) 교정랑峧貞娘(?~?)이 남모랑南毛娘(?~?)을 시샘한 끝에 술을 먹인 뒤, 몰래 북천으로
메고 가서 돌에 묻어 죽였다는 기사를 보면, 너무나 엽기적이어서 의구심이 들기도
한다(권제3 탑상 제4 「彌勒仙花 · 未戶朗 · 眞慈師」).

『삼국사기』에도 다음 표처럼 군대 열병 12회 가운데 네 번을 이곳에서 치렀다고
적혔으며, 그 기간은 700여 년에 이른다.

	임금(시기)	장소	행사
1	파사 15년(94) 8월	알천	군대 사열
2	일성 5년(138) 7월	알천 서쪽	군대 크게 사열(大閱)
3	나해 5년(200) 9월(?)	알천	군대 크게 사열
4	나해 25년(220) 7월	양산 서쪽	군대 크게 사열
5	미추 20년(281) 9월	양산 서쪽	군대 크게 사열
6	실성 14년(415) 7월	혈성원(穴城原)	군대 사열
7	자비 6년(464) 7월	?	군대 크게 사열
8	소지 4년(485) 8월	낭산 남쪽	군대 사열
9	문무 14년(674) 8월	서형산(西兄山)	군대 사열
10	선덕 3년(782) 7월	시림지원(始林之原)	군대 크게 사열
11	애장왕 5년(804) 7월	알천	군대 크게 사열
12	흥덕 9년(834) 9월	서형산(西兄山)	군대 크게 사열

※ '시림지원'은 알지가 태어났다는 경주시 반월성 서쪽 숲이고, 혈성원은 알 수 없다.

동천은 새로 솟는 성수聖水라는 뜻으로, 시조 탄강에 어울리는 이름이다. 그리고
알영이 용의 옆구리에서 나왔다는 기사는, 마야부인摩倻夫人의 오른쪽 옆구리에서 석
가모니가 태어났다는 설화를 닮았다.

③ 용의 옆구리

알영이 용의 옆구리에서 나왔다는 기사는, 석가모니가 마야부인摩耶夫人의 오른쪽
옆구리에서 태어났다는 설화를 닮았다.

『삼국사기』의 '오른쪽 옆구리'를 『삼국유사』는 왼쪽이라 하였다. 『역주 삼국유사』
에서는 고구려 시조 동명성왕東明聖王이 알의 왼쪽에서 나왔다는 『제왕운기帝王韻紀』
의 기사를 들고 '두 가지로 적혀서 명확히 단정 짓기 어렵지만, 알영과 혁거세가 대표
하는 이분체제적二分體制的인 상징성으로 미루어 좌협左脇을 말한 『삼국유사』의 견해
가 옳을 듯하다'고 덧붙였다(Ⅰ ; 252). 또 미시나 쇼에이가 '『삼국사기』는 중국풍을 따
라 오른쪽으로, 『삼국유사』는 왼쪽을 신성하게 여기는 조선(일본도 같다)풍을 따랐다'
고 하였으나(1974 ; 440) 분명치 않기는 마찬가지이다.

'왼쪽'과 '오른쪽'은 보는 방향에 따라 다르다. 용쪽에서 본 왼쪽은, 방향이 바뀌면

오른쪽이 되므로 한 방향을 달리 적은 듯하다. 일연一然(1206~1289)이 석가모니 탄생설화와 달리 왼쪽이라고 한 것도 실제로는 오른쪽을 가리킨 것이 아닐까? 따라서 '이분체제적인 상징성'은 지나친 확대해석으로 생각된다.

옛 기록뿐 아니라 민속에서도 용이 우물에 살거나 우물을 통해 용궁으로 드나든다는 기사가 흔하다. 민간의 우물고사인 사해四海 용왕제에서 동·남·서·북·중앙의 다섯 용왕님을 들먹이며, 우물 자체를 용궁, 그 물을 용수龍水라 부르는 것도 마찬가지이다. 따라서 건국신화에서 우물이 시조 탄생의 성소로 등장하는 것은 당연하다. (☞ 454~466)

(3) 월성月城우물

① 『삼국사기』 기사이다.

———

파사婆娑 이사금尼師今 22년(101) 봄 정월에 성을 쌓고 월성이라 불렀다. 가을 7월에 임금이 옮아갔다(신라본기 제1).

———

월성은 경주시 인왕동에 있으며(사적 제16호), 반월성半月城 또는 신월성新月城이라고도 한다. 문무왕文武王 때 주위에 안압지·임해전·첨성대 따위가 들어섰다. 둘레 2.4킬로미터에 동서 900미터, 남북 260미터이다.

사진 103은 하늘에서 본 월성이고 그림 50은 신라왕경도의 부분이다.

사진 103

그림 50

궁궐의 이름을 월성이라고 지은 것은 초승달이 점점 커서 온달이 되듯이, 나라의 힘이 날로 자라기를 바랐기 때문이다. 『삼국유사』의 토함산에 올라가 명당을 찾던 탈해脫解(?~80)가 초승달을 닮은 호공瓠公의 집을 보고 꾀를 써서 차지하였다는 기사(권제1 기이 제1 「탈해왕」)는 나날이 커가는 초승달 터에 산 덕분에 임금이 되었다는 뜻일 터이다. 신라뿐만 아니라 고구려와 백제에도 같은 이름의 성이 있었던 까닭이 이것이다.

② 『삼국유사』의 백제 관련 기사이다.

─────

의자왕義慈王 5년(660) 6월, 궁성에 나타난 귀신이 '백제가 망한다'고 외치다가 땅속으로 들어갔다. 이상히 여긴 왕이 땅을 파게 하였더니 석 자(1미터) 깊이에서 '백제는 온달이고 신라는 초승달과 같다'고 쓰인 거북이 나타났다.

임금이 무당에게 묻자 '온달은 가득 찼으므로 곧 기울고, 초승달은 차지 않았으니 점점 가득하게 됩니다' 하였다. 화가 치민 왕이 그를 죽이자 다른 이가 나서서 말하였다.

"온달은 가득 찼으므로 성盛한 모습이고, 초승달은 모자란 데가 있으므로 약합니다. 따라서 우리나라는 점점 강해지고 신라는 점점 쪼그라든다는 뜻입니다." (권제1 기이 제1 「대[치]종 춘추공」)

─────

백제 반월성은 『동국여지승람』에 보인다. '옛 백제의 도성으로 부소산을 싸안은 두 머리가 백마강에 이른 꼴이 반달을 닮은 까닭에 반월성이라 부른다'는 내용이다(제13권 부여현 「고적」). 이 돌성은 둘레 13,060(4.3킬로미터)척이다.

③ 고구려 관련 기사는 『삼국유사』에 있다.

─────

고려 예종睿宗 11년(1116)쯤, 도사들이 나라 안의 이름난 산천들을 돌아다니며 진압시켰다. 옛 평양성의 지세가 신월성新月城이라 하여 주문을 외우고 남하南河의 용들에게 명령해서 만월성을 더 늘려 쌓게 하였다. 이로 인하여 이름을 용언성龍堰城이라 지었다(권제3 흥법 제3 「寶藏奉老 普德移庵」).

─────

사진 104·105가 우물이며 입을 덮은 돌은 절집이나 탑에 있던 것을 옮겨 놓은 것이다. 주위에 연꽃을 겹으로 새기고 두 단의 받침을 두른 것 따위가 그것이다. 반으로 갈라진 것은 버려진 것을 알려준다.

사진 104

사진 105

입은 1.54×1.5미터에 높이 45센티미터이다. 입의 안지름은 67센티미터이고, 바깥지름은 84센티미터이다. 벽은 냇돌로 쌓았다(사진 106).

사진 106

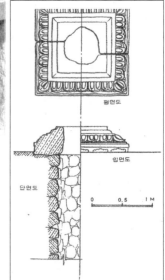
그림 51(ⓒ 남시진)

가까이 있던 탈해왕을 받든 숭신전崇神殿의 것일 터이다. 그림 51은 실측도이다.

(4) 요내정遙乃井

『삼국유사』 기사이다.

―――――

용이 둘러싼 배에 실린 궤에서 나온 아이脫解는 지팡이를 짚고 종 둘과 함께 토함산(745미터)에 올라가 돌움石塚을 짓고 한이레 동안 머무르며 성 안의 좋은 터를 찾았다. (…)

동악東岳에서 내려오던 그는 종白衣에게 물을 떠 오라고 일렀다. 떠 가지고 오다가 먼저 마시려 하자, 뿔잔角盃이 입에 붙어 떨어지지 않았다. '앞으로는 가깝든 멀든 먼저 마시지 않겠습니다' 맹세한 뒤에야 떨어졌다. (…) 지금 동악의 요내정遙乃井이 그 우물이다(권제1 기이 제1 「탈해왕」).

———

양주동은 석탈·석토昔吐는 모두 옛 터전舊基을 이르고, 해解는 남해南海의 '해'처럼 이름에 붙는 hae(존칭)라고 하였다. 그러나 미시나 쇼에이는 탈脫의 훈독訓讀은 Pas이고 토함의 토는 pat에서 왔으며, 토함산 신앙에서 탈해라고 불렀다며 '해解의 훈 pur와 함의 훈 mur'는 서로 통하고, 탈해는 토함산의 산신이자 용성국龍城國 용궁龍宮에서 건너온 해신海神으로 용蛇은 물을 지배하는 수신과 같은 구실도 한다고 적었다(1975 ; 479).

'탈해'의 소리 값이 '토함산'과 같고, 그가 산신이자 바다신이라는 말은 그럴듯하지만, 『삼국사기』와 『삼국유사』에 적힌 대로 '배 안의 궤櫃에서 벗어나 세상으로 나왔다'는 뜻으로 보는 것이 좋다. 곧 속박이나 번뇌 따위의 굴레를 벗어던지고 영원한 득도를 이룬 것을 나타내는 해탈과 같은 말이며 이는 토해吐解와도 일치한다. 『화엄경』에도 '마야부인 선지식善知識이 11지池에 살며 부처를 낳은 것이 환해탈문幻解脫門과 같다'고 하여, 해탈을 탈해와 같은 뜻으로 썼다(권제3 탑상 제4 「南白月二聖·努肹夫得·恒恒朴朴」에서 재인용).

① 석총

석총은 너럭바위에 돌을 쌓아 마련한 움일 터이다. 엄장이 워낙 큰 천하장사 탈해가 종 둘과 한 이레를 지냈다니 제법 널찍했을 것이다. 7세기에 자장법사慈藏法師(?~?)가 문수보살의 진신을 보려고 오대산 기슭에 새茅집을 짓고, 그 뒤 신효거사信孝居士(?~?)가 관음보살의 가르침에 따라 경주 하솔河率(강릉)에 같은 집을 지은 것과 대조적이다.

강인구姜仁求가 이를 '지상혈식地上穴式의 전투를 위한 구조'라고 한 것(2001 ; 125)은 받아들이기 어렵다. 그의 말대로 석총 자리에 석굴암을 세웠고 이곳에서 동남쪽으로 곡저谷底평야와 동해가 한 눈에 들어오는 것은 사실이지만(석굴암은 토함산 정상에서 남남동쪽으로 약 300미터 아래에 있다), 셋이 한 이레를 지내며 무슨 전투를 얼마나 벌였겠는가?

더구나 이들이 무기를 지녔다는 말은 어디에도 없다.

또 미시나 쇼에이가 '조선에서 신성한 숲에 신단神壇으로 마련하는 서낭당累石壇으로, 이는 퉁구스나 몽골의 신앙이 흘러들어온 결과'라고 한 것(1975 ; 493)도 미심적다. 오히려 탈해가 '무덤형 돌무지'에 머문 것은 죽음과 재생을 표상하는 입사식入社式이라고 한 김열규金烈圭(1932~2013)의 설명이 진실에 가까울 터이다.

② **한이레**

흔히 아이가 태어나 이레가 되는 날을 한이레, 14일째를 두이레, 21일째를 삼칠일이라 하여 그 동안 탈 없이 자란 것을 기리는 작은 잔치를 베푼다. 탈해가 토함산에서 한 이레를 지낸 것도 특별한 뜻이 있을 터이다. 실제로 불교에서는 한 이레를 시간의 잣대로 삼는다.

『삼국유사』의 관련기사이다.

───────

㉠ 바닷가에 닿은 배에 일곱 가지 보물과 종이 가득 차 있어 한 이레 동안 받들자 그 안의 궤에서 아기(석탈해)가 나와 '나는 용성국 사람'이라 하였다(권제1 기이 제1 「탈해왕」).

㉡ 진평왕眞平王(?~632)의 사자가 혜숙惠宿(?~?)을 만나 '어디에서 옵니까?' 묻자 '성안 시주집檀越家 이레재七日齋에서 오는 길'이라 하였다(권제4 의해 제5 「二惠同塵」).

㉢ 진표眞表(?~?) 율사가 수행에 들어가 한 이레 되는 날 밤, 금지팡이金錫杖를 흔들며 온 지장보살이 쓰다듬자 율사의 손과 팔이 바로 돌아갔다(권제4 의해 제5 「眞表傳簡」).

㉣ 자장慈藏(?~?) 대사가 오대산 새茅집에서 문수보살을 보려고 한 이레를 지냈으나 나타나지 않아 묘범산妙梵山으로 가서 정암사淨岩寺를 세웠다(권제3 탑상 제4 「臺山月精寺 五類聖衆」).

㉤ 사리불문경舍利佛問經에 부처가 장자長者의 아들 빈야다라邠若多羅에게 한 이레 낮밤에 전생의 죄를 다 씻으라고 일렀다(권제4 의해 제5 「진표전간」).

───────

불교의 49재齋도 칠칠재七七齋라는 별명대로 죽은 뒤 이레가 일곱 번 거듭된 날 치른다. 이레마다 재를 올리면 그 사이에 불법을 깨달아 저 세상에서 사람으로 태어난다는 것이다. 이러한 점에서 강인구가 '유칠일留七日'에 대해 '전투를 7일간 하였거나, 근거지인 아진포를 포함한 동해안 지역을 떠나 다른 집단의 영역인 토함산 정상에서부터 경주로 가는 데 7일 걸렸다는 의미가 아닐까?'라고 한 것은 설득력이 떨어진다(2001 ; 125). 이보다 신통력을 얻기 위한 기도처로 이해하는 것이 좋을 터이다.

③ 동악東岳

동악은 토함산의 다른 이름으로 '왜국 동북 천 리'에서 온 탈해가 처음 머물렀고, 죽은 뒤 뼈를 묻으라고 일렀으며, 마침내 산신東岳神이 된 성역이다. 신라에서 오악五嶽의 하나인 성악聖岳으로 여겨서 중사中祀를 받들어 왔으며(『동국여지승람』 권21 경주부 「산천」), 동해의 왜구로부터 서라벌을 지키는 군사적 요충지로도 삼았다. 따라서 그가 자신의 뼈를 묻으라고 한 것은, 문무왕文武王이 죽은 뒤에도 동해의 용이 되어 나라를 지키겠다고 한 말을 연상시킨다.

④ 용신과 요내정

탈해가 요내정의 물을 떠오게 한 것도 예사롭지 않다. 그는 특별한 의례를 지내려 하였고 표주박이 종의 입에 들어붙은 까닭도 연관이 있다. 이름 '요내정'도 보통의 골짜기 물이 아니라, 용신신앙에 연관된 특별한 우물이라는 뜻일 터이다.

불교에서는 특정한 데의 물을 신령스럽게 여긴다. 『삼국유사』의 '정신대왕淨神大王의 태자 보천寶川(?~?)이 늘 신령한 골짜기의 물을 마신 덕분에 늙어 육신이 울진국 장천굴掌天窟로 날아갔으며(권제3 탑상 권제4 「臺山五萬眞身」), 그와 효명태자孝明太子(?~?)가 아침마다 골짜기 물于筒水로 차를 다려서 진신 문수보살 만 명을 봉양하였다'는 따위의 기사가 대표적이다(권제3 탑상 제4 「溟洲 五臺山 寶叱徒 太子傳記」).

미시나 쇼에이는 요내정이 '산에서 나오는 샘泉井'의 뜻이라며 '바다에서 들어온 수신水神인 탈해 신앙에서 나온 정천井泉 전설에 어울린다'고 덧붙였다(1975 ; 483). 그러나 이민수는 '석昔씨 일설에 의하면, 석탈해의 설화는 예濊계의 한 지방 수장이 멀리 해양 각 방면을 돌다가 가락駕洛을 거쳐 신라에까지 찾아 왔다는 말이 있다. 석昔은 그 훈訓인 예의 표음자表音字로 예를 말함이라 한다. 그러면 요내정도 예가정濊家井이란 말이 있을 수 있다'고 하였다(1983 ; 73~74). 본인 스스로 얼버무리며 붙인 이 몇 마디를 학계에서 아무 검토 없이 그대로 받아서 '요씨네 우물'로 단정한 것은 잘못이다. 또 그가 탈해는 따개, 곧 땅기, 지방 수장首長으로 예계濊系의 우두머리라고 한 것도 이해하기 어렵다.

'석씨 일설'은 『삼국유사』의 '알에서 나온 석탈해는 용성국 사람이며, 그 곳은 왜倭 동북쪽 천리에 있다'는 기사를 가리킨다(『삼국사기』「신라본기」의 기사도 같다). 이에 따라 용성국을 예濊라고 한 것이다. 또 내乃를 우리말 '네'의 한자 표기로 본 것도 문제이다. 15개쯤 되는 신라의 지명이나 관명眞乃末·大乃末의 '내乃' 가운데 같은 뜻을 지닌 것은 없다. 용성국의 위치도 모른다. 강인구姜仁求는 전라도 남원의 옛 이름이 용성인 점을 들어 '혹 관련이 있을 듯하다'고 덧붙였지만(2003 ; 249~250), 그렇다면 굳이 왜국 천리로 둘러댈 까닭이 없을 것이다. 『삼국유사』의 정명국正明國·완하국玩夏國·화하 국花廈國이나 『삼국사기』의 다파나국多婆那國도 마찬가지이다.

탈해 아버지 이름 함달파含達婆가 제석천帝釋天의 음악신 건련파乾闥[連]婆와 소리 값이 닮았다는 미시나 쇼에이의 말이나(1975 ; 385~386), 다파나국이 서역의 소국이라는 설을 좇는다면 불교와의 연관성을 강조하려는 의도로 볼 수도 있다. 이밖에 동해 적 녀국積女國이라는 설에서부터(『삼국지』「동옥저전」), 중국 서남부 해안지대에 있었다는 설까지 다양하다. 또 쇼에이가 용성국을 용궁에 비정한 것은 탈해가 '우리나라에 28용왕이 있고 사람의 태에서 태어났으며, 대여섯 살에 왕이 되어 만민을 교화시켜서 성 명性命을 바르게 닦았다'는 말을 염두에 둔 데서 왔을 것이다. 나로서는 이 용궁설이 가장 그럴듯하다.

한편, 『삼국유사』의 '지금 동악의 요내정이 그 우물'이라는 기사는 적어도 13세기 말까지 존재한 사실을 알려준다. 그리고 1932년에 나온 『경주읍지』도 닮은 내용을 실었다. 이 책이 현종 10년(1669)에 나온 『동경잡기東京雜記』를 바탕 삼았다고 하였으나, 아쉽게도 2014년판 『국역 동경잡기』에는 석굴암은 물론, 요내정 관련 기사가 보이지 않는다.

『경주읍지』의 위치 설명이다.

―――

석굴암 아래의 우물을 약수藥水라 부른다. 물은 맑고 차다. 석불대좌 아래에서 흘

러 석굴 밖으로 뿜어 나온다. 이것이 요내정이다菴下有井 卽所謂藥水也 其味淸冽 自窟

內石佛臺座下 湧出窟外 名遙乃井.

———

이로써 막연했던 '동악의 요내정'이 '석불대좌 아래에서 솟는 약수'임이 밝혀졌다.
뒤의 설명대로 1910년대 초에 없어진 요내정을 이처럼 눈에 보이듯이 설명한 것은
『동경잡기』의 내용을 그대로 옮긴 덕분이다. 장충식張忠植(1941~2005)은 요내정이 석불
대좌가 아니라 석굴 본존불 뒤의 주벽을 이룬 십일면관음보살의 발아래에서 솟는다
는 황수영黃壽永(1918~2001)의 증언을 인용하고 이렇게 덧붙였다.

———

토함산 석굴암의 점정點定은 요내정이라는 우물의 실체를 배경으로 탄생되고 있
으며, 놀라운 것은 이 우물 위에 자리 잡았다는 것이다. 이는 건축학적으로 있을
수 없는 일이지만 이것이 바로 우리의 석굴암이 가지는 종교적 성화Hierophany라
는 점에 그 위대성이 있다. (…)

석굴바닥을 흘러 성화聖化된 물은 바로 감로수가 되는 것이고 동시에 그 물을
통한 석조물로서의 석굴 불상 역시 성화되는 것으로 생각된다. (…) 이 예씨네
우물 위에 석굴이 건립되어 석굴암은 후에 물과 불가분의 관계에 있는 용신신앙
으로 승화되었다고 보는 것은 지나친 비약일까? 토함산 석굴의 방향이 문무대왕
文武大王의 동해 용왕설을 반증하는 대왕암大王巖과도 연관되어 있음은 우연이 아
닐 것이다(2004 ; 88).

———

실제로 불교에서는 문수보살文殊菩薩의 서른여섯 가지 변신 가운데 여래나 지신地神
의 출현을 땅에서 솟아오르는 샘惑如來湧出形에 견주므로(권제3 탑상 제4 「대산 오만 진신」),
석굴암을 요내정 위에 세운 것은 우연이 아니라 필연적인 깊은 뜻이 숨어 있다. 한편,
그가 '우물 위의 건물은 건축학적으로 있을 수 없는 일'이라 하였지만, 우리네 절에서
흔히 샘 위의 용왕궁을 세운다.

『삼국유사』에도 관련 기사가 있다.

———

신라 말 보요普耀(?~?) 선사가 처음 남월南越에서 대장경을 가져와 (…) 안치할 곳

을 찾다가 상서로운 구름이 이는 자리에 절蓮社을 지었다. 지금도 있는 이 절의 용왕당은 자못 신령하고 이상한 일이 많았으며, 그때 대장경을 따라온 용왕도 머물렀다(권제3 탑상 제4 「前後 所將舍利」).

———

이밖에

　⊙ 경주 일곱 절터 가운데 셋째는 용궁 남쪽(지금의 황룡사)이고, 넷째는 용궁 북쪽(지금의 분황사)이라는 기사(권제3 법흥 제3 「아도기라」)

　ⓛ 월성 동쪽 용궁 남쪽에 가섭불迦葉佛의 연좌석宴坐石이 있다는 기사(권제3 탑상 제4 「가섭불 연좌석」)

　ⓒ 진흥왕 14년(553) 궁궐紫宮을 용궁 남쪽에 지으려 하자 황룡이 나타나서 황룡사라 불렀다는 기사(권제3 탑상 제4 「황룡사 장륙」)

따위는 용궁이 매우 큰 비중을 차지했던 사실을 알려준다. 또 작제건의 아내 용녀가 자신이 마련한 큰 우물大井을 두고도, 서해 용궁으로 드나들려고 송악산 새 집에서 가까운 광명사廣明寺 동상방東上房 북쪽에 새로 우물을 팠다는 기사(『고려사』 제1 세기 제1 「고려세계」)도 용왕궁일 가능성이 있다.

강인구姜仁求는 '용궁은 북으로 분황사, 남으로 황룡사 사이로 보인다. 발굴 결과 분황사 당간지주와 황룡사 북쪽 돌담 사이가 130여 미터에 지나지 않아서, 김정기金正基(1930~2015)가 황룡사지 서북쪽 한 단 낮은 논의 습지대 같은 곳에 섬이 있었음을 들고, 이 못을 용궁자리로 본 것은 대단히 합리적인 추측이다. 용궁은 건물이 아니라 불교 유입 이후에 신라인의 용사상과 결합되어 나온 용의 서식지였을 가능성이 높다'고 하였다(2002 ; 135). 이는 용왕당의 규모가 전면 두세 칸에 측면 칸 반에 지나지 않는 사실을 모른 탓으로 '그 가운데 섬'이나 '용의 서식지' 운운한 대목은 사실에 어긋난다. 신라에서 용왕제를 받드는 관청龍王典을 두어 대사大舍와 사史 두 명씩 배치하고(『삼국사기』 권제39 잡지 제8 「職官」 중), 안압지에서 용두와 함께 '용왕신심龍王辛審'과 '신심용왕'이라고 새긴 토기가, 전인용사지傳仁容寺址에서 용왕목간이 나온 점 따위도 용왕궁의 비중을 알리는 좋은 보기이다. (☞ 471~474)

샘 위의 건물은 우리뿐 아니라 일본의 절이나 신사에도 적지 않다. 교토 오츠시大津市 園城寺町 원성사園城寺 금당 서쪽의 알가정옥閼伽井屋이 대표격으로, 석굴암 창건이 740~750년이라면 그 영향을 받았을 가능성이 있다. 이처럼 신사나 절집을 우물 위에 지은 것은 말할 것도 없이 우물 자체를 신성한 존재로 여긴 데서 왔다.

김대성金大城(700~774)이 용왕당(요내정)에 석굴을 조성한 것도 굴을 도장으로 삼는 불교의 전통과 연관이 깊다. 관불삼매경觀佛三昧經에 '용왕이 칠보대七寶臺를 바치자 여래께서 나는 필요치 않으니 나찰羅刹의 석굴만 시주하라 이르시고 (…) 내가 네 굴에 앉아 1천 5백 세를 지낼 것'이라 하였다는 『삼국유사』의 기사가 그것이다(권제3 탑상 제4「魚山佛影」). 또 신라 말 보천寶川(?~?)이 울진국蔚珍國 장천굴에서 낮밤으로 수구다라니隨求多羅尼를 읊조리자, 2천여 년 된 굴의 신령이 나타나 오늘에야 수구다라니경을 들었다며 보살계를 달라고 하였고, 주었더니 굴이 없어져서 오대산 신성굴神聖窟로 돌아갔다고도 하였다(권제3 탑상 제4「대산 오만 진신」).

⑤ 보수공사

요내정이 사라지고 석굴 아래 200여 미터의 감로수甘露水가 생긴 근본적 원인은 일제강점기에 벌인 세 번(① 1913~1915 · ② 1917 · ③ 1920~1923)의 보수공사 탓이다.

제1차 보고서의 관련 기사이다.

> 석굴 후배부後背部 암석 균열면龜裂面으로부터 용수湧水가 있어 암석 일부를 제거하고 연관鉛管을 설치하여 배수로를 삼아 물을 굴 외에 인도하고, 굴 외로부터 다시 배수 암거暗渠를 설치하여 배수키로 하였다(『보고서』; 21).

석굴암을 요내정 위에 지은 사실을 알 리 없는 토목기술자들이 솟아오르는 물 처리에 열중한 나머지 돌을 들어내고 관을 묻어서 밖으로 뺀 다음, 다시 도랑으로 흘러나가게 하였다는 것이다.

3차 공사(1920~1923) 보고서의 관련 기사이다(사진 107 · 108).

> 제1차 공사에 앞서 후면에서 발견된 용수 2개 처는 석굴 바닥 밑을 통과하고 있었다. 이를 위한 수조水槽를 짜서 연관鉛管으로 연결하여 굴 외로 배수케 한 것은 (…) 현지에서 결정된 안이한 방식이었다. 이것이 곧 고장 나서 (…) 3차

에서는 제1 수조로부터 직접 돔 향우외주向右
外周로 돌아 흐르도록 암석을 뚫고 석조 도수
로導水路를 신설하였지만 이마저 (…) 토사에
의한 배수로 충색充塞을 초래하고 말았다. (…)
석굴 앞에 2단段 평행의 고저高低 석축을 쌓고
그곳에 배수로를 인도한 감로수 주구注口를 설
치하였으나 (…) 근본적 시정은 얻지 못하였
다(『보고서』; 22).

사진 107

　석굴 보수 때 요내정의 물을 바닥을 통해 밖으
로 빼었으므로 본디 보습은 이때 사라진 셈이다.
1분에 6리터나 솟는 샘물은(『보고서 ; 44』), 배수로 끝
에 마련한 물확으로 떨어졌을 것이다(물확은 4차 공
사[1961~1963] 때 경주시내 군수 관사의 것을 옮겨왔다).
　최초의 배수 방식이 천여 년 동안 탈이 없었음
에도 오히려 '수조를 짜고 연관을 설치한' 탓에
도랑이 흙에 막히는 문제가 터지고만 것이다. 그
보다 더 큰 잘못은 1960년대에 우리 손으로 고치
면서도 요내정은 까맣게 잊은 채 물 처리만 서둘
렀던 사실이다.

사진 108

3차 보고서의 일부이다.

　　용출부위의 암반을 깎아내어 심원부深源部의 위치를 낮게 하였으며, 유수를 굴에
　　서 멀리 떨어진 배수구로 흐르게 하였다. (…) 그리하여 종래의 수위보다는 현격
　　하게 낙차지어 굴 지반과는 아무 상관이 없는 것으로 되어버렸다(『보고서』; 33~34).

'유수를 굴에서 멀리 떨어진 배수구로 흐르게 한' 결과로 나타난 것이 바로 석굴암
아래 백여 미터 떨어진 곳의 감로수이다(사진 109). 천여 년이나 지나서 고친다며 오히

려 망쳐놓은 것이다. 사진 110은 1930년대의 석굴암 모습이다.

사진 109   사진 110

한편, 장충식이 앞에서 든 『경주읍지』 기사에 대해 '그것은 바로 오랜 숙제를 풀어주는 환희의 문구였다'고 한 것을 보면 '석굴 내에서 용출하는 물이 바로 탈해왕의 설화와 연관된 요내정이라는 놀라운 사실'을 아무도 몰랐던 것이 분명하다. 바로 이 때문에 보수공사는커녕 '종래의 수위보다는 현격하게 낙차지어 굴 지반과는 아무 상관이 없는 변형공사'만 되풀이한 것이다(『보고서』; 33~34).

또 『경주읍지』 기사가 '일제의 석굴공사 시작 전 최후의 석굴암 주변상황을 기록한 내용'이라고 한 것은 잘못이다(2004; 95). 앞에서 든 대로 읍지는 1932년에 나왔고, 1669년의 『동경잡기』를 바탕삼은 점에서 17세기 후반의 정황으로 보아야 옳다. 불교미술의 권위자로 자칭하는 많은 학자들이 『경주읍지』조차 읽지 않고 수리에 나선 것은 두고두고 한탄할 일이다.

김대성金大城이 이승의 양친을 위해 불국사를 세우는 한편, 저승의 부모를 도우려고 석불사(석굴암의 본디 이름)를 짓고 신림神琳(?~?)과 표훈表訓(?~?) 두 선사를 청하여 머물게 한 것(권제5 孝善 제9 「大城孝 二世 父母 神文王代」)은 요내정, 곧 용왕궁의 신통력을 빌어서 그들을 재생시키려는 비원悲願이 바탕이 되었을 것이다. 들여다보기만 해도 아기를 배는 신정神井도 있거니와(『후한서』 권85 「동이전 옥저」), 무교의 바리공주는 서천 서역국에서 떠온 샘물로 죽은 부모를 되살렸다. 그가 이처럼 요내정을 용왕궁 삼아 석굴을 조성하였다면, 그 안의 부처는 용왕궁에 바친 성상聖像으로 보아도 좋을 것이다.

백성들의 요내정에 대한 신앙은 20세기에도 이어 내렸고 이는 우연이 아니다.

『조선민속지朝鮮民俗誌』 기사이다.

———

나는 30년 전, 조선에 오자마자 남부지방 여행에 나섰다가 경주에서, 토함산 석
불에게 기도를 하고 그 곳의 약수를 마시면 사내아기를 낳는 것은 물론이고, 뱃
속의 계집아이도 사내아이로 바꿀 수 있다는 이야기를 들었다.
『삼국유사』에도 신라 경덕왕景德王(742~765) 때 '상제上帝에게 여자를 남자로 바
꾸어 달라轉女成南는 기도를 올리고, 동경東京 중생사衆生寺 부처에게도 사내아기
를 바라는 기도를 바쳤다'는 대목이 있다(秋葉 隆 1993 ; 298~299).

———

뱃속의 여자아기를 남자로 바꾸려고 부처에게 빈 뒤 '약수를 마시는'것은 이렇게
하지 않으면 소망을 이루기 어렵다는 뜻이며, 이는 요내정의 신령스러움이 부처의 권
능에 못지않음을 가리키는 것이기도 하다.

경덕왕 관련 내용은 왕이 표훈表訓(?~?)대덕에게 상제께 아들을 빌어달라고 부탁하
여 뜻을 이루었다는 기사이고(권제3 기이 제2 「경덕왕 충담사 표훈대덕」), 또 하나는 대덕 자장
율사慈裝律師(?~?)의 아버지가 천불관음千佛觀音에게 기도한 덕분에 그가 태어났다는 출
생담이다(권제4 의해 제5 「자장정률」).

따라서 요내정 복원이야말로 불국사 경내의 그 어느 불교유적보다도 서둘러야 할
과제이며, 지금이라도 요내정과 석굴암과의 깊은 관계를 널리 알려야 할 것이다.

(5) 황룡사黃龍寺우물

황룡사는 경주시 구황동에 있던 신라에서 가장 큰 절이다. 진흥왕眞興王(540~576)이
본궁 남쪽에 새 대궐을 짓다가 황룡이 나타나자 절로 바꾸어 569년에 세운 뒤, 574년에
금동장륙상金銅丈六像을 마련하고, 645년에 9층 목탑을 세운 점에서 4대왕 93년 만에
완공된 셈이다. 『동경잡기』에 '진평왕眞平王(579~632) 때 황철黃鐵 5만 7천 근斤과 황금
3만 푼分을 들인 장륙불상이 있다'고 적혔으나 그마저 자취를 감추었다(권2 「佛宇」). 이
절은 1238년, 몽골군이 지른 불로 잿더미가 되고 말았다.

『신라우물』 기사이다.

지금까지 경주 부근에서 확인된 우물 가운데 가장 클 것이다. 내부 직경 2.8미터이며, 깊이는 (위험하여) 8미터까지만 확인하였다. 수심은 5.6미터쯤이다. 전은 40×50센티미터에 길이 2.4미터의 장대석을 만卍자꼴로 두 겹 올렸다. 그 동안 없어졌던 아래의 1.7미터쯤을 정비할 때 20~50센티미터의 자연석으로 고쳐 쌓았다. (…) 위를 손보면서 내부 직경 2.8미터를 1.9미터로 줄인 탓에 위가 좁고 아래가 너른 꼴로 바뀌었다(남시진 2015 ; 221~222).

사진 111은 우물 전이고, 사진 112는 안 모습이며, 그림 52는 실측도이다.

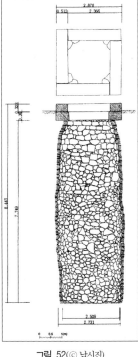

| 사진 111 | 사진 112 | 그림 52(ⓒ 남시진) |

(6) 재매정財買井

① 금입택金入宅

『삼국유사』에 '신라 전성기의 서라벌은 호수 17만 8천 9백 36호에 (…) 금입택(언부 윤대택야言富潤大宅也)이 35채였다. (…) 재매정택財買井宅 庾信公 祖宗 · 천택泉宅 梁南 · 정상택井上宅 · 정하택井下宅 따위도 그 가운데 한 집이라'는 기사가 있다(권제1 「기이」 제1 「辰韓」). 이들 가운데 우물을 갖춘 집은 재매정택 · 정상택 · 정하택 · 천택이고, 물과 연관된 집은 지상택池上宅 · 지택池宅 · 곡수택曲水宅 · 수망택水望宅 따위이다.

금입택은 본문에 보이는 대로 통일신라시대 진골 귀족들의 큰 집, 곧 금이 쏟아져

들어간 대저택이라는 뜻이다. 따라서 집 자체뿐 아니라 재력이 넘치는 집안의 대명 사이기도 하다. 35채라면서 실제로 39채의 집 이름을 든 것에 대해 주보돈朱甫暾 (1953~)은 '단순한 착오가 아니라 35라는 수치가 어느 시점에서 고착된 데서 기인하는 것으로 보인다. 그것이 곧 8세기였다'고 적었다(2015 ; 95). '35채'는 오랜 기간에 걸쳐서 이루어진 것을 이르는 관용구이며 '진한조'에 들어있는 까닭도 이에 있다는 것이다. '17만 8천 9백 36호'도 분명치 않기는 마찬가지이다. 호수가 아니라 인구수라는 설, 실제 거주자가 아니라 호적에 오른 숫자에 지나지 않는다는 설 따위가 그것이다.

천택은 샘, 재매정은 우물 있는 집의 뜻으로, 마을에서 함께 쓸 만큼 물이 풍부해서 이렇게 불렀을 것이다. 사성문제四城門祭의 하나인 대정문제大井門祭라는 이름도 문이 큰 우물가에 있었던 데서 왔다.

정상택과 정하택은 말 그대로 한데(두레)우물 위에 있는 집과 그 아래의 집이라는 뜻이다. 우물이 마을생활의 중심이었던 까닭에 이렇게 부른 것이다. 20세기 중반까지도 한 마을의 일상은 우물을 중심으로 이루어졌다. 이를테면 같은 우물을 쓰는 집끼리 계를 묻어서 우물 청소와 수리를 하고, 물이 넉넉하기를 비는 제사도 올렸다. 또 저녁에 마실을 다니고 고사떡을 돌렸으며 경조사에도 적극 도왔다. 따라서 우물이 여러 집을 하나로 묶는 구심점이었던 까닭에 어떤 우물을 누가 쓰는 가를 살피면 마을의 구조가 샅샅이 드러나게 마련이었다.

재매정의 '재매'는 김유신金庾信(595~673)의 집이 있던 남천南川 옆의 지명이다. 무열왕武烈王(654~661)의 셋째 딸인 그의 아내 지소智炤(?~?)도 재매부인, 그네가 묻힌 곳靑淵上谷도 재매곡이라 불렀다(『삼국유사』 권제1 기이 제1 「김유신」). 이는 시집온 아낙의 고향을 이름삼아 '영천댁'이니 '안동댁'이니 하는 오늘말의 풍습과 같다. 또 재매는 '금입택' 처럼 '재물이 생긴다'는 뜻이기도 하다.

「新羅 金入宅과 재매정宅」 기사이다.

'재매'를 글자 그대로 풀이하면 재화 곧 돈으로 샀다는 의미이겠다. 우물을 돈으로 샀다는 뜻인지, 우물물을 돈으로 산다는 데서 비롯한 것인지 그 자체만으로는 모호하다. (…) 우물의 물을 돈으로 사 먹어야 할 정도로 맛이 있는 데서 일단 그렇게 붙여졌으리라 추리하는 것이 온당하다. (…) 재매정을 금입택으로

부른 연유는 그와 같은 재화를 불러온다는 특이한 우물이 존재하였기 때문이다 (2015 ; 105~106).

———

우물을 돈으로 사거나 물을 돈 내고 먹는다는 것은 상상하기 어렵지만, 우물을 재화로 여겼다는 대목은 그럴듯하다. 근래까지도 우물물을 재운으로 여겼으며 중국이나 일본도 예외가 아니다. 재매정 외에 천택이나 수망택도 마찬가지이다.

재매정은 경주시 교동에 있으며, 1872년에 유허비를 세웠다. 사진 113이 비각, 사진 114는 전 모습, 그림 53은 실측도이다.

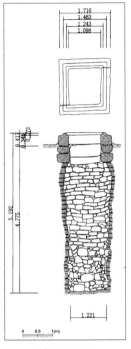

사진 113

사진 114

그림 53(ⓒ 남시진)

『신라우물』 기사이다.

———

전은 거대한 석재를 ㄴ자형으로 다듬은 화강암 두 장을 맞대어 네모로 꾸몄다. (…)

장대석은 단면을 각角, 호弧, 각角형으로 뚜렷하게 다듬어서 간결하고 장중하다. 전 안쪽은 1×1미터이며 그 아래에 25×40센티미터에 길이 1.25미터의 장대석을 길이 방향으로 약간 오목하게 다듬어서 '정#'자형으로 두 단 쌓고, 아래는 자연석으로 벽을 쳤다.

바닥에서 2.1미터까지는 10~30센티미터의 냇돌을 거의 수직으로 올리고 (…) 그 위 2.6미터까지는 15~20센티미터로 정다듬한 화강암으로 배가 조금 부르게 쌓았다. (…)

이처럼 한 우물에서 벽석 축조기법과 사용한 석재가 다른 것으로 보아, 바닥에서 2.1미터까지는 원래 벽이고 그 위 장방형으로 자른 석재로 쌓은 3.7미터 부위는 뒷날 새로 쌓은 것으로 판단된다.

우물은 깊이 5.7미터에 최대직경 1.8미터이다. 바닥은 지름 1.2미터이고, 벽 안의 지름은 1.1미터로 위는 너르고 아래는 조붓하다. 물 깊이 3미터이다.

경주 우물 가운데 네모를 이룬 것은 재매정·월성우물·경주역 광장우물 셋뿐이며 이들은 서로 다른 특징을 지녔다(남시진 2015 ; 223~224).

─────

『삼국사기』의 관련기사이다.

─────

유신庾信은 문에서 기다리던 가족들을 보지도 않고 가다가 집에서 50걸음 떨어진 데에 말을 세웠다. 이어 집에서 장수를 가져오라더니 마시고 나서 '우리 집 물맛은 예 그대로이구나令取漿水於宅 之日 吾家之水 常有舊味' 중얼거렸다(권제41 열전 제1 「김유신」 상).

─────

② **장수**漿水

앞글의 장수를 이병도(1940)는 '장물', 북한의 이상호(1959)는 '숭늉', 이재호(1983)는 '물', 『역주 삼국사기』는 '물'이라고 하였다가(2003), 개정증보판에서 '미음'으로 바꾸었다. 다른 기록을 살펴본다.

조선의 세종世宗(1418~1540)은 여러 날 굶은 사람에게 장수를 먹이면 바로 죽을 터이니 식은 흰 죽물로 주린 배를 축인 뒤 장수를 주라고 일렀다(『경연일기』 107권 27년[1445] 2월 3일). '학질疾을 13차례 앓고도 다섯 번이나 더 앓다가 (…) 억지로 죽을 들었더니 기력이 많이 살아났다'는 효종孝宗(1649~1659)의 말에 송준길宋浚吉(1606~1672)은 '약은 물론 장수도 드시지 않는다는 말이 들린다'고 받았다(『東春堂集』). 또 인조仁祖(1623~ 1649) 때, 이경직李景稷(?~?)은 성을 지키는 군사에게 (…) 따듯한 장수를 먹이려 해도 데울 그릇이 없다는 보고를 올렸다(『승정원일기』 인조 14년[1636] 12월 20일). (『조선왕조실록』에서는 오래 끓인 좁쌀미음으로 새겼다.)

이와 달리 이색李穡(1328~1396)은 '부끄러워 땀이 물처럼 좌좍 흐른다愧汗漿水灕'고 적었고(『牧隱稿』), 『일성록』에는 '공무에서 물러나면 땀이 장수처럼 흐르고 가슴이 울렁거리며 현기증이 난다'는 기사도 보인다(정조 17년[1739] 10월 13일). 뿐만 아니라 성종成宗(1469~1494)은 '많은 사람을 영송迎送할 때 술을 안 쓰더라도 떡·과실·장수 따위를 내면 그 비용이 같으니 모두 금하라'고 일렀으며(『성종실록』1년[1470] 6월 5일), 같은 임금에게 도승지가 황해도 굶주린 백성에게 '채소가 나왔지만 장수에 곡식과 간장을 섞어 먹여야 부기가 빠진다'고 하여 갈피를 잡기 어렵다(13년[1482] 4월 10일).

중국 문헌의 보기이다.

『설문說文』은 '초장酢漿으로 좁쌀을 발효시킨 술'이라고 하였다. 『주례周禮』에 '장인漿人은 왕이 마시는 여섯 가지 음료, 곧 물·장漿·예醴·양凉·의醫·이酏를 장만하여 주부酒府에 바치는 일을 맡는다'는 기사가 있다(제2권 「天官冢宰」). 예는 감주, 양은 술에 타는 물, 의는 맑은 단술, 이는 죽이다. 『조선왕조실록』에서 '좁쌀미음'이라고 한 까닭을 알만하다. 그러나 『예기』는 '장주례漿酒醴 따위의 오음五飮 가운데 물을 첫 손에 꼽은 것은 현주玄酒로 신찬神饌을 삼은 데서 온듯하다'며 물로 새겼고(「玉藻」), 당의 이태백李太白(701~762)도 땡볕에서 배를 끄는 노무자들이 '물이 흐려서 못 마시고水濁不可飮, 물독은 반이 진흙이라네壺漿半成土'라고 읊조렸다(「丁督護歌」). 물이 진흙으로 뿌옇게 흐려져서 마시지 못한다는 것이다. 그러나 왕유王維(699?~759)가 「망천한거輞川閑居」에서 '담백한 산초 술을 옥 제단에 올린다椒漿樽瑤席'고 한 것을 보면 당대唐代에는 두 가지 뜻으로 쓴 것을 알 수 있다.

그렇다면 사기의 장수는 미음인가? 물인가?

김유신이 가족도 못 본체하고 지나쳤다가 가져오라고 이른 점을 잣대로 삼으면 물이라야 합당하다. 집에서 50걸음이나 더 가다가 갑자기 미음을 찾는 것은 사리에 어긋나기 때문이다. 그렇다면 『삼국사기』에서 물을 왜 장수로 적었는지 의문이다. 물水을 거듭 쓰지 않으려 한 탓인가?

이 기사는 물맛이 그대로여서 백제군을 물리쳤다는 뜻으로, 물이 지닌 영속성을 나타낸 것이다. 그러므로 장수는 미음보다 물의 다른 이름으로 보는 것이 자연스럽다.

(7) 분황사芬皇寺 우물

경주시 구황동에 있으며 절은 선
덕여왕善德女王 3년(634)에 지었다.

우물 전은 여덟모이지만 안은 둥
글다. 사진 115가 우물이며, 앞의
건물은 모전석탑模塼石塔(국보 30호)
이다. 사진 116은 여덟모 전이다.
여덟모는 부처가 가르친 팔정도八
正道를, 둥근꼴은 원불圓佛의 진리
를 나타낸다. 바닥에도 같은 모양
의 전을 둘렀다. 이처럼 위가 조붓하고 아
래가 조금 퍼진 아름다운 맵시를 지닌 것은
전국을 통틀어 오직 하나뿐이다. 전에도 뒤
에도 나오지 않았을 뿐더러 중국이나 일본
에서도 찾을 수 없다. 의젓한 매무새 또한
천하일품이다. 어디 그뿐인가? 지름 1.8미
터에 높이 70센티미터의 돌을 떡 주무르듯
이 다룬 담대함에 가슴이 서늘해진다.

사진 115

사진 116

그러나 안타깝게도 전 북쪽 위가 파이고 바닥
일부가 깨지는 상처를 입었다(사진 117). 사이토 타
다시齋藤忠(1908~2013)의 그림에도 있는 것을 보면
1930년대 이전에 생긴 것이 분명하다. 그는 이에
대해 의문을 나타내지 않았으며 뒤의 국내 학자
들도 마찬가지이다. 누가 무슨 목적으로 저지른
짓인가?

사진 117

절은 창건 이래 두 번, 곧 13세기 중반에 몽골군이 지른 불과 조선 선조宣祖(1552~
1608) 때 불교 탄압정책으로 큰 피해를 입었다. 앞의 상처가 몽골의 침략 때 생겼는
지는 알 수 없지만, 대단한 군사시설도 아닌데다가 자신들에게도 필요한 우물에 손

을 댔으리라고는 생각되지 않는다. 우물이 입은 피해라면 지붕이 잿더미로 바뀐 것 뿐이다.

조선시대에 불상의 목이나 팔을 잘라서 땅에 묻거나 우물에 던진 일은 이루 헤아리기 어려울 정도로 많다. 1965년, 이 절 뒤뜰의 다른 우물에서 신체가 손상된 불상 13구가 나온 것이 좋은 보기이다. 그렇다면 앞의 상처와 연관이 있을까? 우물에 대한 신앙이 지금껏 이어 내려오는 것을 보면 아무리 어리석은 백성이라도 차마 이렇게까지는 못했을 터이다. 앞에서 든 대로 전이 부처의 가르침과 원불圓佛의 진리를 상징하고, 우물의 용護國龍 세 마리를 당의 사신이 물고기로 바꾸어 가져가자 원성왕元聖王(785~798)이 사람을 보내 되찾아 왔다고 하여 삼룡변어정三龍變漁井이라는 별명까지 붙지 않았던가? 또 훼손이 목적이라면 이 정도에 그치지 않았을 것이 분명하다.

마지막으로 절의 불목하니나 근처 주민을 떠올릴 수 있다. 발을 우물 전에 바짝 붙여야 두레박질이 편한 탓에 바닥 한쪽을 떼었을 터이다. 그리고 두레박을 올려놓으려고 전의 일부도 평평하게 깎은 것이다. 누구의 소행이든 중대한 범죄임에 틀림없다. 그렇다면 이를 알고도 막지 않은 중들의 책임 또한 막중하다.

『신라우물』 기사이다.

8각 전 아래에 25×40센티미터에 길이 1.25미터의 장대석을 'ㅍ'자형으로 쌓아서 벽석 위에 올려놓고 그 위에 8각 전을 올려서 장대석과 전이 밑에서부터 올린 작은 벽석을 견고하게 잡아 눌러준다.

벽은 20~40센티미터의 자연석을 허튼 층으로 쌓았다.(…) 우물은 깊이 2.7미터에 위 지름 90센티미터, 바닥 지름 1.3미터이다(남시진 2015 ; 221).

전의 위용에 견주면 깊지 않은 셈이다.
그림 54는 실측도이다.

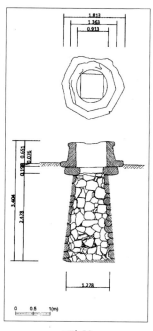

그림 54

(8) 남간사南澗寺 우물

이 절은 7세기 말의 고승 혜통惠通(?~?)이 살던 은천동銀川洞에 있었다고 하며, 누가, 언제 지었는지는 모른다. 남간마을에 높이 3.6미터의 당간지주幢竿支柱와 여덟모의 대좌臺座 따위가 남아있다.

우물은 길이 80센티미터에 너비 40센티미터이다.

① 안내판 내용이다.

———

이 우물은 남간사 터로 짐작되는 남간마을 도연언덕 비탈에 있다. 『삼국유사』에 따르면 절은 헌덕왕憲德王 12년(820) 이전에 창건된 것으로 보인다.

형태는 위쪽 1번이 1.2미터의 방형이며 현재의 깊이는 1.4미터이다. 자연석재로 우물 외벽을 짜 올리고 위쪽은 남북으로 합쳐지는 2매의 다듬은 돌로 원형 틀을 덮어서 마감하였다. 우물 틀(전)의 지름은 88센티미터이다.

우물 틀 둘레에 상하 이중 테를 둘렀는데 윗단은 직각이고 아랫단은 곡선으로 조각하여 변화를 주었다. 분황사 석정石井 및 재매정과 함께 신라 우물의 본래 모습을 갖춘 중요한 가치가 있는 재료이다.

———

사이토 타다시의 그림에는 남간리 우물 두 점이 있다. 그림 55는 내동 남간리 767번지에 있다고 밝혔음에도, 그림 56에 주소를 적지 않은 것은 절이 이미 없어진 탓일지 모른다. 앞의 둘 가운데 크기나 형태로 미루어 그림 55가 남간사의 것으로 짐작된다.

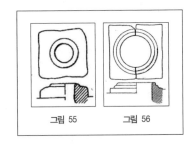

그림 55 　　　그림 56

그것은 그렇거니와 위에 얹힌 갓 꼴의 돌이 과연 본디부터 있었는지 의문이다(사진 118). 지금까지 알려진 경주 우물 가운데 닮은 것이 없는 것은 물론, 그보다 사이토 타다시의 사진에도 보이지 않는 것이 결정적인 증거이다(1936 ; 269). 상식에 견주어도 물을 푸는 데 방해가 될 뿐이다. 갓 모양의 윗돌 사이에 잔 돌을 끼운 것도 의심을 더해준다(사진 119).

사진 118

사진 119

② 앞 사람의 다음 설명에 한 마디도 들어있지 않은 것도 마찬가지이다.

한 변의 길이가 147센티미터나 되고 지름은 88.5센티미터에 이르는 대형이다. 전의 길이도 4.8센티미터나 되는 웅대한 것이다. 2단의 돋을새김을 베풀어서 부드러운 외곡선外曲線을 나타내어 장식적인 의미도 충분히 살렸다. 사천왕사지四天王寺址 부근의 우물도 형식은 같지만 한쪽 바깥 길이가 120센티미터로 조금 작다. 이것은 현재 세 조각을 합쳐놓은 것으로 일부는 후세에 파괴되었을 것이다.

따라서 우물 복원 때 생각 없이 올려놓은 것이 틀림없다. 문화재를 복원한다면서 오히려 훼손시킨 셈이다. 공무원들은 이른바 문화재보수업자라는 자들의 농간이 적지 않은 점에 주의할 필요가 있다. 이러한 보기는 전라남도 구례군 토지면 오미리 유씨네 우물에서도 나타난다. (☞ 553~554)

사진 120

우물은 깊이 2.4미터에 입은 70센티미터이고 수심은 1.8미터쯤이다.

사진 120과 사진 121은 우물 옆의 놓인 팔각돌 반쪽이다. 가운데의 긴 네모꼴 홈은 두 짝을 연결시키는 거멀못을 박기 위한 것이다. 경주박물관 뒤뜰에도 같은 것이 있어서 우물 전으

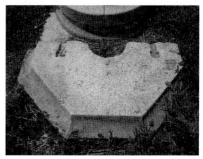
사진 121

로 보이지만(☞ 사진 156~157), 지름이 38센티미터에 지나지 않아 잘라 말하기 어렵다. 다만 사이토 타다시의 조사 목록에 없는 것으로 미루어 1930년대 이후, 부근에서 나온 것을 옮겨 놓았을 터이다.

돌은 길이 1.28미터에 높이 62센티미터이며 두께는 12.8센티미터이다. 그리고 반달꼴 홈의 지름은 36센티미터이다. 이 수치는 뒤에 설명하는 탑동 손씨네 우물 것과 똑같다(남시진 2015 ; 228~ 229). 따라서 한몸이던 것이 반쪽으로 갈린 것이 분명하다. 본디 남간사 것인지, 손씨네 것인지는 알 수 없다.

사진 122 · 123 · 124는 손씨네 우물로 반쪽에 널을 덮었다. 남은 돌은 한눈에 보아도 앞에서 든 것과 같다. 그림 57은 실측도이다.

사진 122

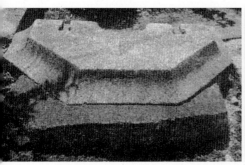

사진 123

사진 124

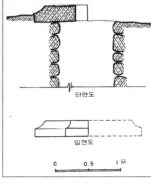

그림 57(ⓒ 남시진)

(9) 국립경주박물관 우물

국립경주박물관 터에서 통일신라시대 우물 둘이 선보였다.

① 『국립경주박물관 부지내 발굴조사보고서』의 간추린 내용이다. (앞으로 『보고서』로 적는다)

미술관 터의 우물 1호의 평면은 원형에 가깝다. 땅을 지름 2.5미터쯤 파고 지름 90센티미터로 고르게 파내려갔다. 벽은 15~45센티미터의 깨진 냇돌로 쌓았으며 깊이 2.9미터쯤이다. 바닥은 자갈이 깔린 생땅을 그대로 썼고 맨 아래 벽은 여덟 장의 큰 돌을 깔았다.

안은 회색 진흙으로 가득하였으며, 일곱 개의 두레박을 비롯한 50여 점의 목제품, 사각편병四角扁甁과 인화문印花文 따위의 토기류 140여 점, 기와류 25여 점, 여러 동물 뼈, 복숭아씨앗이 나왔다. 위에서부터 아래까지 들어찬 이들 가운데 사각편병·항아리·연화문 수막새는 위쪽에서, 동물뼈·씨앗·철기·청동기(뒤꽂이)들은 아래쪽에서 나왔다. 사각편병을 비롯한 토기류는 신라 말기의 전형적인 유물이다.

사진 125

―――――

사진 125는 우물 입이고, 사진 126은 옆모습이다.

450여 점의 각종 유물 외에, 동물 뼈 120여 종이 나온 것은 아주 특이하며 그 가운데 물고기 뼈가 95점에 이르는 것은 고구려나 백제 우물에 없던 일이다.

사진 126

② 몇 가지에 설명을 붙인다.

―――――

가. 용왕목간龍王木簡

(☞ 471~474)

나. 두레박

두레박은 밑이 도끼날처럼 뾰족해야 한쪽으로 기울어지기 쉬운 법이다(사진 127). 가로막대에 손잡이가 달렸을 터이지만, 물 뜨기

사진 127

에 큰 도움이 되지 않는다. 따라서 넉넉한 비가 내리기를 바라는 의례용품이 아닌가 생각된다. 두 개의 우물에서 십여 개가 나온 것도 마찬가지이다.

다. 복숭아씨

복숭아는 잡귀를 물리치는 신령스러운 식물로 여겼다. 귀신에게 잡혀서 얼이 빠진 사람을 동쪽으로 뻗은 복숭아나무 가지로 가볍게 치면 정신을 차린다는 민속이 그것이다. 이러한 신앙은 중국의 도교사상에서 왔다(사진 128).

사진 128

박물관 연결통로 터의 우물 2호는 깊이 7~8미터 지점에서 상석(전)으로 보이는 돌 넉 장이 나왔다. 턱을 붙인 두 장의 길이는 96센티미터이며, 이에 길이 54센티미터에 너비 26센티미터 되는 긴네모꼴 두 장을 맞물렸다. 이들의 두께는 12~18센티미터이며 (…) 구멍의 한 변은 40센티미터쯤으로, 우물 입보다 30센티미터쯤 좁다. 돌로 쌓은 벽의 안지름은 70센티미터이지만 중간 부위가 120센티미터로 넓어지다가 아래로 가면서 1미터로 좁아져서 (…) 위는 너르고 아래는 좁은 꼴을 이룬다. 바닥 깊이는 10.27미터이며 (…) 우물은 일부러 메웠을 터이다.
바닥에 자갈을 깐 다음 그 위에 조금 더 큰 돌을 얹었다. (…)
약 8.5미터 아래에서 여덟 살짜리 어린이 뼈를 비롯하여 소와 닭 따위의 동물뼈와 두레박 두 개, 토기 10여 점이 선보였다. 또 9.5미터 지점에서 나온 두레박과 토기 넉 점, 그리고 10미터에서 나온 토기 한 점은 일부러 넣은 것을 알려준다. 이밖에 점렬문點列文토기 및 중국자기 조각, 연화문 및 인동문忍冬紋수막새, 많은 기와 조각, '남궁지인南宮之印'이 찍힌 기와조각도 들어 있다.
지금까지 경주일대에서 지표조사나 발굴에 따라 드러난 신라 우물 120여 개 가운데 재매정이 깊이 5.7미터에 최대지름 1.8미터이고, 황룡사 터의 것은 지름 3미터이다. 이에 견주어 미술관 터의 것은 지름 90센티미터에 깊이 7미터(추정)이고, 앞의 것은 지름 70센티미터쯤(바닥은 1.2미터)에 깊이 10.27미터이므로 그 어느 것보다 크다(2002 ; 196~199·267).

———

그림 58은 우물 입이고, 사진 129는 우물 안이며 사진 130은 각 층위에서 나온 유물이다.

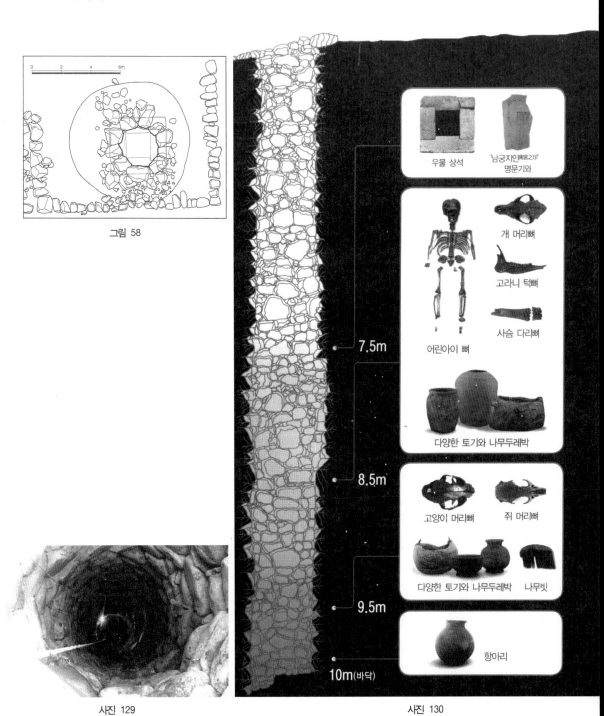

그림 58

사진 129

7.5m

우물 상석

'남궁지인南宮之印'
명문기와

개 머리뼈

고라니 턱뼈

사슴 다리뼈

어린아이 뼈

다양한 토기와 나무두레박

8.5m

고양이 머리뼈

쥐 머리뼈

다양한 토기와 나무두레박   나무빗

9.5m

항아리

10m(바닥)

사진 130

③ 출토 유물 몇 가지에 대한 설명이다.

가. 전

좌우 가운데 돌에 턱을 붙여 위와 아
래의 돌이 움직이지 않게 한 것이 돋보인
다. 이러한 전은 처음 선보였다. 앞 책과
보고서에는 설명이 없으나 위·아래 돌
가운데에 돌기를 붙여 깎고 양쪽 판 홈에
끼워서 붙박았을 것이다(사진 131).

사진 131

구멍의 한 변은 40센티미터로 우물 입보다 30센티미터 작다. 따라서 이 우물에 딸
렸던 것이 아니라 뒤에 다른 데 것을 넣은 것이 분명하다. 7~8미터 아래에서 나온
까닭도 마찬가지이다. 높이 17.5센티미터에 길이 92센티미터이고 너비는 26~27.5센
티미터이다.

『보고서』에 '유례없이 단아한 형식이어서 일반적인 우물이 아닌 궁궐이나 관아에
서 사용하던 것으로 추정된다'고 적혔지만 옳지 않다. 이보다 더 정교하고 아름다운
전은 아주 많으며, (☞ 사진 154~167) 궁궐이나 관아의 우물 전이라기에는 지나치게 작을
뿐더러, 신라시대 우물 전 형식과도 거리가 먼 까닭이다.

이것을 우물에 왜 넣었는지 궁금하다. 우물을 고려 초에 버렸다고 하므로 시기는
7세기 후반에서 10세초가 된다. 또 '이 일대가 조선시대에 경작지와 주택지로 사용되
는 등 파손이 극심한 상태였던 것'을 떠올리면, 전이 있던 7.5미터부터 그 위에서 나
온 통일신라시대 토기 및 기와류는 '제물'이 아니라 '쓰레기'로 다루어도 좋을 것이다.

그 아래 8.5미터 지점에서부터 어린이를 비롯한 개·고라니·사슴다리 따위의 동
물 뼈, 다양한 토기, 두레박 따위가 나오고, 9.5미터 지점에서 고양이·쥐·빗·토기
류·두레박 따위가 선보인 것이 좋은 보기이다. 그리고 이들의 대부분이 복원할 만큼
온전한 상태였던 것도 마찬가지이다. 따라서 전은 우물을 메울 때 제물로 바쳤을 터
이다. 언제라도 쓸 만큼 멀쩡한 것을 쓰레기로 버릴 까닭이 없지 않은가?(떨어진 한
귀퉁이는 넣은 뒤에 생겼을 터이다) 이 우물을 쓰던 사람들이 다른 곳으로 떠나면서 새 우
물의 물이 끊이지 않기를 바라는 뜻으로 바친 것이 아닐까?

나. 어린이 뼈

토기와 동물 뼈가 들어있는 층의 맨 위에서 나왔다.

『보고서』 설명이다.

인골은 뻘층에 묻혔으면서도 보존상태가 좋은 편이다. 남은 것은 두개골·상지골·구간골·하지골이 거의 뚜렷하며 극히 일부만 보이지 않는다. (…) 이는 처음부터 없던 것이 아니라 썩어서 사라진 듯하다. (…)

키 123.8센티미터 이상의 일고여덟 살 어린이로 우물에 빠졌거나 이미 죽은 상태에서 넣은 것으로 보인다. 그러나 같이 나온 동물 뼈들과 위아래로 겹치지 않고, 같은 층위에 각기 다른 자리에 있어서 분명치 않다. (…) 주인공이 어린이인 점에서 단순한 사고사에 따른 제사행위였을 가능성과, 의도된 제사행위 곧, 동물뼈나 토기와 함께 제물로 바쳤을 가능성도 없지 않다. 그러나 같은 보기가 다른 곳에 없고 민족지民族誌에 나타나지 않아서 현재로서는 단정 짓기 어렵다(2002 ; 473).

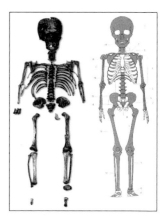

사진 132

사진 132가 어린이 뼈를 본디 상태로 늘어놓은 것이고, 사진 133은 두개골과 턱뼈이다.

한편, 『우물에 빠진 통일신라 동물들』에서 '하반신이 먼저 나오고 점점 내려가면서 상반신과 머리뼈가 발견되었다'고 한 것을 보면(2011 ; 66) '의도된 제사행위'에 따른 결과가 아니라 잘못해서 빠져 죽었을지도 모른다. 신라 우물 가운데 전을 놓은 것은 분황사 것 하나뿐이며 나머지는 모두 전이 아니라 흙이 들어가는 것을 막으려고 놓은 돌에 지나지 않기 때문이다. 중국도 마찬가지이다. 그렇다고 하더라도 사고라면 부모나 주위 사람들이 건져 올리지 않고 그대로 두지 않았을 터이므로 의문은 풀리지 않는다.

또 하나는 돌림병으로 죽자 병귀를 쫓는다며 우물에 던졌을 가

사진 133

능성이다. 상반신·하반신·머리뼈 따위가 따로 나온 데다가 머리뼈 앞부분이 2.8센티미터 들어간 것도 연관이 있지 않을까?(『보고서』 2002 ; 473) 악귀 가두기에 깊고 좁은 우물보다 더 알맞은 공간은 없을 터이다.

마지막은 수장水葬, 곧 죽은 어린이가 영생하기를 바라서 생명의 원천인 우물에 넣었을 가능성이다. 동아시아 일대에서 우물에 대고 죽은 사람의 혼을 부르는 민속이 좋은 보기이다. 신라에서는 더러 수장을 치렀다. 문무왕文武王의 수중릉水中陵은 널리 알려졌거니와, 탈해의 무덤도 우물과 연관이 없지 않으며, 전라북도 남원시의 한우물도 보기의 하나이다. (☞ 633~634)

이들 우물은 생활용수를 긷는 일반 우물이 아니라, 국가의 위기나 오랜 가뭄을 물리치는 의례를 올리려고 따로 마련한 제사용 우물로 생각된다. 그 까닭이다.

───────

　　㉠ 자리가 왕궁月城에서 가까운 동남쪽인 점
　　㉡ 진흙층의 두레박과 토기들이 제 모습 거의 그대로 가지런히 놓인 점
　　㉢ 어린이 뼈가 이 위에 엎어져 있어 일부러 넣은 것이 뚜렷한 점
　　㉣ 뼈 위에 돌 귀틀을 올려놓고 다시 흙과 자갈로 덮은 점
　　㉤ 귀틀이 우물 입 지름보다 훨씬 작아서 실용성이 없는 점
　　㉥ 두레박이 물푸기에 지나치게 작고 바닥이 평평해서 물을 담기 어려운 점
　　　(☞ 672~674)
　　㉦ 남궁南宮이라는 관청 이름을 찍은 기와가 나온 점
　　㉧ 용왕과 연관된 목간이 나온 점
　　㉨ 말·개·소는 제례와 연관이 깊고, 까마귀·매·개구리는 상징성이 짙은 점
　　㉩ 우물을 일부러 메운 점 따위이다.

───────

어린이를 제물로 쓴 듯한 기사가 『고려사』에 보이거니와, '에밀레종'을 닮은 이야기는 어디에나 퍼져 있다. 말은 신라시조 탄생과 연관이 깊으며, 개는 중국처럼 신석기시대부터 제물로 썼고(경상남도 창녕군 비봉리유적), 까마귀는 해와 달을 상징하는 외에 임금의 위험을 알리는 영물로 등장한다.

3) 경주의 신라 우물

(1) 향교

『동경잡기』에 향교를 부윤府尹 최응현崔應賢(1428~1507)이 1492년에 성균관을 본 떠 다시 지었다고 적혔다(「학교」). 그 뒤 임진왜란으로 불에 타자 1604년에 동무東廡와 서무 를 짓고, 1614년에 명륜당·동재東齋·서재를 덧붙여서 지금의 모습을 갖추었다. 우물 을 마련한 시기는 알 수 없지만, 신라 양식을 그대로 지닌 것을 보면 향교를 세울 때 팠을 터이다.

사진 134가 대성전과 명륜당 사이에 있는 고직사 앞의 우물이다. 주위에 도랑을 두른 네모 바탕(동서 3.5미터에 남북 2.88 미터)에 높이 1.55센티미터의 단을 올 린 다음(동서 2미터, 남북 1.9미터), 가운 데에 둥글게 돋을새김(높이 14센티미터) 한 넓적 돌을 마주 붙여서 입으로 삼 았다(사진 135). 입의 바깥지름 1.25미 터에 안지름 81센티미터이고 너비 12.5센티미터이다(사진 136). 벽은 가 지런히 다듬은 돌로 쌓았다(사진 137). 우물 깊이 5.72미터이며 입에서 물

사진 134

사진 135

사진 136

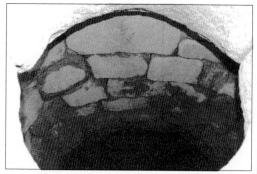

사진 137

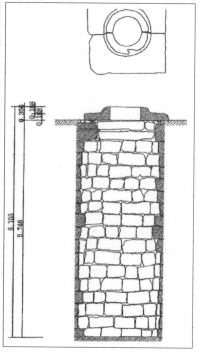

그림 59(ⓒ 남시진)

깊이는 3.32미터이다. 그림 59는 실측도이다.

우물의 돌 벽은 입보다 좁다(지름 80센티미

터). 지금도 쓴다.

(2) 김호金虎(?~1592) 장군네

김호는 임진왜란 때 부산첨사로 공을 세웠

다. 탑동의 집을 17세기 무렵에 지었다고 하므로 우물의 나이도 비슷할 터이다.

사진 138의 오른쪽이 우물이고 그 뒤로 안채가 보인다. 우물 뒤에 서 있는 나이

먹은 향나무가 긴 그림자를 드리우는 것을 보면 지기처럼 느껴진다(사진 139). 우리는

예부터 우물가에 향나무를 가꾸었다. 생명이 긴만큼 의젓한 맵시도 볼거리이지만,

사진 138

사진 139

무엇보다 나무에서 풍기는 향기가 모기 따위를 비롯한 벌레들을 쫓아주었기 때문이다. 모기가 우물에 알을 낳으면 비위생적인 데다가 많은 시간을 그 주위에서 보내야 하는 아낙네들에게는 천적이나 다름없었던 것이다.

사진 140은 안채쪽(북쪽)에서 본 모습으로, 네모의 낮은 돌단(2×1.95미터)을 쌓았다. 서북쪽 귀퉁이에 박은 돌은 두레박 받침으로(높이 37센티미터에 너비 28×21센티미터) 다른 데 없는 특별한 것이다(사진 141). 이곳에 두레박 줄을 감아두면 두레박이 손에서 빠져 나가도 바로 건질 수 있다.

사진 140

사진 141

전에 낮은 턱을 붙이고, 가운데를 조금 높여서 변화를 꾀한 것도 돋보인다(높이 14센티미터). 이러한 형태는 앞에서 든 향교우물을 연상시킨다. 입의 한쪽은 반듯하게, 다른 쪽은 비뚤히 금이 갔다(사진 142).

입은 바깥지름 1.25미터에 안지름 81센티미터이며, 깊이 5.72미터에 수심은 3.3미터이다. 그림 60은 실측도이다.

(3) 포석정鮑石井

사진 143이 우물이고, 사진 144

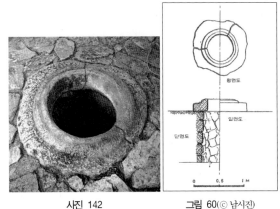
사진 142   그림 60(ⓒ 남시진)

사진 143

사진 144

는 사고를 막으려고 올려놓은 돌이다. 뒤로 포석정이 보인다. 다듬지 않은 돌을 덮개로 삼은 것이 그럴듯하다. 바닥은 오른쪽 변의 길이 1.34미터에 왼쪽은 1.34 미터이고 아래는 1.63미

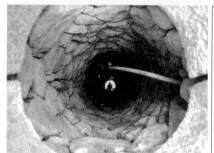

사진 145

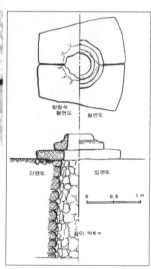

그림 61(ⓒ 남시진)

터이다. 우물 전 두께는 7센티미터에 높이 29센티미터이다. 안에 돌 벽을 쳤다(사진 145). 그림 61은 실측도이다.

이 우물은 신라적 것이 아니라 조선시대 이후에 팠다고 한다.

(4) 황남동 살림집

사진 146

사진 146은 2000년대 초, 황남동의 한 살림집에서 찍은 우물이다. 10여 년쯤 뒤, 다시 가서 사진을 보여 가며 사람들에게 물었으나 아는 이가 없었다. 그것은 그렇거니와 신라형식의 우물을 21세기에도 쓴 것은 놀라운 일이다. 바뀐 것은 모터로 물을 푸는 점뿐이다. 왼쪽에 집짐승이 목을 축이도

록 돌구유를 놓은 것이 눈에 띈다.

(5) 이용정네

사진 147은 외동읍 괘릉리에 있는 수
봉정秀峰亭 바깥 마당의 우물이다. 두 쪽
으로 갈라진 돌을 마주 붙인 것은 앞에
서 든 신라우물 전과 같다. 덮개의 왼쪽
(남북)은 길이 1.3미터이고 동서는 127센
티미터이다(사진 148). 입은 바깥지름 70
센티미터에 안지름 44센티미터이며, 입
술 높이 13센티미터이다. 우물 깊이 4.7
미터에, 전에서 물까지는 1.74미터이다.
사진 149는 우물 안 모습이다.

사진 147

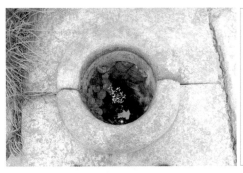
사진 148

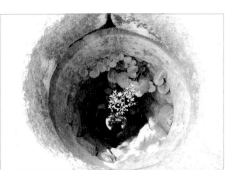
사진 149

구유를 뺀 나머지는 본디 것이 아니라 뒤에
다른 데 것을 옮겨 놓았다. 구유는 길이 1.16미
터에 너비 46센티미터이며, 깊이는 31센티미터
이다. 배舟처럼 위는 너르게 바닥은 조붓하게
깎았다(사진 150).

지금까지 나온 자료에 들어있지 않은 것을
보면 우물은 본디부터 있던 것이 아닌 듯 하다.

사진 150

4) 일본학자들의 신라우물 전 예찬

후지시마 카이지로藤島亥治郎(1899~2002)와 사이토 타다시齋藤忠(1908~2013) 두 사람은 일찍이 신라 우물 전이 지닌 아름다움에 극찬을 아끼지 않았다. 간추린 내용이다.

(1) 후지시마 카이지로의 글

① 재매정財買井의 소재지가 김유신金庾信 장군의 고택이라는 말이 전하지만 물론 진위는 알 수 없다. 그러나 재매정은 우수한 신라시대의 우물이다. 곧, 전을 지상 높이 한 척에 너비 한 척 크기의 ㄴ자꼴 석재 두 장을 네모꼴로 짜 맞춘 것이다. 전의 안쪽은 3.9척이고 바깥쪽은 5.9척이다. 전 위까지의 2촌 부분은 일종의 고 형形을 이루며 솟아올랐다. 전 모습은 장중한 느낌을 주어서 반드시 유서 깊은 자리에 마련된 것임을 알 수 있다.

② 불국사
무설전지武說殿址 동쪽에 있었으나 지금은 보이지 않는다. 넉 장의 장대석을 짜 맞춘 네모꼴 우물이다.

③ 남간사지廢南澗寺址

내남면內南面 탑리塔里에 있던 남간사지 우물(사진 151)은 아마 도 내가 조사한 둥근 전을 지닌 것 가운데 가장 우수한 것으로 생각된다. 이 또한 두 장의 너럭 바위磐石를 둥글게 파내고 주위 를 겹으로 깎아 올렸으며, 그 위 바깥은 사방 4.84척의 네모꼴을

사진 151

이루었다. 우물 안의 지름은 2.85척이고, 안 주위 지름은 3.67척, 바깥쪽은 4.45척 이다. 우물 안은 깊이 3척까지 같은 돌로 벽을 쳤다. 이보다 더 튼튼한 것은 없으

며 형태적으로도 이보다 더 뛰어난 것은 없으리라. 지금도 마을에서 쓴다. 앞에서 든 폐 남간사지의 것과 더불어 신라 전성시대의 작품일 것이다.

④ 분황사芬皇寺
분황사 경내에 있으며 지금도 물을 긷는다. 안쪽은 원형이지만 바깥은 여덟모이다. 안지름 4.32척에 전 높이 약 2.15척이고 두께 5.7촌이다. 위아래에 테를 둘렀으며 그 사이사이는 요철을 이루었다. 한 개의 돌을 깎아 만든 것으로, 그 견고함과 대담성에 놀라지 않을 수 없다.
일본에도 옛 우물의 전(귀틀 형식 포함)이 드물지 않지만 대부분 안산암安山岩이나 사암砂岩류에 속하는 들의 돌野石을 그대로 또는 조잡하게 깎았으며 또 작아서 약한 편이다. 이에 견주어, 신라는 큰 돌을 마음대로 자르거나 조각한 덕분에 아주 크고 튼튼하며, 최고의 예술적 분위기를 자아낸다. 이처럼 훌륭한 시설은 내가 아는 한 유일한 것으로 생각된다(1934 ; 422~423).

―――――

(2) 사이토 타다시의 글

경주 일대의 신라 우물 돌 전 25개의 형태를 네모 받침꼴拔式 方盤形·둥근 받침꼴拔式圓盤形·여덟모 받침꼴拔式 八角盤形·모임 받침 네모꼴寄合式方盤形의 넷으로 나누고 우수성을 설명하였다.

―――――

경주 일대에 신라시대 우물은 많이 남아 있으며 모두 화강석제로, 대부분은 지금도 민간에서 쓴다. 기본 형태는 두께 4센티미터의 방형 또는 원형 바닥臺盤에 각각 큰 네모方空나 둥근 구멍圓空을 뚫고, 물긷는 장치 없이 둘레에 한 개 또는 두 개의 둥근 돌을새김을 베풀었다. 이들은 통 돌을 파거나 두 개를 맞붙였으며 (…) 넉 장의 긴 돌長石材을 귀틀井字로 짜고 아무 것도 꾸미지 않은 것도 들어있다. (…)
치밀한 화강암으로 다듬은 전은 정미整美한 형태를 지녔다. 그 가운데 맵시가 아주 우려優麗하면서도 웅경雄勁한 조각풍을 보이는 것이 적지 않다.

우리는 우물 전하면 곧 저 비잔틴의 것을 떠 올린다. 이들은 원통형圓筒形·방주형方柱形 따위의 여러 종류가 있으며, 아름다운 의장意匠을 베푼 우수한 것으로, 당대 뛰어난 공예미술의 한 단면을 드러내기에 부족함이 없다. 그러나 만약 이들을 동양의 고문화에서 찾는다면 우리는 신라 우물 전을 꼽는데 주저하지 않으리라. 신라 전에 저들의 것과 같은 풍려豐麗한 의장은 없지만, 석조미술품으로서는 뛰어난 유품이다. 이는 당대 석조미술의 발달과 융성을 알리는 동시에, 그 우수한 기술의 자취를 남김없이 알려준다.

또 이보다 더 값진 것은 우물 전이 석불이나 석탑처럼 신앙과 전혀 무관하게, 오직 일상생활의 필요에 따라 생긴 점이다. 이는 한편으로 당대의 뛰어난 석조미술이 열렬한 신앙이 낳은 특별한 작품에만 머물지 않고, 일반에 널리 퍼진 풍조였음을 나타내는 것으로 생각된다. 신라사람 모두가 늘 쓰는 우물 전에서조차 저처럼 우려하며 웅대한 조각풍이 드러나면서도 뛰어난 기술의 자취가 빛나는 것은, 당시의 석조 조각이 얼마나 활발하게 발전하였으며, 사람들이 얼마나 풍요로운 생활을 누렸는가를 알리는 것이기도 하다. (…)

본디 우물은 일시적인 것이 아니라 자손에서 자손을 거쳐 후세로 이어 내려가는 항구적恒久的인 유품이다. 따라서 경주 일대의 우물도 이처럼 대대로 이어내려 왔으며 지금의 것도 앞으로 틀림없이 이어갈 것이다 (…)

이른바 '유물'이라는 이름으로 존재하는 것 가운데, 현재까지 그 당시의 용도와 같은 목적으로 쓰이는 것은 거의 없다. 그럼에도 우물만은 당시와 똑같은 목적을 지닌 채 대를 이어간다. 따라서 신라의 자손도 먼 선조가 남긴 유산을 그대로 쓰고 있는 셈이다(1936 ; 271~272).

―――――

다음 표는 그가 조사한 전의 위치와 크기 따위를 정리한 것이다(단위 센티미터).

	전 형태	소재지	바닥 길이	너비	지름	새김너비	총 높이	사용여부
1	네모바닥에 둥근 새김 1	노동리 성결교회마당	62	61	35	15	26	사용
2	같음	내남면 남간리 767, 김씨네 마당	74	72	30	8	20	사용
3	같음	황남리 257, 박씨네 마당	78	78	36	11	30	사용
4	같음	황남리 76, 김씨네 마당	100	90	36	9	15	사용
5	둥근 새김 2	황남리 364, 앞	95	90	36	19	32	폐기
6	같음	경주박물관마당(옛 성동리)	80	78	37	15	24	폐기
7	같음	동부리 공영자동차회사 안	106	105	59.5	20	41	폐기
8	둥근바닥 위에 둥근 띠	경주박물관뜰(옛 군청마당)	106	106	42	21	42	폐기
9	네모 바닥에 새김 1	황오리 266, 정씨네 마당	105	105	45	20	48	사용
10	둥근바닥에 새김 1	황남리 246, 박씨네 마당	85		40	14	31	사용
11	같음	황남리 259, 강씨네 마당	90		33	17	35	사용
12	같음	황남리 200, 김씨네 뒷마당	90		41	15	30	사용
13	둥근바닥에 새김 2	노동리 200, 신씨네 옆마당	85		36	15	36	사용
14	不定圓形바닥에 새김 1	황남리 240, 장씨네 앞마당	94	75	40	10	35	사용
15	八角 圓筒式	내동면 구황리 분황사 경내	170		88	20	71	사용
16	寄合式方形(둥근바닥에 새김 1)	교리 향교 안	208	204	84	25	36	사용
17	같음	교리 崔潤네 마당	121	121	48	13	21	폐기
18	같음	황남리 354 부근	124		41	18	32	폐기
19	같음	황오리 255, 박씨네 마당	70	68	50	10	20	사용
20	같음	황남리 76, 이씨네 앞마당	105	105	44	20	36	사용
21	같음	내남리 남간마을	147	148	88.5	20	48	사용
22	같음	내동면 사천왕사지 부근	124	120	49	22	29	사용
23	네모바닥에 새김 1	경주역 안(옛적 황남리)	117	119	41	16	45	폐기
24	네모바닥에 새김 2	교리 재매정	175	181	119	18	35	사용
25	寄合式 둥근 바닥에 새김 1	황남리 252, 손씨네 마당	103		35	10	21	폐기

그림 62는 그가 열네 점을 골라 작성한 집성도集成圖이다.

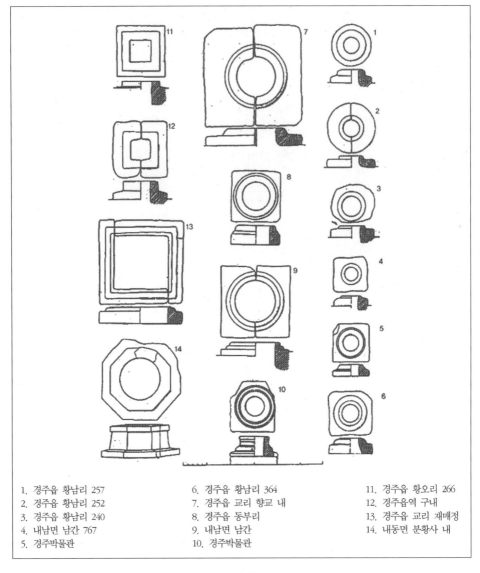

1. 경주읍 황남리 257
2. 경주읍 황남리 252
3. 경주읍 황남리 240
4. 내남면 남간 767
5. 경주박물관

6. 경주읍 황남리 364
7. 경주읍 교리 향교 내
8. 경주읍 동부리
9. 내남면 남간
10. 경주박물관

11. 경주읍 황오리 266
12. 경주읍역 구내
13. 경주읍 교리 재매정
14. 내동면 분황사 내

그림 62

(3) 현재의 모습

벌써 1930년대에 일본 학자들이 신라 우물 전이 지닌 조형미에 이처럼 감탄하였음
에도 정작 우리가 모르고 있었던 것은 참으로 부끄러운 일이다. 그리고 일본 우물

전은 우리 것에 견주지도 못한다는 학자적 양심에 머리가 수그러진다.

한편, 비잔틴 석조 예술품 못지않다는 우리 문화유산이 경주박물관 뜰에 내팽겨진 채 뒹구는 것은 또한 아쉬운 일이 아닐 수 없다. 새로 지은 미술관에 들여 놓든지, 아니면 비바람이라도 가릴 지붕이라도 얹어야할 것이 아닌가? 설명문조차 손바닥 크기의 쇠 조각에, 그것도 '우물 윗돌'이라고 네 글자만 적은 것도 한심하거니와, 그나마 녹이 슬어서 잘 보이지도 않는다(사진 152). 석굴암이라면 입에 거품을 토하면서도 정작 그것을 창조한 장인들의 뛰어난 솜씨가 남은 예술품에는 눈길도 주지 않는 것이 우리네 수준이다. 이것이 일본에 있었더라면 얼마나 소중하게 다루었을까를 생각하면 소름이 돋는다. 경주시민과 시의 최고 행정책임자 그리고 신라문화유산 연구원 관계자에게 직접 호소하였으나 지금껏 들은 체도 않고 있다.

사진 152

신라 우물의 전이 지닌 특징의 하나는(분황사의 것을 제외하면) 높이가 아주 낮은 점이다. 사이토 타다시의 조사표에 따르면 가장 낮은 것이 15센티미터, 제일 높은 것은 48센티미터이며(형태가 다른 분황사의 것[71센티미터] 제외), 이들의 평균은 32센티미터이다. 그러나 전은 많은 부분이 땅에 묻히게 마련이므로 땅위로 솟은 부위의 수치는 훨씬 줄어들 수밖에 없다. 이러한 형태는 신라의 독자적인 것이라기보다 다른 나라, 곧 중국의 영향을 받은 결과일 터이다.

입의 크기도 마찬가지이다. 앞의 표 가운데 가장 짧은 지름은 30센티미터, 가장 너른 것은 88.5센티이며 24개소의 평균은 46.45센티미터이다. 따라서 개나 고양이라면 몰라도 어린이를 제외한 어른은 여간해서 빠질 염려가 적다.

이처럼 입이 좁으면 문제가 있다. 도르래나 용두레를 쓰지 못하는 탓에 오로지 사람의 힘으로만 물을 길어야하기 때문이다. 지름이 81센티미터나 되는 향교 우물도 예외가 아니다. 신라에 도르래우물이나 물레우물이 없었던 까닭을 알만하다. 심지어 인골을 비롯한 여러 종류의 많은 유물이 쏟아져 나온 경주박물관 미술관부지의 유적에서 두레박이, 그것도 아주 작은 것이 여러 개 선보인 것도 연관이 없지 않을 터이다. 한편, 고구려나 백제에서 신라와 같은 전을 쓰지 않은 점은 대조적이다.

또 앞 표에 따르면, 25개소 가운데 17개소의 우물을 1930년대에도 썼으며 이는 무려 68퍼센트에 이른다. 신라 우물의 전이 지닌 아름다움이야 다시 말할 것이 없지만, 그 생명이 1,300여 년이나 이어 내려온 사실도 놀랍기 그지없다.

사진 153

앞에서 든 대로 경주국립박물관 뜰에 신라우물 전 여덟 개가 널려 있다(사진 153).

사진 154는 각기 마른 두 쪽을 맞물려 놓았다. 입의 바깥지름 82센티미터에 안 지름 54센티미터이다. 그리고 입술 높이는 7센티미터에 안쪽 깊이는 27센티미터이고, 각 변의 길이는 1.3×1.22미터이다.

사진 154

오랜 세월이 지나는 동안 왼쪽 가운데에 금이 갔지만, 의젓한 모습은 예 그대로이다. 둥근 입술은 꽃봉오리를 연상시킨다.

사진 155는 옆모습이다.

사진 155

사진 156은 특이하게도 입 양쪽에 ㄷ자꼴 홈을 파놓았다. 이곳에 꺾쇠를 질러서 벌어지는 것을 막으려 한 것이다. 다른 데 없는 독특한 방식이다. 각 변의 길이는 1.3미터로 네모반듯하며 높이는 15센티미터이다.

꺾쇠의 홈 길이는 37센티미터에 깊이 3.5센티미터이며, 골 너비는 5센티미터이다(사진 157).

사진 156

입 지름은 45센티미터이고 깊이는 17센티미터이다. 사진 154와 함께 궁궐이나 절집 또는 앞에서 든 '금입택金入宅' 등지에서 썼을 터이다.

사진 158은 입술을 높이 세우고(16센티미터) 중간 위의 살을 저며서 봉긋하게 솟은 꼴을 보인다.

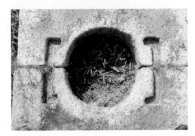

사진 157

사진 158

사진 159

사진 160

사진 161

각 변은 1.26미터로 네모반듯하며 높이 10센티미터이다. 입 지름은 60센티미터에 두께 9센티미터이고 안쪽 깊이 35센티미터이다.

앞의 것들과 달리 두 쪽을 마주 물리면서 틈 사이를 돌로 메워서 바닥이 한쪽으로 보인다. 아쉽게도 입술 언저리가 깨졌다(사진 159).

사진 160은 받침(앞쪽 길이 93센티미터)을 두 벌 깎은 다음, 테까지 둘러서 꾸몄다. 입술도 바닥과 만나는 지점과 평퍼짐하게 퍼진 아랫도리, 그리고 잘록한 허리세 곳에 돋을새김을 붙여서 빼어나는 맵시를 살렸다(사진 161). 일본은 물론, 중국에도 없는 가장 뛰어나는 명품이다.

입 지름 43센티미터에 너비 12.5센티미터이다. 깊이는 41센티미터이고, 입술의 높이는 38센티미터이다.

큰 절집에서 부처에게 공양하는 물을 뜨는 쪽박 샘에 올려놓았을 터이다.

사진 162의 받침은 높이 15센티미터에 동서 88센티미터이고 남북 93센티미터로 조금 기름하다. 입의 안지름 37센티미터에 너비 17센티미터이고 깊이 30센티미터이다.

입술 주위를 높여서 변화를 살렸다(사진 163).

사진 164의 받침은 동서 78센티미터에 남북 80센티미터이며, 높이는 11센티미터이다.

사진 162

사진 163

사진 164

4장 옛적우물 **169**

입의 안지름 37센티미터에 바깥지름 54센티미터
이고 안의 깊이 21센티미터이다.

사진 165의 형태나 크기는 사진 162를 닮았지만
귀의 양쪽이 조금씩 떨어져 나갔다. 또 가운데에 금
이 가고, 여러 곳의 얼룩과 덕지덕지 앉은 이끼는 지
나간 세월이 평탄치 않았음을 알려준다. 이러한 꼴
로만 보면 나이를 가장 많이 먹은 셈이다.

사진 165

그러나 평펴짐한 입술 가장자리를 조금 돋우어 꾸
민 것이나 어깨를 부드럽게 다듬은 모습은 돌을 깎
은 것이 아니라 떡을 빚어 놓은 듯하다.

사진 166은 동서 1.5미터에 오른쪽 남북은 67센
티미터이고 높이 19센티미터이다. 입은 안지름 44센
티미터에 너비 14센티미터, 깊이는 44센티미터이다.

사진 166

사진 167의 입과 받침 사이가 유난히 좁은 것은 돌
이 쪼개져 나간 탓이 아니라, 처음부터 사람이 바짝
다가서서 물을 뜰 수 있도록 간격을 좁힌 결과이다.

이처럼 일정한 틀에 맞추려 들지 않고 돌 생김에
따라, 그리고 물 뜨는 사람의 편의에 따라 슬기를
부린 장인의 넉넉한 마음 씀씀이를 기리지 않을 수
없다. 저절로 머리가 숙여진다.

사진 167

또 천여 년이 지난 지금까지 반들거리는 것도 놀랍거니와 손으로 어루만지면 매끄
럽고도 부드러워 얼른 손을 떼기 어렵다.

5) 신라 우물에 대한 옛 글과 시

신라 사람이 남긴 우물 관련 글 한 편과 시 두 편이 있다.

최치원崔致遠(857~?)의 글(「유주 이가거 태보에게 보낸 다섯 번째 글幽州李可擧太保五」)이다.

지난 번 동주銅柱를 안남安南에 표시하고 금용金墉을 쳐서 서천西川에 세웠습니다. 800리의 험로를 열 때 운장雲將이 바위를 굴리고, 뇌사雷師가 산을 쪼개며, 40리의 산성新城을 쌓을 때는 수신水神이 샘을 파고, 지온地이 흙을 마련해주었습니다 (『桂苑筆耕集』1).

이가거(?~?)는 당 희종僖宗(874~888) 때의 유주 절도사이다. 동주는 구리로 만든 기둥이라는 뜻으로, 길잡이와 국경國境 따위를 나타내려고 세우는 기둥이다. 『후한서後漢書』에 '마원馬援이 교지交趾를 정벌하고 동주를 세워 한 나라의 땅임을 표시하였다'는 기사가 있다(「마원열전」). 이를 동표銅標라고도 한다. 안남은 인도印度차이나 동쪽의 한 지방으로 오늘날에는 베트남을 이르며 금용은 어디인지 모른다. 서천은 지금의 사천성 일대이다. 운장은 구름의 신, 뇌사는 번개의 신, 지온은 땅지기地神의 다른 이름이다.

앞 사람의 시(「운문 난야의 지광 상인에게 줌贈雲門蘭若智光上人」)이다.

雲畔構精廬	구름 이는 곳에 정려 엮어
安禪四紀餘	선정 닦은 지 어언 반백 년
筇無出山步	지팡이 짚고 산 밖으로 나가지 않고
筆絶入京書	붓 들어 서울에 글 보낸 일 없네
竹架泉聲緊	대 홈통으로 흐르는 샘물 소리
松櫺日影疎	솔 난간에 비치는 해 그림자 듬성
境高吟不盡	높은 그 경지 어찌 시로 나타내랴
瞑目悟眞如	눈 감고 진여를 깨치리라

『고운집孤雲集』 제1권 「시」

정려精廬는 정사精舍와 같은 말로, 절집을 가리킨다.
진여眞如는 범어梵語 tathat를 한자의 소리 값을 빌려 적은 불교 용어로, 진은 진실하여 허망하지 않다眞實不虛妄, 여는 체성體性이 바뀌지 않는다不變其性는 뜻이다. 여여如如・여실如實・법계法界・법성法性・실상實相・여래장如來藏・법신法身・불성佛性

이라고도 한다.

최광유崔匡裕(?~?)의 시(「상산길에서 지음商山路作」)이다(부분).

春登時嶺雁回低　　봄날 시령에 오르니 기러기 나직이 날고
馬足移遲雪潤泥　　나른한 말발굽 진눈개비에 더디네
綺季家邊雲擁岫　　기리계 살던 집 산 위 구름 뭉게뭉게
張儀山下樹籠溪　　장의산 밑 시냇가에 나무 둘러섰네
懸崖猛石驚龍虎　　절벽의 사나운 돌 놀라네 용인가 범인가
咽澗狂泉振鼓鼙　　시내의 목멘 샘물소리 북과 장구 치는 듯

『동문선』 제12권 「칠언율시」

시인은 885년, 신라 헌강왕憲康王이 시전중감試殿中鑑 김근金僅(?~?)을 당나라에 경하부사慶賀副使로 보낼 때, 김무선金茂先(?~?)·최환崔渙(?~?) 등과 함께 숙위학생宿衛學生으로 가서 빈공과賓貢科에 급제하였다. 시를 잘 지어서 최치원·최승우崔承祐(?~?)·박인범朴仁範(?~?) 등과 함께 신라 10현賢의 한 사람으로 불렸다.

상산은 중국 섬서성 상현商縣 동쪽에 있는 산으로, 한 고조高祖(전 206~전 195) 때 동원공東園公·기리계綺里季·하황공夏黃公·녹리선생角里先生 등 네 사람이 숨어 산 곳으로 유명하다. 상산사호라는 별명은 이들의 수염은 물론, 눈썹까지 흰 데서 왔다(「사기」「留侯世家」).

기계는 기리계綺里季(?~?)이고, 장의산張儀山의 장의張儀(?~전 309)는 전국시대의 유명한 변사辯士로, 여섯 나라를 돌며 진秦을 섬기게 하였다. 장의산은 그의 유적인 듯하다.

6) 삼국 및 통일신라시대 우물 분석

다음은 양화영이 영남지역 삼국시대 우물 57개와 통일신라시대의 것 61개의 평면과 단면, 크기 따위를 분석한 내용이다(2003 ; 37~43).

(1) 평면

둥근꼴이 36개(63퍼센트), 타원형이 17개(30퍼센트), 네모꼴이 넷이다(7퍼센트).

통일신라시대는 둥근꼴 57개(95퍼센트)에 타원형은 셋이다(5퍼센트).

삼국시대에 세 유형이 존재하다가 통일신라시대로 접어들면서 둥근꼴이 주류를 이루었다. 오늘날도 마찬가지이다.

(2) 단면

단면에는

　　㉠ 위가 너르고 아래가 좁은 꼴

　　㉡ 위아래가 같은 꼴

　　㉢ 위가 좁고 아래가 너른 꼴

의 세 유형이 있다.

삼국시대에는 ㉠이 33개(58퍼센트), ㉡이 20개(35퍼센트), ㉢이 4개(7퍼센트)이다.

통일신라시대는 ㉠이 14개(23퍼센트), ㉡이 31개(52퍼센트), ㉢이 셋(5퍼센트), 알 수 없는 것이 12개(20퍼센트)이다.

삼국시대의 우물은 ㉠형이 주류를 이루다가 신라통일시대에 ㉡형으로 바뀌었다.

(3) 깊이

통일신라시대 우물 깊이는 조사가 충분하지 않아서, 삼국시대 우물만 다룬다.

　　㉠ 1미터가 안 되는 것 다섯(9퍼센트)

　　㉡ 1~1.5미터의 것 15개(26퍼센트)

　　㉢ 1.5~2미터의 것 14개(24.5퍼센트)

　　㉣ 2~2.5미터의 것 13개(23퍼센트)

　　㉤ 2.5~3미터의 것 6개(10.5퍼센트)

　　㉥ 3미터 이상의 것 4개(7퍼센트)

이에 따르면 깊이는 1미터에서 2.5미터짜리가 대부분이다(73퍼센트).

5. 조선 궁궐

궁궐 우물은 경복궁에 여덟, 창덕궁 및 창경궁에 열 개씩, 덕수궁 및 종묘에 세 개씩 등 33개가 남아 있다.

1) 창덕궁昌德宮

창덕궁은 1405년(태종 5)에 지었다. 임진왜란(1592년) 때 불에 탄 것을 1610년, 중건을 시작해서 거의 마칠 무렵인 1623년에 인정전을 뺀 나머지가 잿더미로 바뀌었다. 지금의 건물은 1647년에 이루어졌지만 그 뒤에도 크고 작은 화재가 잇따랐다.

(1) 신선원전 북쪽

우물은 신선원전新璿源殿에서 후원으로 올라가는 길 왼쪽에 있다. 지금은 없어진 근방의 전각에서 썼을 것이다.

사진 168은 후원 북쪽에서 본 것이고, 사진 169는 옆모습이다. 입 지름 1.53미터이며 전은 두께 35센티미터에, 높이 41센티미터이다. 지금의 깊이는 1.53미터에 지나지 않지만 바닥에 모래가 차면서 낮아졌을 것이다. 물이 보이지 않는 까닭도 마찬가지이다. 전이 두툼한 덕분에 물을 뜰 때는 김홍도金弘道 그림처럼(☞ 그림 81), 위에 올라서서 두레박질을 하고 두레박 따위를 올려놓거나 사람이 걸터앉기도 하였을 터이다.

검은 돌을 통째로 깎아서 다듬었음에도, 손을 대보면 젊은 여인의 살갗처럼 부드럽고도 매끄럽다. 아무리 고쳐 생각해도 사람의 손길이라고 믿기 어렵다. 전 안쪽에서 바깥쪽으로 낮은 물매

사진 168

를 잡고, 위에서 아래쪽으로 조금 들여 깎아서 맵시를 살린 솜씨도 눈이 부시다. 의젓하고 넉넉한 몸매와, 천하를 품고도 속을 보이지 않는 말없는 모습, 그리고 800여 년이라는 긴 세월의 무게를 견뎌온 생명력에 절로 머리가 숙여진다 (사진 170).

우리 궁궐 우물 가운데 크기는 물론 모습도 단연 첫 손에 꼽을 만하며, 법궁法宮이라는 경복궁에도 없는 뛰어난 걸작이다. 어디 그 뿐이랴? 내가 아는 한 일본은 물론 중국에도 없다. 1920년대에 경주 신라 우물 전을 찬탄해 마지않은 일본 학자들이 이것을 보았더라면 비잔틴의 석조 공예품을 뛰어 넘는다고 하였을 것이다.

이 전 하나만으로도 우리는 조선왕조 초기의 하늘을 찌르고도 남는 이상과 포부를 느낀다. 조선왕조 5백 년은 이렇게 시작되었다.

사진 169

사진 170

(2) 석복헌錫福軒

앞 우물 전에 버금가는 것이 석복헌 앞에 있다(사진 171).

헌종憲宗(1834~1849)이 아들을 얻으려고 맞아들인 후궁 경빈 김씨慶嬪金氏를 위해 지은 것을 생각하면, 새로 깎은 것이 아니라 창덕궁 어디에 있던 것을 옮겨온 것이 분명하다. 한 해 전에 지은 낙선재 것보다 훨씬 오래된 까닭이다. 연산군 때(1494~1505), 창덕궁 동문인 건양문建陽門 근처에 어정을 팠다는 기록이 보이고, 헌종이 앞의 두 건물을 지으

사진 171

사진 172

사진 173

면서 문과 주위의 건물을 헐어낸 것을 떠올리면 가능성이 아주 높다. 낙선재를 젖혀두고 석복헌 우물에 놓은 것은 새 아내에 대한 기대가 그만큼 컸던 까닭일 터이다(사진 172·173).

돌을 주무른 솜씨는 앞의 것만 못하지만 통 돌을 깎아 빚은 재주는 그대로이다. 전 바닥 주위에 19개의 쪽 돌을 부채꼴로 두른 것도 돋보인다. 한 개의 길이 80센티미터이며, 바깥쪽 너비 50센티미터에 안쪽 너비 26.5센티미터이다. 앞의 우물에도 같은 모양의 돌을 깔았지만 본디부터 있었는지, 뒤에 손을 보면서 마련하였는지 알 수 없다. 경복궁을 비롯한 여러 곳에 복원한 우물에 눈에 띠는 까닭이다.

우물 입 지름은 1.05미터이며, 전 너비 30센티미터에 높이 54센티미터이다. 전의 입술 쪽에 테를 두르고 바깥쪽으로 나가면서 살을 얇게 저미고 물매를 잡아서, 물이 잘 흘러내리게 한 외에 어깨를 부드럽게 다듬은 것도 앞의 것과 같다.

오른쪽의 낮은 돌들을 두레박 받침 따위로 썼는지, 조경 삼아 놓았는지는 알 수 없다.

(3) 인정전仁政殿

인정전은 창덕궁의 정전正殿으로 태종 4년(1404)에 별궁으로 지었다. 그 뒤 임진왜란으로 불타자 광해군 3년(1611)에 고쳐 세웠음에도 다시 지었지만 1830년에 또 불을 만나, 이듬해 재건하였다.

우물은 서쪽 계단 아래에 있다(사진 174·175). 입 지름 63센티미터이며, 전은 너비 63센티미터에 높이 32.5센티미터이다. 규모는 작지만 앞에서 든 우물들의 모습 그대로이다. 전각 건립 초기의 것이 분명하다.

사진 174

사진 175

인정전처럼 큰 전각 바로 옆에 마련한 우물은 이것 하나뿐이다.

(4) 경훈각景薰閣

경훈각은 창덕궁 내전(內殿) 가운데 으뜸가는 대조전大造殿 뒤에 있다(사진 176). 본디 징광루澄光樓를 올린 2층의 화려한 건물이었으나, 1917년에 잿더미가 되었다. 지금의 건물은 경복궁 만경전萬慶殿을 헐어다가 지었다. 따라서 우물은 실제로 대조전에서 썼을 것이다.

안지름 1미터에, 전 너비 22센티미터, 높이 33센티미터이다. 전 어깨의 살을 저며 내어서 부드러운 느낌을 준다. 한눈에 보아도 형태는 앞의 것들을 빼 닮았다(사진 177).

전 바닥 주위에 흙이 덮여서 쪽 돌을 둘렀는지 알 수 없다.

사진 176

사진 177

(5) 낙선재樂善齋

헌종이 후궁 경빈慶嬪과 대왕대비大王大妃를 위해 지은 전각이다(13년[1847]). 1876년
에 경복궁이 불에 타자 창덕궁으로 이어한 고종高宗(1863~1907)이 편전으로 썼으며, 뒤
에는 마지막 황태자 이은李垠(1897~1970)과 그의 아내 이방자李方子(1901~1989) 여사를
비롯하여, 고종의 딸 덕혜옹주(1912~1989)가 머물렀다.

우물은 문 앞에 있다(사진 178).

전이 두 겹이고 돌이나 형태가 다
른 것은 위의 것을 뒤에 덧 올렸기
때문이다. 너무 낮아서 사람이라도
빠졌던 것일까? 아래의 전은 반달꼴
로 깎은 돌 네 쪽으로 맞추었지만
위는 두 쪽으로 마감하였다.

입 지름 1.2미터에 깊이 80센티미
터이며, 전 높이는 54센티미터에 너
비 30센티미터이다. 전이 너른 까닭
에 물을 뜰 때는 이 위에 올라서야
한다. 전 바닥 주위에 쪽돌 19개를
부채꼴로 둘러놓았다. 돌 한쪽은 길
이 80센티미터이며, 바깥쪽너비 50
센티미터에 안쪽은 26.5센티미터이
다(사진 179).

사진 178

사진 179

(6) 상의원尙衣院

상의원은 임금과 왕비의 의복을 짓거나 귀중한 장신구 및 수공예품 따위를 만들어
바치던 부서이다.

우물은 앞뜰에 있다(사진 180). 전을 두 겹으로 놓은 것이 눈을 끈다. 안쪽의 돌과
바깥쪽이 다른 것은, 뒤에 우물을 보호하려고 덧댄 것을 알려준다(사진 181). 높이가

사진 180 사진 181

10여 센티미터에 못 미치지만 것은 뒤에 흙이 쌓여서 높아진 탓이다.

바깥 전은 사람이 위에 올라서서 물을 푸게 하려고 덧붙였을 것이다. 둘의 너비가 70센티미터에 이른 까닭이 이것이다. 입 지름 1.5미터에, 깊이 2.7미터에 이르는 큰 우물이라, 식생활 외에 방화에 쓸 목적도 있었을 터이다.

안팎의 쪽 돌은 열 개씩이며, 바깥 것은 안쪽 길이 45센티미터에 바깥쪽 89센티미터이다.

(7) 부용지芙蓉池

그림 63은 『동궐도東闕圖』에 실린 부용지芙蓉池 서북쪽이다. 왼쪽 아래의 건물이 사정기四井記 비각이고, 우물은 그 위에 있다.

① 『궁궐지宮闕志』 기사이다.

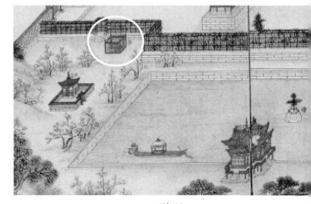

그림 63

열무정閱武亭 바로 북쪽의 술성각
述盛閣은 사정기비각이다. 세조世祖
(1455~1468)가 종신宗臣에게 터를
찾아 우물을 파라고 일렀다. 그 뒤
여러 차례 병화를 겪은 탓에 둘만
남았다. 1690년, 이를 안타깝게 여

긴 숙종肅宗(1674~1720) 임금이 손을 보게 하고 곁에 비를 세웠다(「창덕궁」).

───────

② 숙종의 「사정기」이다.

───────

우리 세조 대왕께서 본디 샘을 좋아하신 나머지, 일찍이 영순군永順君 부溥(1444~1470)와 오산군烏山君 주澍(1437~1490) 등을 좌우로 보내 열무정 곁에서 우물자리를 찾게 하였다. 과연 두 곳씩 찾았으며 물은 차고 맛도 좋아 감로甘露와 옥설玉屑보다 뛰어났다. 크게 기뻐하신 왕께서 부 등에게 그 일을 맡기시자 며칠 안에 이루어졌다. 가마솥을 닮은 우물은 서너 섬들이만 하며, 사람들은 엎드려서 떠마신다人皆附而之.

왕께서 첫째에 마니摩尼, 둘째에 파려玻瓈, 셋째에 유리琉璃, 마지막에 옥정玉井이라 이름 짓고, 그 곁에 돌을 세워서 표지하였다. 또 스스로 「마니정가摩尼井歌」를 지어 신하들에게 보였는데 그 뜻이 매우 깊었다.

그러나 불행히도 여러 차례의 전쟁으로 옛 자취가 모두 사라지고, 오직 이 둘만 남아서 쓸쓸하기 그지없다. 나는 세월이 오랠수록 사적史蹟이 자꾸 줄어드는 것이 걱정되어 석공에게 옛 모습대로 손보게 하고, 삼가 그 사실을 적어서 정민貞珉에 새기라고 일렀다. 이로써 만세에 분명히 밝혀서 무궁토록 이어내리기를 바라노라.

숭정崇禎 무진戊辰 후 63년 경오庚午 여름 4월 신미辛未에 적는다.

───────

사진 182가 부용정이고 왼쪽의 건물이 사정기 비각이며, 우물은 점선에 있다.

③ 『신증동국여지승람』 기사는 더 자세하다.

사진 182

최항崔恒(1409~1474)의 서문이다.

"우리 전하께서 즉위하신 6년(1460) 겨울 11월에 창덕궁으로 옮겼다. 본디 샘물을 사랑하신 임금께서 영순군 보溥에게 팔 만한 곳을 찾으라 이르시어 광연정廣延亭 남쪽을 팠더니 물이 맑고 차서 마실만하였다. 또 계양군桂陽君 증增이 인정전 앞을 팠지만 옛적 도랑이서 묻어 버렸다. 그 뒤 보 등이 후원 서쪽과 수강궁壽康宮 북쪽에서 찾았으나, 모두 더러운데다가 낮아서 버렸다.

임금께서 열무정 옆에 맛있는 샘이 있을 것을 아시고, 보와 오산군 주澍 등을 불러 좌우로 나누어 살핀 결과, 정자 옆에서 두 곳씩 찾았다. 모두 반석 틈에서 물이 나와 깨끗하고 맛도 매우 좋았다. 기뻐한 임금님이 보 등에게 빨리 파라 이르고, 고운 돌을 갈아 벽돌처럼 쌓았더니 모양이 쳐든 가마솥을 닮았으며, 물이 두어 섬쯤 차서 엎드리고 마실만하였다.

공사가 끝나자, 임금은 가장 좋은 우물을 마니라 하고, 다음은 파려, 다음은 유리, 다음은 옥정이라고 차등을 지어 불렀다. 그리고 각각 돌로 우물 위에 현판을 붙이고, 스스로 「마니정가」 한 편을 짓는 한편, 간단히 해설하여 신하들에게 보인 뒤, 각기 우물 하나씩에 대해 시를 지어 화답하라 이르셨다."(제1권 京都 상 「원유」)

이 글대로 현재 둘이 남았지만 이름은 모른다. 조선왕조 궁궐에 적지 않은 우물이 있지만 생긴 내력, 손을 본 과정, 이름 따위가 남은 것은 이들 뿐이다. 더구나 임금이 이름까지 지었다니 이만저만한 귀물이 아니다. 세조가 우물을 파라고 한 것은 꿈에 나타난 인물의 계시를 받은 까닭인가? 사람들이 좌우로 나뉘어 가고 이들이 각기 두 곳씩 찾은 것도 예사로운 일이 아니다. '여러 차례의 전쟁으로' 둘만 남았다지만 돌에 새긴 현판을 찾지 못한 것은 아쉽다. '구중궁궐'이라도 세월이 남긴 상처는 어찌할 도리가 없었던 것이다.

이러한 가운데 국립문화재연구소에서 둘을 조사 발굴하여 본디 모습을 살린 것은 그나마 다행이다.

마니는 구슬珠·보물寶·여의如意를 상징하는 물건으로 용왕龍王의 뇌 속에서 나온 이것寶珠을 얻으면 소원을 이루고, 불행과 재난이 사라지며, 더러운 물도 깨끗해진다고 한다. 파려는 산스크리트 말 sphaika의 소리 값을 빌린 것으로 수정水晶을 가리키고,

나머지 유리나 옥정도 맑고 깨끗한 것을 이르는 낱말이다. 정민은 단단한 옥돌이다.

④ 앞의 『발굴조사보고서』 설명이다.

조선중기 우물을 1호(사진 183의 앞), 지표 아래 1.5미터 지점에서 확인된 조선 전기 우물을 2호로 부른다(사진 183의 뒤).

1호는 지름 85센티미터에 깊이 2.44미터이며 팔각의 한 변은 36센티미터이다. 모래층인 바닥에서부터 일곱 단의 화강암을 쌓았다. 맨 아래부터 여섯 단은 3~6개의 둥근 돌을 두르고, 맨 위는 안팎 모두 팔각의 화강암 통돌(높이 50센티미터)을 올렸다. (…)

우물 최초 조성 시기는 숙종대의 보수 기록을 토대로 (…) 1690년 이전으로 추정된다.

북쪽과 남쪽, 박석 아래에서 동~서 방향의 목제 틀 흔적이 한 개씩 드러났다. 길이 80~90센티미터에 너비 10센티미터의 장방형이며 우물에서 50센티미터씩 떨어졌다. 이들의 간격은 2.1미터이다.

2호는 1호에서 1.4미터 떨어진 아래에 있으며 지름 1.64미터에 깊이 1.75미터이다. 팔각의 한 변은 70센티미터쯤이다.

둥글게 판 화강암 한 장으로 바닥을 삼고 그 위로 여섯 단의 화강암 벽을 쌓았다. 맨 아래에서 네 단까지는 일고여덟 개의 화강암(32~36×15센티미터)을 두르고, 맨 위는 길이 1.1미터에 긴 변 45센티미터, 짧은 변 10센티미터쯤의 돌 24장을 부채꼴로 놓아서 테두리를 삼았다. 이들은 한 변에 세 개씩 놓였다.

바닥에서는 네 단에서 빠진 화강암 석재 한 점과, 16세

사진 183

기 말에서 17세기 전반기의 것으로 보이는 백자 사발 한 개가 나왔다(국립문화재연구소 2011 ; 26~28).

———

이 글의 '나무 틀'은 귀틀이다. 사진 184가 발굴로 드러난 1호이다. 여덟모 전 아래에 입이 달린 것을 보면 '서너 섬들이 가마솥을 닮았으며 사람들이 엎드려서 마신다'는 기사와 일치한다. (『보고서』에서 2호라고 한 것은 잘못이다)

사진 184(ⓒ 문화재청)

원문에서 물을 '엎드려 퍼 마신다附而把取之' 하였고 『발굴조사보고서』에서도 이를 따랐다. 그러나 전 아래에 수도꼭지를 닮은 입을 붙여 깎은 것을 보면 '파把'를 '읍挹'으로 바꾸어서 '손바닥에 받아 움켜 마신다'고 해야 자연스럽다. 다른 우물처럼 '퍼 마신다면' 굳이 이 말을 덧붙일 필요가 없지 않은가?

물을 표주박이나 바가지 대신 손에 받아 마시게 한 착상은 참으로 놀랍다. 맑고 찬 물은 손바닥에 받아야 맛 뿐 아니라 그 정취도 함께 느낀다. 이러한 우물은 우리나라는 물론 중국이나 일본에도 없다.

전은 두께 12센티미터에 안쪽 높이 87센티미터, 바깥쪽 46센티미터이다(사진 185). 깊이 2.56미터의 우물에서 지금도 물이 고이는 것이 놀랍다(사진 186).

사진 185

사진 186

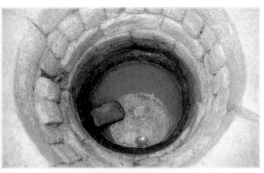

사진 188(ⓒ 문화재청)

사진 187

사진 187이 여덟모 전을 지닌 2호 우물이고, 사진 188은 벽과 바닥 모습이다.

『보고서』에서 분명히 밝히지 않았지만, 내용대로라면 2호는 세조 때 판 것이 아니므로 그때 것은 실제로 하나만 남은 셈이다. 상식적으로도 우물 둘을 한꺼번에, 그것도 바로 옆 자리에 팔 까닭이 없다. 더구나 형태도 아주 다르다. 2호는 뒤에 설명하는 홍릉洪陵의 것과 같은 점에서 아무리 빨라도 조선 중 후기의 것으로 생각된다.

숙종이 둘을 세조 때 것으로 잘못 알았을까 하는 의심이 앞서지만, 그렇지 않을 가능성이 더 높다. 그리고 이것이 사실이라면 세조 때 것 둘은 그대로 남아 있었고, 지금의 2호는 그 뒤에 판 것으로 보아야 한다. 가까운 자리에 2호를 판 까닭이 무엇인지 궁금하다.

2호의 전은 높이 25센티미터에 너비 27센티미터이다. 우물 입 지름은 1.1미터이고 깊이는 1.64미터이다. 쪽 돌의 길이 78센티미터이고 바깥쪽 너비는 39센티미터이다.

한편, 1호 주위에서 나온 목재들로 미루어 그림 63의 것은 1호임 틀림없다. 우물에 두른 울은 두말 할 것도 없이 매우 귀중한 우물이라는 뜻이다. 그 많은 궁궐 우물에 울을 두른 것은 둘 뿐이며, 나머지 하나인 수강재壽康齋 것은 아주 낮은 테를 한 겹으로 둘렀을 뿐이다.

⑤ 신숙주申叔舟(1417~1475)의 시(「유리정琉璃井」)이다.

임금께서 창덕궁에 우물 넷을 파고 유리라고 이름 지으신 것이 그 중의 하나이다.

명을 받들어 지어 올린다上於昌德宮 鑿四井 賜名琉璃 此其一也 奉敎製進.

內中鑿新井	내전 안에 새 우물 파니
琉璃迸淸甘	유리정 맑고도 달구나
鑿深風埃絶	깊어서 먼지 없고
水靜澄潭潭	물은 고요하고 맑도다
千尋有脩綆	두레박 줄 천 길에 이르고
枯渴滋泓函	물 철철 흘러넘치나니
願言道聖澤	성인의 은택을 길잡이 삼아
四海添橫覃	사해로 흘러들어 흐르기 바라노라

『보한재집保閑齋集』 권제10 「유리정」

‘두레박줄 천 길'은 실제의 길이가 아니라 신령스러움을 나타낸 것이며, ‘사해로 흘러들기 바란 것'도 왕조의 영원무궁을 상징한 말이다. 세조의 「마니정가」를 비롯한 나머지 시들이 어떤 내용을 담았는지 궁금하다.

(8) 태극정太極亭

태극정은 옥류천玉流川 북쪽에 있다(사진 189). 인조 14년(1636)에 지었으며, 본디 이름은 운영정雲影亭이다. 우물은 정자 왼쪽 뒤 작은 돌다리 곁에 있다(사진 190).

여덟모 전은 비록 작지만 바깥쪽을 비스듬히 다듬어서 주위의 풍광에 썩 잘 어울린다. 앞과 옆으로 흐르는 작은 내 덕분에 물은 언제나 넘쳐흘렀을 것이다.

사진 189

사진 190

사진 191

사진 192

입 지름 42센티미터에 깊이 49센티미터이다. 바닥에 모래가 찬 것을 보면 본디 더 깊었을 터이다. 전 위 한 변의 길이 24센티미터에, 바닥 길이 32센티미터이며, 두께 8센티미터이고 높이는 25센티미터
이다. 그림 64의 『동궐도』에는 정자 앞 동쪽에 있다(점선).

한편, 옥류천 청의정淸漪亭 서남쪽의 네모 확을 우물이라고 하는 것은 잘못이다. 사진 193의 뒤가 초가로

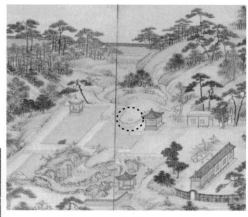
그림 64

사진 193

사진 194

지은 청의정이고, 앞쪽 연꽃 봉우리를 연상시키는 덮개 아래가 그것이다(사진 194). 전의 크기는(1.1×1.1미터)이고, 땅 위로 솟은 부위는 19센티미터이다.

누가, 무슨 까닭으로 이것을 덮었는지는 알 수 없다.

2) 창경궁昌慶宮

1484년, 세조世祖(1455~1468)·덕종德宗(1438~1457)·예종睿宗(1468~1469) 등 세 왕후의 거처를 위해 옛 수강궁 터에 지었다. 그러나 임진왜란으로 불에 탄 것을 1616년 재건하였지만, 여러 차례 불을 만났으며 1616년에 다시 지은 명정전을 비롯한 몇 건물 외의 나머지는 1834년의 것이다.

(1) 명정전明正殿 뒤뜰

이 전각은 창경궁의 중심 공간으로 임금과 신료들이 조회를 하거나 외국 사절을 만나는 따위의 공식행사도 벌였다.

우물은 전각 밖 동북쪽에 있다. 입 지름 1.32미터에 깊이 1.84미터이고, 전은 높이 52센티미터에 너비 30센티미터이다. 창덕궁에 있는 사진 168에 견주어 전 돌의 재질은 다르지만 형태와 크기는 빼 닮았다.

전 주위 바닥에 쪽 돌 14개를 부채살처럼 아귀를 맞추어 깔았다.

사진 197은 우물 안 모습이다. 벽은 둥글게 다듬은 돌 여러 개를 맞추어서 두 단으로 쌓고, 그 위에 장방형 돌을 촘촘하게 세운 뒤 전을 얹었다.

사진 195

사진 196

사진 197

(2) 통명전通明殿

통명전은 왕의 생활공간이자 연회장소이며, 때에 따라 빈전殯殿으로도 썼다. 우물
은 앞뒤 두 곳에 있다.

① 앞우물

사진 198이 통명전이고, 사진 199는 뜰 앞의 우물이다. 입 지름 79센티미터에 전
너비 43센티미터이며 깊이는 1.5미터쯤이다. 전 한쪽에 홈을 파서 물이 차면 흘러넘
치게 하였다. 전 두 곳이 갈라지는 등, 궁궐의 우물로는 초라하기 그지없다.

사진 198

사진 199

② 뒤우물

통명전 북쪽 축대 아래에 있다(사진 200). 열천洌泉이라는 이름은 영조英祖가 지었다. '임금이 예방승지와 편차인編次人에게 통명전 곁의 샘을 열천으로 부르라며, 자신이 지은 소지小識를 받아쓰게 하고 통명전에 걸라고 일렀다'는 기사가 그것이다(『영조실록』 33년[1757] 5월 29일). 사진 202가 그의 글씨이다.

사진 200

사진 201

사진 202

다른 것들과 달리 전이 네 모인 점이 눈을 끈다. 전의 크기는 동서 95×남북 68센티미터이고 너비는 21센티미터이다. 사진 203은 위에서 내려다본 모습으로 양쪽 돌의 기둥은 이곳에 지붕을 올린 것을 알려준다.

우물 뒤에 세 벌 축대를 쌓은 뒤, 가운데가 조금 높고 양쪽으로 가면서

사진 203

나직하게 다듬은 돌 한 장을 올려놓았다. 아무렇지도 않고, 눈에 번쩍 띄지도 않는, 있어도 그만이고 없어도 괜찮은 이 돌 한 장이야말로 우물의 풍광을 살리는 화룡점정畫龍點睛의 솜씨 바로 그것이다.

『궁궐지』 기사이다.

아 아, 통명전 서쪽의 누각 이름은 장춘藏春이다. 바로 옛적 명성황후明聖皇后 (1642~1683)께서 사랑하시던 곳이다. 그러므로 성모聖母께서 지으신 기문記文에 '통명은 바로 지금의 빈전殯殿으로 북쪽 축대 아래에 못이 있다. 이는 경자년에 나타난 것으로 처음에는 작은 구멍에 지나지 않았다. 성모께서 사랑하여 파서 넓히라고 이르셨다'고 적혔다.

물은 맑고 차며 사철 마르지 않는다. 물 북쪽에 놓인 반듯한 돌 하나는 흰 구슬 같아서 일이 있을 때마다 감흥이 인다. 또 찬란한 풍경이 감회를 돋우어서 열천이라 이름 짓고 돌에 새겼다. (…) 못 이름이 열천이니, 효도요 충성이라 하겠다. 이 시절을 우러러 바라보니 느낌을 주체하기 어렵다. 그 대강을 써서 성모가 주실周室을 높인 뜻에 대해 사모함을 표현하노라.

숭정崇禎 기원후 세 번째 정축(1757) 한 여름 기미己未에 눈물을 흘리며 쓰다(「창덕궁」).

'주실…'의 주는 중국의 주나라이며, '높였다'는 본받으려고 애썼다는 뜻이다. 실제로 '열천'이라는 이름도 『시경』의 '차가운 저 하천下泉이여洌彼下泉 / 수북하게 자라는 쑥에 덮였구나浸彼苞蕭 / 분연히 잠깨어 탄식하며愾我寤嘆 / 주나라 서울을 그리노라念彼京周'는 구절에서 따왔다(「下泉」).

『동궐도』에도 우물이 보인다. 오른쪽이 통명전 터이고, 왼쪽 점선 안의 것이 우물이다(그림 65).

이에 대해 장영기(문화재청 활용정책과 민관협력전문위원)는 '1757년은 병자호란 2주갑二周甲이 되는 해로

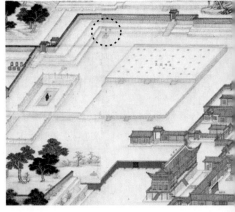

그림 65

(…) '열천'은 당시 국가재건 사업을 알리는 대표적 대명사였고 '조선중화주의'라는 시대적 이념을 나타내는 의미도 있었다'고 하였다(정책브리핑 문화컬럼, 2010년 6월 3일).

실제로 창덕궁 후원 서북쪽에 명의 후원을 기리는 대보단大報壇을 지었고 중문도 '열천문洌泉門'이었다. 『동계집桐溪集』에 '내가 아침에 열천문 밖에 나가서 예를 올린 뒤, 경봉각敬奉閣의 새 터를 살폈다'는 기사가 보인다(속집 제3권 「부록」 정조 기미년[1799]). 중국의 칙서勅書와 어필御筆을 두었던 경봉각은 정조正祖가 1799년에 다시 지었다.

뿐만 아니라 앞 책에는 '깊숙한 열천문은 층계가 겹쳐져서 마치 아래에서 절하고 위로 올라가서 받드는 듯한 것이, 서쪽으로 중국을 바라보매 눈물이 가슴을 적셨다'는 대목도 있다(「文簡公 桐溪先生 年譜」).

한편, 통명전에 걸었다는 「열천소지」에 '숙종肅宗의 기문記文에 통명전 북쪽 계단 아래의 못은 본디 작은 구멍에 지나지 않았으나 명성왕후가 파서 넓히라고 일렀다'는 내용이 있다.

'처음에는 작은 구멍에 지나지 않았다'는 대목은 샘으로 쓰려고 일부러 파지 않은 사실을 가리킨다. 흐르는 물을 가두고 관상용 수초水草를 심거나 물고기 따위를 키우려고 네모 확을 마련하였을 터이다. 지붕을 올린 까닭도 마찬가지이다. 전각 앞에 우물이 따로 있었던 점도 새겨둘 일이다.

(3) 경춘전景春殿

경춘전은 1483년에 세웠으나 임진왜란 때 불을 만나 1616년에 다시 지었다. 1830년에 다시 잿더미로 바뀐 것을 세 해 뒤, 재건축하였다(사진 204).

이곳에서 성종成宗의 생모 소혜왕후 한씨昭惠王后 韓氏(1437~1504), 숙종肅宗의 계비 인현왕후 민씨仁顯王后 閔氏(1667~1701), 정조正祖의 어머니 경의왕후 홍씨敬懿王后 洪氏(1735~1815)가 세상을 떠났다. 한편, 정조와 헌종憲宗도 여기서 태어났다.

사진 204

그림 66은 『동궐도』에 실린 경춘전(오른
쪽)과 우물(동그라미)이다.

전각 오른쪽 뒤에 있는 우물(사진 205)은
입 지름 71센티미터에 깊이 159센티미터
이며, 전은 너비 34센티미터에 높이 51센
티미터이다. 두 쪽을 마주 붙인 전은 만두
를 연상시키지만(사진 206), 한 쪽에 위를
평평하게 다듬은 돌을 붙여서 자라나 거

그림 66

북이처럼도 보인다. 세 왕후가 거처하다가 세상을 떠나고, 왕자 둘이 태어난 것을
떠올리면 수명장수를 바라는 뜻이 담긴 것으로 생각된다.

벽은 네 단으로 쌓았다. 맨 아래는 반원으로 낮게 다듬은 돌을 옆으로 뉘었으며
그 위에 메주처럼 다듬은 돌을 세운 다음, 다시 바닥과 같은 돌을 얹었다(사진 207).
지금도 물이 고이는 몇 안 되는 우물의 하나이다.

사진 205

사진 206

사진 207

사진 208

우물은 건물을 처음 지을 때 판 그대로일
터이다.

(4) 양화당養和堂

통명전 동쪽의 양화당은 대비大妃의 처소
이다(사진 208).

우물은 뜰 앞뜰에 둘 있다.

① 앞우물

입 지름 56센티미터에 깊이 91센티미터이다. 전은 너비 16센티미터에 높이 35센티미터이다(사진 209).

한쪽에 물이 찼을 때 넘쳐흐르도록 홈을 팠다. 통명전 것을 빼 닮은 것은 같은 시기에 같은 사람이 마련한 사실을 알려준다. 형태는 궁궐 우물이라고 믿기 어려울 만큼 허술하다.

사진 209

② 뒤우물

입 지름 1.1미터에 깊이는 5미터 이상이다. 전 너비 18센티미터에 높이 28센티미터이다. 앞에 손이나 얼굴을 씻기 위해 우묵하게 판 네모 돌을 놓았다(사진 210).

벽은 긴네모꼴로 다듬은 돌을 조금씩 물려가며 쌓았다(사진 211). 형태나 크기로 미루어 앞의 것보다 먼저 마련한 것으로 생각된다.

사진 210

사진 211

(5) 영춘헌迎春軒

창경궁의 내전으로 왕이 늘 거처하였다(사진 212). 특히 동궁시절부터 이곳에서 지낸 정조正祖(1752~1800)는 집무실로도 썼으며 죽음도 이곳에서 맞았다.

입의 안지름 95센티미터에 깊이는 4미터가 더 된다. 전은 반달꼴로 다듬은 돌 두 장을 맞붙였다. 높이 36센티미터에 너비 18센티미터이다(사진 213).

사진 212   사진 213

(6) 환경전歡慶殿

임금과 동궁의 생활공간이었던 이 전각은 여러 번 화재를 만났으며 지금의 것은 1883년에 다시 지었다(사진 214). 중종中宗과 인조仁祖의 맏아들 소현昭顯세자(1612~1645)가 이곳에서 세상을 떠나고, 순조純祖의 아들 효명孝明세자(1809~1830)의 빈전으로 쓰기도 하였다.

건물 뒤 왼쪽의 우물은 둥글게 다듬은 돌 세 쪽으로 전을 짜고 벽은 긴네모꼴로 다듬은 돌로 쳤다. 입 지름 1.26미터에 깊이는 4미터가 넘는다. 전 너비 30센티미터에 높이 49센티미터이다.

사진 214   사진 215

(7) 홍화문弘化門

문을 들어서서 처음 만나는 옥천
교 건너 왼쪽에 있다(사진 216).

가장 큰 특징은 둥근 우물 전 동
서남북 네 곳에 앞의 것과 같은 귀
를 붙여 깎은 점이다. 우물이 비교
적 큰 편이라 두레박이나 물동이
따위를 얹어 놓기 위한 것인가? 물
을 뜰 때, 위에 올라서기도 하였을
것이다. 이러한 형태의 전은 오직
하나 뿐이다(사진 217).

사진 216

두 쪽으로 이루어진 전 한쪽이 깨졌으며, 벽은 장방형으로 다듬은 돌을 차곡차곡
쌓아 올렸다(사진 218). 입 지름 116센티미터에 깊이는 3.07미터이다. 전은 너비 17센
티미터에 높이 42센티미터이다.

사진 217

사진 218

3) 경복궁景福宮

조선왕조에서 1395년에 처음 세운 정궁正宮이었으나 임진왜란으로 모두 불에 탄

뒤, 270년이 지난 1867년에 중건하였다. 터가 좋지 않다는 말에 따라 창덕궁을 재건
해서 궁궐로 삼은 까닭이다.

(1) 열상진원샘洌上眞源泉

건천궁乾淸宮에 딸렸던 샘으로 향원정香遠亭 연못 서북쪽에 있다(사진 219). 덮개에
새긴 '열상진원洌上眞源'은 차
고 맑은 물의 근원이라는 뜻
이다(사진 220).

사진 219　　　　　　　　　　　　　　　　　　　　　사진 220

　넘치는 물은 바로 연못으로 들어가지 않고 오목한 웅덩이(지름 41센티미터에, 깊이 15센
티미터)에 고였다가 방향을 바꾸어 흐른다(사진 221). '물은 서에서 들어와 동으로 흘러
야 정기가 흩어지지 않는다'는 풍수의 정기론精氣論을 따른 것이다. 마지막으로 머무
는 곳은 경회루慶會樓이다.

　샘 위의 네모 돌전과 덮개는 경복궁 재건 때 새로 마련하였다. 덮개는 동서 1.63미
터에 남북 1.69미터이며, 전 높이는 50센티미터이다(사진 222). 샘 북쪽에 높직한 돌
벽을 친 덕분에 어정御井다운 안온하고 평화로운 느낌을 준다. 이처럼 아기자기하게
꾸민샘은 중국은 물론 일본에도 없다.

　전 바닥에 돌 16개를 부채살 꼴로 박고 배수로를 둘렀다. 돌의 바깥쪽은 길이 27
센티미터에 높이 23센티미터이다. 배수로를 포함한 우물의 크기는 동서 3.48미터에

사진 221

사진 222

남북 3.8미터이다.

샘물은 아래에 꺽쇠 꼴로 두른 돌단의 아래 구멍으로 흘러내린다. 맨 위 단의 높이 30센티미터에, 둘째 단 너비 52센티미터이며 높이는 32센티미터이다(사진 223).

사진 223

신근식申謹植(?~?)**의 시**(「열상진원천의 가을洌上眞源秋色」)**이다**(부분).

洌上登秋勝去年	열상의 가을 경광 지난해보다 아름다워
眞源御井映旻天	어정의 맑은 샘물 가을 하늘 머금었네
香亭影水漂紅葉	향원정 비친 물에 붉은 단풍 떠 흐르고
串市長江始白泉	서울의 긴 강도 이 샘이 바탕일세
王朝盛替如春夢	왕조의 흥망성쇠 한바탕의 꿈이런가
一脈澄流萬古邊	한 줄기 맑은 샘만 만고에 흐르누나

(?)

한강의 시원은 따로 있지만 '열상시원'이라는 이름에 맞춘 것이다.

(2) 강령전康寧殿

임금의 침전이다. 임진왜란 때 불에 탄 것을 1867년에 다시 지었으나 1876년 불을 또 만났다. 지금의 건물은 1995년에 복원하였다. 교태전처럼 지붕에 용마루를 얹지 않았다(사진 224). (☞ 사진 227)

사진 224

전각 이름에 대한 『국조보감國朝寶鑑』 기사이다.

연침燕寢의 이름은 강령전으로 하소서. 홍범洪範 구주九疇의 오복五福에 세 번째가 강령康寧입니다. 대체로 임금이 마음가짐을 바르게 하고 덕을 닦아서 황극皇極을 세우면 오복을 누릴 수 있습니다. 강령은 오복 중의 하나인데, 가운데를 들어서 나머지를 알게 하자는 것입니다(제1권 태조조 4년[1395]).

임금의 침전은 대침大寢인 강령전 외에 경성전慶成殿·연생전延生殿·연길당延吉堂·응지당膺祉堂의 소침小寢 따위로 이루어졌으며, 이는 앞에서 든 대로 우주만물의 바탕인 오행五行을 나타낸다.

우물은 응지당 바로 서쪽에 있으며, 다른 전각에 없는 독특한 형태를 보인다(사진 225).

사진 225

이를테면, 전의 높이는 아래 것이 33센티미터에 위는 44센티미터이다. 형태가 다른 것으로 미루어 아래 것만 놓고 쓰다가 뒤에 위의 것을 덧붙인 듯하다. 아래 것 주위 네 곳에 둥근 턱(지름 19센티미터)을 붙여 깎은 것이 대표적이다. 전이 뒤로 물러나는 것을 막기 위한 것이지만 장식적 효과도 돋보인다.

또 윗돌을 얹은 탓에 높이가 80센티미터쯤 높아져서 사람이 두레박으로 물을 뜨기 어렵다. 이러한 불편을 덜려고 전 바닥 바깥쪽에 지름 14센티미터, 깊이 21센티미터 크기의 구멍 여덟 개를 뚫었다. 그리고 이곳에 박은 기둥에 지붕을 얹고 들보에 도르래를 걸어서 물을 길었을 터이다. 이와 반대로 처음부터 도르래를 설치하려고 전을 높였을 가능성도 있다. 그것은 어떻든지, 이 우물은 왕궁에 마련한 처음이자 마지막 도르래우물이다. 궁중 우물 가운데 지붕이 딸린 것도 이것 하나 뿐인 점도 그렇다.

전 바닥 주위에 크고 작은 돌 쪽 돌 17개(높이 11센티미터)를 부채살처럼 박은 것도 눈에 띤다. 전 아랫돌에서 구멍까지는 1.4미터이다. 이밖에 여덟모 주위를 따라 너비 30센티미터의 배수로를 두르고, 바깥쪽에 다시 돌을 깔아 놓은 것도 눈에 띤다.

배수로의 도랑에도 물매를 잡아서 쉬지 않고 흐르게 하였다. 도랑 끝 바닥은 너비 59센티미터에 깊이 30센티미터이며 길이는 1.97미터이다(사진 226).

사진 226

(3) 교태전交泰殿

왕비의 침전으로 중궁中宮 또는 중전中殿이라고 부른다. '교태'는 『주역周易』의 64괘 가운데 '태泰괘'의 것으로, 하늘坤과 땅乾이 하나를 이룬 것을 나타낸다. 지천태地天泰, 곧 하늘과 땅의 기운이 조화롭게 화합하여 만물이 생성된다는 뜻이다. 지붕에 용마루를 얹지 않은 까닭이 바로 이것이다. 음과 양이 결합하는 침전 꼭대기를 가로 막으면 하늘의 기운과 땅의 기운이 만날 수 없기 때문이다(사진 227). 지금 건물은 1990년에 다시 지었다.

사진 227

이처럼 지밀至密한 곳이지만『국조보감國朝寶鑑』에 1460년 7월 '상(세조)이 신숙주申叔舟(1417~1475)를 교태전으로 불러 술을 권한 뒤, 손을 잡고 남쪽 난간을 걸으며 북벌北伐의 뜻을 말하였다'는 기사(제11권 「세조조」 2)를 보면, 더러 외부 남자도 드나들었던 모양이다.

우물 주위에 높은 담을 두르고 화단까지 꾸며서 고즈넉하면서도 화려한 풍광이 들어온다. 왕비의 처소에 어울리는 이만한 우물 분위기를 다시 찾기는 어렵다(사진 228).

돌 전 어깨의 살을 발라내어서 부드러운 느낌을 준다. 전 높이 20센티미터에 어깨 길이 40센티미터이며, 지름은 1.75미터이다.

전 바닥에 주위에 크기가 각기 다른 14개의 돌을 부채살처럼 둘러 꾸미고 이들이 물러나지 않도록 너비 20센티미터의 돌을 박았다. 이들과 둥근 전을 포함한 지름은 3.1미터이다. 둥근 배수로는 너비 24센티미터에 높이 19센티미터이며, 밖으로 나가는 길이는 3.4미터에 너비 25센티미터이다(사진 229).

벽을 쌓은 돌도 매끄럽게 다듬어서 석 바꾸어가며 얹었다.

우물은 깊이 2.4미터이며, 벽 맨 위의 돌 높이는 49센티미터이다.

맑은 물이 고인 모습이 반갑기 그지없다(사진 230).

사진 228

사진 229

(4) 소주방燒廚房

소주방은 수라상을 비롯하여 잔칫상 등을 마련하는 곳으로 안팎 두 곳에 있다. 수라를

사진 230

맡은 안소주방에서는 여러 가지 반찬을 마련하고, 바깥소주방에서는 잔치음식을 차렸다. 이를 난지당蘭芝堂이라고도 한다.

사진 231의 왼쪽이 안소주방(서), 오른쪽이 바깥소주방(동)으로 우물은 양쪽에서 썼을 터이다.

사진 231

사진 232는 근래 소주방과 함께 복원하였으며, 형태는 교태전 것과 같다. 본디 모습인지, 교태전 것을 본떴는지는 알 수 없다. 우물 입 지름 1.2미터에 바깥지름 1.76미터이며, 높이는 23센티미터이다. 깊이는 4.3미터로 벽의 허리 아래는 막돌로 쌓았다(사진 233). 주위의 도랑은 깊이 24센티미터에 너비 34센티미터이다.

부채꼴 깔아놓은 전 바닥 돌은 22개이며, 본디 보습을 갖춘 것은 길이 80센티미터에 바깥쪽 길이 55센티미터, 안쪽은 31센티미터이다. 이들은 크기가 일정하지 않으며 본디 있던 것은 일고여덟 개에 지나지 않는다.

사진 232

사진 233

(5) 태원전太元殿

태조 이성계李成桂(1335~1408)의 어진御眞을 모신 곳으로, 흥선대원군興宣大院君(1820~1898)이 경복궁을 중건하면서 지었다. 국장 때는 빈전殯殿으로 썼으며 명성황후明成皇后

사진 234

(1851~1895)의 시신도 모셨다. 지금 건물은 2005년에 다시 지었다.

사진 234의 동쪽 끝 건물 오른쪽으로 우물 둘이 보인다.

① 둥근 우물

형태는 교태전 것과 같다(사진 235). 건물을 지을 때 본떴는지, 근래 복원할 때 그렇게 하였는지, 아니면 본디 모습 그대로인지는 알 수 없다.

입 지름 97.5센티미터에 깊이 2.57미터로 지금도 맑은 물이 솟는다(사진 236). 전은 두께 24센티미터에 바깥쪽 높이 44.3센티미터, 안쪽 높이 50센티미터이다.

전 바닥에서 배수로(너비 31센티미터에 깊이 11.5센티미터)까지는 78센티미터이며, 배수로 바깥쪽 돌은 너비 30센티미터에 높이 24.5센티미터이다.

사진 235

사진 236

② 네모 우물

우물(깊이 3.66미터) 주위를 제단처럼 두 단으로 꾸민 것을 보면 예사로운 것이 아님을 한 눈에 알 수 있다. 앞의 둥근 우물은 일상용이고, 이것은 특별한 제례 때만 썼을 터이다(사진 237). 우물 앞에 낮은 단을 덧붙인 까닭을 알만하다.

우물 전을 입보다 너르게 잡은 것도 그렇다. 너비 31센티미터의 정방형(1.7×1.7미터) 전은 입도 같은 형태로 다듬었다(1.09×1.09미터). 전 높이는 73센티미터이다.

두 개의 단 가운데 전 바로 아래 단은 4.62×4.62미터, 둘째 단은 3.13×3.13미터

사진 237

사진 238

사진 239

로 역시 정방형이다. 그러나 배수로 바깥 쪽은 남북 5.25미터에 동서 5.77미터로 조금 차이를 보인다.

겉모습과 달리 우물 벽은 둥글게 쌓았다(사진 238).

태원전 서쪽에도 이와 똑같은 크기와 구조를 지닌 우물이 하나 더 있다(사진 239).

4) 경희궁慶熙宮

이곳은 선조宣祖의 다섯째 아들 원종元宗(1580~1619)의 집터에 광해군光海君이 1616년에 세운 이궁離宮이다. 본디 경덕궁敬德宮으로 부르던 것을 1760년, 원종元宗(1580~1619)의 익호諡號와 소리값이 같다고 하여 바꾸었다.

(1) 영렬천靈洌泉

그림 67

궁 서북쪽, 위선당爲善堂 옆에 있다(그림 67).

『궁궐지』에 '태령전泰寧殿 서쪽의 선당善堂에 온천 셋이 있으며 영렬천이 그것溫泉三井曰靈洌'이라는 기사가 보인다(「경희궁지」).

큰 바위 아래의 샘은 동서 50센티미터에 남북 25센티미터이며, 깊이는 50센티미터이다(사진 240). 이것은 본디 모습이 아니라, 일제강점기에 경성중학교를 세울 때, 규모가 줄고 형태도 바뀐 것이 분명하다. 셋이나 있었다는 온천의 자취조차 보이지 않는 까닭도 마찬가지이다.

온천은 왕과 왕족이 이용하였다. 『조선왕조실록』에 따르면, 광해군에게 병조에서 인경궁仁慶宮(경희궁의 다른 이름) 뒤의 주변을 살피겠다고 알리고, 인조仁祖의 어머니가 목욕을 하는 외에, 효종孝宗도 즐겼다고 하므로 번듯한 건물을 갖추었을 것이다. 따라서 적어도 17세기 중반까지는 왕족 전용 목욕간이었음이 분명하다. 사진 241은 바위에 새긴 샘 이름이다.

한편, 『궁궐지』의 '샘이 바위틈에서 흘러나와 언제나 마르지 않고 물이 매우 맑고 차가워서 사람들이 초정椒井이라고 불렀다'는 기사를 보면 영렬천은 이름 그대로 샘(열천)이고, 온천은 주위에 따로 있었을 터이다.

사진 240

사진 241

숙종肅宗의 시(「영경당에 올라登靈慶堂」)**이다**(부분).

西園別一界	서쪽 동산에 다른 세상 있어
風景似蓬瀛	풍경은 신선이 노니는 듯
石罅靈泉涌	바위틈으로 신령스러운 샘 솟고

階間瑞草生   층계에서 신비스런 풀 돋누나

俯示長安路   장안의 길 굽어보니

春光滿帝城   봄빛 궁궐에 가득하네

『궁궐지』「위선당」

---

(2) 암천巖泉

태령전泰寧殿 뒤 바위 아래에서 솟으며, 암천이라는
이름도 이에서 왔다(사진 242). 또 형태가 신령스럽다고
하여 왕바위王巖라고도 불렸으며 광해군이 궁을 지은
까닭이 이것이라는 말도 있다.「비고편 동국여지비고」
에도 '인조묘仁祖廟의 반정 결과 인목대비仁穆大妃(1584~
1632)를 받들어 이 대궐에서 사시게 하였으므로 바위
이름이 맞아떨어졌다'고 적혔다(제1권「京都」).

선조宣祖의 계비였던 그네는 영창대군永昌大君(1606~
1614)을 낳았으나 광해군에게 아들과 부친(김제남金悌男)
이 목숨을 잃었고, 자신도 궁에서 내쫓겼다가 인조반
정 덕분에 되돌아왔다.

바위 안쪽에서 흘러나온 물은 둥근 구멍에 모인 뒤
(사진 243), 길을 따라 내려가면서 두 곳에서 멈추며(사진

사진 242

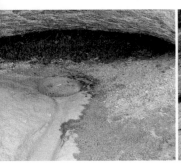

사진 243

사진 244

사진 245

244), 마지막에는 아래의 도랑으로 흘러내린다. 사진 245는 두 번째 구멍에서 본 궁궐이다.

무슨 까닭인지 숙종은 49년(1708), 바위 이름을 상서로운 바위라는 뜻의 '서암瑞巖'으로 고친 뒤, 크게 써서 네모 돌四方石에 새기라고 일렀다. 그리고 오른쪽 옆에 '왕암이라는 말은 바로 상서로움을 징험한다俗稱王巖正徵休祥'는 글을 남겼다고 하나, 지금은 보이지 않고 글씨(사진 246)만 남았다(『영조실록』 49년[1773] 11월 12일).

사진 246
(ⓒ 국립고궁박물관)

이곳에 깊은 관심을 기울인 임금은 영조이다.

① 『영조실록』 기사이다.

임금이 태령전에서 시임 및 원임 대신을 불러 합문閤門을 열게 하고 어진御眞을 우러러 보았으며, 이어 숙종肅廟의 어제御製를 보이고 여러 신하들에게 서암과 영렬천을 가서 보라고 일렀다(47년[1772] 4월 6일).

이 글의 어진은 자신의 초상화이고 '숙종 어제'는 앞에서 든 글씨일 터이다. 원임은 관직에서 물러난 관원, 시임은 현재의 관원이다.

② 두 해 뒤의 같은 책 기사이다.

임금이 덕유당德游堂에서 친히 향香을 올린 뒤 『대학大學』을 주강하였다. 이어 입시入侍한 여러 신하에게 서암을 살펴본 본 뒤, '서암송瑞巖頌'을 지어 올리라고 이르는 한편, 자신은 서문을 지었다. (…) (49년[1774] 11월 12일)

③ 두 해 뒤 같은 책의 기사이다.

임금이 연화문延和門에 나아가 5부五部의 방민坊民 수천 명을 불러 보고 (…) 돌아오는 길에 덕유당에 들러 여러 신하들과 후원에 올라 서암을 구경한 뒤, 스스로 시 한 수를 짓고 화답하는 시를 지어 올리라는 명을 내렸다(51년[1775] 8월 26일).

────────

④ **채제공**蔡濟恭(1720~1799)**의 시(「서암송**瑞巖頌**」)이다.**

────────

巖在慶宮 卽章廟舊邸也 古稱王巖 故光海嘗闕於此 及仁祖反正 奉仁穆大妃入御
此闕 王巖之稱 實爲符應 肅廟嘗親書瑞巖二大字刻于石 今上癸巳 依瑞麥頌故事
命製瑞巖頌以進(바위는 경희궁, 곧 장묘의 옛 저택 자리에 있으며, 예부터 왕바위
라고 일러온다. 광해가 대궐을 지은 까닭이 이것이다. 인조반정 뒤 인목대비가 이곳
에서 지내시게 되자 왕바위라 불렀으니 참으로 그럴듯하다. 숙종께서 일찍이 '서암'
두 글자를 쓰셔서 바위에 새겼다. 우리 임금 계사년(1773)에 서맥송 고사에 따라
왕명을 받들어 서암송을 지어 바친다)

白嶽之右	백악 오른쪽
王氣攸積	왕의 기운 모여
結以爲巖	바위 이루니
鬼慳神啬	귀신과 신이 탐내누나
如虎之踞	쭈그려 앉은 범이자
如龜之曝	사나운 거북이로세
异哉俗號	이로써 사람들
寔天之錫	하늘이 내렸다 이르네
在昔章廟	옛적 장묘의 저택
此維爲宅	궁궐 지으려 하자
淵魚叢雀	물고기 못으로 참새 숲으로 가듯
有驅斯亟	백성들 재빨리 달아났었지
莫爲而爲	일이 그리되어
預開新闕	새 대궐 짓게 되었네
粵癸龍興	계사년에 이루어진 왕업
有煥巍烈	밝고 기세도 높구나

奄主神器	감추어졌던 보좌
臨此紫極	임금 자리 되었네
石若能語	바위도 말 통하려니
吾始有托	내 부탁 하노라
王在巖前	임금이 바위 앞에서
嘉號孔燉	충심이 드높다 이르셨네
雲漢有倬	은하가 밝게 빛나듯
琬琰之刻	완염에 새겼구나
若漢樓桑	한의 누상 같고
如周弘璧	주의 홍벽 같은
巖兮萬年	바위여 길이길이
衛我王國	우리나라 지키다오
王命近臣	왕이 명하시니 신하가
盍往以覩	어찌 가보지 않으랴
臣拜摩挲	절하고 어루만지니
五雲之側	상서로운 기운 느껴지네
歸院作頌	관아로 돌아와 노래 지어
庸示千億	이로써 만민에게 보이노라

『번암집樊巖集』「번암선생집」 권58 「기리는 노래頌」

─────

장묘는 조선중기의 추존왕 원종元宗(1580~1619), 곧 인조仁祖의 아버지이다. 연어총작
은 통치자가 잘못하여 백성이 다른 나라로 달아난다는 뜻으로, 이 시에서는 광해군의
폭정을 가리킨다. '엄부신기'와 '임차자극'은 1623년(계해)에 임금이 된 인조가 창덕궁
과 창경궁이 1623년의 인조반정과 이듬해의 이괄李适(1587~1624)의 난으로 모두 불타
버린 탓에 경희궁에서 지낸 것을 가리킨다. 앞글에 인목대비가 오른 까닭이 이것이다.

서맥瑞麥은 보리 한 대에 이삭 여러 개가 싹튼 것으로 태평시대에 나온다고 한다.
송 진종眞宗(997~1022) 때, 수주壽州(안휘성 수현壽縣)에서 올린 서맥에 한 대에 다섯이 달
려서 서맥송이 태평성대를 기리는 노래가 되었다.

누상은 한말의 유비劉備(161~223)가 자란 고향으로 집 동남쪽에 높이 다섯 발이나

되는 뽕나무가 있던 데서 왔으며, 멀리서 보면 수레의 덮개를 연상시켰다고 한다. 완琬과 염琰은 모두 미옥美玉으로, 이에 문자를 새겨서 기록을 남기기도 하는 데서 간책簡冊에 적힌 것을 아름답게 표현한 것이다.

홍벽은 주周 성왕成王(전 671~626)이 남긴 요순堯舜시대의 교훈을 기록한 보물이다. 『서경書經』에 '아름답게 장식한 적도赤刀, 생전에 가졌던 귀중한 옥玉인 홍벽弘璧 및 완염 따위를 왕궁에 살아있을 때처럼 간직하면서 임금의 유덕遺德을 기린다'는 기사가 있다(「顧命」).

⑤ **효명세자**孝明世子(1809~1839)**도 이곳에 갔다가 시를 남겼다.**

「도수연의 네 가지 경치陶遂緣四景」 가운데 두 번째 시(「옥렬玉冽 샘물을 마심玉冽賞泉」)이다.

玉岸斜紅日色悠	붉은 해 언덕으로 느릿느릿 지고
甘泉石出曲潺流	감천은 돌에서 굽이굽이 흐르네
風高樹上閑雲影	바람은 높고 나무 위 한가로운 구름 그림자 어리니
上有蘭亭景物收	위에서 난정의 경치 즐기노라

『궁궐지』

도수연은 태령전의 재실로 경의궁 안의 한 채뿐인 초가이다.

이곳이 경희궁의 서북쪽이라 해지는 모습이 잘 보인다.

난정은 절강성 소흥현紹興縣 회계산會稽山 북쪽에 있는 진晉 왕희지王羲之(307~365)의 정자亭子이다. 그가 이곳에 명사들을 모아 곡수曲水의 잔치를 베풀듯이, 여러 사람이 모여서 물을 마시며 풍광을 즐긴다는 뜻이다. 순조純祖의 세자였던 그는 대리청정代理聽政을 통해 세도정치를 억제하고, 왕정의 영향력을 높이려다가 21세의 나이로 세상을 떠났다.

(3) 시립박물관

『경희궁 시립박물관 건립부지 내 지하건축구조 보존 정비조사보고서』 기사이다.

거의 완벽한 돌우물이 모습을 드러냈다. 지름 1미터쯤으로 돌 다섯 장을 둥글게 마름질해서 쌓았다. 맨 위에 가장 큰 것을 놓고 아래로 내려가면서 크기를 조금씩 줄여서 거의 수직으로 마감하였다. 바닥에 큰 화강암 판석을 깔았다. 깊이 5미터쯤이며(15자), 벽은 13벌로 쌓았다. (…)

배수로 둘 가운데 하나는 우물 남쪽에서 북쪽으로 S자 꼴로 흘러나가며, 위에 덮개를 얹었다(1996 ; 41).

사진 247이 발굴로 드러난 전 두 쪽이고, 사진 248은 우물 벽, 그림 68은 실측도이다.

사진 249는 지금의 모습이다. 전 둘은 복원할 때 새로 맞추어 넣었다.

사진 247(ⓒ 서울특별시)

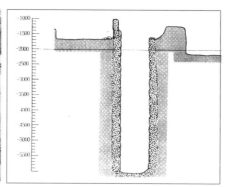

그림 68(ⓒ 서울특별시)

사진 248(ⓒ 서울특별시)

사진 249

(4) 사물헌四物軒

『궁궐지』에 '덕유당德遊堂 서남쪽에 위치한 사물헌 소나무 아래에 우물이 있다蒼松松下有井'고 적혔지만 지금은 찾을 수 없다(「사물헌」).

(5) 용비천龍飛泉

옛 서울고등학교 아래운동에 있던 것을 박물관 입구에 복원하였다(사진 250). 바위에 새긴 이름을 오늘날처럼 오른쪽으로 적어나간 것(「龍飛泉」)을 보면, 일제강점기에 마련하였을 터이지만(사진 251), 우물은 본디부터 있었을 것이다.

사진 252가 본디 모습이다. 샘 양쪽에 쌓은 맨 위 벽에 용머리 새겼다.

| 사진 250 | 사진 251 | 사진 252(ⓒ 문화재청) |

5) 덕수궁德壽宮

조선초기의 종친宗親 월산대군月山大君(1454~1488)의 저택이었으나 임진왜란 때 의주에서 돌아온 선조宣祖가 지낼 곳이 없자 임시궁궐로 썼다. 경운궁慶運宮이라는 이름은 1907년 고종高宗이 순종純宗에게 임금 자리를 물려준 뒤, 머물면서 덕수궁으로 바꾸었다.

우물은 중명전重明殿·준명당俊明堂·평성문平城門 북쪽 담 밑 등 세 곳에 남았다.

(1) 중명전

사진 253(ⓒ 윤영기)

서양식西洋式 2층 벽돌집이다. 덕수궁의 별채로 1901년 황실도서관으로 지었으나, 1904년 불이 나서 고종이 편전便殿으로 쓰는 외에 외국사절도 만났다.

사진 253은 궁 밖 정동에 있는 중명전이고, 사진 254는 네모돌 전이다. 크기 130×130센티미터이고 너비 25센티미터에 높이 80센티미터이다.

기계로 다듬은 탓에 반듯하게 보이지만 궁궐 우물의 분위기는 사라졌다. 돌을 세 벌 쌓고 한끝에 홈을 파서 끼워 맞추어서 귀마다 머리가 드러났다.

사진 254(ⓒ 윤영기)

(2) 준명당

임금의 내전內殿이지만 외국사신도 만났다. 지금의 건물은 1904년 불에 탄 것을 그해 6월에 다시 지었다(사진 255). 우물은 입 주위에 장대석을 네모로 두르고 그 위에 같은 꼴의 전을 얹어서 제단을 연상시킨다.

사진 255(ⓒ 윤영기)

사진 256(ⓒ 윤영기)

입은 크기 120×120센티미터이며, 전은 128×128센티미터에 높이 31센티미터이다. 그리고 전과 같은 형태의 받침돌은 190×190센티미터에 높이 25센티미터이며, 배수로의 너비는 30센티미터이다(사진 256).

(3) 평성문

이곳은 덕수궁 서문으로, 우물은 북쪽 담 밑에 있다. 그 위에 담을 치느라고 돌과 벽돌을 쌓아서 왼쪽 아래로 입의 한 귀퉁이만 보인다(사진 257). 우물은 깊이 7미터가 넘는다.

무슨 까닭인지 문의 편액이 얼토당토않은 '포덕문布德門'으로 바뀌었다.

사진 257(ⓒ 윤영기)

6. 조선 왕실

1) 종묘宗廟

종묘는 조선의 역대 왕과 왕비의 신위를 모신 사당으로, 태조가 도읍을 서울로 옮길 때(1394년 10월) 지었다. 임진왜란 때 불에 탄 것을 1608년에 다시 세웠다.

이곳에 우물 넷이 있다.

(1) 정전正殿

종묘의 중심 건물로 영녕전과 구분하여 태묘太廟라 부르기도 한다. 우물은 안팎 두 곳에 있다.

① 안 우물內井

신정神井이라는 별명을 지닌 우물은 정전 동쪽의 전사청典祀廳 곁에 있으며(사진 258), 주위에 담을 두르고 팔작지붕의 일각문을 세웠다(사진 259). 이름 그대로 제사에 올리는 물明水을 뜨는 외에, 전사청에서 제수음식 마련에도 썼다.

사진 258

사진 259

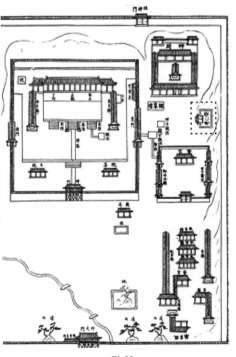

그림 69

사진 258에 보이는 대로 우물의 문이 남쪽으로 났지만, 본디는 전사청 맞은쪽인 서쪽에 있었다. 1705년에 나온 『종묘의궤宗廟儀軌』의 종묘전도와 1741년의 『종묘의궤속록宗廟儀軌續錄』이 증거이다(그림 69의 네모 표시). 실지로 문을 이쪽에 두어야 쓰기도 편한 것은 두말할 것도 없다. 이렇게 바꾼 까닭을 알 수 없거니와, 당국에서는 한시 바삐 바로 잡아야 한다.

사진 260이 우물이며, 일반 우물처럼 벽을 잡석으로 쌓았다(사진 261).

전 높이 30센티미터에 너비 34센티미터이며, 깊이는 3.1미터이다. 서쪽 담 아래에 배수구를 놓았다.

사진 260

사진 261

② **바깥우물**外井

정문인 창엽문蒼葉門 밖 남동쪽에 있는
예비우물이다.

사진 262의 앞쪽, 곧 널판으로 덮은 네
모우물이 그것으로 북으로 창엽문이 보인
다. 앞의 우물이 둥근 반면 이것이 네모
인 것은 천원지방天圓地方, 곧, 하늘은 둥
글고 땅은 네모라는 뜻을 나타낸 듯하다.
이것은 근래 복원되었으며 지금도 맑은
물이 고인다.

사진 262

벽을 둥글게 쌓았으나(지름 1.5미터), 전은 네모이며
깊이는 8미터이다(사진 263). 조선의 왕들이 종묘에 오
갈 때 마셨다고 하여
어정御井이라 부른다지
만 본디 이름은 제정祭
井일 터이다.

사진 264는 북쪽의
동물상이다. 형태가 거
북을 닮은 점에서 물이

사진 263

사진 264

끊임없이 솟기를 바라는 뜻일 터이다. 등에 얹혔던 비석은 보이지 않는다.

겨울에도 우물에서 더운 김이 올라온 까닭에 인근을 훈정동薰井洞이라 불렀다고 한다.

(2) 영령전永寧殿

이곳은 조선 태조太祖의 사대조四代祖인 목조穆祖·익조翼祖·도조桃祖·환조桓祖와 그들의 비를 비롯하여, 대가 끊긴 임금과 그 비의 신위神位를 모신 곳으로 정전 서쪽에 있다. 우물은 정전처럼 둘이 있었다.

① 제정

우물은 앞 서남쪽에 있으며 지붕을 세우고 담을 둘렀다.

② 예비우물

악기고 오른쪽의 네모 안에 '정井'이라고 적은 것이 그것이다.

정전의 것과 똑같은 것을 보면 같은 시기에 같은 크기로 마련하였을 터이다.

정전과 영령전이 한 울 안에 있음에도 우물을 따로 둔 것은 관심이 아주 컸던 것을 알려준다. '귀신도 몫이 따로 있다'는 속담 그대로이다. 그러나 아쉽게도 이 둘은 자취를 감추고 말았다.

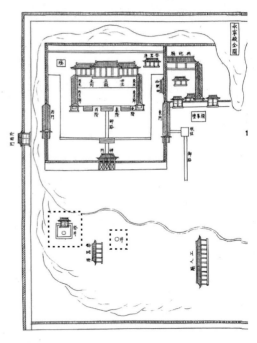

그림 70

2) 사직단社稷壇

사직단은 '땅의 신社'과 '곡식의 신稷'에게 제사를 지낸 곳이다. '사직단은 도성 서쪽에, 종묘는 동쪽에 둔다'는 원칙에 따라 지금의 자리에 세웠다.

『삼국사기』와『문헌비고文獻備考』따위에 고
구려는 391년(고국양왕 9)에 국사國社를, 신라는
783년(선덕왕 4)에 사직단을 세웠다고 적혔다.

사진 265가 2016년에 모습을 드러낸 신주神
廚 동쪽에 있던 우물神井이다. 앞에서 든 여러
궁궐의 것들과 달리 전을 네모로 꾸민 것은 땅
지기地神에게 제사 지내는 곳인 까닭이다.

전 크기는 사방 1미터에 높이 40센티미터쯤
이다(사진 266). 전 바닥 주위에 쪽 돌을 부채살

사진 265(ⓒ 문화재청)

처럼 두른 것은 앞에서 든 우물들과 같다. 깊이는 5.8미터쯤으로 매우 깊다. 벽은 거
칠게 다듬은 돌을 엇물려가며 거의 수직으로 쌓았다(사진 267).

그림 71은 실측도이다.

사진 266(ⓒ 문화재청)

사진 267(ⓒ 문화재청)

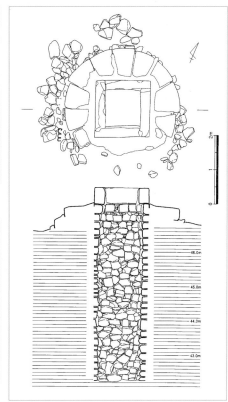

그림 71(ⓒ 문화재청)

3) 육상궁毓祥宮

숙종肅宗의 후궁이자 영조英祖 생모인 숙빈 최씨淑嬪崔氏(1670~1718)의 신위를 모신 사당이다. 1725년에 짓고 숙빈묘淑嬪廟라 부르다가 육상묘毓祥廟로 바꾸었으며, 영조 29년(1753) 6월, 다시 육상궁으로 고쳤다. 1908년, 여러 곳에 나뉘어 있던 궁(저경궁·대빈궁·연호궁·선희궁·경우궁·덕안궁)을 이곳에 모았다고 하여 칠궁七宮으로도 불린다(사진 268).

사진 268(ⓒ 문화재청)

『궁월지』에 '궁 안 냉천정泠泉亭에 영조의 영정을 모셨다'는 기사가 있으며(「도성지」), 정조正祖가 이름을 봉안각奉安閣으로 바꾼 까닭이 이것이다.

샘의 이름은 냉천泠泉이다. 입지름 1.3미터이며, 반달꼴로 다듬은 돌 일곱 조각을 둘러서 전으로 삼았다. 그리고 좌우 양쪽 끝에 긴 네모꼴의 돌을 놓고 그 사이에 홈을 판 낮은 돌을 끼워서 물이 차면 넘쳐흐른다(사진 270). 물은 지금도 고인다(사진 271).

사진 269(ⓒ 문화재청)

사진 270(ⓒ 문화재청)

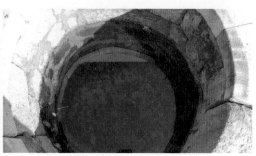

사진 271(ⓒ 문화재청)

1727년 3월, 이곳을 찾은 영조가 물을 맛보고 읊조린 시(「냉천」)를 북벽에 박은 흰 머릿돌에 새겼다.

昔年靈隱中　　옛적에 영은에 있더니
今日此亭內　　오늘은 이곳 정자에 있구나
雙手弄淸漪　　두 손으로 맑은 물 떠올리니
冷泉自可愛　　이 샘 참으로 좋도다

'영은'은 '신령스럽게 감추어졌다'는 말로, 귀한 존재임을 강조한 표현이다. 이밖에 영은산靈隱山의 준말로도 쓴다. 같은 이름의 산은 여러 곳에 있으며, 전라북도 정읍시 내장산內藏山도 본디 이렇게 불렸다.

그가 현판을 썼다는 냉천정冷泉亭은 우물 뒤에 있다.

4) 운현궁雲峴宮

홍선대원군興宣大院君(1820~1898)의 사저이자, 고종高宗(1863~1907) 임금이 태어나서 자란 집이다.

우물은 넷이다.

사진 272의 여덟모 우물은 넷 가운데 가장 크지만, 유물 전시관 앞에 꾸민 무대 안쪽에 있어서 드러나지 않는다. 입 지름 1미터쯤에 전 너비 40센티미터이다. 생김새나 크기로 미루어 으뜸가는 구실을 했을 터이다.

사진 273은 수직사守直舍 툇마루 앞에 있다. 전은 앞의 것처럼 여덟모이다(전의 길이 53센티미터에 높이 10센티미터).

건물 앞에 바짝 붙어 있어서 쓰기는 편하지만, 전이 낮아 밤뿐 아니라 낮에도 더러 사람이 빠졌을 것이다.

사진 272(ⓒ 윤영기)

사진 273(ⓒ 윤영기)　　　　　　　　　사진 274(ⓒ 윤영기)

사진 275는 안채 행랑마당의 우물이다.

입 지름 137센티미터에 너비 18센티미터쯤이며, 반달꼴로 깎은 돌을 맞물린 전 높이는 50센티미터이다. 바닥 주위에 부채살처럼 깔아 놓은 12개의 돌 크기는 일정하지 않다(사진 276).

사진 275(ⓒ 윤영기)　　　　　　　　　사진 276(ⓒ 윤영기)

사진 277은 노락당老樂堂 행각 뒤에 있으며, 두 쪽을 마주 붙인 형태는 앞의 것을 닮았다. 입 지름 1.1미터에 전 두께 21센티미터이고, 높이 42센티미터이다.

전의 한 귀퉁이가 떨어진 것이 눈에 띈다(사진 278). 안쪽을 보면 바깥처럼 돌이 아니라 굵은 모래를 빚어서 형태를 잡은 것이 분명하다. 이것이 부실해지자 한 겹 덧씌웠고(두께 2센티미터), 세월이 지남에 따라 속살이 드러난 것이다.

사진 277(ⓒ 윤영기)

사진 278(ⓒ 윤영기)

이러한 전은 전국을 통틀어 하나뿐이다. 나라의 권력을 손아귀에 넣고 주물렀던 대원군의 저택이자 임금의 생가 우물이라고 믿기 어렵다. 그동안 무슨 일이 있었던 것일까?

5) 홍릉洪陵과 유릉裕陵

(1) 홍릉

고종高宗(1852~1919)과 명성황후明成皇后(1851~1895)를 합장한 곳으로, 유릉과 함께 경기도 남양주시에 있다.

사진 279는 무덤 오른쪽 우물 주위에 두른 담으로 철문을 달았다. 담 위에 기와를 얹고 용마루까지 꾸민 것이 눈을 끈다.

사진 280은 우물 입 주위에 24개의 돌을 부채살처럼 박아서 전에 대신한 모습이다. 전이 없는 우물은 흔치 않다. 자주 쓰지 않은 탓인가? 벽을 쌓은 돌은 크기가 들쭉날쭉하다(사진 281).

사진 279(ⓒ 오승환)

사진 280(ⓒ 오승환)

사진 281(ⓒ 오승환)

(2) 유릉

조선왕조의 마지막 임금인 순종純宗(1874~1926)과 순명효황후純明孝皇后(1872~1904) 및 순정효황후純貞孝皇后(1894~1966)를 합장한 곳이다.

담을 두른 것은 앞의 것과 같지만 전은 둥글다.

사진 282는 전사청典祀廳 곁의 우물로, 주위에 도랑을 파고 배수로를 마련하였다. 사진 283은 우물 벽이다. 앞의 것과 달리 일정한 크기의 돌로 쌓았다.

사진 282(ⓒ 오승환)

사진 283(ⓒ 오승환)

6) 장릉莊陵

사진 284

이곳은 강원도 영월읍의 단종端宗(1452~1455) 능이며, 우물은 정자각 앞 서쪽에 있다(사진 284). 『장릉지속편莊陵誌續編』에 '보통은 물이 적다가 한식의 제향 때면 넉넉하게 솟는다는 말을 들은 정조가 매우 신기하다. 내가 영천靈泉이라는 이름을 내릴 터이니 부사가 써서 비를 세우라'고 일렀다는 기사가 있다(권1 「영천비음기靈泉碑陰記」).

본디 이름 어정御井이 영천으로 바뀐 까닭이 이것이다. 그러나 물이 어찌 때를 가리겠는가? 비운의 임금을 애달파 하는 마음이 그리 여긴 것일 뿐이다. 정조가 이름을 바꾸고, 오늘날의 탐방객이 우물에 동전을 바치는 것 또한 마찬가지이다.

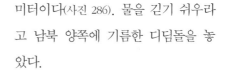

비는 1791년, 부사 박기정朴期正이 우물을 크게 손보면서 새로 세웠다(사진 285). 입 93×93센티미터에 깊이 2.2미터이며, 왼쪽 돌은 지름 61센티미터에 깊이 30센티미터이다(사진 286). 물을 긷기 쉬우라고 남북 양쪽에 기름한 디딤돌을 놓았다.

사진 285

사진 286

7) 경기전慶基殿

전주시 완산구 태조로의 경
기전은 조선 태조(1392~1398)의
어진御眞을 모신 곳이다. 우물
御井은 전사청典祀廳 동재東齋
곁에 있다.

사진 287은 어정문과 담장
이다. 근래 복원한 덕분에 모
습이 말끔하다. 문은 한 칸이
지만 맞배지붕에 용마루는 물
론 지붕마루까지 격식을 갖추
어 올렸다.

사진 287

사진 288의 우물은 지름 1.89미터에 깊이 1.5미터이며 전 높이는 42센티미터이다.
사진 289는 담장 뒤에 서서 안쪽을 굽어보는 소나무이다. 지기임이 분명하다.

『여지승람』에 '전주부 성 안에 있는 우물 223개 가운데 첫 손에 꼽는다'고 적힌
것을 보면 지위 뿐 아니라 맛 또한 으뜸이었음이 분명하다. 그러함에도 우물에 저렇
게 두터운 돌을 덮어둘 까닭이 무엇인가? 하루 바삐 치워서 안이라도 들여다보게 하
는 것이 좋다.

사진 288

사진 289

8) 조경묘肇慶廟

전주 이씨 시조 이한李翰(?~?)과 시조비 경주 김씨(?~?) 신위를 모신 곳으로 앞에서 든 경기전 북쪽에 있다.

사진 290이 조경묘 전경이고, 사진 291은 우물 담장이다. 경기전 것처럼 문을 달고 지붕을 올렸다.

사진 290

사진 291

우물 전은 나란히 놓은 돌 양쪽에 좁은 홈을 파고 같은 크기의 돌 두 장을 파자꼴로 놓았다(사진 292). 전 양쪽에 물을 뜰 때 사람이 딛고 서는 돌이 보인다.

크기는 84×108센티미터에 높이 3센티미터이며, 깊이는 70센티미터이다.

이 우물을 황녀皇女 이문용(1900~1987)이 1975년부터 십여 년 동안 썼다고 하나(『전북 지방의 우물(샘) 이야기』 2014 ; 686) 지금은 말라붙었다(사진 293).

사진 292

사진 293

7. 조선 궁궐 우물의 전

조선시대 궁궐 우물 가운데 마련된 시기가 알려진 것은 창덕궁 부용지 동북쪽에 있는 우물 둘 가운데 하나뿐이다. 세조世祖(1455~1468) 때 것이라는 사진 187이 그것이다.

사정이 이러하므로 시기를 가늠하려면 전의 형태를 잣대로 삼을 수밖에 없다. 우물 벽을 쌓는 방법도 참고할 수 있지만 모두 밝혀지지 않았을 뿐더러, 큰 변화가 없어서 도움도 되지 않는다.

이 글에서는 전의 재질과 형식 그리고 크기에 따라 살펴본다. 전은 둥근 것과 모난 것의 두 종류가 있으나 대부분 둥근형이다.

1) 둥근 전

가장 오래된 것이 창덕궁 서쪽인 신선원전 뒤에 있는 사진 168~170이다.

통 돌을 둥글게 깎은 전의 재질과 크기 그리고 들어간 공력을 떠올리면 왕조 초기의 것이 분명하다. 새 나라를 세우는 이상과 포부가 뚜렷하게 드러난 역사적 기념물이다.

이러한 형식은 석복헌(사진 171)·인정전(사진 175)·경훈각(사진 176)을 비롯하여 창경궁 명정전 뒤(사진 196)에 남았지만, 이 가운데 인정전과 경훈각의 것은 크기가 줄었다. 한편, 네 쪽으로 이루어진 종묘의 바깥 우물은 뒤에 손을 볼 때 바뀌었을 터이다.

시대가 흐르면서 변화가 일어난다.

하나는 통 돌을 얻는 어려움을 덜고 공력도 줄이는 방법이다. 곧, 반달꼴로 깎은 돌 두 쪽을 마주 붙여 전으로 삼은 것이다. 창덕궁 낙선재(사진 179)와 경복궁 강령전(사진 226)을 비롯한 여러 곳의 것들이다.

다른 하나는 통 돌로 깎되 높이와 지름을 줄인 방법이다. 경복궁 교태전 것(사진 229)과 소주방의 것(사진 232)이 좋은 보기이다.

전 바닥 주위에 쪽 돌을 부채꼴로 박아서 마감는 방식은 조선시대 초기부터 시작되었다. 이를 알 수 있는 것이 세조 때 마련하였다는 사진 187이다. 모난 우물에도 같은 것을 놓았다.

한편, 창덕궁 우물의 전을 초기 것에 견주면 이것이 과연 궁궐의 것인가 하는 의구심을 지우기 어렵다. 규모는 물론, 재료와 깎은 솜씨가 워낙 거친 까닭이다. 전을 놓은 시기를 가리기는 어렵지만, 임진왜란 등 두세 차례의 병란을 거치면서 나라의 힘이 빠지고 백성들의 생활도 어려워 진 탓일 터이다. 빛나던 왕조의 쇠망이 그대로 드러난 듯하여 씁쓸하다.

2) 모난 전

모난 전도 네모와 여덟모 두 종류가 있다.

네모 전의 대표는 사직단의 것이다(사진 265). 앞에서 든 대로 '하늘은 둥글고 땅은 네 모'라는 중국의 사상을 따른 결과이다. 종묘의 바깥 우물(사진 263)과 경복궁 태원전 우물 가운데 둘이 네 모인 점도 제례용, 곧 땅지기에 연관된 것을 나타낸다. 전라북도 전주시 경기전 안의 조경전 것도 마찬가지이다.

한편, 네모인 덕수궁 중명전과 준명당 것은 근대에 들어와 형태가 바뀐 것을 나타낸다.

가장 두드러진 여덟모 전 우물은 세조 때 팠다는 사진 187이다. 뒤에 숙종肅宗이 손을 보면서 '석공에게 옛 모습을 되살리라'고 이른 만큼, 2백여 년이 흐르기는 하였으나 본기 모습과 크게 다르지 않을 터이다.

이러한 우물은 창덕궁 옥류천에도 있다(사진 191). 고즈넉한 궁궐 후원에 어울리도록 작게 그리고 물매를 살려서 다듬은 맵시가 돋보인다.

5장

옛 기록의 우물

1. 고구려

『삼국사기』 기사이다.

---

① 대무신왕大武神王 11년(28) 7월, 한漢의 요동遼東태수가 쳐들어오자 (…) 좌보左輔 을두지乙豆智(?~?)가 아뢰었다.

"저들은 우리 땅이 돌밭이어서 샘이 없다고 여기는 까닭에 오래 둘러싸고 힘이 빠지기를 기다립니다. 연못의 잉어를 잡아 수초水草에 싸서 맛좋은 술 조금과 함께 보내면 좋을 것입니다." (…)

이를 받은 상대의 장수는 성 안에 샘이 있으므로 깨기 어렵다고 생각한 나머지 (…) 마침내 돌아갔다(권제14 고구려본기 제2).

사진 294

언제, 어디서나 성을 쌓을 때는 반드시 샘을 마련하는 것이 원칙이다.

사진 294는 충북 충추성 동쪽 아래의 샘이다. 『세종실록』에 '읍의 석성石城은 둘레가 680걸음이며, 안에 우물이 셋 있다. 이들은 겨울에도 마르지 않는다'는 기

사가 있다(「지리지」).

2. 백제

『삼국사기』 기사이다.

———

① 온조왕溫祚王 25년(7) 2월, 왕궁의 우물이 갑자기 넘치고 한성漢城 살림집의 말이 머리 하나에 몸이 둘인 소를 낳았다. 일관日官의 말이다.

"물이 갑자기 넘친 것은 대왕이 우뚝 일어날 징조이고, 머리 하나에 몸 둘인 소는 이웃 나라를 차지할 조짐입니다."

이에 왕은 진한과 마한을 치려고 마음먹었다(권제23 백제본기 제1).

———

이듬해 10월, 마한이 멸망하였다.

———

② 초고왕肖古王 22년(187) 5월, 서울의 우물과 한강漢水이 모두 말랐다.

———

강이 마를 만큼의 대단한 가뭄이었음에도 뚜렷한 징험은 나타나지 않았다.

———

③ 비류왕比流王 13년(316) 봄에 가뭄이 들더니, 큰 별이 서쪽으로 흘러갔다. 서울의 우물이 넘치고 검은 용이 나타났다(권제24 백제본기 제2).

———

이태 뒤 7월, 낮에 금성太白이 보이고 남쪽에서 누리가 곡식을 해쳤다. '검은 용'은 매우 드물다. 실제로 같은 왕 29년(455), 한강에 검은 용이 나타나고 잠깐 동안 구름과 안개가 끼어 캄캄하다가 용이 날아간 뒤 왕이 죽는 일이 벌어졌다.

④ 의자왕義慈王 20년(660) 2월, 서울王都의 우물이 모두 핏빛이 되었다. 작은 물고기들이 서해 바닷가로 나와 죽었으며 이를 백성들이 다 먹지 못하였다. 사비하泗比河의 물이 핏빛으로 바뀌었다.

여름 4월에는 두꺼비와 개구리 수만 마리가 나무 위로 올라갔다. 서울 저자의 사람들이 까닭 없이 놀라 달아나다가 넘어져 죽은 자가 백여 명에 이르고, 재물을 잃은 사람도 수없이 많았다(권제28 백제본기 제6).

이는 나라가 망할 징조였다. 백제는 같은 해에 31왕 678년 만에 없어지고 말았다. 사비하는 부여를 끼고 흐르는 백마강白馬江이다.

3. 신라

1)『삼국사기』의 간추린 우물 관련 기사이다

	때	내용	사건
1	혁거세 ?	나정 숲 우물에서 말이 무릎 꿇고 울다.	지도자 탄생하다.
2	혁거세 전 53	용이 알영정에 나타나 알영 낳다.	왕비 탄생하다.
3	혁거세 3 · 9	금성 우물에 용 두 마리 나타나다.	궁성 남문에 벼락 치다. 이듬해 왕과 왕비 죽다.
4	유리 34	서울의 땅이 갈라져 샘 솟다.	6월에 홍수 나다.
5	유리 56 · 4	금성 우물에 용 나타나다.	폭우 내리고 이듬해 왕 죽다.
6	탈해 24 · 8	왕이 죽어 양정구에 장사지내다.	
7	아달라 174 · 2	우물과 샘 모두 마르다.	큰 가뭄 들다.
8	기림 304 · 8	지진 나며 샘 솟다.	9월의 지진으로 집들 무너지고 사람 죽다.
9	흘해 348	궁중 우물 갑자기 넘치다.	이태 뒤 열흘 동안 비 내려 큰 피해 입다.
10	실성 416 · 3	토함산 무너지고 샘 세 길 솟다.	이듬해 5월 왕 죽다.
11	눌지 419 · 4	우곡(牛谷)에서 샘 솟다.	이듬해 봄 · 여름의 큰 가뭄으로 백성이 자식 팔다.

	때	내용	사건
12	자비 461 · 2	용, 금성 우물에 나타나다.	이듬해, 왜구 침입하다.
13	소지 490 · 3	추라정(鄒羅井)에 용 나타나다.	이듬해 봄 · 여름 가물다.
14	소지 500 · 4	용, 금성 우물에 나타나다.	11월에 왕 죽다.
15	법흥 516 · 1	용, 양산 우물에 나타나다.	
16	진평 631 · 7	흰 무지개 우물로 들고 토성 달 범하다.	왕 죽다.
17	김유신 645 · 3	재매정 물맛보고 변치 않음 알다.	싸움에 이기다.
18	태종무열왕 660 · 7	계백에게 풀려난 관창 우물물 마시고 적진으로 돌격하다.	백제군 패전하다.
19	태종무열왕 661 · 6	대관사 우물물 피 빛으로 바뀌다.	왕 죽다.
20	혜공 768 · 5	샘이 모두 마르고 범 궁궐에 들어오다.	
21	원성 790 · 4	금성과 진성이 동정에 모이다.	
22	경문 875 · 2	용, 궁궐 우물에 나타나고 구름과 안개 끼다.	7월에 왕 죽다.

위의 기사에 대한 설명이다.

(1) 나정

(☞ 117~119)

(2) 알영정

(☞ 121~124)

(3) 혁거세 거서간赫居世居西干 3년(60) 9월

———

용 두 마리가 금성金城 우물에서 나타났다. 갑자기 천둥이 치고 비가 내리더니 금성 남문에 벼락이 떨어졌다(권제1 「신라본기」 제1).

———

이듬해 혁거세 거서간이 죽었다.

금성은 혁거세 21년(전 37), 남산 서쪽 기슭에 쌓은 경성京城의 다른 이름이다. 『신증동국여지승람에』 '경주부 동쪽 4리에 있는 흙성土城으로 둘레 2,407척(729미터)'이라고 적혔으나(권21 경주부 「고적」), 경주시 남산 서북쪽 나정蘿井 부근이라는 설, 분황사芬皇

寺 북쪽 알천閼川유역설, 조선시대 경주 읍성 터라는 설 따위로 갈린다. 또 금성의 금을 검으로 보고 왕성王城, 곧 지금의 월성月城을 가리킨다고도 한다.

(4) 유리 이사금瑠璃尼師今 11년(34)

———

서울의 땅이 갈라져서 샘이 솟고, 6월에 큰물이 졌다(권제1 「신라본기」 제1).

———

9월에 백제와 말갈이 쳐들어와 마수성馬首城을 불태우고, 겨울에 백제와 말갈이 병산책瓶山柵을 습격하였다.

마수성은 경북 청도군·경주시·경산시 접경에 있는 마곡산馬谷山(馬頭山이라고도 한다) 일대에 있었던 듯하며, 병산책은 마수성 안의 말뚝으로 만든 문이다.

『삼국유사』에는 노례왕弩禮王 또는 유례왕儒禮王이라고 적혔다(권1 기이 제1 「弩禮王」). 이사금을 이질금尼叱今 또는 치질금齒叱今으로도 적으며 이는 잇금齒理이라는 뜻으로, 앞 책에 '이사금은 잇금을 이르는 말'이라는 대목이 있다(권1 기이 제1 「南解王」).

성덕왕聖德王(702~737) 때, 한산주漢山州 도독都督을 지낸 김대문金大問(?~?)은 연장자를 이르는 잇금으로 보았으며(『鷄林雜傳』), 이를 유리왕 때부터 붙인 것은 서너 개의 부족이 합친 연맹체가 성립된 까닭이라고 한다. 『삼국사기』는 18대 실성왕實聖王(402~417)까지라고 하였으나, 『삼국유사』는 16대 흘해왕訖解王(310~356)까지로 잡았다.

(5) 유리 이사금 33년(56) 4월

———

용이 금성우물에 나타나더니, 조금 뒤 서북쪽으로부터 폭우가 쏟아졌다. 5월에 큰 나무가 바람에 뽑혔다(권제1 「신라본기」 제1).

———

이듬해 왕이 죽었다. '큰 나무가 바람에 뽑힌 것'은 그럴싸하지만, 용이 자신의 보금자리인 우물에 돌아왔음에도 왕이 죽은 것은 의문이다.

(6) 탈해 이사금脫解尼師今 24년(80) 4월

———

왕이 죽어서 성 북쪽 양정구壤井丘에 장사지냈다(권제1 「신라본기」 제1).

———

① 『삼국유사』는 이와 달리 장지가 소천구疏川丘라고 하였다.

———

소천구에 장사 지낸 뒤, 신이 나타나 '내 뼈를 잘 묻으라'고 일렀다. 머리뼈는
둘레가 석 자 두 치(1미터)에, 몸 뼈 길이는 아홉 자 일곱 치(29미터)였다. 이齒는
서로 엉겨서 하나로 보이며, 뼈마디가 모두 이어진 것이 바로 천하장사 뼈대였
다. 뼈를 부수어 소상塑像을 빚어 대궐에 모셨더니 신이 또 나와서 '내 뼈를 동악
東岳에 모시라'고 하여 그대로 따랐다.

혹은 그 뒤 문무왕文武王 2년(680) 3월 15일, 왕의 꿈에 나타난 사납게 생긴 노인
이 '나는 탈해인데 내 뼈를 소천구에서 파내고 소상을 빚어 토함산吐含山(745미터)
에 안치하라'고 일렀다. 이로써 지금까지 나라에서 제사國祀를 받들어왔으며, 동
악신東岳神으로 삼아 제사를 올린다(권제1 기이 제1).

———

김선주가 석굴암 본존불을 실측한 수치가 앞의 것과 가까운 점을 들어, 동악사東岳
寺가 석불사石佛寺의 석굴암이 되고 소상이 본존불本尊佛이 되었으리라고 한 것은 참
으로 그럴듯하다. 이를 들은 강인구姜仁求는 실제로 당대로서는 거대한 불상임에 틀
림없고 불안佛顔에서 감지되는 신비도 인간 탈해의 얼굴과 동악신의 신안神顔을 혼합
한 결과라고 하였다(2001 ; 138~139). 따라서 동악대왕東岳大王이라는 이름은 과장이 아
니다. 몸 뼈 길이 29미터는 한 줄로 늘어놓았을 때의 숫자인가?

앞에서 든 『삼국유사』의 '왕이 죽어 미소소정구에 수장하였다王崩水葬未召疏井丘中'
는 기사(「왕력편」)를 두고 강인구는 양정구·소천구·소정구의 구丘는 언덕인 동시에
능陵의 뜻이며, 정井은 작은 저수시설이지만 천川은 물이 흐르는 장소로 모두 무덤
구조와 연관되므로 양정壤井·소정疏井·소천疏川 따위는 '물이 흐르는 구溝나 물이
고인 정井에 장사지낸 것을 가리킨다'면서(2001 ; 122~123), 다른 글에서 '물이 통하는
구덩이의 물속에 시체를 안치하였다'고 적었다(2003 ; 91).

그러나 왕의 무덤을 '구'로 적은 사례는 없는 점에서 양정언덕·소정언덕·소천언
덕으로 보는 것이 자연스럽다. 그의 말대로라면 왕의 주검을 물구덩이에 넣거나 내에

떠내려 보낸 것이 되고 만다. 따라서 '양정(소정·소천)이 있는 언덕'에 묻었다고 보아야 하며, 이는 문무왕 꿈에 나타난 노인이 뼈를 파내라고 이른 것과도 일치한다.

더구나 『삼국유사』에서 '미소소정구에 수장하였다'는 대목을 본문이 아닌 「왕력」끝에 덧붙인 것을 보면 정보제공자의 말을 의심하였거나, 이 책을 여러 사람이 썼거나, 「왕력」을 한 사람이 쓰지 않은 탓에 '수장'이라 한 것으로 보인다(김상현 2003 ; 19쪽 기사 재인용).

그럼에도 강인구는 탈해의 무덤을 주구토광묘周溝土壙墓로 가상한 나머지 한반도에서 들어간 일본의 방형(또는 원형) 주구묘周溝墓의 '주구에 물이 저장된 것'을 수장의 근거로 삼았다. 그리고 미소未召·미소味炤 및 미조味照·미조未祖 등의 소리 값이 일본어 구溝와 수水인 점에서 '왜국 동북 천리를 연상시키고, 탈해의 무덤 구조나 장법葬法을 보면 이곳이 일본열도의 긴끼近畿지방과 큰 무리 없이 조화되는 것으로 보인다'고 하였다. 당시의 왜국은 지금의 후쿠오카현福岡県 일대이므로 이곳에서 천리가 긴끼 지방에 해당한다는 것이다. 또 탈해의 조상이 양자강이나 황하상류에서 한반도로 들어왔으며, 그들의 일부가 일본으로 갔다가 1세기 중반에 우리 남해안으로 다시 건너온 '재귀환민再歸還民'이라 고한 것도 비합리적이다(2001 ; 120~124). 탈해가 풍수설에서 명당으로 꼽는 호공瓠公의 초승달三日月 꼴 집터를 차지할 때, 자신의 조상이 대장장이라고 둘러댄 것은 북방 철기문화의 전래를 알린다는 것이 정설이기 때문이다. 그 터에 월성을 쌓은 것도 무관하지 않다.

한편, 임금을 물에 장사지냈다는 설화가 아주 없지는 않다.

② 『동경잡기東京雜記』 기사이다.

―――

괘릉掛陵은 경주 동쪽 35리에 있으며 주인공은 누구인지 모른다. 속설에 죽은 왕을 물에 장사를 지내려고葬於水中, 돌 위에 널을 걸고 흙을 쌓아서 능을 이루었다고 한다. 괘릉이라는 이름은 이에서 왔다. 석물은 지금도 남아 있다(권1 「陵墓」).

―――

오늘날에는 무덤의 주인공이 원성왕元聖王(785~798)으로 알려졌다. 『삼국유사』에도 '왕의 능이 토함산 서동西洞의 곡사鵠寺 곧, 지금의 숭복사崇福寺에 있으며 최치원崔致遠(857~?)이 지은 비문이 있다'고 적혔다(권제2 기이 제2 「원성대왕」). 비문에 따르면 경주시 외동면外東面 미방리에 있던 이 절은 선덕왕宣德王(780~785) 이전에 파진찬波珍 김원량金元良(?~?)이 세우고 곡사라 불렸으며, 원성왕이 죽자 이곳에 능을 짓고 지금의 자리로 절을 옮겼다고 한다.

『동경잡기』의 기사는 설화에 지나지 않지만 이를 부정할만한 근거는 없다. 더구나 그의 일생은 용을 빼면 설명이 어려울 만큼 뒤얽혀 있을 뿐더러 딸의 이름까지 대룡大龍과 소룡小龍으로 지은 것(『삼국유사』 권제2 기이 제2 「원성대왕」)을 생각하면 더욱 그러하다.

또 하나는 능 동쪽 20여 미터 떨어진 곳에 우물이 있으며(사진 295) 우물 건너로 원성왕릉이 보이는 점이다. 전은 사방 1.2미터의 높이 40센티미터, 너비 20센티미터이다. 지금도 맑은 물이 솟는 우물의 전은 사방 1미터쯤이며 근래까지 마을에서 썼다. 비록 신라시대의 것은 아니지만, 왕의 행적을 떠올리고 능 바로 옆에 마련한 것은 아닐까 싶기도 하다.

그것은 어떻든 탈해는 자신의 말대로 동악의 산신이 되었으므로 용과는 연관이 전혀 없다. 따라서 그를 물에 묻었다는 말을 그대로 받아들이기 어려운 것이 사실이다.

사진 295

한편, 미시나 쇼에이는 '소천의 소疏는 소벌蘇伐이나 서벌徐伐의 첫 음과 같고 동東의 고훈古訓이므로 소천은 동천東泉과 동명同名이고 (…) 현재의 북천은 동천이라는 이름대로 토함산 북쪽 골짜기에서 흐르며, 이는 토함산 산신東岳神인 탈해를 소천구 가운데 묻었다는 전설과 같다'고 적었다(1975 ; 496).

그러나 동천의 동이나 북천의 북은 방향이 전혀 다른 점에서 의문이 앞서며, 탈해를 토함산 북쪽 골짜기에 묻었다는 것도 사리에 어긋난다. 이곳은 '언덕丘'이자 '멀리 트이지疏' 않은데다가 『삼국사기』의 '성북'을 더하면 '성 북쪽에 위치한 사방이 확 트인 남향 언덕'으로 보아야 걸 맞는다.

탈해의 장례는

㉠ 신이 내 뼈를 조심히 묻으라 이르고後有神詔 愼埋葬我骨

㉡ 뼈를 부수어 소상을 빚어 대궐에 안치하며碎爲塑像 安闕內

㉢ 신의 말대로 다시 동악에 모신我骨置於東岳

세 과정으로 이루어졌다.

㉠은 주검이 썩은 뒤 뼈만 추려서 잘 씻은 뒤에 다시 묻는 초분草墳 장례 그대로이 며 신이 뒤에 나타난 까닭도 이것이다. 문무왕 꿈에 나타난 탈해의 혼령이 '내 뼈를 파라'고 이른 것은 초분 장례의 첫 과정이므로 사실과 맞는다.

㉡에서 뼈를 부순 것은 살점을 발라내기 위한 것이고(초분장에서도 절구에 찧는다) 소상 을 빚어 모신 것은 그의 재생을 나타낸다.

㉢은 탈해가 나라를 지키는 위대한 동악신이 된 것을 상징한다. 이는 본디 신의 세계에서 내려온 탈해가 인간 세상에 머물다가 다시 신의 나라로 돌아간 과정이기도 하다.

근래까지 전라남도 일부 섬에서 초분장을 치렀다. 관에 이엉을 덮어서 마당이나 축대 또는 산골짜기에 놓았다가 두서너 해 뒤 에 살이 썩으면 뼈만 골라 솔잎 삶은 물에 씻 어서 다시 장례를 모신 것이다. 이차장二次葬 또는 세골장洗骨葬이라는 말 그대로이다.

사진 296은 1969년에 찍은 전라남도 고흥 군 봉래면 나로도의 초분이다.

이와 달리 상류가옥에서는 관을 집안의 초빈 방草殯房이나 마루에 둔 탓에 악취로 골머리를 앓았고, 구들을 파서 관을 넣고 모래를 채우기

사진 296

도 하였지만 썩 도움이 되지 않았다. 그러나 농어촌에서는 마을과 떨어진 초분골을 이용한 덕분에 견딜 수 있었다.

초분은 죽은 이의 영혼이 뼈에 깃들었다는 생각에서 나온 풍속으로, 중국 양자강 이남, 일본 큐슈 남부 및 오키나와, 동남아, 태평양 일대가 본거지이다. 『삼국지』「위 서」(「동이전」)와 「수서」(「고구려전」)에도 우리네 관련 기사가 있다. 따라서 미시나 쇼에 이가 '부수어 소상을 빚으라碎爲塑像'는 대목을 '화장해서 뼈를 부수어 초상이나 불상

에 칠하는 것은 불교의 영향이며 민족 고유의 탈해(동악신) 전설이 이처럼 습합霫合적으로 변용되었다'고 한 것은 잘못이다(1975 ; 497).

경북 경주시 동천동東川洞에 있는 능(남향에 바닥 지름 15미터에 높이 3미터)을 탈해릉으로 보고 사적 제174호로 지정한 것에 대해 강인구는 고기록(『동국여지승람』·『동경지』·『나릉진안설羅陵眞贗說』) 따위에 보이지 않는 점을 들고 '조선 말기에 석씨 시조의 왕릉만이라도 정해야겠다는 결의 아래 『삼국사기』의 성북을 근거로 지금의 동천동릉을 지정한 것이 아닌가 짐작된다'고 하였다(2003 ; 90~91).

(7) 아달라 이사금阿達羅尼師今 21년(174) 1월

———

흙비가 내렸다. 2월에 가뭄으로 우물과 샘이 말랐다(권제2 「신라본기」 제2).

———

이듬해 11월, 돌림병으로 많은 사람이 죽었다.
흙비가 내리고 우물과 샘이 마른 것은 흉조임에 틀림없다.

(8) 흘해 이사금訖解尼師今 7년(304) 8월

———

지진이 나고 샘이 솟았다. 9월, 서울의 지진으로 민가가 무너지고 사람이 죽었다
(권제2 「신라본기」 제2).

———

지진이 원인이 되어 솟은 샘은 9월의 재앙을 예고한 것이다.

(9) 흘해 이사금 39년(348)

———

대궐의 우물이 갑자기 넘쳤다(권제2 「신라본기」 제2).

———

이태 뒤 4월, 열흘 동안 비가 내려 물이 평지에 서너 자(1미터쯤)나 차올랐다. 이 때문에 관가와 백성의 살림집이 떠내려가고, 산 열세 곳이 무너졌다.
'갑자기 넘친 우물'은 홍수를 상징한다.

(10) 실성 이사금實聖尼師今 15년(416) 5월

———

토함산이 무너지고, 샘이 세 길이나 솟았다(권제3 「신라본기」 제3).

———

이듬해 눌지 마립간이 실성 마립간을 죽이고 왕의 자리를 차지하는 변란이 일어났다. 무너진 산은 왕의 죽음을, 솟은 샘은 새 왕의 등극을 알린 것인가?

경주 동남쪽에 둘러선 토함산은 예부터 신라에서 오악五嶽의 하나로 받들었으며, 동해에서 도성을 잇는 가장 가까운 자리에 있어 군사적 요충지로 손꼽혔다. 탈해왕脫解王과 연관이 있다고 하여, 석昔씨 부족을 상징하는 산으로 보기도 한다.

(11) 눌지 마립간訥祇麻立干 3년(419) 4월

———

우곡牛谷에서 샘이 솟았다(권제3 「신라본기」 제3).

———

이듬해 봄·여름에 크게 가물더니, 7월에 내린 서리가 곡식에 큰 해를 입혔다. 굶주린 백성이 자식을 팔기도 하였으며 이에 따라 죄수들을 풀어주었다.

(12) 자비 마립간慈悲麻立干 4년(461) 4월

———

용이 금성우물에 나타났다(권제3 「신라본기」 제3).

———

이듬해 5월, 왜구가 활개성活開城에 들어와 백성 1천여 명을 끌고 갔다. 성의 위치는 모른다. 우물에 용이 나타나면 왜 재앙이 일어나는지 궁금하다.

(13) 소지 마립간炤知麻立干 12년(490) 3월

———

용이 추라정鄒羅井에 나타났다. 처음으로 도읍에 시장을 열어서 사방의 물자를 사고팔게 하였다(권제3 「신라본기」 제4).

———

저자를 처음 열었다니 이 우물의 용은 흉조가 아니다. '추라'는 무슨 뜻인지 모른다. 우물은 경주부 남쪽 7리에 있었다(『신증동국여지승람』 권21 경주부 「고적」).

(14) 소지 마립간 22년(500) 4월

———

폭풍으로 나무가 뽑히고, 용이 금성우물에 나타났다. 서울 사방에 누런 안개가 잔뜩 끼었다(권제3 「신라본기」 제4).

———

11월에 왕이 죽고, 지증智證 마립간이 임금이 되었다. 앞에서 든 대로 '금성우물'과 '용'은 상극이다.

또 누런 안개가 끼면 세상이 어지러워진다고 한다.

(15) 법흥왕法興王 3년(516) 정월

———

용이 양산楊山우물에 나타났다(권제4 「신라본기」 제4).

———

같은 달, 임금이 신궁神宮에 제사를 올린 것은 용이 불러올 재앙을 막으려는 뜻이었나? 양산은 경주 남산 밑에 있다.

(16) 진평왕眞平王 53년(631) 7월

———

흰 무지개가 대궐 우물에 박히고 토성이 달을 범하였다(권제4 「신라본기」 제4).

———

이듬해 정월, 진평왕이 죽고 선덕善德이 그 자리에 올랐다.

흰 무지개는 안개 속에서 떠오르며, 달밤에 자주 나타난다고 하여 달무지개라고도 부른다. 한 밤중의 무지개라니 흉조임에 틀림없다.

한편, 조선 태조太祖(1392~1398)가 경기도 장단長湍에서 왜적과 싸우던 중에 흰 무지개가 해를 꿰뚫자 점쟁이가 싸움에 이길 징조라고 하였지만(『조선왕조실록』 총서 「태조」), 68건에 이르는 나머지 기사는 모두 흉조였다.

(17) 김유신 645년 3월

(☞ 재매정 ; 141~145)

(18) 태종 무열왕太宗武烈王 7년(660)

―――――

관창官昌(645~660)이 '내가 적진에 들어가 장수를 베고 기旗를 꺾지 못하여 몹시
후회스럽다. 다시 들어가 반드시 뜻을 이루겠다' 외치고 손으로 우물물을 움켜
마신 뒤, 뛰어들어 사납게 싸웠다(권제47 「열전」 제7).

―――――

그가 우물물을 움켜 마신 것은 단지 목을 축이려 해서가 아니라, 물이 지닌 신통력
을 몸에 지니기 위한 뜻도 들어 있을 터이다.

16세의 화랑인 그가 황산벌 전투에서 부장副將으로 용감히 싸우다가 사로잡히자,
탄복한 계백階伯(?~660)이 살려주었다. 그러나 또 적진으로 뛰어들어 되잡히자 목을 베
고 말안장에 매달아 돌려보냈다. 그의 용기에 힘을 얻은 신라군은 모두 죽기로 싸운
끝에 백제군을 크게 무찔렀다. 그는 신라 좌장군左將軍 품일品日(?~?)의 아들로 관장官
狀으로도 적는다.

(19) 태종 무열왕太宗武烈王 8년(661) 6월

―――――

대관사大官寺 우물물이 피가 되더니 금마군金馬郡 땅으로 흘러서 그 넓이가 다섯
걸음이 되었다(권제5 신라본기 제5).

―――――

'너비 다섯 걸음'은 피가 많이 흘렀다는 뜻이다.

이 달, 태종 무열왕이 죽고 문무왕文武王이 등장하였다.

대관사는 전라북도 익산시 왕궁면 왕궁리에 있던 절로 백제 무왕武王(?~64) 때 세웠
으며, 관궁사官宮寺·궁사宮寺·관사官寺라고도 불렸다. 대관사는 상부대관에 있는 절
에서, 관궁사는 대궐을 떠난 왕이 머무는 궁사宮寺로 지은 데에서 온 이름이다. 금마
군은 지금의 익산시이다.

(20) 혜공왕惠恭王 4년(768) 6월

———

서울에 천둥이 치고 우박이 내려 풀과 나무들이 해를 입었다. 큰 별이 황룡사黃龍寺 남쪽에 떨어졌으며 그 소리는 천둥 같았다. 샘과 우물이 모두 마르고 범이 궁궐에 들어왔다.

7월에 일길찬一吉湌 대공大恭(?~768), 아찬 대렴大廉(?~?) 등이 반란 일으키고 33일 동안 왕궁을 둘러쌌다가 구족九族과 함께 처형되었다(권제9 「신라본기」 제9).

———

이를 시작으로 왕도王都와 5도주군五道州郡의 96각간角干 사이에 정권 쟁탈전이 벌어졌다. 범이 궁궐에 들어 왔으니 평온할 까닭이 없다.

(21) 원성왕元聖王 6년(790) 4월

———

금성金星과 진성辰星이 동정東井에 모였다(권제10 「신라본기」 제10).

———

이듬해 왕태자 인겸仁謙(?~?)이 죽고, 전 시중前侍中 제공悌恭(?~?)이 모반을 일으켰다. 진성은 혹성 중에서 태양에 가장 가까이 있는 수성水星의 다른 이름이고, 동정은 28수宿의 하나로 남쪽에 여덟 개의 별로 이루어졌으며 평저울平衡을 나타낸다고 한다.

(22) 경문왕景文王 15년(875) 5월

———

용이 왕궁 우물에 나타나자 사방에서 구름과 안개가 몰려들다가 흩어졌다. 7월 8일, 왕이 죽어 시호를 경문敬文이라 하였다(권제11 「신라본기」 제11).

———

우물에 용이 나타나면 역시 불길한 일이 일어난다.

『삼국사기』의 기사 22건 가운데 우물에 용이 나타난 내용이 8건이며, 두 건을 빼면 모두 흉조가 되었다. 우물은 금성우물이 넷이고 이에 '궁궐 우물'을 더하면 다섯에 이른다. 그리고 이들은 모두 재앙을 불러 왔다. '왕궁의 우물'다운 면모이지만, 일반에서 영물로 받들 뿐 아니라 물과 비를 상징하는 용이 어째서 불행의 씨앗 구실을 하는지 알다가도 모를 일이다. 또 지진으로 솟은 샘 두 건이 자연재해를 일으킨 것은 젖혀두고라도 저절로 솟은 샘조차 같은 결과를 낳은 것도 마찬가지이다.

백제 우물 기사 네 건 모두가 흉조인 것을 생각하면, 삼국시대에는 우물이 흉조의 상징이었던 셈이다. 이와 대조적으로 길상과 연관된 것은 혁거세 및 알영의 탄생과 승리를 예고한 재매정 관련 기사 셋뿐이다.

2) 『삼국유사』의 간추린 우물 관련 기사이다

	때	내용	사건
1	나정	알에서 사내아이 태어나다.	혁거세가 왕이 되다.
2	알영정	용 옆구리에서 여아 태어나다.	왕비 되다.
3	눌지(417~458)	묵호자 고구려에서 오다.	모례네 우물
4	소지 488	왕 천천정에 거둥하다.	왕의 생명구하다.
5	법흥 527	단샘의 물고기와 자라 뛰다.	이차돈 순교하다.
6	원효(617~686)	물 청하다.	관음의 진신임을 깨닫다.
7	혜공	거리에서 삼태기 지고 춤추다.	우물에 들어가 몇 달씩 머물다.
8	명랑시인	용궁에서 황금 받아 자기 집 우물로 솟아오르다.	금광사 짓다.
9	신문 683	굴정역 우물에 꿩 숨다.	영취사 짓다.
10	경덕 753	대궐 우물 마르다.	대현이 빌자 비 내리다.
11	원성(785~798)	묘정, 금광정에서 구슬 얻다.	인망과 신임 얻다.
12	원성	김주원, 천관사 우물에 들어가다.	임금 되다.
13	원성	동천사 샘에서 용 세 마리 잡아가는 것 되찾다.	용이 나라 지키다.
14	헌덕(809~826)	간자를 날리다.	동화사 자리 찾다.
15	992	절의 살림이 어려워지다.	신현정에 대성 나타나다.
16	진표		우물 파는 기술자?

위의 기사에 대한 설명이다.

(1) 나정

(☞ 117~120)

(2) 알영정

(☞ 120~128)

(3) 모례네 우물

제19대 눌지왕訥祗王(417~458) 때, 사문沙門 묵호자墨胡子(?~?)가 고구려高麗에서 일선군一善郡(구미시 선산읍)으로 왔다. 그곳 사람 모례毛禮(?~?, 모록毛祿이라고도 한다)가 자기 집안에 굴을 파고 편히 머물게 하였다. 또 양梁나라에서 사신 편에 옷과 향을 보냈다(권제3 興法 제3 「阿道基羅」).

굴을 판 것은 외래종교에 대한 탄압이 심했기 때문이다. 이 책 본문에 '묵호자'로 올랐음에도 출전에는 '아도기라'라고 하여 같은 인물로 다루었다. 『삼국사기』에는 보이지 않으며(권제4 「신라본기 제4 법흥왕」), 각훈覺訓(?~?)이 1215년에 낸 『해동고승전海東高僧傳』도 마찬가지이다. 그러나 『신증동국여지승람』에는 '고구려에서 온 묵호자가 도개부곡道開部曲의 모례네 집에 머물렀다'는 기사가 실렸다(권29 선산도호부 「佛宇」).

다음은 아도화상 전설이다.

그가 모례네 머슴이 되어 양과 소 천 마리씩 먹인 덕분에 주인은 큰 부자가 되었다. 이렇게 5년 동안 머물다가 떠나면서 새경을 한 푼도 받지 않았다. 모례가 가는 곳을 묻자 '나를 만나려면 얼마 뒤, 집으로 뻗쳐 오는 칡순을 따라 오라'고 일렀다. 정월 어느 날, 문턱으로 들어온 칡순 줄기를 따라간 곳이 지금의 냉산冷山 도리사桃李寺 자리였으며 그곳에서 도를 닦던 아도를 만났다.
이때 상대는 신라에 첫 가람을 세울 터이니 시주를 하라며 망태기 하나를 내놓았다. 모례가 쌀을 아무리 채워도 차지 않더니 1,000섬이 되어서야 더 들어가지 않았다. 이로써 도리사를 지었다.

이밖에 모례가 암자를 짓고 받들어 모시자 오색 복사꽃이 눈 속에 가득 피어서 암자 이름을 도리암이라 지었으며, 마을도 도개촌桃開村이라 불렀다는 말도 있다. 「도리사 사적비桃李寺事蹟碑」에도 아도가 모례의 시주를 받아 신라 최초의 도리사를 지었다고 적혔다.

또 소지왕(479~500) 때, 아도阿度라는 사람이 다시 찾아와 그 암자로 들어갔으며, 마침 왕녀의 병 고칠 사람을 찾으러 다니던 사자가 그네 집에 왔다가 '우리 집 화상은 도에 통하여 못하는 일이 없다'는 말을 듣고 왕에게 알렸다고도 한다.

권상로權相老(1879~1965)는 모례가 '톨레' 또는 '톨'로 불리는 점에서 우리말 '절', 일본말 '테라寺'로 통하며, 이곳에 세운 '도리사'는 모두 모례에서 왔다고 하였다(『朝鮮佛敎史槪說』). 이와 달리 타무라 엔쵸田村圓澄(1017~2013)는 영주시 순흥면順興面 읍내리에서 발견된 고분벽화의 연화문과 연결시킨 나머지 주인공이 고구려씨족일 가능성이 있는 것으로 보았다.

『삼국유사』에서 고구려를 '고려'라고 적은 것은 '고'가 높임말이기 때문이다. 일본에서도 더러 이렇게 불렀다. 한편, 눌지왕 대(417~458)는 중국의 진송晉宋시대(265~479)에 해당하므로 양(502~557)나라에서 사신이 왔다는 대목은 잘못이다.

사진 297은 모례네 집 우물이다. 전은 길이 1.35미터에, 두께 7센티미터, 높이 54센티미터의 돌砂岩을 정井자꼴로 짰다. 우물 깊이는 3미터이다. 돌이 워낙 얇아서 귀가 떨어져 나간 것을 붙여놓았다.

벽은 돌로 쌓았으며(사진 298) 바닥 지름 1.5미터, 중간 지름 2미터, 입 지름 1.1미터로

사진 297

사진 298

위아래가 조붓하면서도 가운데가 불룩하다. 마을에서는 모레 장자샘이라 부른다.

전을 나무로 짠 것은 흔하지만 이 같은 돌 귀틀은 아주 독특한 형식이다. 바닥에 너비 20센티미터쯤의 두터운 널 다섯 장을 Ⅲ자 꼴로 박아둔 것도 마찬가지이다.

(4) 천천天泉

――――

소지왕 10년(488), 왕이 천천정天泉亭에 거둥했을 때이다. 까마귀와 쥐가 나타나서 울더니 쥐가 사람의 말로 '이 까마귀가 가는 곳을 살펴보십시오' 하였다. 왕의 명을 받아 까마귀를 따라가던 기사騎士가 남산 동쪽 피촌避村에서 돼지 두 마리가 싸우는 것을 구경하다가 놓치고 말았다.

이때 못에서 나온 한 노인이 겉봉에 '열어보면 둘이 죽고, 그대로 두면 하나가 죽는다'고 적힌 편지를 주었다. 왕이 '둘이 죽느니 하나가 죽는 것이 낫다'며 그대로 두려하자, 일관日官이 하나는 임금이니 열어보자고 하였다. 그 안에 '금갑琴匣을 쏘라'고 적혀서 대궐로 돌아와 그대로 하였더니, 간통하던 중과 왕비가 죽어 있었다(권제1 기이 제1 「射琴甲」).

――――

사진 299가 못이고, 건물은 1664년에 임적任勣(1612~1672)이 지은 이요당二樂堂이다.

천천정은 경주 남산 기슭에 있었다. 정자 이름은 그 부근에 있던 천천天泉에서 왔을 터이고 노인이 나온 못池이 바로 천천이다. 왕이 이곳에서 만난 까마귀와 쥐 덕분에 목숨을 건진 것도 우물의 신통력을 나타낸 것이다. 임금에게 닥칠 위험을 까마귀가 아니라 쥐가 말한 까닭이 궁금하다.

사진 299

『신증동국여지승람』에 '신라 소지왕 10년 정월 보름, 왕이 천청정에 갔다'고 적혔다(권21 경주부 「고적」).

노인이 편지를 건네주었다고 하여 이곳을 서출지書出池라고도 부른다.

(5) 단샘甘泉

———

법흥왕 14년(527), 단샘이 갑자기 마르고, 물고기와 자라가 다투어 뛰며, 곧은 나무
가 저절로 부러지고, 원숭이들이 떼 지어 울었다(권제3 興法 제3 「原宗興法 厭髑滅身」).

———

이는 이차돈異次頓(506~527)의 죽음에 대해 부처가 노여움을 보인 것이다.

앞 책의 기사이다.

———

(…) 성은 박, 자가 염촉厭髑인 그는(이차異次 또는 이처伊處라고 하는 것은 사투리
의 소리 값이 다른 탓으로 옮기면 염厭이 된다. 촉髑·돈頓·도道·도覩·독獨 따위
는 모두 글 쓰는 사람의 편의에 따른 것으로 곧, 조사이다. 이제 위의 글자만
옮기고 아래 것은 그대로 둔 까닭에 염촉 또는 염도厭覩라 한 것이다) (…) 죽백竹
伯처럼 자질이 곧고 수경水鏡처럼 맑은 뜻을 품었으며 (…) 나이 수물 둘로 사인
舍人의 자리에 있었다. (…)
일부러 위의를 갖춘 대왕이 바람 같은 조두刁斗를 동서로, 서릿발 같은 무기를
남북에 늘어놓고 여러 신하들에게 '정사精舍를 지으려는 내 뜻을 왜 늦추는가?'
물었다. 이에 겁먹은 신하들이 급히 (…) 맹세를 하고 사인을 가리켰다. 분노한
왕은 그의 목을 베라고 하였다. (…) 옥리가 목을 베자 흰 젖이 한 길이나 솟았다.

———

불교경전 『현우경賢愚經』에 국왕이 대선사大仙士 찬제파리羼提波梨의 팔·다리·
귀·코를 잘랐음에도 얼굴빛이 바뀌지 않은 채 고통을 참으며 '내가 욕됨을 참는 것
이 진실이라면 피는 젖이 되고 몸은 회복되리라더니, 바로 그대로 되었다'는 기사가
있다.
『부법장인연경付法藏因緣經』에도 '계빈국罽賓國의 왕이 불사를 크게 일으킨 사자비구
獅子比丘의 목을 베자, 피 대신 젖이 흘러나왔다'는 대목이 보인다(권6 「大正新修大藏經」).
계빈국은 인도 동북쪽에 있던 고대 국가로 4~5세기에 불교가 성행하였다.

이처럼 불교에서는 젖을 참된 진리의 상징으로 삼는다. (☞ 280~281)

샘에 물고기와 자라가 있었다니 큰 우물인 듯하다. 원성왕 대에도 금광정의 자라가 등장하였다. (☞ 248) 사인은 신라 궁중에서 임금이나 그에 버금가는 관리를 가까이에서 받드는 벼슬로 『삼국유사』 따위에는 내양자內養者로 올랐다.

(6) 원효元曉(617~686)법사와 샘

원효법사가 교외 남쪽 (…) 다리 밑에 이르자 한 아낙이 개짐을 빨고 있었다. 물을 청해서 너그러이 떠주었음에도 쏟아버리고 다시 냇물川水을 마셨다.

이때 한 소나무에서 파랑새 한 마리가 '제호醍醐스님, 멈추십시오' 하고 사라지더니 그 밑에 신 한 짝이 있었다. (…) 법사는 절에 와서야 물을 떠준 아낙이 관음의 진신眞身임을 깨달았다. 사람들은 그 소나무를 관음송이라 불렀다(권제3 「탑상」 제4 「洛山二大聖 觀音 · 正趣 · 調信」).

'개짐을 빨던 아낙이 떠준 것'은 옆의 샘물이었을 터이다. 그럼에도 일껏 떠 준 물을 마시지 않은 까닭이 무엇인지 알 수 없다. 관음을 못 알아본 잘못을 드러내기 위함인가?

우유를 정제할 때 나오는 유乳 · 락酪 · 생수 · 숙수熟水 · 제호 다섯 가지 가운데 제호의 맛이 가장 좋은 데서, 불교에서 숭고한 부처의 경지를 가리키는 말로 쓴다. 제호상미醍醐上味의 준말이다.

(7) 부개사夫蓋寺 우물

신령스러운 기적이 이미 나타난 까닭에 (우조憂助는) 드디어 출가하여 이름도 혜공惠空(?~?)으로 바꾸었다. 작은 절에 머물며 늘 미친 듯이 취해서 삼태기를 지고 負簣 거리에서 노래하고 춤춘 탓에 사람들은 그를 삼태기 화상이라 불렀다.

그는 부개사 우물에 한 번 들어가면 몇 달씩 나오지 않아서 우물 이름을 그의 이름으로 삼았다. 그곳에서 나오기에 앞서 반드시 푸른 옷 입은 신동神童이 나타난 덕분에 절의 중들은 그 사실을 미리 알았다. 그럼에도 그의 옷은 젖지 않았다.

(…)

그를 기리는 시이다.

草原縱獵床頭臥	들에서 사냥하고 침상에 누우며
酒肆狂歌井底眠	술집에서 노래하고 우물에서 잠자누나
雙履浮空何處去	허공에 뜬 신발 어디로 가나
一雙珍中火中蓮	한 쌍의 보배로운 불길 속 연꽃이라네

(권제4 의해 제5 「이혜동진二惠同塵」)

부개사의 위치는 알 수 없다.

발에 걸치는 신발을 연꽃에 견준 것이 눈을 끈다. 이 세상 삼라만상은 모두 부처의 뜻을 지지니 않은 것이 없다는 말인가?

혜공의 행동거지가 워낙 눈밖에 벗어난 탓에 햇볕이나 눈비를 가리려고 등에 지고 다니는 큰 삿갓을 사람들이 조롱삼아 삼태기라고 불렀을지도 모른다. '등에 삼태기를 지고 거리에서 노래하고 춤추기'는 매우 어려운 까닭이다. 선덕여왕善德女王(632~647) 때의 기승奇僧인 그는 어릴 적부터 기이한 행동을 하였으며 만년에 원효와 가깝게 지냈다.

우물에 용이 깃들지만 사람이 여러 달씩 들어가서 지낸다는 말은 일찍이 없었으며, 이 또한 부처의 신통력을 나타낸 것이다. 우물 이름을 사람의 이름으로 삼은 유일한 보기이다.

화중련은 불속에서 핀 연꽃을 가리킨다. 『유마경維摩經』에 '불속에서 연꽃이 피는 일은 좀체 없다火中生蓮花是可謂稀有'는 대목이 있다(「佛道品」).

(8) 명랑신인明朗神印

『금광사 본기金光寺本記』에 신라에서 태어난 법사는 당唐에서 도를 배우고 돌아올 때, 용왕의 청을 받아 용궁에 들어가 비법을 전하였다고 적혔다. 상대가 보시한 황금 천 냥을 가지고 땅속을 통해 자기 집 우물로 솟아올라왔다. 그 자리에 절을 짓고 황금 천 냥으로 답과 불상을 꾸민 까닭에 금광사金光寺라 불렀다.

법사 이름은 명랑(?~?)이고 사간沙干 재량才良(?~?)의 아들이다. 어머니 남간부인 南澗夫人(?~?)이 그를 낳을 때, 푸른 색 구슬을 삼키는 꿈을 꾸었다(권제5 神呪 제6).

———

용왕이 불법을 청한 만큼, 사람은 더 말할 것 없이 서둘러야 한다는 뜻이다. 이때 보시도 빠뜨리면 안 된다.

명랑은 문무왕文武王(661~681) 때의 고승이자 신인종神印宗의 개조開祖이고, 사간은 17관등 가운데 제8관등인 사손沙飡이다. 용이 아닌 법사가 용궁에서 제 집 우물로 솟아나온 것은 아주 드문 일로, 불교의 신통력을 강조한 것이다.

절은 경주시 탑동에 있으며 1960년대 초, 절의 못물을 빼자 법당으로 오르는 계단석과 아름다운 귀꽃을 새긴 연화대석·경석經石·석불상·석탑재 따위가 나왔다.

(9) 굴정역屈井驛 우물

———

신문왕神文王 2년(683), 장산국萇山國 온천에서 돌아오던 재상 충원공忠元公(?~?)이 굴정역 동지야桐旨野에서 쉴 때였다. 수할치가 매를 날리자 꿩이 금악金嶽 너머로 날아갔다. 방울 소리를 따라갔더니 매는 굴정현 관가 북쪽 우물가에 앉고 꿩은 그 안에 있는데 물이 핏빛이었다. 매도 새끼 둘을 품은 꿩이 불쌍했던지 낚아채지 않았다. 공이 점을 치자 절을 세울 자리라는 괘가 나왔다.

사실을 왕에게 알리고 관청을 다른 곳으로 옮긴 뒤, 세운 절이 영취사靈鷲寺이다 (권제3 탑상 제4).

———

장산국은 부산시 동래구이고 굴정역은 울산시 범서면 굴화리 굴화역屈火驛 자리에 있었다. 동지야와 금악의 위치는 알 수 없다. 『신증동국여지승람』에 '동래東萊 땅의 온정溫井은 달걀이 익을 정도로 뜨거우며 병자가 씻으면 낫는다. 신라 임금도 여러 차례 찾은 까닭에 네 모퉁이에 구리 기둥을 세웠으며 그 구멍이 지금도 남았다'는 기사가 있다(권23 동래현 「산천」).

관가의 우물물 빛이 붉은 것은 곧 벌어질 살육에 대한 예고이며, 점괘가 절터로 나온 것은 부처의 대자대비를 나타내는 대목이다. 절 이름 '영취사'는 매鷲와 연관된 데서 나왔으며, 절은 경상남도 양산시 영취산에 있었다. 『역주 삼국유사』에서 절 이름이 영축사라고 한 것은 잘못이다.

이듬해 보덕왕 안승安勝(?~?)의 족자族子 대문大文(?~?)이 금마저金馬渚에서 모반을 일으켰다가 처형되었다. 금마저는 전라북도 익산의 옛 이름이다.

(10) 금광정金光井-1

유가종瑜珈宗의 조사祖師 대덕大德 대현大賢(?~?)이 남산 용장사茸長寺에 머물렀다.
경덕왕景德王(742~765) 12년(753) 여름, 심한 가뭄이 들자 임금이 『금광경金光經』을 읊조리며 비를 빌라고 일렀다.
재를 올릴 물淨水이 늦는 까닭을 묻자 대궐의 우물이 모두 말랐다는 대답이었다.
그가 낮에 불경을 강의할 때, 향로를 받들고 조용히 있었더니 잠깐 사이에 물이 일곱 길이나 솟아 높이가 찰당刹幢과 같아졌다. 금광정이라는 이름은 이에서 왔다. 그는 일찍부터 자신이 청구사문靑丘沙門이라고 하였다.

그를 기리는 시이다.

繞佛南山佛遂旋	남산 불상을 돌 때 불상도 얼굴을 따라 돌리고
靑丘佛日再中懸	청구의 불일 다시 중천에 걸렸네
解敎宮井淸波勇	궁중 우물에 솟구치는 저 맑은 물줄기
誰識金爐一炷烟	누가 금향로의 한 줄기 연기인 줄 알랴

(권제4 의해 제5 「현유가賢瑜珈 해화엄海華嚴」)

용장사는 경주시 금오산金鰲山에 있던 절이다. 앞글대로 경덕왕 때 대현이 유식唯識을 강의하였고, 김시습金時習(1435~1493)도 이곳에서 『금오신화金鰲新話』를 지었다고 한다. 우물에서 치솟는 물줄기를 부처에게 바치는 향불의 연기에 견준 것은 참으로 그럴듯하다.

『금광경』은 『금광명경金光明經』의 다른 이름이다. 대승불교에 많은 영향을 끼쳤으며 『인왕경仁王經』 및 『법화경』과 더불어 호국삼경護國三經으로 손꼽는다. 대덕은 고승의 대한 존칭이지만, 신라에서는 승직僧職을 이르기도 하였고, 50세가 되어야 자격을 얻었으며 임기는 7년이었다.

찰당의 '찰'은 나무나 쇠로 만든 불전 앞에 세우는 기둥이고, '당'은 그 끝에 매단 깃발이다. 흔히 당간幢竿이라 하여 절 입구에 두기도 한다. 청구는 우리나라의 다른 이름이고, 불일은 모든 중생을 구제하는 부처의 광명을 해에 견준 낱말이다.

(11) 금광정金光井-2

___

원성왕(785~798) 때, 황룡사黃龍寺 중 지해智海(?~?)가 대궐에서 50일 동안 화엄경을 가르쳤다. 늘 바리때를 씻던 사미沙彌 묘정妙正(?~?)이 금광정에서 떠올랐다가 잠기기를 거듭하는 자라 한 마리를 보고 먹다 남은 밥을 주며 놀았다. 법석法席이 끝날 무렵, 자라에게 '오랫동안 베푼 은덕을 무엇으로 갚으려느냐?' 묻자, 며칠 뒤 입에서 구슬 한 개를 뱉어주어서 허리에 찼다. (…)

그가 당唐에 갔더니 황제를 비롯하여 승상과 좌우신하들이 모두 받들었다. 한 관상쟁이가 말하였다.

"길상吉相이 아님에도 남의 믿음과 존경을 얻는 것은 반드시 이상한 물건을 지닌 덕분입니다." (…)

과연, 허리띠 끝에 작은 구슬이 달려 있었다. 황제는 지난 해, 자신이 잃은 여의주如意珠 셋 가운데 하나라며 까닭을 물었다. (…) 그가 잃었다는 날과 묘정이 자라에게 받은 날이 같았다. 황제가 구슬을 빼앗고 돌려보내자 아무도 더 받들지 않았다(권제2 기이 제2).

___

금광정의 자라(용의 다른 이름)가 신통한 구슬을 준 것은 우물의 신통력을 알리는 대목이지만, 중국 황제가 묘정의 구슬을 빼앗은 것은 앞뒤가 맞지 않는다.

우물 이름을 대현법사가 지었다고 하였으므로 앞의 금광정과 같다.

(12) 천관사天官寺 우물

___

이찬伊湌 김주원金周元(?~?)이 처음 상재上宰가 되고, 각간角干인 왕은 그 다음次宰이었다. 왕은 (…) 복두幞頭를 벗고 흰 갓을 쓴 채, 열두 줄 가야금을 들고 천관사 우물로 들어가는 꿈을 꾸고 점을 쳤더니 복두를 벗은 것은 관직을 잃고, 가

야금을 든 것은 칼을 쓰며, 우물 속으로 들어 간 것은 옥에 갇히는 것을 나타낸
다는 괘가 나왔다. (…)

그러나 아찬阿湌은 (…) 복두는 가장 높이 되고, 갓은 면류관을 차지하며, 거문
고는 12대 손이 왕이 되고, 우물은 궁궐로 들어갈 징조라고 하였다. (…) 그의
말대로 선덕왕宣德王(632~647)이 죽자 김주원이 (…) 갑자기 불어난 내北川 때문
에 궁궐에 못 오는 사이, 각간이 먼저 가서 임금元聖大王이 되었다(권제2 기이 제2).

그림 72가 천관사 터 우물 2호의 단면도이다.

각간으로 있던 사람이 우물에 들어가서 임금 자
리에 오른 것은 우물이 최고의 권력과 부귀영화를
상징하는 데서 왔다. 이는 용궁과 궁궐을 하나로 본
결과이기도 하다.

천관사는 김유신金庾信에게 버림받은 애인 천관天
官이 스스로 목숨을 끊자, 가엽게 여긴 그가 집 자리
에 절을 짓고 이름으로 삼은 데서 왔다고 한다. 절
은 경주 오릉五陵 동쪽에 있었다. 원성왕 일화에 창
녀의 집 우물이 끼어든 까닭은 의문이지만, 150여
년 뒤에 원성왕이 임금 자리에 오르는 빌미가 된 것
을 보면 사람들 가슴에 깊이 새겨져 있던 것이 분명
하다.

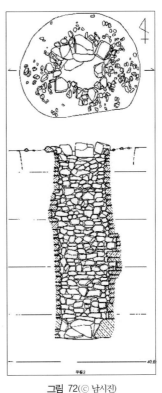

그림 72(ⓒ 남시진)

고려의 문신 이공승李公升(1099~1183)도 시(「천관사」)를
지어 두 사람의 로맨스를 되새겼다.

寺號天官昔有緣	천관이라는 절 이름 유래 깊더니
忽聞經始一悽然	새로 짓는다니 마음 느껴웁네
倚醉公子遊花下	다정한 님 꽃 아래 노닐었고
含怨佳人泣馬前	시름 깊은 고운사람 말 앞에서 울었지
紅鬣有情還識路	말도 정들어 길을 알았는데

蒼頭何罪謾加鞭	무슨 죄라고 종놈 채찍으로 쳤나
唯餘一曲歌詞妙	오직 두꺼비와 토끼가 짝짓는다는 노래 한 곡
蟾兎同眠萬古傳	만고에 남았구나

『동문선』 제12권 「칠언율시七言律詩」

『동사강목』에 유신이 술 취했을 때, 말이 예대로 그네 집으로 가자 잘못을 깨닫고 말의 머리를 벤 뒤 그대로 돌아갔다는 기사가 있다(제3 하 「신라 진평왕 51년, 고구려 영류왕 12년, 백제 무왕 30년」). 이 시의 '노래'는 그네의 슬픈 마음을 읊조린 「가시리」라고 한다.

서거정徐居正(1420~1488)도 시(「김유신의 무덤을 지나며過金庾信墓」)에 '옛 천관사 그 어디 메 있으뇨天官寺古知何處 / 만고 미인의 이름까지 남았구나萬古蛾眉姓字隨'라는 구절을 남겼다(『四佳集』 「四佳詩集補遺」 3).

상재는 재상인 듯 하며, 각간은 신라 17관등 가운데 최고위 관직이다. 아찬은 6등 관으로, 육두품六頭品이 오를 수 있는 가장 높은 자리이다.

우물 벽은 긴지름 2.6미터, 짧은 지름 1.2미터쯤의 타원형이며, 입 지름 90센티미터에 깊이 4.2미터이다. 벽에 발을 딛기 위한 홈을 마련하였다. 바닥에서 개의 머리뼈와 말뼈 그리고 새 뼈들이 나왔다(최민희 2015 ; 98~99).

(13) 동천사東泉寺 샘

원성왕 11년(795), 당나라 사자가 서울에 한 달 동안 머물다가 돌아간 이튿날, 두 여인이 왕에게 아뢰었다.

"저희는 동지東池와 청지靑池(청지는 동천사 샘으로 동해의 용이 오가며 불법을 들었다. 이 절을 세운 진평왕은 5백 성중聖衆·오층탑·농민田民을 바쳤다고 한다)에 사는 두 용의 아내입니다. 당의 사자가 하서국河西國 사람 둘을 데리고 와서 저희 남편과 분황사芬皇寺 우물의 용까지 술법을 써서 작은 물고기로 바꾸어 통 속에 담아 가져갔습니다. 부디 나라를 지키는 남편護國龍들이 돌아오게 해 주십시오"(권제2 「기이」 제2).

우물에 용이 깃들거나 우물을 통해 드나든다는 설화는 드물지 않지만, 이들이 나라

를 지키는 임무를 지녔다는 내용은 찾기 어렵다. 왕의 항의를 받은 하서국 사람들이 용을 놓아주었고 이 뒤 우물을 삼룡변어정三龍變魚井이라 불렀다. 이로써 동천사의 청지 및 동지 샘과 분황사 우물 셋을 나라를 지키는 신성한 우물로 여긴 것을 알 수 있다. 동지는 어디 있는지 모른다.

하서국의 위치는 분명치 않다. 중국 감숙성 황하 서쪽 일대라고도 하지만, 김갑동은 강릉시 명주군 일대를 지목하였다. 왕위 계승에서 패배한 김주원金周元이 이곳으로 와서 명주군왕溟州郡王에 올라 강릉김씨의 시조가 되었으며, 이에 따라 하서국은 신라 중앙정부에서도 독립국으로 인정하였다는 것이다(강원일보 2006년 12월 18자). 이것이 사실이라면 나라 이름을 왜 '하서'라고 하였는지, 또 그들이 용을 가져간 까닭이 무엇인지 궁금하다. 당의 사자가 하서국 사람들을 길라잡이로 삼았을 터이다.

한편, 동지·서지·분황사 우물 셋 가운데 절과 연관된 서지와 분황사에만 용이 깃들었다고 한 것은 저자가 불자인 것과 연관이 깊다.

이를 닮은 기사도 있다.

신문왕神文王 2년(682), 동해의 작은 산 하나가 감은사感恩寺로 오가는 것을 본 일관日官이 임금에게 '이는 부왕이 용이 되어 삼한三韓을 지킨다는 뜻입니다. 바다로 가면 보배를 얻을 것입니다' 아뢰었다.

용이 바친 검은 옥대玉帶의 한쪽을 떼어 바다에 던졌더니 용으로 변하여 하늘로 올라갔으며, 나머지로 엮은 피리를 불면 적병이 물러가는 따위의 기적이 일어났다(권제2 「기이」 제2 「萬波息笛」).

부왕은 죽은 뒤에라도 용이 되어 동해를 지키겠다는 유언을 남긴 문무왕文武王(661~681)이다. 경주시 양북면 바닷가의 대왕암大王巖이 그의 뼈를 묻은 무덤이라고 한다. 하양관은 경북 경산시 하양에 있던 사신 접대 관청이다.

두 여인의 읍소를 들은 왕이 하양관河陽館까지 좇아가서 용 셋을 되찾아 왔음에도, 이 해 4월에 가뭄이 들고, 8월에는 서리가 내려 곡물이 큰 피해를 입었으며, 이듬해 봄에도 왕경에 돌림병이 돌고 백성들이 굶주림에 시달렸다.

(14) 동화사桐華寺 우물

———

중釋 심지心地(?~?)는 신라 제41대 헌덕왕憲德大(809~826) 김씨의 아들이다. 태어나면서부터 효도하고 우애가 깊었으며 천성이 밝고 슬기로웠다. 열다섯 살에 머리를 깎고 불도를 부지런히 닦았다. 중악中岳에 머물던 그가 속리산에서 심공深公(?~?)이 진표율사眞表律師(?~?)의 불골간자佛骨簡子를 이어 받아 과증법회果證法會를 연다는 말을 듣고 찾아 갔지만 기일이 늦어 들어가지 못하였다.

이레 뒤 큰 비와 눈이 내렸음에도 그가 서 있는 사방 열 자 땅은 눈이 쌓이지 않았다. 그가 당을 향해 조용히 예배를 올리던 중, 팔꿈치와 이마에서 피가 흐르자 지장보살이 매일 찾아왔다.

불타의 간자聖簡를 봉안하려고 삼군三君과 함께 높은 곳에 올라 서쪽으로 던졌더니 바람에 날려갔다. 이를 되찾은 곳이 숲 속의 샘, 곧 지금의 동화사 첨당 북쪽의 작은 샘이다(권제4「義解」제5「心地繼祖」).

———

사진 300의 오른쪽이 첨당으로 보이는 수마제전須摩提殿이고, 왼쪽은 대숲으로 드나드는 문이다. 사진 301은 샘이 있었다는 대숲이다.

사진 300   사진 301

간자는 미륵보살의 수계受戒를 상징하는 징표이다. 영심은 진표율사에게 비법秘法과 경經을 받았으며 속리산에 길상사吉祥寺를 짓고 점찰법회占察法會를 열었다. 심공도 진표율사의 제자이다. 진표의 성은 정井씨이다. (☞ 258) 간자 자리를 숲 속의 샘에서 찾은 것은 청정한 불법을 나타낸다.

중악은 대구광역시 동구에 있는 팔공산八公山(1,193미터)의 다른 이름이고, 심공은 진표율사의 제자 영심永深이다. 과징은 부처가 되려고 도를 닦아 진리를 깨친 경지를 이른다. 삼군은 산신과 두 선자仙子를 가리킨다.

동화사는 대구광역시 동구 도학동道鶴洞에 있다.

『역주 삼국유사』에서 이하석의 『삼국유사의 현장기행』 기사를 인용, '심지가 불간자로 터를 점쳤다는 첨당 북쪽의 소정小井(가로 2미터, 세로 3미터)은 현재 옛 모습을 잃은 채 남아 있다'고 하였으나, 2014년 10월 현지에 갔지만 자취는 물론이고 종무소에도 아는 이가 없었다.

(15) 신현정神見井

통화統和 10년(992), 절의 주지 성태性泰(?~?)가 보살에게 '오랫동안 이 절에서 지내며 밤낮으로 향화香火를 거른 적이 없음에도 절 땅에서 나는 것이 없어 떠나겠다'고 하자, 꿈에 성인大聖이 나타나 '기다리면 내가 마련해 주마'고 일렀다.

열사흘 뒤, 마소에 물건을 실은 두 사람이 왔다.

"우리는 금주金州 사람으로 한 스님이 '나는 동경東京 중생사衆生寺 중이며, 네 가지 어려움을 없애려 한다'기에, 시주를 거두어 쌀 여섯 섬과 소금 넉 섬을 가져왔습니다."

성태가 믿지 않자 다시 '지난번의 스님이 우리를 신현정에 데리고 와서 절이 예서 머지않으니 내가 먼저 가겠다고 하여 뒤를 밟아 왔습니다'고 덧붙였다.

둘을 법당에 데리고 가자 대성을 가리키며 '바로 그 분입니다' 하였다. 이 뒤로 해마다 쌀과 소금을 바쳤다(권제3 「탑상」 제4 「三所觀音 衆生寺」).

금주는 경상남도 김해시이고 신현정 자리는 모른다. '우물에서 나타난 신神見井'은, 곧 대성이며, '네 가지'는 옷·음식·와구臥具·탕약湯藥의 공양거리이다.

679년에 세운 중생사는 경주시 배반동 낭산狼山에 있었다. 신라 말, 최은함崔殷含(?~?)이 중국 오吳나라의 화공畵工이 절에 바친 관세음보살상에 기도를 올린 덕분에 재상 최승로崔承老(927~989)를 낳았다고 한다.

통화 10년은 요遼의 연호이고 우리 고려조에 해당하지만, 『삼국유사』에는 신라 때일로 적혔다.

(16) 중 진표眞表(?~?)

———

중 진표는 완산주完山州(전라북도 전주목) 만경현萬頃縣 사람이다. 아버지는 진내말眞乃末(?~?), 어머니는 길보랑吉寶娘(?~?)이며 성은 정井씨이다. 12살 때 금산사 숭제崇濟(?~?)법사에게 배웠다(권제4 의해 제5 「眞表傳簡」).

———

진내말은 경덕왕景德王(742~765) 때의 고승 진표의 아버지로, 이름은 진이고 내말은 관등명이다. 아들 이름 진표는 법명이므로 연관이 없다.

그의 성 '정'씨는 우물 파는 기술자를 가리키는가?

같은 책(제4권 「의해」 제5 「寶壤梨木」)에도 '『보양전寶壤傳』에 따르면 청도군청淸道郡廳 문적文籍에 그의 고향과 정씨네井氏族에 대해서는 아무 것도 보이지 않는다釋寶壤傳 不載鄕井氏族 謹按淸道郡司籍'는 대목이 있다. 이들도 같은 기술자 집안인가?

한편, 효성왕孝成王(737~742)의 능을 짓다가만, 경주시 구황동 황복사皇福寺터 앞에서 '습부정정習府井井' 및 '습부정정習部井井'이라고 새긴 기와가 나왔다(「조선일보」 2017년 2월 10일자).

이들은 신라 왕경의 행정조직인 '습비부習費部'와 연관이 있다고 한다. 『삼국사기』의 '한기부漢祇部와 습비부에 감신監臣·대사大舍·사지舍知 1명씩, 감당監幢 3명씩, 사史 1명씩 둔다'는 기사가 그것이다. 앞의 '습부習府'는 뒤의 '습部習部'보다 상급부서일 터이다.

중국에서 정정을 '조리가 정연한 모양井井有條'으로 새기고 일본에서도 같은 뜻으로 쓰지만, 신라의 관청 이름이라면 우물을 떠올리지 않을 수 없다. 그리고 일본학자들의 찬탄처럼 신라의 우물 전이 뛰어난 데는 이 같은 행정조직의 도움도 있었을 터이다. 고구려와 백제에 없었던 점도 기억할 일이다.

앞 책에 '유리 이사금 9년(32), 육촌六村의 하나인 명활산明活山 고야촌高耶村의 이름을 습비부로 바꾸고 설씨薛氏들을 들어보냈다'는 기사도 있다(신라본기 제1). 명활산 서남쪽에 있는 보문동의 낭산 부근으로 추정한다. 고려는 940년에 임천부臨川部로 다시 고쳤다.

『삼국유사』의 우물 기사 16건 가운데 11건이 불교와 연관된 것은 저자가 승려인 데서 왔다. 이들 가운데 불교 전파가 둘, 절을 짓는 불사가 셋, 부처의 이적이 셋으로, 재앙을 불러오는 『삼국사기』 기사에 견주면 아주 딴판이다. 그리고 용이 나라의 문지기가 된 것과 우물에 들어간 사람이 임금이 된 것도 특별하다.

4. 고려

1) 『고려사』의 간추린 기사이다

		때	내용	징조
1	인종	1127 · 6	광덕방 우물에서 소리 나다.	이듬해 인덕궁과 남경궁이 불타고, 거제도에서 반란 일다.
2	명종	1179 · 1	남부리 우물 사흘 끓다.	서경에서 민란에 이어 지진나다.
3	명종	1186 · 2	서경 묘덕사 우물, 19일이나 끓다.	우박내리다. 이듬해 개경에 돌림병 돌고 모반 일며, 서경 사당에 불나다.
4	신종	1199 · 5	남부리 우물 10여 일 붉게 끓고 소 울음 들리다.	명주와 동경에 민란 나다. 이듬해 진주 · 전주 · 경주 등지에 민란 일다.
5	고종	1235· 10	범이 왕궁 우물에 뛰어 들다.	이듬해 몽골군이 황주 · 신주 · 안주 침략하다.
6	공민	1368 · 6	즉지현 우물 붉게 끓다.	신돈 등 죽이고 왕권 강화하다.
7	공민	1371 · 2	개성 우물 사흘 끓다.	해주에 왜구 침입하다.
8	우	1375 · 8	이현 민가 우물 끓으며 무지개 나타나다.	泥城 원수 모반하다.
9	우	1375 · 9	정좌방 우물 검은 빛으로 바뀌다.	遼瀋의 草賊 안주 침입, 제주에서 반란 일다.
10	우	1383 · 9	정좌방 우물 끓고 검은빛으로 바뀌다.	평창 · 영주 · 순흥에서 반란 일다.
11	우	1385 · 7	개성 우물 붉게 끓다.	왜구와 왜적 격파하다.
12	공양	1390 · 4	다방리 우물에서 소 우는 소리 나다.	왜구 때문에 『국사』를 충주로 옮기다.

우물 관련 기사 열둘 가운데 물이 끓어오른 내용이 여덟이다. 이들이 거의 모두 흉조이고 모반과 연계된 것은 물이 끓는 이미지와 걸 맞는다. 신라나 백제에 없던

점도 이와 연관이 깊을 것이다.

그러나 왜구를 물리친 일은 예외이다. 범이 우물에 뛰어든 결과는 신라와 같으며, 소 울음은 고려뿐이다. 우왕 대의 흉조 세 번은 국가 쇠망의 상징이기도 하다. 공민왕恭愍王(1351~1374)과 우왕禑王(1374~1388) 때, 개성 우물이 붉게 끓어오른 뒤 왜구가 침입한 것은 고려 말까지 이 우물의 신령스러움을 믿은 것을 알려준다.

2)『고려도경高麗圖經』기사이다

우물을 내 근처에 판다. 위에 도르래를 걸고 퍼서 개수통에 부으며, 통은 배를 닮았다鑿井汲水多近川爲之上作鹿盧輪水於槽槽形頗如舟去(제23권 雜俗 2「澣濯」).

이는 도르래우물의 존재를 알리는 최초의 귀중한 기록이다(鹿盧는 轆轤의 잘못이다). 그리고 앞에서 든 고구려 우물가의 구유꼴 개수통이 고려대까지 이어 내려온 것은 놀라운 일이다.

한편, 민족문화추진회의『국역 고려도경』에서 앞글을 '우물을 파고 물을 긷는 것도 대개 내에 가까운 데서 하니, 위에 도르래를 걸어 함지박으로 물을 길으며 함지박은 배를 닮았다'고 옮긴 것은 궁색하다.

도르래는 이제현李齊賢(1287~1367)의 시(「호구사에서 시월 달 북상할 때 거듭 놀며虎丘寺十月北上重遊」)에도 보인다(부분).

閶闔城外古禪林	합려성 밖의 옛 절
生公堂前樹陰陰	생공당의 앞 나무들 우거졌구나
樓閣影重山月上	산 위 달뜨자 누각 그림자 겹치고
轆轤聲遠石泉深	돌샘 깊어 도르래 소리 멀리 들리누나
藍輿歸去江村路	가마 타고 강마을로 돌아가노라니
雲際猶聞鐘磬音	종소리 구름 속에서 울려 나오네

『익재난고益齋亂藁』제1권「시」

호구사는 중국 강소성 소주蘇州에 있으며, 이름은 절이 위치한 산이 범의 입을 닮은 데서 왔다. 송 소동파蘇東坡(1037~1101) 시(「호구사」)의 '깊고 그윽한 생공당幽幽生公堂 / 좌우에 고집스레 생긴 돌 섰구나左右立頑曠'라는 구절이 그것이다(『소동파시선』).

비록 중국 절집의 풍광을 읊조렸지만 고려에서도 14세기 무렵에 널리 쓴 까닭에 들었을 터이다. 번역자가 녹로를 '길고'로 옮긴 것을 옳지 않다.

도르래우물은 지금도 남아 있다.

사진 302는 전라북도 정읍시 영원면 앵성리 흔랑마을 조성환네 것이다. 일제강점기에 마련한 우물은 깊이 5미터에 물 깊이 1.5미터이다.

사진 303은 옆모습이다. 우람한 시멘트 기둥(높이 2.12미터에 너비 18센티미터)을 세우고 위를 세모꼴로 마무리한 것이 눈에 띤다. 이뿐 아니라 입 주위에 장대석 두 장 겹쳐 놓아서 네모 전을 삼았으며(1.3×1.3미터), 윗돌 양쪽에 홈을 파고 박은 덕분에 천년이 지나도 끄떡없을 듯싶다(사진 304). 기둥과 기둥 사이(안쪽)는 1.66미터이다.

사진 305는 쇠 도르래이다. 둥근 구멍 넷을 뚫어서 꽃잎을 연상시킨다. 양쪽 기둥에 걸은 도르래 걸이도 볼거리

사진 302

사진 303

이다. 가운데를 물음표 꼴로 한 번 구부린 솜씨가 여간 담대하지 않다. 왼줄 줄 끝에 매듭을 지어서 줄이 오른쪽으로 넘어가지 않게 하였다. 우물 벽은 막돌로 둥글게 쌓았다(사진 306).

전국을 통틀어도 이만한 공력을 들인 도르래우물은 찾기 어렵다.

사진 304

사진 305

사진 306

5. 조선

『조선왕조실록』·『승정원일기承政院日記』·『일성록日省錄』·『국조보감國朝寶鑑』 따위에 실린 우물관련 기사를 살펴본다.

『일성록』은 1752년(영조 28)부터 1910년에 이르는 151년 사이의 국정일반에 관한 여러 가지를 적은 일기이고(2,329책의 필사본), 『국조보감』은 역대 왕의 업적 가운데 선정善政만을 모아 편찬한 편년체 사서이다.

1) 『조선왕조실록』의 간추린 기사이다

	때			내용
1	태조	4(1395)	1 · 9	천둥 치고 샘 끓어오르다.
2	태종	1(1401)	1 · 9	연복사 우물물 끓고 안의 물고기 더러 죽다.
3	태종	1(1401)	1 · 25	연복사 우물물 끓어 좌승지 제사 지내다.
4	태종	4(1404)	3 · 13	개성 한우물물 적백색으로 바뀌다.
5	태종	4(1404)	5 · 15	서울 장대동 우물에서 우레 소리 나다.
6	태종	4(1404)	7 · 20	개성 한우물물 붉고 흐리다.
7	태종	6(1406)	2 · 24	개성 두 곳 우물과 못의 개구리들 죽다.
8	태종	9(1409)	9 · 26	전라도 낙안군 점석량 마을 샘 핏빛으로 바뀌다.
9	태종	14(1414)	3 · 17	우물 파게한 노상인 파직시키다.
10	태종	13(1413)	5 · 28	전라도 무안현에 뇌우 내리고 우물에서 백룡 승천하다.
11	태종	15(1415)	1 · 25	대월에 우물 파다.
12	태종	15(1415)	3 · 4	다섯 집마다 우물 하나씩 파다.
13	태종	18(1418)	3 · 13	경기 강화 교동현 수영 우물에 황룡 나타나다.
14	세종	2(1420)	8 · 15	전라도 진안현 샘물 붉게 바뀌다.
15	세종	8(1436)	2 · 20	행랑은 열 칸 마다, 살림집은 다섯 집마다 우물 파게하다.
16	세종	22(1440)	2 · 29	가뭄으로 서울의 우물 마르다.
17	세종	29(1447)	4 · 18	사람들 쫓으려고 우물곁에 주검 놓다.
18	문종	1(1451)	4 · 21	경주 사람 우물에서 나온 황금 바치다.
19	세조	10(1464)	3 · 5	행궁 우물에 '주필신정' 이름 내리다.
20	성종	3(1472)	3 · 1	가뭄으로 죄수들 풀어주다.
21	성종	3(1472)	4 · 27	가뭄에 물 파는 행위 막다.
22	성종	9(1478)	5 · 6	우물에 가마 던지다.
23	성종	13(1482)	12 · 7	우물 파던 중 남편에게 덤빈 범 아내가 쫓다.
24	연산군 1(1495)		8 · 2	종이 주인집 어린이 우물에 던지다.
25	연산군 9(1503)		11 · 8	성균관 우물, 궁궐에 가까워 따로 파다.
26	중종	13(1503)	5 · 25	개성 한우물물 붉고 흐리다.
27	중종	20(1518)	6 · 18	가뭄으로 여러 곳에서 기우제 지내다.
28	중종	24(1529)	7 · 4	가뭄으로 우물 마르다.
29	중종	26(1531)	12 · 10	우물에서 주검 나오다.
30	명종	11(1556)	1 · 28	개성 남부 우물에서 소 울음소리 나다.
31	명종	15(1560)	5 · 6	병 고친다며 어린이 죽여 우물에 던지다.
32	선조	38(1605)	5 · 10	평안도 우물에서 물 끓어오르다.
33	광해군 7(1615)		2 · 18	우물에 마른 대구 넣어 저주하다.
34	인조	7(1629)	1 · 25	경복궁 서쪽 우물에서 옥보(玉寶) 나오다.

	때	내용
35	인조 15(1637)　3 · 7	우물에 넣은 제기 건지다.
36	인조 27(1449)　4 · 9	아우의 아내 우물에 던지다.
37	효종　2(1651)　12 · 14	우물물로 저주하다.
38	현종개수 2(1661) 6 · 1	우물에 뛰어들다.
39	숙종 33(1707)　10 · 27	개성부 용정 핏빛으로 바뀌다.
40	숙종 45(1719)　11 · 3	우물에 뛰어들다.
41	영조　6(1730)　5 · 5	우물에 뛰어들다.
42	영조　9(1733)　5 · 25	우물에 일부러 더러운 것 넣다.
43	영조 40(1764)　5 · 28	우물에 뛰어들다.
44	영조 41(1765)　8 · 8	궁녀 우물에 뛰어들다.
45	영조 43(1767)　7 · 29	달아난 종 우물에 던지다.
46	정조　1(1777)　8 · 11	우물물에 저주하다.
47	정조　9(1785)　8 · 27	수강재 지으려고 메운 우물 다시 파다.
48	정조 12(1788)　8 · 8	『국조보감』에 1740년, 비변사 우물에서 경쇠 나왔다고 적힌 내용 밝히다.
49	정조 14(1790)　6 · 18	원자 태어난 날, 태묘 우물에서 무지개 솟다.

앞 기사에 대한 설명이다.

(1) 태조 4년(1395) 10월 17일

———

겨울에 천둥 치고 샘물 끓어오르자, 임금이 내전에서 금경법석金經法席을 베풀고, 사람을 여러 절에 나누어 보내 법석을 벌였다.

———

이듬해 신덕왕후神德王后(?~1396) 강씨가 죽고, 경상남도 동해안 일대에 왜구들이 침입하였다.

금경법석의 '금경'은 『금강경金剛經』 또는 『금광명경金光明經』의 준말이다. 조선시대에는 겨울에 천둥이 치거나, 우물이 끓어오르거나, 동 · 식물 따위에 갑작스런 변괴가 일어났을 때 베풀었다.

(2) 태종 1년(1401) 1월 9일

———

연복사演福寺 우물물이 끓고 고기가 우물에 가득하였으며, 죽은 것도 있었다.

———

연복사는 개성시 한천동에 있던 고려 때 절로, 광통보제사廣通普濟寺·보제사라고도 불렀다. 1037년, 정종定宗(1398~1400)이 거둥한 것을 보면 그 이전에 세운 것이 분명하다. 『신증동국여지승람』에 '건물 1,000칸楹에 연못 셋, 우물 아홉 개가 있었다'고 적혔다(제4권 「개성부」 상). 앞의 일이 어느 우물에서 일어났는지는 모른다.

태조 이성계李成桂(1392~1398)가 1294년에 세운 연복사탑 중창비를 20세기 초, 경성철도京城鐵道구락부가 서울시 용산구 한강로에 옮겨온 것이 확인되어, 2013년 서울시에서 유형문화재(제348호)로 지정하였다.

(3) 태종 1년(1401) 1월 25일

———

연복사의 우물물이 끓어서, 좌승지左承旨 이원李原(1368~1429)을 보내 제사지냈다.

———

비록 왕조는 바뀌었지만 이 절의 우물이 지닌 신령스러움이 이어 내려온 것을 알려준다. 이듬해 4월, 태조의 결의형제이자 공신인 이지란李之蘭(1331~1402)이 죽고, 11월에 안변부사 조사의趙思義(?~1402) 등이 태종의 홀대를 받은 신덕왕후의 원수를 갚는다며 들고 일어났다.

(4) 태종 4년(1404) 3월 13일

———

경기 개성開城의 한우물大井 물이 적백색赤白色으로 바뀌었다.

———

4월에 명나라가 소 만 바리를 요구하였다.

(5) 태종 4년(1404) 5월 15일

———

서부西部 장대동長大洞 우물이 갑자기 우레처럼 울어서 물긷던 사람들이 놀라 사방으로 흩어졌다. 이것이 세 번 거듭되었다.

서부 장대동은 어디인지 모른다. 이 해 시월에 결정된 한양 천도를 예고한 것인가? 10월에 경복궁 공사를 마쳤다.

(6) 태종 4년(1404) 7월 20일

이날 개성 한우물물이 조금 붉고 희게 흐리더니 닷새나 이어졌다.

앞의 일과 연관이 있을 터이다. 고려의 국정國井이 나라가 없어지는 판국에 아무 징조를 보이지 않았다면 오히려 이상한 일이다.

(7) 태종 6년(1406) 2월 24일

구도舊都(개성)의 매개정每介井 및 남정藍井과 미나리꽝芹塘의 개구리가 모두 저절로 죽었다.

4월에 왜구들이 전라도 조운선 14척을 털어갔으며, 6월 1일에 일식日蝕이 있었다. 앞에서 든 대로 태종 1년부터 6년 사이에 연거푸 일어난 변괴는 삼국시대는 물론이고 고려에도 없던 일로, 이는 그가 왕조의 바탕을 다진다는 명분을 앞세우고 일으킨 피비린내 나는 숙청과 연관이 없지 않을 터이다.

(8) 태종 9년(1409) 9월 26일

전라도 낙안군樂安郡 점석량粘石梁의 바닷물이 피처럼 붉었다. 너비가 포필布匹만하고 길이가 1백 20척쯤이었다. 가까운 마을의 샘 두 개도 마찬가지였다. 마을 백성 윤부尹富(?~?) 등이 서로 '샘물 빛이 바뀌면 난리가 난다'고 수군거렸다.

12월에 명나라에 말 만 바리를 보냈다. 이듬해 2월, 여진의 올적합兀狄哈과 오도리 올양합吾都里兀良哈 등이 함경도 경원慶源에 쳐들어왔다.

또 같은 해 3월, 임금이 처남 민무구閔無咎(?~1410)와 민무질閔無疾(?~1410)을 약을 먹여 죽이는 일이 벌어졌다.

낙안군은 지금의 순천시 낙안면이지만 점석량은 어디인지 모른다.

(9) 태종 14년(1414) 3월 17일

———

지양근군사知楊根郡事 노상인盧尙仁(?~?)을 파직시켰다. 임금이 산에서 평지로 내려오자 새로 지은 집 세 채에 우물이 있었다. 노상인의 짓이라 여긴 임금은 좌우를 돌아보며 말하였다.

"아비는 아주 정직함에도 노상인은 그렇지 않다. 세 집에 우물 하나면 충분함에도 집마다 마련하였으니 나의 치빙馳騁을 막으려 한 것이다."

그는 마침내 파직되었다.

———

노상인의 아버지 노숭盧嵩(1337~1414)은 개국 원종공신에 뽑히면서 공신전 30결을 받았고, 1414년에 검교 우의정檢校右議政이 되었으며 청렴한 인물로 알려졌다. 아들의 행적은 모른다.

'치빙'은 이곳저곳으로 바쁘게 움직인다는 말이지만, 무슨 뜻으로 썼는지 알 수 없다. 우물이 세 집에 하나라도 안 될 것은 없지만, 세 채마다 우물을 갖추게 한 것은 상을 받을지언정 결코 내쫓길 일이 아니다. 노상인은 태종의 유별난 변덕에 치인 셈이다. 우물이 많아서 자신의 치빙에 방해가 된다니 무슨 말인가?

(10) 태종 13년(1413) 5월 28일

———

전라도 무안현務安縣에서 천둥 치고 비 내리는 가운데 백룡白龍이 하늘로 올라갔다. 뒤를 밟아갔더니 도모곡都毛谷의 콩밭 가운데에서 물이 솟아 우물을 이루었다. 둘레 10척 5촌(3.18미터)에 지름 3척(1미터쯤), 깊이 14척(4.2미터)으로 사람들이 모두 용이 나온 곳이라 하였다.

———

물을 상징하는 용이 구름을 타고 하늘로 돌아간 것은 큰 가뭄이 들 징조이다. 중국에서는 백룡이 천계의 황제인 천제를 모신다고 한다.

조정에서 7월, 한강의 저자도楮子島에서 용 그림을 마련하고 기우제를 지낸 것은 용이 되돌아오기를 바라는 뜻일 터이다.

이에 대한 『태종실록』 기사이다.

옥천군玉川君 유창劉敞(?~1421) 등을 북교北郊·백악白岳·목멱木覓·양진楊津·한강 漢江 각지에 보내 기우제를 올리고, 중승僧 1백 명을 흥천사興天寺 사리탑에 모아 조계종曹溪宗 판사判事 상형尙形(?~?)에게 향을 받들어 비를 빌게 하고, 또 여러 무 당도 한강에서 빌라 이르고, 검교檢校 공조참의 최덕의崔德義(?~?)를 보내 저자도 에서 화룡제畫龍祭를 지냈다(13년 7월 5일).

홍천사는 서울 성북구 돈암동에 있으며, 1397년(태조 6)에 신덕왕후 강씨康氏의 명복 을 빌고 정릉貞陵을 보호하려고 170여 칸에 이르는 큰 절을 지었다. 1504년에 불탄 것을 1794년, 지금의 자리에 다시 세웠다.

화룡제는 용 그림을 물에 넣고 지내는 기우제로 이로써 비가 넉넉히 내리면, 사흘 뒤 돼지 머리를 놓고 다시 용 그림을 넣어서 고마운 뜻을 보였다. 북교는 서울 종로구 자하문 밖, 백악은 북악산, 목멱은 남산, 양진은 성동구 광장동에 있던 나루이다. 따 라서 산과 강에서 두루 비를 빈 것이다.

저자도는 서울 강남구 삼성동 동쪽 한강 가운데 있던 섬으로, 닥나무를 많이 키운 데서 온 이름이 다. 1970년대, 압구정동 일대에 고층아파트를 지으 면서 흙을 파서 쓴 탓에 지금은 자취를 감추었다.

그림 73은 전라남도 강진군 군동면 용소리龍沼里 안지마을의 농기이다. 1933년에 만든 것으로, 중국 에서 처음으로 농사를 가르쳤다는 신농씨神農氏가 물꼬를 트는 살포를 든 채 푸른 용을 타고 앉은 것 은 비가 넉넉하게 내리기 바라는 것을 나타낸다. 구름 아래의 거북도 마찬가지이며, 그 옆의 잉어는

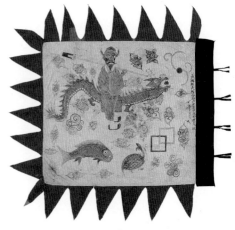

그림 73

풍년을 상징한다.

오른쪽에 '장흥군 장흥면 남외리 경신생 박경채 축 계유 칠월 상순 시조長興郡長興面
南外里庚申生朴敬采 祝 癸酉七月上旬始造'라고 적혔다.

안지마을에서 5킬로미터 떨어진 남외리에 사는 박경채의 아버지가 감사의 뜻으로
농기를 기증하면서 아들의 무병장수를 기원하는 뜻에서 이름을 적었다고 한다. '경
신'은 주인공이 태어난 해(1920)이고, '계유'는 농기를 만든 해(1933)일 터이다(농업박물
관 소장).

(11) 태종 15년(1415) 1월 25일

환자宦者 이촌李村(?~?)을 의금부義禁府에 가두었다. 주방酒房의 수부水夫는 반드시
어정御井의 물을 어수御水로 올려야 함에도 다른 물을 썼고, 그가 알면서도 보고
하지 않은 까닭이다.

"이름만 어정이지 마을 거리 가운데 있어 참으로 더럽다. 또 왜 물을 가려야 하
는가? 우물을 대궐 안에 파면 전殿마다 수부를 둘 필요가 없지 않은가?"

어정이 '마을 거리 가운데 있다'고 한 것을 보면 창덕궁 동쪽의 문묘文廟, 곧 성균관
전사청典祀聽 서쪽의 것으로 생각된다. 우물과 궁궐 담 사이가 40~50미터에 지나지
않지만 그 안에 백성의 살림집
이 들어차 있었으며 지금도 마
찬가지이다(사진 307). 그리고
세조世祖(1418~1450) 때까지도 이
일대에 궁궐의 담이 없었거나
아주 허술했던 것으로 보인다.
성균관 서쪽과 창덕궁 후원 사
이로 흐르는 반수泮水에 담을
쌓아서 후원 안으로 돌리려다가
신하들 뿐 아니라 유생들이 들
고 일어나서 없던 일이 되었던

사진 307(ⓒ윤영기)

것이다. (☞ 276~277)

이촌이 다른 곳의 물을 올린 것도 궁궐 후원의 비탈을 오르내리는 수고를 덜려고 꾀를 낸 탓일 터이다.

임금이 '왜 물을 가려야 하느냐?'고 한탄하였지만, 연산군 때에도 궁궐제사에 이 물을 쓴 것을 보면 '공자를 비롯한 여러 성인들에게 바치는 특별한 물'이라고 여긴 까닭이 아닌가 생각된다. 그 무렵에 '성정'이라고 높여 부른 것도 증거의 하나이다. 그리고 성균관에서 막은 까닭도 마찬가지일 터이다.

'환자'는 내시부의 벼슬아치이고, 수부는 본디 뱃사공을 가리키지만 이 글에서는 물긷는 직책을 이른다. 뒤에는 창덕궁 거의 모든 전각에 우물이 마련되었다.

한편, 어정에는 군사 둘을 배치하였다. 『신증동국여지승람』의 '대궐 안의 전루소傳漏所, 곧 동룡문銅龍門·동수구東水口·어정御井·경화문景化門·광정문光政門·진선문進善門·마군영馬軍營·돈화문敦化門·경추문景秋門·북수각北水閣·영숙문永肅門에 군사 둘씩 두었다'는 기사가 그것이다(제2권 비고편―동국여지비고 제1권 「京都」). 전루소는 자격루自擊漏에서 울리는 시각을 멀리까지 전하던 기관이지만, 우물 관리 책임도 맡았을 터이다.

(12) 태종 15년(1415) 3월 4일

———

도성 안의 살림집 다섯 채마다 한데(두레)우물 파라고 일렀다. 이로써 서울의 가뭄 걱정이 없어졌다.

———

두 해 전, 세 집마다 우물 셋을 갖추었다며 관원의 벼슬을 뗀 일과는 아주 딴판이다. 이는 한 해 전 7월, 저자도를 비롯한 도성 여러 곳에서 용을 그린 깃발을 놓고 기우제를 지낸 일과 연관이 깊다. 아닌 게 아니라 태종 4년부터 41년까지 기우제를 지내지 않을 수 없을 정도로 전국이 타들어 갔다.

『임하필기林下筆記』 기사이다.

———

5월 10일은 태종太宗의 기일忌辰이다. (…) 죽음을 앞둔 무렵, 가뭄이 심하자 안팎의 모든 산천에 두루 기우제를 올렸다. 임금은 '백성들이 어떻게 살겠느냐? 내 마땅히 하늘에 올라가는 대로 단비를 내리게 하리라' 일렀다. 과연 이튿날 숨을 거두자마자 경기 일대에 큰비가 와서 마침내 풍년이 들었다. 이 뒤로 해마다 빠짐없이 비가 내리자 사람들이 '태종이 내리는 비太宗雨'라고 불렀다(「文獻指掌編」).

———

(13) 태종 18년(1418) 3월 13일

———

황룡黃龍이 경기 교동현喬桐縣 수영水營 우물에 나타났다. 수군 첨절제사水軍僉節制使 윤하尹夏(?~?)가 아뢰었다.

"선군船軍들이 수영 앞 우물물을 길으려할 때, 누른 용이 가득 차 있었으며, 허리는 기둥 굵기였습니다. 우물은 둘레 12척 5촌(3.78미터)에, 깊이 2척 3촌(80센티미터쯤)입니다."

———

용 가운데에도 황룡은 임금의 상징인 점에서, 이는 태종이 세자(세종)에게 왕위를 넘겨준 것을 나타낸다. 또 용이 우물에 가득한 것은 그가 뛰어난 군주가 되리라는 조짐이기도 하다.

인천광역시 강화군 교동면 고구리에 있는 한증막汗蒸幕이 그 우물이라지만, 깊이는 웅덩이에 가깝다.

(14) 세종 2년(1420) 8월 15일

———

전라도 진안현鎭安縣의 샘물이 붉었다.

———

이태 뒤 2월에 전주 등 27개 지역에서 지진이 일어났으며, 10월에는 오랑캐 200여 명이 함경도 경원부慶源府에 들어와 분탕질을 벌인 탓에 닥나무의 조달이 순조롭지 않았다.

(15) 세종 8년(1426) 2월 20일

———

임금이 일렀다.

"서울의 행랑行廊에 방화벽防火墻을 치고, 성안의 길이 사방으로 두루 통하게 넓히며, 궁성 및 전곡錢穀이 있는 관청과 가까이 붙은 집은 더러 허물어라. 행랑은 열 칸마다, 살림집은 다섯 채마다 우물 하나씩 파고, 각 관청에도 두 개씩 파서 물을 모아두어라.

종묘·대궐·종루의 누문樓門에 불 끄는 기계를 마련했다가 불이 나면 곧 가서 끄게 하라. 군인과 노비가 있는 각 관청에도 불 끄는 모든 시설을 갖추었다가, 불이 나면 곧 소속 부하를 거느리고 가서 불길을 잡으라."

———

이 달 15일에 일어난 큰불 탓이다. 집 2,200채와 116칸의 행랑이 타고 남자 9명에 여자 23명이 목숨을 잃었으며, 이 숫자에는 어린아이와 늙고 병든 사람은 들어 있지도 않았다. 이만저만한 참사가 아니다.

앞 기사는 이를테면 방화법인 셈이다. 방화벽이야 말로 불이 번지는 것을 막는 중요한 시설로 꼽을 만하다.

9년 전인 1415년, 다섯 집마다 우물 한 개를 갖추라는 어명이 실현되지 않은 듯하다. '행랑'은 관청 건물일 터이다. '불 끄는 기계'의 구조나 성능은 모른다.

(16) 세종 22년(1440) 2월 29일

———

지난 해 7월부터 겨울 사이에 비와 눈이 적게 내린 탓에 서울의 우물이 모두 말라붙었다. 올 봄에 자주 비가 왔지만 샘은 아직도 그대로이다.

———

비가 자주 왔다지만 넉넉지 않았을 터이다.

(17) 세종 29년(1447) 4월 18일

———

이선李宣(?~?)은 용렬하며 잗달고 고집 세며 괴팍하고 불손하다. 사무를 처리 못 하면서도 동료와 부하를 의심한 탓에 간 데마다 일을 잡치기 일쑤였다. 집 안의 딴방에 반주그레한 사내종 하나를 처첩妻妾 삼아두어서, 온 동네가 이 정승의 첩이라고 불렀다. 이 종놈은 안방에도 거침없이 드나들며 그의 처와 동침하여 추잡한 소리가 자못 밖에까지 들렸음에도 막기는커녕 꺼리지도 않았다.

또 종을 시켜 이웃의 담 밑을 파헤친 탓에 되쌓을 때마다 무너져서 여러 집에서 아예 떠나버렸고, 이때마다 그 집을 제 텃밭으로 삼았다. 또 사람들이 울 밖의 우물물 긷는 것을 싫어한 나머지 (…) 주위에 주검을 옮겨 놓았다. 처신이 이 같음에도 병조판서가 되자, 사람들은 모두 웃으며 오래 가지 못할 것을 알았다.

———

이 뿐이 아니다. 『조선왕조실록』에는 그의 무능과 악행에 관한 기사가 곳곳에 보인다. 그럼에도 뛰어난 임금 세종이 그를 병조판서에 앉힌 까닭이 따로 있다. '이등李登(1379~1457)의 아들 이선李宣은 태조께서 사랑하신 외손이요, 비록 천생賤生이지만 그 어미는 내 누이이다. 그러므로 나도 사랑한다'는 『세종실록』의 대목이 그것이다 (1년 2월 20일).

세종도 어찌할 도리가 없었던 모양이나, 아무리 그렇더라도 병조판서에 앉힌 것은 이만저만한 잘못이 아니다. 마을 한데우물에 사람의 시신을 옮겨놓은 그자야말로 도척보다도 더 악독한 인간이 아닌가?

(18) 문종 1년(1451) 4월 21일

———

경주慶州 사람이 우물을 치다가 황금 4냥쭝을 얻어서 바쳤다.

———

누가 숨겨 놓은 것이다. 임금은 이 정직한 사람에게 상을 내렸을 터이다. 한 냥쭝은 한 냥 또는 그쯤 되는 무게로 지금의 37.5그램이다.

(19) 세조 10년(1464) 3월 5일

———

행궁行宮 뜰에 옛적 우물이 있다. (…) 처음 팠을 때 물의 근원이 깊고 맑아서 '주필신정駐蹕神井'이라는 임금이 이름을 내렸다.

———

행궁은 충청남도 아산시 온천동에 있었다. '주필신정'은 '잠깐 머무는 동안에 새로 솟은 신령스러운 샘'이라는 뜻이다.

우리나라에서 가장 오래된 온천으로, 고려 말에 농부들이 뽑은 풀이 저절로 마르고 겨울에도 땅이 얼지 않아 땅을 팠더니 뜨거운 물이 솟았다고 한다. '온양'은 조선 초기의 이름이며, 백제에서는 탕정湯井, 고려 때는 온수溫水라고 불렀다. (☞ 632-633·642-643)

(20) 성종 3년(1472) 3월 1일

————

지평持平 최숙정崔淑精(1433~1480)이 아뢰었다.

"지난 겨울에 눈이 안 내리더니 올 봄에도 비가 오지 않아, 서울의 우물이 많이 말랐습니다. (…) 여러 가지 잘못을 바로 잡았음에도 그대로인 것은 맺힌 원한 탓이 아닌가 걱정입니다. 고을의 수령守令들이 아마도 잔혹하고 부당하게 형벌을 써서 (…) 거짓 자백하는 자가 있을 터이니 (…) 가려내어 풀어주소서(3년[1472] 3월 1일)."

————

가뭄이 원한 탓일지도 모른다는 말은 비과학적이지만, 자연현상을 겸허하게 바라본 것은 오늘날에도 배울 점이다. 임금도 그 말에 따랐다.

(21) 성종 3년(1472) 4월 27일

————

임금이 호조·사헌부·한성부에 일렀다.

"큰 가뭄으로 우물과 샘이 모두 마르자, 백성의 우물을 제 것으로 삼거나, 남이 물긷는 것을 막으며, 심한 자는 물을 팔아서 사람들을 몹시 괴롭힌다고 하니 모두 엄중히 다스리라."

————

힘깨나 쓰는 자들은 이제나 그제나 악행을 마다하지 않는다. 물을 팔아먹다니 일찍이 없던 일이다.

서울의 물난리에 대한 남효온南孝溫(1454~1492)의 시(「스스로 읊음自詠」)이다.

————

愁來渴病倍平昔   시름 깊어 목마름 갑절인데

其奈長安水價增	장안 물 값 비싸니 어찌하랴
病婢持瓶枯井上	마른 우물가의 두레박 든 병든 여종
日看雙淚自成水	날마다 눈물 얼어붙는구나

『추강집秋江集 제3권 「칠언절구」

———

온 시내의 우물이 말라붙었음에도 주인이 종만 닦달하는 탓에 눈물이 흘러 떨어질 겨를조차 없다는 한탄이다.

(22) 성종 9년(14784) 5월 6일

———

한성부 우윤漢城府右尹 윤호尹壕(1424~1496)가 아뢰었다.

"지난해 밀양창고密陽倉庫에 난 불로 쌀 8천여 섬이 탔습니다. 부사府使 박시형朴時衡(?~?)이 다시 채웠지만 백성들에게 거둔 탓에 원성이 높습니다. 더구나 많은 미곡을 옥중獄中에서 쓸 비용으로 삼았습니다. 전 정자正字 박말주朴末柱(?~?)가 그의 가마를 부수어 우물에 던지며 '이것은 도둑놈이 타던 것이라'고 하였답니다. 이를 듣고도 잠자코 있기 어려워 감히 아룁니다."

임금은 '잘하였다. 경이 아니면 내가 어찌 알았으랴? 그를 의금부에 잡아들이라'고 일렀다.

———

사신史臣의 논평이다.

———

박시형은 성품이 인색해서 집에 있을 때는 먹다 남은 음식처럼 하찮은 것도 반드시 스스로 들이거나 내어서 처첩妻妾이 마음대로 쓰지 못하게 막았다. 또 밀양 부사로 가던 날, 새벽에 바로 들어간 탓에 많은 아전들이 미처 모르고 있었더니 모두 연포練布를 물렸다. 그 행동이 대개 이와 같아 백성들의 원망이 컸다.

———

정자는 조선시대 홍문관·승문원·교서관에 딸린 정9품 관직이다. 힘없는 박말주가 부사의 가마를 우물에 처넣었다니 참으로 의로운 사람이다.

연포는 천을 짠 뒤, 잿물에 담갔다가 솥에 쪄서 뽀얗게 처리한 천이다. 흔히 아버지 생전에 죽은 어머니 소상을 11개월 만에 치를 때 쓰는 관冠을 지었다.

(23) 성종 13년(1482) 12월 7일

————

예조禮曹에서 아뢰었다.

"전라도 함평咸平 백성 서중원徐中元(?~?)이 아내 봉비奉非와 밤에 우물을 파다가 범에게 잡혔고, 두레박 자루로 범을 때리던 봉비마저 물렸습니다. 자신을 돌보지 않고 지아비를 구하였으니 (…) 『대전大典』에 따라 정문복호旌門復戶 하소서."

————

우물을 밤에 팠다니 낮에 틈이 없었던가? 여자의 몸으로 두레박 자루를 휘둘러서 범을 쫓았다니 상을 받아 마땅하다.

복호는 조선시대에 군인 · 양반 · 충신 · 효자의 일부 및 궁중의 노비 등 특정한 사람에게 조세나 국가의 부담을 면제해 준 일이다. 그네를 기리는 문(정문)을 세우는 외에 이러한 특전을 주자는 말이다.

(24) 연산군 1년(1495) 8월 2일

————

임금이 '사섬시司贍寺 종 막덕莫德이가 간부奸夫의 꼬임에 빠져 어린애를 우물에 던진 것은 정상이 매우 잔인하다. 사赦를 거쳤지만 용서하지 말라'고 일렀다.

————

'사를 거치다'는 '죄를 용서하다'는 말과 같다. 어린 아기를 우물에 던지다니 참으로 참혹한 일이다. '덕이 없다莫德'는 이름 탓인가? 이는 종의 자식이라 못된 양반이 장난삼아 지었을 터이다.

(25) 연산군 9년 11월 5일

————

임금의 말이다.

지난 번 이세좌李世佐(1445~1504)가 성균관의 성정聖井을 내관內官이 막는 탓에 제사 때 쓰지 못한다고 알렸다. 이에 다른 곳에 파라고 일렀음에도 (…) 듣지 않고 있다가 제사 때 옛 우물의 물을 길어왔다. 이는 세좌가 인군을 업신여기는 까닭이다.

어찌 어정御井이 따로 있으랴? (…) 우물을 파고 그렇게 부르면 사람들이 감히 길어가지 못하는 법이다. 다른 곳에 우물을 팠는지 알아보라.

———

'어정이 어찌 따로 있느냐?'며 다른 곳에 파라고 일렀음에도 듣지 않고 예대로 그물을 쓴 것은, 앞에서 든 대로 제사에는 성정의 물을 올려야 한다는 생각이 깊었던 까닭이다. 그러나 성균관에서 물 뜨는 것을 막은 탓에 문제가 불거진 것이다. 저쪽의 처사는 성스러운 물을 밖으로 내보내서는 안 된다는 의식이 짙어진 때문이 아닌가 싶지만, 인근의 백성들도 쓴 것을 생각하면 의문이 들기도 한다. 왕권이 거의 절대적이었던 전제주의시대에 이렇게 들고 나서다니 지금으로는 상상도 하기 어렵다.

임금이 사흘 뒤, 담을 쌓으라고 이르자 이극균李克均(1437~1054)이 '반수에 담을 쌓고 성정까지 옮기면 유생儒生들이 상소할 것'이라고 아뢰었다. 임금이 '유생들이 어찌 상소하겠는가? 담을 반수 건너편에 쌓는 대신 명륜당明倫堂과 너무 가까우므로 서쪽에만 쌓아서, 사람들의 왕래를 막으려 한다'고 일렀지만 이루어지지 않았다.

닷새 뒤, 장령掌令 강징姜澂(1466~1536)이 성정은 깨끗한 데 있어야 하니, 그대로 두자고 하여 11월 9일, 우물은 그대로 두고 집들을 헐었다. 이에 따라 김철문金綴文(?~?)

사진 308(ⓒ 박융)

의 집을 비롯한 14채 가운데 큰 집은 무명 50필, 중간 집은 30필, 작은 집은 15필, 오두막은 10필씩 주었다.

한편, 임금이 '담을 쌓으라'고 이른 것은 담이 없었던 것이 아니라 무너진 곳을 고쳐쌓으라는 뜻이다.

사진 308은 성균관대학교에서 내려다본 창덕궁으로 옥류천의 태극정 일대가 환희 들여다보인다. 그림 74의 왼쪽 위 전사청 왼쪽이 성정이고, 그 왼쪽의 두 줄은 반수를 나타낸다.

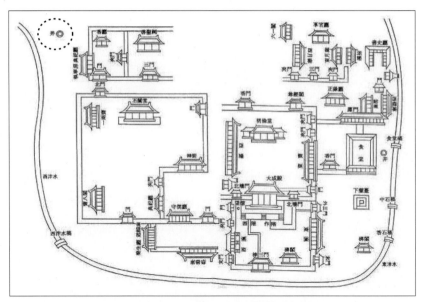

그림 74

사진 309(ⓒ 윤영기)

사진 310(ⓒ 윤영기)

사진 309의 위 왼쪽이 성균관대학교 학생회관이고 우물은 그 아래 굴에 있다. 사진 310이 우물로 전은 오늘날의 노관路管으로 바뀌었다.

한편, 임금이 이듬해(9년[1503] 6월 10일)에 '건양문建陽門이 대궐 안 어정에 가까운데다가 곁에 전루소傳漏所가 있으니 경수소警守所와 전루소傳漏所를 다른 곳으로 옮기라'고 이른 것을 보면, 그 사이에 새로 팠을 가능성도 엿보인다.

우물은 창덕궁의 동문인 건양문과 낙선재樂善齋 서쪽 사이에 있었으나, 1847년에 낙선재와 석복헌錫福軒 따위를 지을 때 문과 우물을 없앴다. 그리고 이 우물에 놓았던 전은 석복헌으로 옮겼을 가능성이 높다. 두 채를 같은 때 지었음에도 전의 형태가 다를 뿐 아니라 석복헌의 것이 더 많은 공력을 들인 자취가 뚜렷한 까닭이다. 이를테면 낙선재 것은 반달꼴로 다듬은 두 장의 돌을 마주 붙였으나, 석복헌의 것은 통돌을 깎은 것이 증거의 하나이다. (☞ 사진 172)

(26) 중종 13년(1518) 5월 25일

———

조강朝講에서 거주관 장옥張玉(1493~?)이 아뢰었다.

"돌이 운 고사石鳴之事는 한漢 성제成帝(전 32~전 7) 때, 그 소리가 2백여 리까지 들린 데서 왔습니다. 이를 '돌 장구石鼓'라 불렀으며 그 뒤 오랑캐가 쳐들어 왔습니다. 또 『여지승람輿地勝覽』에 '큰 우물에 물이 붉고 흐리면 돌림병이 돌거나 난리가 난다'고 적혔습니다. 지금 개성부의 한우물이 그와 같습니다. 이 어찌 응험應驗이 없겠습니까? 미리 준비해서 (…) 뜻밖의 일에 대비하소서."

왕의 말이다.

"근자의 재변災變을 모두 병상兵象이라고 한다. 지금 중국 및 야인野人과 잇닿은 평안도가 해마다 흉년이 들어 병사와 백성이 모두 어려우니 참으로 걱정이다. 대신들이 어찌 가벼이 생각하리오?"

———

'근자의 재변'은 이보다 열흘 앞서 한성을 비롯한 전국에 일어난 지진을 가리킨다. 그리고 1522년 5월에는 제주도 앞 추자도楸子島에서 왜변倭變이, 같은 해 9월에는 부산의 동래 소금밭에서 왜인이 난리를 일으켰다.

또 『신증동국여지승람』에 '우물물이 붉고 흐리면 전쟁이 난다'는 속담이 『여지승람』에 있다면서, 고려 공민왕恭愍王 10년(1361) 6월에 같은 일이 벌어졌다고 덧붙였다(제4권 「개성부」 상).

실제로 그 해 10월, 홍건적 10만 명이 쳐들어 왔다.

병상은 음양오행설陰陽五行說에서 내란이나 전쟁과 같은 천재지변의 징조로 여긴다.

(27) 중종 20년(1525) 6월 18일

———

정원政院에서 '큰 가뭄으로 우물이 모두 말라 물을 사먹기도 합니다. 금천錦川·
경회루 못·내 등에서 비를 빌려면 청소를 해야 합니다'고 아뢰었다.

창덕궁의 금천은 흐르는 물이 비단같이 매
끄럽고 아름답다고 하여 이렇게 불렸다. 또
금천교錦川橋는 서울에서 가장 오래된 돌다리
이기도 하다. 창덕궁 출입문인 돈화문에서 가
장 가까운 내인 까닭에 비를 빌었던 것인가?
사진 311은 남쪽에서 본 다리이다.

사진 311

(28) 중종 24년(1529) 7월 4일

홍문관 부제학 유여림兪汝霖(1476~1538) 등의 상소이다.

"천지의 기운은 (…) 인사人事의 순조로움에 달렸습니다. (…) 전하께서 보위에
계신 24년 동안 (…) 인기人氣의 불순이 이어졌고 (…) 올 가뭄으로 (…) 가을걷
이의 희망이 끊겼습니다. 더구나 우물마저 모두 말라서 물 한 말이 곡식 한 말보
다 비싼 지경입니다. (…)

아, 다스려지기를 바라는 마음은 간절하지만 다스리는 방법은 모자라고, 재앙을
두려워하는 마음은 깊지만 그치게 하려는 노력은 부족하니, 열 가지 자책하는
교시도 빈말일 뿐이고, 피전避殿하고 감선減膳하는 것도 형식에 지나지 않습니다.
말을 구하기보다 말을 들어주기가 어렵습니다. 신들의 말이 비록 허술하지만, 전
하께서는 사람이 보잘것없다고 말까지 버리지는 마시고 거듭 유념하소서."

물 한 말이 곡식 한 말 보다 더 비싼 것은 큰 문제임에 틀림없지만, 신하들이 임금
에게 이렇게까지 일렀으니, 과연 조선왕조가 5백년 이어 내린 데는 이만한 까닭이
있었던 것이다.

피전은 나라에 좋지 않은 일이 났을 때, 자숙하는 뜻으로 임금이 궁궐을 떠나 행궁
行宮이나 별장別墅에서 지내는 것이고, 감선은 수라상의 반찬 수를 줄여서 모범을 보
이는 일이다.

(29) 중종 26년(1531) 12월 10일

———

헌부憲府에서 '남부南部 성명방誠明坊 우물에서 목 졸려 죽은 이의 주검이 나왔습니다. 도성에서 일어났으니 참으로 놀라운 일입니다'고 하자, 임금이 일렀다. "그의 처 개이介伊(?~?)의 간부姦夫가 의심스럽다. 그와 죽은 자의 동서同壻 김윤신金允信(?~?)을 금부에 가두고, 좌의정 장순손張順孫(1457~1534)이 맡아서 밝히게 하라."

———

장순손이 우의정·좌의정·영의정을 두루 거친 인물이라 맡긴 것인가?『조선왕조실록』의 졸기卒記에는 그가 '욕심이 많으며 김안로金安老(1481~1537)에게 빌붙기를 잘하였다'고 적혔다.

남부 성명방은 지금의 을지로·충무로·남대문로 일대이다.

(30) 명종 11년(1556) 1월 28일

———

혜성彗星이 태미太尾 동원東園 밖에 나타났다. (…) 길이 세 척쯤(1미터)에 꼬리는 서남쪽을 가리켰다. (…) 또 개성부開城府 남부南部 우물에서 소 울음소리가 예닐곱 번 나다가 그치고, 우물가의 큰 돌이 한참이나 흔들렸다.

———

태미는 태미원太微垣이라는 별자리 이름인 데서 임금의 뜰을 상징한다. 개성의 한 우물 뿐 아니라 남부의 우물까지 들먹인 것을 보면, 신앙심이 고려 적과 같았음을 알 수 있다. 그것은 어떻든 우물에서 소가 운 것은 의문이다.

아니나 다를까, 5월에 전라도 달량포達梁浦(전라남도 해남군 북평)에 왜선 70여 척이 들어와 노략질을 한 '을묘왜변'이 일어났다. 정부에서 전라·충청 두 도의 승려로 꾸린 승군僧軍을 보냈다니 매우 위급했던 모양이다.

6월에는 제주도에도 40여 척이 침입하였다.

(31) 명종 15년(1560) 5월 6일

———

임금의 말이다.

"요즈음 인심과 풍속이 날마다 얄팍하고 악독해졌다. 종이 주인을 죽이고 (…) 병을 고친답시고 어린이를 죽여 살을 벤 뒤, 몰래 우물에 던지기까지 하였다."

───────

종이 주인을 해치는 일이야 있을 수 있지만, 제 병을 고친답시고 어린이 살을 저며 내고 그것으로도 모자라서 이를 감추려고 우물에 던졌다니 만고에 드문 일이다.

(32) 선조 38(1605) 5월 10일

───────

평안도감사 김신원金信元(1553~1614)이 아뢰었다.

"의주義州 관노 산국山國(?~?)이 키우던 암탉이 수탉으로 바뀌어 날개를 치며 운 것은 이만저만한 변괴가 아닙니다. 또 깊이 세 길쯤(6미터쯤)의 이산성理山城 서쪽 우물이 3월 11일부터 사흘 동안 하루 두세 번씩 끓어올라 넘치면서 부글거리는 소리가 났습니다. (…) 변이가 이처럼 거듭되어 매우 걱정입니다."

───────

3월 11일, 여진족 8천 명의 침입으로 요새지인 함경도 종성鍾城 옆 동관潼關이 떨어진 것을 시작으로, 7월에는 영남·관동·충청도 일대에 일어난 큰 홍수로 많은 사람이 목숨과 재산을 잃었다.

이산성은 1440년, 자강도(압록강 중류) 고풍군 방성리에 쌓은 둘레 2킬로미터의 돌성이다.

(33) 『광해군 일기』 7[1615] 2월 18일

───────

이의李艤(1469~1554)를 저주한 무리의 우두머리는 덕이德移(?~?)의 보모입니다. (…) 방법은 여자 장님에게 배웠습니다. 매화나무에 찢은 쥐를 걸고, 대궐 안 서쪽 담에 흰 수캐를 두고, 서쪽 담장 안에 개 그림을 깔고, 보계補階 밑에 죽은 쥐를 버렸습니다.

또 남쪽 계단 아래에 죽은 고양이를, 오미자五味子 떨기 밑에 큰 자라를, 우물에 마른 대구大口魚를 넣고, 동궁東宮 남쪽 담장 안으로 죽은 까치와 죽은 쥐를 던졌습니다. 이뿐 아니라 동궁의 담장에 돼지와 허수아비羽笠人를, 대전마루 밑에 자라를 묻고, 뒷간에 발과 날개를 끊은 까마귀를 놓았습니다.

쥐·수캐·고양이·돼지·자라·대구·까치·까마귀 따위의 뭍짐승에서 날짐승 그리고 물고기까지 고루 등장하였다. 마른대구는 무슨 뜻인가?

이의는 정종定宗의 4대손인 영창대군永昌大君(1606~1614)이다. 외조부 김제남金悌男 (1562~1613)이 그를 임금 자리에 앉히려 들었다는 이이첨李爾瞻(1560~1623) 등의 무고로 사약을 받았고, 자신은 서인庶人으로 떨어졌다가 여덟 살 적에 강화부사江華府使 정항 鄭沆(1569~?)의 손에 목숨을 잃었다.

(34) 인조 7년(1629) 1월 25일

───────

전 주부主簿 이상검李尙儉(?~?)의 집은 옛 경복궁 서쪽 연추문延秋門 밖에 있다. 그 가 어느 날 묵은 우물을 파던 중에 옥보玉寶 하나가 나왔다. 귀두龜頭가 깨지고 한쪽 모서리도 이지러졌으며, 어느 시대 것인지 알 수 없었다. 나라에 바치자 임 금이 상을 주라고 일렀다.

───────

임금의 존호尊號를 새긴 도장圖章이 묵은 우물에서 나왔다니 훔쳐가던 자가 던졌거 나, 임진왜란 때 달아나던 관리자가 다급한 나머지 넣었을 터이다.

연추문 밖은 지하철 3호선 경복궁역 일대이며, 연추문은 영추문迎秋門이라고도 한다.

(35) 인조 15년(1637) 3월 7일

───────

병란 때, 종묘의 수복守僕들이 우물에 넣었던 제기祭器를 건졌다.

───────

병란은 1636년 12월에 청군이 쳐내려온 병자호란丙子胡亂이다. 우물은 전사청 옆의 제정祭井일 터이다. (☞ 사진 260)

(36) 인조 27년(1649) 4월 9일

───────

간원諫院에서 아뢰었다.

"안산安山의 사인士人 조진趙搢(?~?)은 제 아들이 숙모를 간통한 (…) 소문이 퍼지
자 (…) 그네를 꾀어 우물에 빠뜨려 죽였습니다. 그럼에도 군수郡守 김염조金念祖
(1589~652)는 지금까지 그대로 두었습니다. (…) 죄를 물으소서."

———

명색이 선비라는 자가 숙모를 강간한 패륜아를 그대로 두고, 오히려 피해자를 우물
에 빠뜨려 죽였다니 그 아비에 그 아들이다. 이러한 중범죄를 알고도 그대로 둔 군수
도 벌을 받아 마땅하다.

(37) 효종 2년(1651) 12월 14일

———

영이英伊(?~?)는 효명옹주孝明翁主(?~?, 바로 조씨가 낳은 옹주이다)의 여종이다. 어린
나이에 용모가 뛰어나고 자수를 잘 놓아 조씨의 귀여움을 받았다. 며느리로 삼는
다며 숭선군崇善君(?~1690, 역시 조씨가 낳았다)과 짝지우자 부인 신씨申氏를 몹시 미
워하였다. 신씨는 바로 자전慈殿 여동생의 딸이다. 이를 들은 자전이 (…) 몹시
꾸짖었더니 조씨가 음해陰害한 일을 고자질하였다.

"조씨가 늘 자전이 나를 어찌 이렇게 구박하느냐며, 아침저녁으로 우물물을 길어
놓고 사람들을 물린 뒤 몰래 기도하고, 가까이 부리는 여종 두셋과 쑥덕거렸습니
다. 앵무鸚鵡(?~?)는 여자 무당입니다."

———

조씨도 그렇지만 그네의 사랑을 받아 종의 신분으로 왕자의 시앗이 된 영이가 본부
인을 시샘한 탓에 야단을 맞았음에도, 그 은공을 젖혀두고 일러바친 것은 상 받을
짓이 아니다. 조씨는 뒤에 사약을 받았다.

(38) 현종개수실록 2년(1661) 6월 1일

———

사인士人 이준평李浚平(?~?)의 아내 임씨任氏를 정표旌表하였다. 남편이 죽자 우물
에 몸을 던져 목숨을 끊은 까닭이다.

———

본인보다 그때의 세상이 그네를 죽음으로 몰아넣은 셈이다.

(39) 숙종 33년(1707) 10월 27일

―――

개성부의 용정龍井은 본디 맑고 깨끗하였는데, 열흘 전쯤부터 붉은 물이 솟아서 피처럼 되었다.

―――

용정은 개성의 한우물이다. 작제건의 아내와 딸이 이곳을 통해 용궁으로 드나들었다고 하여 이렇게 불렸다. (☞ 258~259)

우물이 얼마나 신령스러운가를 알리는 좋은 보기이다. 이듬해 3월 전국에 퍼진 홍역과 문둥병으로 수만 명이 죽고, 5월에는 가뭄으로 농사를 망쳤으며, 이것으로도 모자라서 10월에는 전라도 장흥에서 민란까지 일어났다.

그것도 그렇지만 고려 우물이 2백년 뒤에도 신령스러움을 나타낸 것이 놀랍다.

(40) 숙종 45년(1798) 11월 3일

―――

헌부에서 거듭 아뢰었다.

"문화 현령文化縣令 조상경趙尙慶(1676~1733)이 처의 시샘에 화가 나 본가로 쫓았더니, 처형妻兄 석성현감石城縣監 홍중성洪重聖(1668~1735)이 (…) 들이지 않았습니다. 문 밖에서 겉돌던 그네는 (…) 마침내 우물에 뛰어들어 죽었습니다. 이처럼 잔인하고 야박한 무리는 (…) 모두 삭거사판削去仕版 하소서."

세자는 따르지 않았다.

―――

'남녀유별'의 유훈儒訓이 시퍼렇던 그 시절에 헌부가 이렇게 들고 일어난 것은 참으로 장한 일임에도 세자가 따르지 않았다니 조상경이나 홍중성의 무리와 다르지 않다. 이들은 모두 대의명분이라는 망상에 사로잡혀 못쓸 짓을 저지른 것이다. 뒤에 경종景宗(1720~1724)이 된 세자는 4년 만에 세상을 떠났다.

삭거사판은 죄 지은 관리를 처벌하는 규정의 하나로, 첫 벼슬初仕 뒤의 모든 벼슬任官을 기록에서 지운다.

(41) 영조 6년(1730) 5월 5일

———

정언正言 서명형徐命珩(1687~1750)의 상소를 간추린 내용이다.

"흉역凶逆의 조카는 병조참의兵曹參議에 염치를 무릅쓰고 앉았고, 국옥鞫獄 죄수의 고모부는 의금부의 죄안罪案을 의논하는 자리에 버티고 있습니다.

홍중성洪重聖(1668~1735)의 여동생이자 조상경趙尙慶(1676~1733)의 아내는 남편이 구박하고 오라비도 받지 않아 우물에 뛰어들어 죽었습니다. 대계臺啓가 준엄하였음에도 남편과 오라비는 벌을 받기는커녕, 하나는 홍문관弘文館 사이에서 얼쩡대고, 하나는 군현郡縣 수령으로 오락가락합니다. (…) 조상경은 홍문록弘文錄에서 빼고 조적朝籍에서 지우며, 홍중성은 사판仕版에서 없애야 합니다."

임금은 그대로 따랐다.

———

'흉역의 조카'는 역적 이세우李世遇(?~?)의 조카이자 병조참의 이성조李聖肇(1662~1739)이고, 국옥鞫獄 죄수의 고모부는 국청鞫廳 죄인 홍정좌洪廷佐의 3촌 고모부이자 동지의 금부사同知義禁府事인 남취명南就明(1662~1742)이다.

홍문록은 홍문관弘文館 관원의 후보로 결정된 사람이고, 조적은 정사에 참여하는 관원 명부이며, 사판은 벼슬에 오른 자의 명단이다.

남편이 쫓아내고 오라비가 내쳐서 죽은 아낙을 위한 서명형의 서릿발 같은 변론은 참으로 감동적이다.

(42) 영조 9년(1733) 5월 25일

———

헌납獻納 이주진李周鎭(1692~1749)의 상소이다.

"전前 부사府使 어필원魚必遠(?~?)이 한데우물물을 길어다가 그의 문둥병 부스럼癩瘡을 씻은 다음, 그 물을 몰래 본디 우물에 쏟아 부었습니다. 또 소 내장을 긁어내고 (…) 썩힌 뒤 벌레가 나오게 한 다음, 고기를 푸줏간에 팔았으니 죄를 밝혀서 백성들의 피해를 막으소서."

———

사정이 이러함에도 임금은 벌을 주기는커녕, 장령掌令 안상휘安相徽(1690~1757)의 말

에 따라 그를 지방으로 내쫓았다. 참으로 기가 차는 일이다. 목을 베어야 마땅한 죄인
이 아닌가?

(43) 영조 40년(1764) 5월 28일

———

오랜 가뭄으로 (…) 억울한 일이 생길 것을 걱정한 임금이 어사御史 홍술해洪述海
(1722~1777)를 보내 살피게 하였다.
인찬기印燦起(?~?)라는 자가 사위를 나무랐더니 화가 난 상대가 아내를 내쫓았다.
그네가 아비에게 돌아갔지만 거절한 탓에 갈 곳이 없자 우물에 몸을 던졌다.
또 김가金哥 성을 가진 자는 사소한 일로 아내를 버렸다.
임금은 딸을 구박 끝에 죽게 하고, 아내를 때려 내쫓은 것은 모두 못할 짓이라며
죄를 물으라고 일렀다.

———

사위야 남이니까 그렇다고 하더라도, 제 딸까지 내쳐서 죽게 만든 아비는 벌을 받
아야 한다. 그러나 '한 번 시집가면 집에 돌아오지 못한다出嫁外人'는 세상이 그를 그
렇게 만든 셈이기도 하다.

(44) 영조 41년(1765) 8월 8일

———

성질이 조급하고 사나운 궁녀 하나가 우물에 몸을 던져 죽자, 가엽게 여긴 임금
이 재물을 내리라고 이른 뒤, 궁녀 30명도 풀어 주며 이렇게 일렀다.
"당 태종太宗(627~649)은 3천 명이나 돌려보냈지만 나는 겨우 30명이다. 친족들과
궁중에 머무는 궁녀들을 모두 내보내서 금중禁中을 깨끗이 하라."

———

한에 맺혀 죽은 궁녀를 비롯한 여럿을 내보낸 것은 전에 없던 대단한 영단이다.
'금중을 깨끗이 하라'는 말은 원한 맺힌 영혼을 몰아내라는 뜻이다.
궁궐의 우물은 거의 모두 깊이 3미터 내외여서 뛰어들어도 죽기가 쉽지 않은데 그
네가 목숨을 잃은 우물이 어느 것인지 궁금하다.
한편, 김용숙이 『조선조 궁중풍속 연구』에 효종 5년 9월이라고 적은 것을 잘못이다

(1987 ; 43).

(45) 영조 43년(1767) 7월 29일

―――

임금이 순제군順齊君 이달李炟(?~?)을 문초하고 (…) 남해현南海縣으로 쫓았다. 또
입을 다문 대관臺官들의 관직도 모두 물렸다. 순제군이 달아난 노비를 잡아다가
고문 끝에 죽여서 우물에 넣었다고 형조에서 들고 일어난 까닭이다.

―――

왕족은 옥에 가두지 못한다는 물금첩勿禁帖이 있었음에도 그가 귀양길을 떠나기는
하였지만 이듬해 놓여났다. 역시 팔은 안으로 굽게 마련이었다.

(46) 정조 1년(1777) 8월 11일

―――

"홍술해洪述海(1722~1777)는 귀양 갈 때, 부적과 저주할 물건을 퇴침退枕에 감추었
습니다. 그 뒤 신이 홍술해 아내가 건네준 55냥을 들고 정이貞伊(?~?)와 김흥조金
興祚(?~?) 집에 갔으며, 그의 아내 무녀巫女 점방占房(?~?)과 같이 수유점水踰店에서
저주하고 비손하였습니다.

'재물만 쓰면 너의 상전이 돌아올 수 있다'는 김흥조의 말을 믿고 이를 술해 아내
에게 전하자 돈 40냥, 면주綿紬 한 필, 관복 한 벌을 주었습니다. 신이 점방의
집에 가져갔더니, 점방이 다섯 방향五方의 우물과 홍술해 집 우물물을 길어오고,
도승지 홍국영洪國榮(1748~1781) 네 것도 길어다가 그릇에 함께 부은 뒤 홍술해
집 우물에 쏟았습니다.

또 주사朱砂로 화상畵像 둘을 그린 뒤 하나는 홍국영으로, 하나는 아무개 성의 양
반某姓兩班으로 삼고 (…) 화살을 얽어맨 다음, 삿갓가마草轎를 타고 홍술해 집으
로 가서 아내에게 보이자 도로 점방에게 주며 적당한 자리에 묻으라고 하였습니
다. 점방이 이어 활과 화살을 만들어 공중을 향해 쏘며 '이는 꼭 죽을 사람이
맞는다' 중얼거렸고, 부적과 주문을 쓴 뒤, 그의 지아비에게 홍국영 집 문 앞길에
묻으라 이르며 '그들은 반드시 죽는다'고 덧붙였습니다.

김흥조는 신에게 '나와 가까운 궁녀의 유모 남편乳父에게 은銀을 많이 주면, 재물

을 탐내는 나인內人들이 반드시 묘한 수를 낼 것'이라 하였습니다. 신은 그의 말을 곧이듣고 홍술해 아내에게 알렸습니다. 언제나 수작酬酢하는 말을 뱉을 때마다 나라와 아무개 양반某姓兩班을 들먹였습니다."

———

조선왕조 때 일어난 우물 관련 저주 가운데 가장 큰 사건으로, 홍술해가 김홍조를 부추겨서 홍국영에게 여러 가지 주술을 펼쳤다는 내용이다. 제 집과 홍국영네 우물물을 섞은 뒤, 제 집 우물에 다시 부은 것은 양이 더 많은 제 집 우물의 기운이 홍국영의 운을 망친다고 믿은 것인가?

홍술해는 황해도관찰사 적에 외지의 미곡米穀을 사들이며 1만 4천 냥兩을 빼돌린 탓에 쫓겨났음에도, 1776년에도 장전臟錢 4만 냥, 조租 2,500섬, 소나무 260그루를 가로챈 사실이 드러나 흑산도黑山島에 위리안치圍籬安置 되었다. 이듬해 아들 상범相範이 불만을 품고 홍인한洪麟漢(1722~1776) 따위의 벽파僻派와 더불어 정조正祖임금을 죽이고 은전군恩全君 찬禶을 세우려다가 발각되어 여러 아우 및 조카와 함께 주살되었다.

홍국영은 사도세자 사망에 연관된 벽파들이 세손正祖까지 해치려는 것을 막고 정조가 임금이 되는 데 공을 세웠다. 그러나 도승지 시절 누이동생을 빈嬪으로 보낸 뒤 권력을 제 멋대로 휘두른 탓에 원성을 사는 외에, 1780년에는 음식에 독을 타서 왕비를 죽이려다가 들통이 나 쫓겨나고 말았다.

같은 내용이 『속명의록續明義錄』에도 실린 것(정유년[1777] 7월 28일~무술년[1778] 2월 21일)을 보면 꽤나 떠들썩했던 모양이다(「8월 12일 김수대·김홍조·감정·정이 등을 국문하고 모두 죽이다」).

(47) 정조 9년(1785) 8월 27일

———

이극문貳極門의 오래된 우물 자리에 수강재壽康齋를 세웠다. 자경전慈慶殿을 짓고 남은 자갈과 벽돌로 우물 위에 쌓았던 가산假山도 허물었으며, 우물을 파고 소재小齋를 세워서 내려다보이게 하였다. 『여지승람』에 태조太祖 때의 수강궁壽康宮 옛터라고 적혔다.

———

이극문은 경복궁 동쪽에 있던 세자궁(동궁)에 딸린 문이다. 왕세자는 떠오르는 태양과 같다고 하여 동쪽에 둔 것이다. 수강재를 옛 우물자리에 세운 까닭이 궁금하다.

창덕궁에도 같은 이름의 건물이 있다.

(48) 정조 12년(1788) 8월 8일

———

대사성 이시수李時秀(1745~1821)가 아뢰었다.

"반수당泮水堂 담장을 고치다가 전사청典祀廳 북쪽 흙더미에서 석경石磬 두 개를 찾았습니다. 협종夾鍾의 '협'은 전서篆書, 아래의 '계축'은 예서隸書로 새겼습니다. 하나는 절반만 남고 나머지는 (…) 이끼가 끼고 부서졌지만 옛적 악기가 분명합니다. 『국조보감國朝寶鑑』에도 '선조先朝 경신년(1740), 사직 악기고樂器庫와 비변사 우물에서 나온 옛 경쇠 15개에 계축 두 글자를 새겼다며, 세종 15년에 박연朴堧(1378~1458)이 만들었다'고 적혔습니다. 따라서 이들도 그의 작품인 듯합니다."

임금은 '성묘 옆에서 나온 만큼 사실을 적은 뒤, 상자에 넣어 악원樂院에서 보관하라'고 일렀다.

———

쓰지 않는 비변사 우물을 쓰레기터로 삼은 것이다.

과거시험을 보였던 반수당이 성균관에 있었으므로, 전사청도 문묘의 것일 터이다.

(49) 정조 14년(1790) 6월 18일

———

창경궁 집복헌集福軒에서 수빈 박씨綏嬪朴氏가 원자元子를 낳았다. 이날 새벽, 금림禁林에서 붉은 광채가 내리비치고 한낮에는 무지개가 태묘太廟 우물에 뻗쳐서 오색광채를 이루었다. 백성들은 (…) 특별이 좋은 일이라며 기뻐하였다.

———

보통 우물이 아닌 종묘 우물에 뻗친 무지개는 나라의 영원한 번영을 상징한다.

엿새 뒤 임금의 말이다.

———

"하늘의 은혜와 조종의 도움으로 (…) 원자가 탄생하였다. (…) 여러 날 내리던 비가 갑자기 개이고 햇살이 그림 같았으며, 채색 무지개가 종묘 우물에 뻗치고

신비로운 광채는 금림禁林을 에워쌌다. (…) 장차 무엇으로 하늘과 사람들에게 보
답할지 모르겠다."

———

이 우물은 종묘 안에 있는 제정일 터이다. (☞ 사진 260)

2) 『승정원일기』의 간추린 기사이다

	때	내용
1	인조 9(1631) 5 · 27	서소문밖 우물에서 보리 가는 소리 나다.
2	인조 15(1637) 2 · 15	우물에 감춘 종묘서 제기 꺼내다.
3	인조 15(1637) 4 · 4	귀중품 우물에 감추다.
4	고종 40(1903) 10 · 22	평양에 우물 없어 대동강 물 길어 먹다.

앞 기사에 대한 설명이다.

(1) 인조 9년(1631) 5월 27일

———

한성부漢城府에서 서소문西小門 밖 미전하계米廛下契의 메운 우물에서 이달 보름부
터 매일 보리를 가는듯한 소리가 하루에 두세 번씩 울린다고 보고하였다.

———

싸전이 있던 옛 우물에서 보리 가는 소리가 들렸다니 흥미롭다. 예사로운 징조는
아니지만 어떤 일과 연관된 것인지 알 수 없다.

미전하계는 서울시 중구 의주로 1~2가 및 서대문구 합동蛤洞에 걸쳐 있던 마을로,
조선시대에 쌀과 곡식을 파는 싸전米廛이 있었다. 이 위쪽, 곧 서소문 안쪽이 미전상
계, 아래쪽이 미전하계였다.

(2) 인조 15년(1637) 2월 15일

———

예조에서 아뢰었다.

"우물에 넣은 종묘서宗廟署 제기를 꺼내려고 병조에 군사 다섯 명을 불렀더니 오다가 모두 달아났습니다. (…) 죄를 엄하게 묻는 외에, 금군 한 명을 종묘서로 보내 본서 관원을 돕게 하소서.

또 사직서社稷署에서도 우물에 감춘 제기를 아직 못 꺼냈다고 하니 종묘서와 함께 병조에서 금군 네다섯 명을 보내 본서 관원과 같이 꺼낸 뒤, 수량을 본조에 알리게 하소서."

———

우물은 급한 일이 일어났을 때, 귀중품을 감추기에 안성맞춤이다.

제기는 전 해 일어난 병자호란丙子胡亂 때 넣었을 터이다. 우물이 종묘 전사청典祀廳에 딸린 신정神井인지, 문밖의 우물인지는 알 수 없다.

공무로 불려오던 군사가 달아난 것은 병란으로 기강이 허술해진 탓이다.

(3) 인조 15년(1637) 4월 4일

———

임광任絖(1579~1644)이 아뢰었다.

"변란變亂 초 이명익李命益(?~?)에게 금은제품을 여러 색리色吏에게 나누어 주라 이르고, 중남仲男(?~?) 등에게 산성으로 옮기라 하였는데, 끝내 온데간데없습니다. 나머지 잡물은 깊은 우물에 넣은 뒤 나무와 돌멩이로 덮었습니다. 그제, 병조 군사 20명이 이틀 동안 이들을 들어내자 옥대玉帶·정철正鐵·잡물이 든 궤짝 따위가 나왔습니다."

———

별란은 병자호란이고 낭산성은 남한산성이며, 상의원尙衣院은 조선시대 임금의 의복과 금은보화 따위를 관리하고 공급하던 관청이다. 둘이 난리 중이라 몸만 빼치고 달아났는지 귀물도 가지고 갔는지 모른다.

정철은 무쇠를 불에 달구어 단단하게 만든 쇠붙이의 하나로 시우쇠·숙철熟鐵·유철柔鐵 따위로 불린다.

(4) 고종 40년(1903) 10월 22일

———

서경(평양)에서 돌아온 대신들을 덕수궁 함녕전咸寧殿에서 만난 임금이 '성안에도 물을 길어 먹는 우물이 있는가?' 묻자, 이근명李根命(1849~1916)이 '본디 우물을 파지 않고 대동강大洞江 물을 먹었습니다' 하였다.

―――――

땅을 파면 홍수가 난다는 풍수설 때문에 평양에 20세기 초 무렵까지 우물을 파지 않았다니 믿기지 않는다.

이중환李重煥(1690~1756)도 일찍이 『팔역지八域地』에 '평양의 지리가 행주형行舟形인 까닭에 우물을 파지 않는다'고 적었다.

① 『지봉유설芝峯類說』 기사이다.

―――――

옛적에 평양성 안에 우물이 없었다. 신묘년에 권징權徵(1538~1598)이 감사가 되어 우물을 여러 길 파고도 돌 때문에 물을 얻지 못하다가 이것을 뚫었더니 솟았으며 그 안에 붕어와 연밥이 있었다. 그 까닭은 모른다.

풍수장이術者가 '평양성은 배를 가로놓은 형국이므로 우물을 파면 앙화가 있으리라'더니, 이듬해 왜병이 왔으며 물도 맛이 써서 먹지 못하였다고 한다(지리 「우물」).

―――――

왜병은 임진난 때 쳐들어온 왜군이다.

② 『조선의 풍수朝鮮の風水』 기사이다.

―――――

평양의 읍기邑基는 만수대萬壽臺 남쪽 기슭에 위치하며, 지금의 대동군 청사가 있는 곳이다. 이 만수대는 모란봉(동쪽)의 줄기가 평양의 평야로 흘러내려서 언덕을 이룬 까닭에 이를 혈穴로 잡으면 청룡이 짧고 백호가 길다. 따라서 대동강의 긴 흐름이 그 앞을 북동에서 남서로 감돌아 흐르고 강 건너로 멀리 이어져서 수대국水大局을 형성한다. 이로써 평양은 예부터 '행주형'이라고 일러온다(村山智順 1931 ; 751~752).

―――――

이 때문에 오가는 배의 안전을 위해 연광정練光亭 앞 깊은 물에 닻을 내려놓았다.

사진 312

1923년의 가뭄으로 대동강물이 줄어서 큰 쇠닻이 드러나자 시민들이 강가에 건져 놓았더니, 바로 그 해 큰 홍수가 나서 평양 시내가 물바다를 이루었다. 이번에는 닻을 건져놓은 탓에 시가지가 떠내려간다는 말이 돌아서 다시 내려놓았다.

또 옛적에 우물을 팠더니 불이 잦았던 탓에 메웠다는 말도 있다. 주민은 물론, 관공서에서도 대동강 물을 길어 먹은 까닭이 이것이다. 사기꾼 물장수 봉이 김선달을 주인공으로 한 소설이 나올만하였다.

사진 312는 일제강점기에 대동강의 물을 동이에 떠 담아서 나르는 아낙네들이 보인다. 이들 뒤로 지게로 물통을 나르는 사람이 보인다. 이 무렵에는 강물도 마실 수 있었지만 큰 도시였던 만큼 우물이 아주 없지는 않았다.

사진 313은 평양시의 한 우물에서 모녀가 물을 긷는 모습이다. 딸은 물이 담긴 물동이를 머리에 얹고 오른쪽 손가락을 입에 문 채, 어머니의 두레박질이 끝나기를 기다리고 있다.

뒤로 수숫대 담이 보이지만 네모꼴 전을 시멘트로 두툼하게 올린 것을 보면 개인 우물이 아니라 마을의 두레우물일 터이다.

사진 313

사진 314도 평양시 한 우물가의 풍경을 담은 엽서이다.

한 아낙이 전이 없는 우물가 돌 위에 올라서서 물을 뜨고 있다. 앞에서 든 대로 김홍도金弘道 그림에 나타난 우물을 20세기 중반에 들어와서도 쓴 것이다.

양쪽에서 차례를 기다리는 두 여인 가운데 오른쪽은 두레박줄은 잡은 채 이쪽을 쳐다보고, 왼쪽 끝 어린이는 양철 물통을 지게로 나를 판이다. 오른쪽 끝에서 빨래하는 여인은 먼저 빤 것을 기둥에 걸어놓았다. 그럴듯한 방법이다.

사진 314

3)『일성록』의 간추린 기사이다

	때	내용
1	정조 6(1782) 7 · 5	우물가에서 여러 말을 주고받다.
2	정조 13(1789) 윤5 · 22	딸 낳은 어미가 면목 없다며 우물에 뛰어들다.
3	정조 14(1790) 5 · 12	우물에 주검을 던지다.
4	정조 17(1793) 1 · 7	우물 관리를 게을리 한 관리를 벌주다.
5	정조 19(1795) 10 · 5	같은 우물 쓰는 사람은 아주 친하다.
6	정조 20(1796) 1 · 28	우물에 몸을 던지다.
7	정조 20(1796) 10 · 4	우물에 몸을 던지다.
8	정조 20(1796) 12 · 29	우물에 몸을 던지다.

앞 기사에 대한 설명이다.

(1) 정조 6년(1782) 7월 5일

———

황해도 배천白川에서 일어난 유학幼學 조재정趙載鼎(?~?) 사건에 대한 임금의 말이다.

"이가원李可遠(?~?)은 의심스러운 점이 한둘이 아니다. 조환趙鐶(?~?)을 불러내어 일이 다 끝난 뒤에 사증詞證을 만들게 하였고, 들에서 부른 노래와 우물가에서 나눈 말과 부엌에서 몰래 본 것은 그럴 듯하지만, 빈틈이 많아 살옥殺獄의 증거로 삼기 어렵다."

———

'우물가에서 나눈 말'이라는 대목은 이곳이 온갖 소문의 발원지임을 알려준다.

인척 이가원과 조환의 고발에 따라 묵은 시체를 파내 부검한 결과, 조재항趙載恒(?~?)의 짓임이 밝혀졌다. 그는 밥 한 그릇 때문에 아내 윤여인尹女人을 발로 차고 때려서 그날로 죽게 한 것이다.

(2) 정조 13년(1789) 윤5월 22일

———

해주海州 아무개의 처 조씨趙氏는 남편이 죽었을 때 아기를 밴 몸이었다. 아들을 바랐지만 딸이었다. 시아버지에게 '이제 또 희망이 끊어졌으니 남편을 따르는 길밖에 없습니다'고 한 뒤, 집 앞 우물에 몸을 던졌다.

이를 아무도 몰랐건만 기르던 개가 따라가 슬피 짖으며 떠나지 않았고, 염殮할 때와 하관下棺 때도 그치지 않았다. 이에 채제공蔡濟恭(1720~1799) 등이 정려를 청하였다.

———

조선시대에 아들을 낳지 못해 쫓겨나거나 목숨을 잃은 일은 드물지 않다.

여인이 우물에 뛰어들 때 흔히 고무신을 우물가에 나란히 벗어 놓는 것은 자신이 올바른 정신을 지닌 것을 알리려는 의도일 터이다. 이는 집안에 오를 때 신발을 벗는 관습에서 왔지만, 죽은 뒤 다른 세계로 간다는 뜻이라는 설과, 자신이 죽은 장소를 나타내려는 의도라는 설로 나뉜다.

그리고 치마를 뒤집어쓰는 것은 죽음에 대한 두려움에서 벗어나기 위함이다.

전라북도 임실군 오수면 오수리에도 술 취해 잠든 주인을 불구덩이에서 구한 개를 기리는 오수 의견상獒樹義犬像과 비각이 있다.

(3) 정조 14년(1790) 5월 12일

———

충주목忠州牧 이조음상李造音尙(?~?)의 옥사에 대해 형조에서 아뢰었다.

"12살 먹은 태분太分이 다른 사람의 음행을 어찌 알겠습니까? 임여인林女人과 나눈 이야기는 아녀자의 어리석고 망령된 행동에서 나온 것에 불과합니다. 이태손

李太孫(?~?)과 이조음상은 태분을 묶고 마구 때려서 그 자리에서 죽이고 우물에 던졌습니다. 살인이 벌어진 이래 이처럼 잔혹한 일은 없었습니다."

———

두 사람이 그네를 죽여 우물에 던진 것은 사실이지만, 관찰사의 보고에도 잘못이 있는 것이 드러나서 7월에 풀려났다.

(4) 정조 17년(1793) 1월 7일

———

기곡대제祈穀大祭 때 제감祭監 감찰 홍광일洪光一(1738~1822)이 아뢰었다.
"내정內井의 물이 마르면 미리 외정外井을 손보아 쓰게 하는 것이 바로 서부西部 수정관修井官의 책무입니다. 이번의 친제親祭 때, 내정이 말랐음에도 외정을 그대로 두어 혼란이 일었습니다. 또 우물을 골라 물을 길을 때 수정관이 살피지 않았고, 종도 대기시키지 않았습니다. 중요한 일을 허술히 다루기에 (⋯) 이보다 더 심한 보기는 없으니 죄를 물어야 합니다."

———

기곡대제는 임금이 사직社稷에서 정월正月 첫 잔나비 날辛日, 풍년을 빌던 나라의 제사이다. 우리는 고려 때부터 조선말까지 지냈다.
사직단이 경복궁 서쪽에 있었기에 서부라고 한 것이다. 중요한 국가적 제사인 만큼 우물 관리자를 따로 두었음에도 구실을 게을리 하였다는 뜻이다. 우물을 안팎 두 곳에 마련한 까닭이 그것이다. 종묘에도 우물을 안팎에 두었다. (☞ 사진 260~263)

(5) 정조 18년(1794) 7월 16일

———

(황해도) 서흥瑞興의 아무개 아내 민씨閔氏는 8년에 걸치는 남편 병구완을 한결같이 했지만, 마침내 죽자 슬퍼하는 얼굴빛을 드러내지 않고 시부모를 위로하였다. 날이 저물어 바깥채外室에서 목 맨 것을 사람들이 발견하여 줄을 풀어주었음에도 며칠 뒤 다시 우물에 몸을 던졌다.

———

오직 죽기로 마음먹으면 아무도 막지 못한다.

(6) 정조 18년(1794) 12월 14일

———

금성金城의 이창필李昌必(?~?) 집에서 싸우는 소리를 듣고 갔더니, 저의 팔촌 누이 지소사池召史가 울고 있었습니다. 남편은 '아내가 시어머니에게 불손하여 분통이 터진 나머지 수차례 뺨을 때렸다'고 말했습니다. 집으로 돌아오자 그의 어미가 뒤따라와 '조금 전에 며느리가 갑자기 집을 나갔기에 눈 발자국을 살폈더니 우물가에서 멈추었네. 함께 찾아보세' 권하였습니다.

이창필이 건네준 장대로 휘젓자 걸리는 것이 있었고, 그가 머리카락을 잡아 끌어낸 결과 지조이였습니다. 제가 '이처럼 단지만한 얼음 구멍에 어찌 사람이 빠져 죽는가? 반드시 네가 때려 죽였을 것'이라 소리쳤더니 '원수가 눈앞에 있으니 내가 죽을 수밖에 없구나' 중얼거렸습니다.

———

어린아이를 깨끗이 씻기지 않은 이창필의 아내 지씨가 시어미 양씨의 나무람을 듣자 입을 비쭉거리며 비웃었고, 이를 본 남편이 때려 숨이 끊어진 것을 우물에 빠져죽었다고 둘러댄 사건이다.

(7) 정조 19년(1795) 10월 5일

———

그는 한마을에서 우물을 같이 쓰는 자인데, 양반 임얼박林乻朴(?~?)이 돈 열네 닢 잃은 것이 무슨 큰일이라고 처음부터 의심합니까? (…) 때리고 나서 처음에는 바지를 벗기려다가 끝내 범행을 저질렀습니다.

———

'우물을 같이 쓴다'는 한 마을에서 가깝게 지낸다는 뜻이다. '한솥밥 먹는 사이'라는 말과 같다.

전라북도 고부군古阜郡 우덕면優德面의 임얼박이 자신의 돈을 훔쳐갔다고 여긴 이해용李海用(?~?)을 때려서 열흘 만에 죽은 것에 대해, 그 형 이익용李益用(?~?)이 고발한 내용이다.

양반이랍시고 부린 임얼박의 횡포에 죄 없는 백성이 목숨을 잃은 것이다.

(8) 정조 20년(1796) 1월 28일

―――

보령保寧 선비 신효권申孝權(?~?)의 처 유씨柳氏는 어린 적부터 품행이 유난히 발라서 남자와 놀거나 음식을 먹은 적이 없으며, 12세에 어미 상례를 치를 때는 어른처럼 의젓하였다. 신씨申氏와 정혼定婚 하였음에도 집에서 물리려 하자 (…) 아버지에게 '혼기를 앞 둔 지금 갑자기 없던 일로 삼는 것은 선비 집안의 처의處義가 아닙니다' 하며 목숨을 끊겠다고 버티는 바람에 혼사를 마쳤다.

남편이 열병瘋疫으로 죽자 물 한 모금도 마시지 않으며 죽기로 다짐하였고, 우물에 몸을 던진 것이 한 번, 스스로 목을 맨 것이 두 번이었다. 이때마다 옆에서 구해주었더니 마음이 편해져서 죽을 마음이 없는 척하다가 장기葬期가 정해진 뒤, 어두운 집 안에서 스스로 목을 맸다.

―――

(9) 정조 20년(1796) 10월 4일

―――

옹주翁主의 마마 증세가 순조롭게 회복되어 마마신痘神을 보내는 의식을 법식儀註대로 치렀다.

「임금이 지은 송신문送神文」이다.

朕根窠之圓光兮	뿌리 잡은 자리마다 둥글게 빛나더니
挨次之齊兮澹以紅	차례대로 모두 담홍색이 되었구나
圈啓蘂兮爛燿	둥근 점이 꽃술처럼 열리며 빛나는데
總多吉兮瓏	모두 잘 피어서 영롱하구나
點於星兮膿珠	반짝이는 반점은 구슬 짓무른 듯
日彌三以符期	사흘 채워 시간을 맞추었구나
怳嘉客兮於焉	어느새 고운 손님의 황홀한 모습
爛燁煜兮宮槃	아름다운 그 모습 궁중에서 빛나네
糝餌兮井渫	찰떡 빚고 우물 깨끗이 친 뒤
造我神兮酬之	내가 신에게 나아가 잔을 올리도다

| 穀朝兮于差 | 아아, 좋은 날 가렸으니 |
| 遠于將兮祁祁 | 조용히 멀리 떠나기 바라노라 |

———

'사흘 채워'는 홍역으로 열이 난 사흘 뒤에 얼굴에 불꽃(반점)이 돋는 증상으로 이 뒤에 병이 물러간다고 여겼다.

'손님'은 두창痘瘡에 대한 존칭이다. 집집마다 옮긴다고 하여 호구별성戶口別星이라 하는 외에 마마라고 높여 불러서 병귀가 노여움을 풀고 일찍 돌아가기를 바랐다. 얼굴의 반점을 화려한 꽃에 견준 것도 마찬가지이다.

우물 청소는 주위의 부정을 가신다는 뜻이다. 임금이 병귀 쫓는 글을 지었으니 그 사랑이 얼마나 깊은가를 알고도 남는다. 그림 75는 무교巫敎에서 받드는 호구별성신상(국립민속박물관 소장)이다.

그림 75

(10) 정조 20년 12월 29일

예조에서 올린 충신·효자·열녀 별단別單 가운데 한 가지 보기이다.

———

김화金化 학생 심석의沈錫義(?~?)의 아내 김씨는 남편이 기이한 병에 걸려 3년 동안 낫지 않자 밤마다 목욕하고 자신이 대신 죽게 해 달라고 빌었다. 남편이 끝내 숨진 뒤, 시부모에게 '박복한 저는 (…) 갑자기 남편이 죽는 불행을 맞았습니다. 보잘 것 없는 제가 함께 가는 것은 여자로 당연한 일입니다' 하더니, 그날 밤 우물에 뛰어들었다. 이웃에서 구해 주었음에도 다음 날 스스로 목을 맸다.

———

4) 『국조보감國朝寶鑑』 기사이다

(1) 정조 24년(1800) 6월 28일

———

임금이 창경궁 영춘헌迎春軒에서 승하하고, 그 뒤부터 엿새째 되는 날 왕세자가 창덕궁 인정문仁政門에서 즉위하였다.

수빈綏嬪 박씨朴氏가 임신했을 때 용꿈을 꾸었고 (…) 탄생일에 무지개가 종묘 우물에 박히고 상서로운 광채가 환히 비쳤다(제76권).

———

『조선왕조실록』에는 정조 14년(1790) 6월 18일에 일어났다고 적혔다.

무지개가 종묘 우물에 박힌 것은 역대 임금의 음덕으로 원자가 태어났다는 뜻일 터이다. 수빈 박씨는 정조正祖(1776~1800)의 후궁이자 순조純祖(1800~1834)의 생모이다.

(2) 인조 27년(1629) 1월

———

전 주부主簿 이상검李尚儉(?~?)이 연추문延秋門 밖 옛 경복궁 서쪽의 묵은 우물에서 옥보玉寶를 발견하여 바쳤다. 그에게 상을 주라고 하였다(제35권).

———

『조선왕조실록』에도 같은 기사가 있다.

6장
민속

1. 우물파기

1) 옛 기록

(1) 『산림경제山林經濟』 기사이다.

———

① 산의 본줄기인 생왕방生旺方에 파면 좋다(권1 卜居 「井」). (『故事撮要』)

———

생왕방은 오행에서 말하는 길한 방향이다. 『고사촬요』는 우리 어숙권魚叔權(?~?)이 1554년에 낸 백과사전이지만 근거가 무엇인지 궁금하다.

———

② 방堂 앞뒤와 앞마루廳에 우물을 파면 나쁘다(『山居四要』·『居家必用』).

———

우리와는 연관이 없으며 순리에도 어긋난다.

———

③ 부엌 옆에 우물을 파면 해마다 마음과 몸이 약해진다(『거가필용』).

———

옳지 않다. 오히려 부엌과 우물은 가까워야 편한 법이다.

___

④ 우물과 부엌이 마주보면 남녀가 문란해진다(『거가필용』).

___

까닭을 알 수 없다.

___

⑤ 우물 파는 옛 방법이다.

㉠ 물동이 수십 개를 우물 파는 자리에 두었다가 밤에 살피되, 다른 것보다 큰
별이 보이는 곳을 파면 반드시 단 물이 솟는다.

㉡ 근래 신 아무개愼生는 구리 동이 여러 개를 땅에 엎어놓았다가 새벽에 살펴서
이슬이 맺힌 자리를 파면 물이 나온다고 하였다(『農家集成』).

___

㉠은 이치에 닿지 않으며, ㉡은 물이 물을 부른다는 점에서 유감주술類感呪術을 연
상시킨다.

『농가집성』은 우리 신속申洬(1600~1661)이 낸 책이다. 김창협金昌協(1651~1708)은 이
대목이 북송의 방작方勺(1066~?)이 지은 『박택편泊宅編』에 있다면서 '신 아무개'는 신무
愼懋(1629~1703)라고 밝혔다. 『산림경제』의 저자가 『농암집』에서 옮겼는지, 『박택편』에
서 따왔는지는 알 수 없다.

신무는 식견이 높고, 행실이 뛰어나 당대에 널리 알려졌다. 일찍이 국가의 장래를
위한 소疏를 올렸으며, 벼슬을 내렸음에도 받지 않았다.

___

⑥ 강이나 바다 부근에서는 바람이 순한 날 파야 한다. 강이 우물 자리 서남쪽에
있을 때, 서남풍이 불면 강물이 바닷바람을 타고 들어와 물이 달지만, 바람이 순
하면 바닷물이 바람을 타고 들어와 짠 맛이 도는 까닭이다(『거가필용』).

___

물맛과 우물 파는 날의 바람 방향을 연관시킨 것은 믿기 어렵다.

⑦ 납鉛 10여 근(6킬로그램)을 우물에 넣어두면 물이 맑고 달다(『거가필용』).

우물에 납을 넣으면 오히려 해로울 것이다. 더러 유황으로 소독을 하였다.

⑧ 청명일淸明日에 우물을 치면 좋다(『거가필용』).

양력 4월 4~5일 무렵인 청명일의 우물 청소는 중국 풍속이다.

⑨ 옛 우물은 메우지 않는다. 어기면 눈이 멀고 귀가 먹는다(『산거사요』·『거가필용』).

『한국식생활풍속』에 '물길이 끊긴 탓에 물이 말라도 한 번 판 우물은 메우지 않았다. 그 안에 깃든 용왕이 노여워하여 벙어리를 만든다고 여긴 까닭이다. 하는 수 없이 메워야 할 때는 소금을 넣어서 재앙을 막았다'고 적혔지만 이는 매우 드문 보기이다 (강인희 외, 1983 ; 231).

우물을 사람의 눈에 견주는 것은 중국 민속이다. (☞ 728~729)

⑩ 우물이 넘치면 동으로 360걸음 안에서 청석靑石을 찾아 술에 삶았다가 넣으면 곧 그친다(『산거사요』·『거가필용』).

무슨 소리인지 알다가도 모를 일이다.

⑪ 예부터 우물가에서 발돋움하기를 꺼린다(『산거사요』·『거가필용』).

귀담아 둘 말이다. 자칫하면 우물에 빠지기 때문이다.

『거가필용』은 원대元代에 나온 몽골풍의 가정요리 백서이고, 『산거사요』는 원의 왕여무王汝懋(?~?)가 깁고 보탠 산촌山村의 일상생활에 필요한 방법 네 가지를 적은 책이다. 앞에서 든 대로, 중국 풍속을 연상시키는 항목이 들어있는 까닭이 이것이다.

(2) 『증보산림경제增補山林經濟』 기사이다.

①~③은 앞 책의 내용을 옮겨 왔다.

———
④ 우물 두 개를 파면 눈이 밝아진다(권1 卜居 「天井」).
———

'우물 두 개'는 곧 사람의 눈을 가리킨다.

———
⑤ 명차銘茶 십여 근(6킬로그램)을 우물에 넣으면 물이 맑고 달다. 사람들이 우물을 청명에 치워야 깨끗해진다고 한다(권1 卜居 「天井」).
———

차를 넣는 방법이 효과가 얼마나 있을지 궁금하다. 청명절 우물 청소는 앞에서 설명하였다.

———
⑥ 『잡기雜記』에 우물은 깊이가 두 자 일곱 치(90센티미터쯤)가 되어야 물이 넉넉하다고 적혔다. 땅에 벽돌을 겹쳐 깔고 15겹의 부들로 이엉을 이어야 하며 얕으면 나쁘다. (…) 우물이 기울어지거나 좁거나 막히거나 튀어나오거나 물이 똑똑 떨어지는 소리가 들리면 해롭다. 물이 흘러나갈 데가 없거나, 다리로 흐르거나, 소멍에처럼 생기거나, 달이 나오는 것처럼 생긴 것도 마찬가지이다(권1 卜居 「天井」).
———

『잡기雜記』는 어떤 책인지 알 수 없다. 우물 깊이에 관한 대목은 옳다. '땅에 … 이엉'은 우물 지붕인가? 우물 형태에 관한 기사는 더러 들을 만하다.

⑦ 마루 앞뒤나 방 앞, 대청 안에 우물을 파지 않는다. 우물과 부엌이 마주 있으면 나쁘다. 우물의 진흙으로 부뚜막을 쌓거나, 부엌 흙으로 우물을 메우지 않는다. 또 부엌 옆에 우물이 있으면 해마다 곡식이 쭉정이만 남는다고 한다. (…) 오래된 우물이 있으면 귀가 먹거나 눈이 먼다. (…) 우물가에서 발돋움하면 나쁘다(권1 卜居 「天井」).

앞부분은 『산림경제』의 기사 그대로이다. '우물의 진흙과…부엌 흙'도 터무니없다. 우물에서 진흙이 나올 까닭이 없거니와, 부엌 흙(부뚜막)으로 우물을 메우는 사람이 어디 있을까? '부엌 옆의…'도 이치에 맞지 않기는 마찬가지이다. 다만, 우물가에서 발돋움하면 빠지기 쉬운 것은 사실이다.

⑧ 우물곁의 나무가 우물을 덮으면 참새 따위가 똥을 싼다. 우물곁에 귀틀을 마련해서 어린이가 빠지지 않게 한다. (…) 꽃 가꾸기를 삼가며, 복숭아나무는 심지 않는다. 어기면 여자들이 반드시 바람이 난다(권1 卜居 「天井」).

앞의 말은 옳지만 '여자들의 바람…'은 그르다.
사진 315처럼 농가에서는 통나무를 엇걸어서 귀틀을 짜지만 여유가 있으면 사진 316처럼 돌을 쓴다.

사진 315

사진 316

⑨ 인가의 우물은 많을수록 좋다. 맛이 나빠도 파야 하며 그 물을 끌어서 샘甕井을 만들거나 연못으로 빼면 된다(권1 卜居 「天井」).

옳은 말이다.

⑩ 먼 곳의 물은 홈통을 이어서 끌어오되, 부엌에 가까우면 아주 편리하다(권1 卜居 「天井」).

우리도 홈통을 이용하였거니와 일본도 마찬가지이다.

앞 책과 달리 인용한 데를 밝히지 않아서 우리 것과 중국 풍속을 구별할 수 없지만, 많은 부분이 겹치는 것을 보면 중국서책의 것으로 생각된다.

이밖에 우물을 파거나 고치기 좋은 날로 갑자·을축·갑오·경자·신축·임인·을사·신해·신유·계유·축경일 외에 황도일黃道日·천덕합일天德合日·월덕합일月德合日·개일·성일·생기일 따위를 비롯해서 오자五子가 임하지 않은 날·신황정명일身皇定命日 따위를 들었다(권1 卜居 「天井」).

(3) 『성호사설星湖僿說』 기사이다.

불은 물을 끌어들이는 성질을 지녔다. 따라서 땅을 깊이 파고 구덩이에 불을 많이 지핀 뒤, 위를 덮고 연기가 새지 않게 하면 불기운이 옆으로 통해서 물길泉脈을 끌어 온다.

또 재灰 담은 그릇에 물을 부으면, 한 되들이라도 두 되가 들어간다. 불의 기운을 지닌 재가 물을 빨아들여서 넘치지 않는 까닭이다. 석회石灰도 마찬가지이다. 한 풍수장이地官는 '구유를 석회 위에 놓으면 늘 습기가 차고, 재도 물을 머금어서 쉽게 썩으므로, 무덤 자리도 잘 골라야 한다'고 일러주었다. 이 또한 이치가 있을 터이다(제5권 萬物門 「灰」).

'물을 끄는 불의 성질이 물길을 찾는다'는 말은 비과학적이다. 또 구유와 무덤자리는 연관이 없다.

(4) 『농암집農巖集』 기사이다.

———

우물을 파려면 동이 수십 개에 물을 담아 두었다가 밤에 뭇별과 달리 큰 별이 비치는 자리를 파면 반드시 단 샘甘泉을 얻는다고 한다. 이는 방작方勺의 『박택편』에 적혔다.

근래에 풍수地術에 밝은 신무도 '구리동이 서너 개를 엎어 놓았다가 새벽에 살피되, 이슬이 가장 많이 맺힌 데를 파면 반드시 샘물을 얻는다'고 적었다. 이 또한 그럴듯하다. 우리 집 농암農巖에 안타깝게도 샘이 없어 늘 시냇물을 길어 마셨는데, 이 두 가지 방법을 시험해 보려고 한다(『농암집』 제34권 雜識「外篇」).

———

첫 대목은 『산림경제』 기사 그대로이다. 과연 시험해 보았는지, 그리고 효과를 얻었는지 궁금하거니와, 먼저 해보고 책을 썼더라면 더 좋았을 터이다.

2) 「우물파기 노래鑿井歌」

서울시 서대문구 천연동天然洞의 동명東明여중 자리에 있던 초리우물을 배경으로 태평성세를 노래한 서민가사이다. 이운영李運永(1722~1794)과 아들 희현羲玄(?~?)이 1863년에 낸 『언사諺詞』(한글필사본)에 「순창가淳昌歌」・「수로조천 행선곡水路朝天行船曲」・「초혼사招魂詞」・「세장가說場歌」・「임천별곡林川別曲」 따위와 함께 들어 있다. 노래는 판본에 따라 내용과 길이에 차이가 크다.

이운영은 금산군수를 거쳐, 돈령부도정敦寧府都正과 동지중추부사를 지냈으며, 1784년의 세자 책봉 때는 책례도감冊禮都監의 책문관冊文官을 맡았다.

(1) 일곱 토막으로 나누어 설명한다.

———

㉮

그듸는 속긱이라	그대는 속객이라
내일홈 어이알꼬	내 이름 어찌 알랴
오날날 늬일홈을	오늘 내 이름을
그듸다려 니르리니	그대에게 알리나니
인츙 삼빅의	인충鱗蟲 삼백으로
머리지은 뇽이로쇠	머리 지은 용이라

———

우물지기 용이 머리를 삼백 마리의 동물 비늘로 틀어올렸다고 한다. 생김새를 뽐내려는 속셈이다. 그러나 머리가 아니라 수염이라야 더 그럴듯하다.

———

㉯

죠션이 부명ᄒᆞ야	조선이 문명하여
셩현이 나시도다	성인이 나셨구나
삼한을 어루만져	삼한을 어루만져
한양의 도읍ᄒᆞ니	한양에 도읍하니
인물이 번셩ᄒᆞ고	인물은 번성하나
녀염이 박ᄃᆞ로다	마을과 땅이 메마르다
어와 옥황샹제	아, 옥황상제께서
건쳔문을 여르시고	건춘문乾春門 여시고
졔쥐구쳐 ᄉᆞ면의	온 나라 사방의
하토롤 구버보샤	땅을 굽어보신 뒤
일복 홍나롤	일복袙服 홍라紅羅를
슈국의 젼ᄒᆞ시되	수국水國에 전하시되
동문외 십니지는	동문 밖 십리 땅은
쳥뇽이 네 딕희고	청룡 네가 지키고
남문외 십니디는	남문 밖 십리 땅은
젹뇽이 네 딕희고	적룡 네가 지키고

셔문외 십니디는	서문 밖 십리 땅은
빅뇽이 네 딕고	백룡 네가 지키고
북문외 십니지는	북문 밖 십리 땅은
흑뇽이 네 딕희고	흑룡 네가 지키고
왕셩닉 십니지는	왕성 안의 십리 땅은
황뇽이 네 딕희여	황룡 네가 지켜서
우물의 믈을 쑴어	우물의 물을 뿜어
만무를 니케ᄒ라	만물이 자라게 하라
우리는 빅뇽이라	우리는 백룡이라
셔방을 고음아라	서쪽을 주관하니
반송방 노첨졍계	반송방盤松坊 유기점 일대
팔각뎡 나린 믹의	팔각정에서 내려온 줄기에
굴혈을 졈디ᄒ야	바위틈을 점지해서
삼빅년 서려 이셔	삼백년을 지내오니
쇠리를 흔번 치매	꼬리를 한 번 치자
감텬이 소사나니	단 물 솟아올라
이러므로 셰샹의셔	이로써 세상에서
칭디왈 쵸리우물	꼬리우물이라 하네

　조선왕조의 탄생이 예사롭지 않음을 강조한 다음, 나라가 번성하며 사람이 크게 늘어난 탓에 물이 모자라게 되자, 옥황상제가 물나라에 명하여 용들이 물을 뿜어 올리게 한 덕분에 풍년을 거둔다는 것이다. 또 자신은 서대문밖의 우물지기 백룡이라 하였다.

　일복은 부녀자들의 속속곳이고, 홍나는 붉은 비단이다. 이들을 물나라에 선물하였다는 뜻인가? 붉은 비단은 그럴듯하지만 여자의 속속곳은 어울리지 않는다. 동·서·남·북·중앙을 지키는 용의 빛깔은 오행사상에 따른 것으로, 용 자체도 물을 상징한다. 건춘문은 경복궁의 동문으로 봄이 동쪽을 상징하는 까닭에 이곳에 세웠다.

　반송방은 서울 서대문구 교남동·교북동·송월동·홍파동·행촌동·현저동·영천靈泉동·옥천玉川동·천연동·냉천冷泉동 일대로, 동명여중 자리에 큰 반송이 있던 데서 왔다.

(2) 이에 대한 『신증동국여지승람』 기사이다.

———

반송정은 모화관 북쪽에 있으며 수십 걸음이나 되는 그늘을 드리울 정도로 크다. 꼬불꼬불 뒤틀려 올라간 덕분에 일찍이 고려 왕이 비를 그었다고 하여 이렇게 불렸다. 조선 초기까지도 있었다(제3권 한성부 「누정」).

———

이 학교 바로 옆 동쪽의 금화金華초등학교 교가에도 '반송 푸른 솔은 우리의 기상'이라는 구절이 있다. '노천경계'는 '놋점鑪器店경계'로 서대문구 냉천동에 1910년대까지 놋점이 많았던 데서 왔다.

지금까지 팔각정을 동명여중 자리에 있던 천연정天然亭에 딸린 우물이라고 한 것은 잘못이다. 팔각정을 여덟모우물八角井로 새긴 탓이다. '팔각정에서 내려온 줄기'라고 한 것을 보면, 말바우鞍山(295.9미터 흔히 무악산毋岳山이라고 한다)에서 금화산金華山으로 흘러내린 능선의 중간, 곧 무악동 독립공원에서 마포구 봉원동의 약수(복수물)로 넘어가는 마루턱 어름에 있던 팔각정자일을 터이다(지금도 1960년대에 세운 정자가 있다).

한편, 이승복이 서대문구청 홈페이지의 '고장이야기'를 들며, 팔각정이 '현재 경기대학교 아래의 인창중고등학교 자리에 있었'고 한 것은(2008 ; 414) 의문이다. 거리가 지나치게 떨어진 까닭이다.

동명여중과 금화초등학교 사이에 큰 우물이 있었던 것은 사실이지만, 옥천동에서 자란 내 기억에도 여덟모였는지 분명치 않다. 이것은 1945년 무렵까지 버려져 있다가 1950년대 말, 동명여중이 금화초등학교 뒷문(북쪽)에서부터 냉천동으로 가는 길(남쪽)을 막고 운동장을 넓힌 탓에 없어졌다.

초리우물의 '초리'는 '꼬리'를 가리키며 서대문 네거리 옆 서울경찰청 자리에 웃초리우물이, 그 바로 아래에 아랫초리우물이 있었다. 이 일대를 미동尾洞이라고 부르는 까닭이 이것이다. 실제로 안산 봉우리가 용의 머리라면 이 일대는 꼬리가 된다. 또 '초리우물'은 안산에서 흘러내린 물줄기가 산 꼬리에 맺혀서 솟는다는 뜻이다.

———

㉰

그러나 슈근은 유흥흐고   그러나 물은 한정이 있고

먹으리도 흥도홀샤	먹을 사람은 많기도 많아
아츰이야 저녁이야	아침에도 저녁에도
새벽이며 밤듕이라	새벽에도 밤중에도
직상의 집 션븨의 집	재상네나 선비네나
호반의 집 한량의 집	호반네나 한량네나
국슈집이요 풋쥬집이며	국수집이나 푸주간이나
엿집이며 썩집이라	엿집이나 떡집이나
통이로셔 동희로다	모두 동이로 떠가고
댱군이야 하셔리라	장군이나 하서리下胥吏나
깃거니 프거니	긷고 또 푸려고
이 우물의 운집ᄒᆞ니	이 우물에 모여드니
드레도 샌지오고	두레박도 빠지고
족박도 쌔이ᄂᆞᆫ동	바가지도 깨지네
아야 지야 지껴리고	이러쿵저러쿵 지껄이고
웨걱 데걱 분답ᄒᆞ다	왁자지껄 소란 떠네
슬을 씻고 풋츨 곤들	쌀을 씻고 팥을 삶아도
믈 업시 밥이 되며	어찌 물 없이 밥 되랴
감곽과 즌 곤포ᄂᆞᆫ	미역과 젖은 다시마
바리로 싸혀 잇고	바리로 쌓이고
싱치와 대화 ᄭᅮ미	채소와 왕새우
아모리 버려신 들	아무리 쌓인들
이 믈 업게 되면	이 물 없으면
국이 어이 되올손고	국 어찌 끓이랴
셔문 외 쳔만가의	서대문 밖 많은 집들
믈싸홈 고극터니	물싸움 심하더니

———

서대문밖 한데우물에서 벌어진 물 다툼이 눈에 선하다. '통이로셔'는 온통, '분답粉沓'은 사람이 벅적거려서 시끄럽다는 뜻이다. 하서리는 직급이 낮은 아전이다.

미역·다시마·왕새우 따위가 등장한 것은 서소문 네거리 서쪽에 열차에 실어온

수산물을 부리는 집하장이 1950년대 말에도 있었기 때문이다.

두레박이 '드레'로 오른 것이 눈을 끈다.

㉤

그듸는 슬긋ᄒᆞ여	그대는 슬기로운
녀듕의 호걸이라	여자 중의 호걸이라
가연이 싱각ᄒᆞ듸	미루어 생각하니
새 믈을 어이 못 ᄑᆞ리오	새 우물 어찌 못 파랴
올흔손의 자만들고	오른손에 자만 들고
후졍의 드러가셔	뒤뜰로 들어가서
지믹을 헤아리고	지맥을 살피고
ᄉᆞ방을 둘너보아	사방을 둘러보아
차환을 분부ᄒᆞ여	젊은 여종에게
이곳을 깁히 ᄑᆞ라	이곳을 깊이 파라 이르니
졍셩이 디극ᄒᆞ매	지극한 정성에
내 ᄆᆞ음 감동ᄒᆞ야	내 마음 움직여
챵ᄒᆡ예 싸힌 믈	바다에 쌓인 물을
먹으며 쏢어내니	머금어 뿜어내니
그듸의 북챵 압희	그대 집 북창 앞에
감노슈 졀노 나니	감로수 절로 솟네
구양션싱 고산쳑은	구양수선생 고산천高山泉(?)은
이샹ᄒᆞ기 두 번이오	두 번 이상하고
소동파의 셕괴뎡	소동파의 석귀정石塊井(?)은
신긔ᄒᆞ기 일반이라	신기하기 일반이라
구만이 은슈하가	구만리 은하수가
야반에 써러진가	밤중에 ·떨어졌나
만고 ᄑᆞ리 취룔	만고 파리玻璃 수정水晶을
옥호의 담앗ᄂᆞ 듯	옥 항아리에 담은 듯

ᄌᆞ미롭다 그듸 우물	맛 좋구나 그대 우물
종요롭다 그듸 우물	요긴하다 그대 우물
졔ᄉᆞᆯ 밧드오며	제사를 받들고
빈긱을 디졉ᄒᆞᆯ 졔	큰 손님 대접할 때
취디 무궁이요	길어도 끝이 없고
용디 불갈이라	써도 마르지 않네
짐쟝이야 셔답이야	김장이나 빨래에
믈걱졍 다시ᄒᆞᆯ가	물 걱정 다시 없네
다홍이야 옥쇡이야	다홍이며 옥색이며
ᄌᆞ디야 초록이야	자주며 초록이며
퍼라 퍼라 내 우믈을	퍼라 퍼라 이 물로
빅옥갓치 희어지게	백옥처럼 희어지게
쌜고 쌜아 비츨내라	빨고 빨아서 빛을 내라
창두 젹긱이	종蒼頭이나 귀양객이나
우믈 길을 니별ᄒᆞ니	우물길을 이별하니
오날날 이 우물은	오늘날의 이 우물은
그듸 집 보빅로다	그대 집 보배로다
그듸는 혜여보소	그대 생각해 보소
닉 은혜 엇더ᄒᆞᆫ고	내 은혜 어떠한가
그듸는 혜여보소	그대 생각해 보소
닉 은혜 니즐손가	내 은혜 잊겠나

초리우물에서 물싸움이 이어지자 슬기로운 여장부가 마침내 자신의 집 뒤뜰에 우물을 판다. 이를 여종에게 시킨 것은 내외가 엄한 시절이라 남자를 들일 수 없었기 때문이다. 그 열성에 감동한 우물지기 용이 큰 바닷물을 뿜어 올리자 감로수로 바뀌어서 은하수와 수정처럼 맑은데다가 맛도 중국의 구양수歐陽脩(1007~1072)나 소동파蘇東坡(1037~1101)가 읊조린 우물보다 좋다고 한다. 고산천과 석귀정은 어디에 있는지 모른다.

'종이나 귀양객이나 우물길을 이별한다'는 대목은 의문이다.

늬 은혜 이러ᄒᆞ니	내 은혜 이러하니
아니 갑고 어이 ᄒᆞᆯ고	어찌 갚지 않으랴
속담의 일어시되	속담에 이르기를
일천 냥이 두돈 오푼	천 냥이 두 돈 오 푼이라
그ᄃᆡ 아들 ᄉᆡᆼ일 잔ᄎᆡ	그대 아들 생일잔치
빅뇽인 늬 아던가	백룡인 내 아닌가
국왕이 둔듕ᄒᆞ여	임금이 중히 여겨
ᄃᆡ한이 긔우ᄒᆞᆯ 제	큰 가뭄에 비 빌 제
옥빅을 가쵸아셔	옥과 비단 갖추어서
뇽궁의 바처시니	용궁에 바쳤으니
그ᄃᆡ만치 인ᄉᆞ 알고	그대만큼 인사를 아는 사람
날 ᄃᆡ접 아니 ᄒᆞᆯ가	날 대접 않으랴
송이치 삼 형제를	송이치(?) 세 형제
직샹을 시겨노코	재상을 시켜놓고
가막 기 노랑 ᄃᆞᆰ을	검둥개 누런 닭을
슈업시 효시 ᄒᆞ고	수없이 목 자르고
슈둑으로 삼긴 거슨	물짐승으로 태어난 것은
각 젼의 모도 ᄣᆞᆯ고	여러 점포에서 모두 사며
ᄭᅵᆼ치와 졔육으란	꿩고기나 제육은
ᄲᅧ 업시 모화 노코	뼈 발라 모아놓고
굽거니 ᄊᆞ리거니	굽거니 끓이거니
지지거니 회치거니	지지거니 회 뜨거니
동ᄃᆡ쳥 ᄒᆞᆫ가온ᄃᆡ	동쪽 대청 한 가운데
어두어케 버려 노코	잔뜩 벌여놓고
문어 젼복 ᄃᆡ구 명ᄐᆡ	문어 · 전복 · 대구 · 명태
졀육을 버려 노코	얇게 썰어 익힌 고기 차려놓고
국슈와 원반슈가	국수와 원반수기에

무진 무진 데여 닉며	잇달아 데워내며
썩으로 일홈흔 것	떡이라 이름 지닌 것
떡이라는 떡	떡이라는 모든 떡
항혀흐나 샌지오리	행여 하나라도 빠지랴
어져 이져고야	어찌 잊을 손가
컬컬흐면 어이홀고	목마르면 어이하나
가지김치 빅쳥타셔	가지김치에 꿀 타서
미슈로 딕령흐고	미숫가루 물 대령하고
길일 양신으란	길일 좋은 날을
소경의게 갈회여셔	소경에게 물어서
삼듕셕 돗 벼기의	세겹자리 안석에
상빈으로 쳥흐리는	귀빈으로 모시리라
그듸니 됙하 듕의	그대 집 조카 중에
어느님니 겨오신고	어느 님네 계신가
닉 말딕로 이 잔치를	내 말대로 이 잔치를
밧비 거힝 흐게 흐소	바삐 벌이게 하소

우물에서 물이 솟도록 애써 주었으니 큰 잔치를 베풀라고 독촉하면서, 임금의 기우제 때 온갖 예물을 갖추듯, 자신에게도 산해진미를 잔뜩 차리라고 이른다.

'일천 냥이 두 돈 오 푼'은 '천 냥짜리 서 푼도 본다'는 속담(물건 값은 보기에 달렸다)처럼 '그대 아들 생일잔치'이지만 백룡인 나를 대접하는 잔치로 여기겠다는 뜻이다. '송이치 삼형제가 재상이 되었다'는 말은 알 수 없다. 맛좋은 물을 두고 기껏 가지김치에 꿀을 타서 마신다니 나같은 '속인'은 아무래도 그 속을 모르겠다.

문어·전복·대구·명태가 등장한 까닭은 앞에서 설명하였다. '송이치·원반수기·돗베개'도 무슨 말인지 모르거니와 '목마르면 어이 하나'의 주인공이 용 자신인지도 의문이다.

ⓑ

이덕이를 판들 알며	이덕이(?)를 판 들 알며
덕남이를 판들 알가	덕남이(?)를 판들 알까
그듸니 세간슈를	그대 집 세간살이
늬 발셔 아라거니	내 벌써 알았거니
과쳔셔 시러온 벼	과천에서 실어온 벼
셩뫼셔 드러온 뽈	셩뫼(?)에서 들어온 쌀
홍쥬 믹셩이셔	홍주 매셩(?)에서
타작ᄒ야 비 짐흔 것	떨어 배에 실은 것
절반만 작젼ᄒ면	절반만 쓰면
이 잔치 걱정홀가	이 잔치 걱정하랴
하믈며 의능참봉	하물며 의(?) 능참봉과
늬즛 봉스	내자국內資局 관리와
상의 쳠졍 한셩 셔윤	상의원尙衣院 첨정僉正과 한성부 관리庶尹
션혜 낭청 호죠 좌랑	선혜청 낭청과 호조좌랑
흔 번 ᄒ며 두 번 홀가	한 번 하며 두 번 할까
녹뽈과 구츅돈을	녹으로 받은 쌀과 거두어 모은 돈을
다 혜오면 언마 되며	다 모은들 얼마나 되며
삼빅 뉵십 쥬의 ᄒ나 가는	삼백육십주의 첫째가는
평양 셔윤 왕셩	평양 서윤 왕셩
반일졍의 죵요로온	반일졍(?)의 중요한
김포 군슈 그듸네	김포 군수 그대로세
딕즉아비 환녹궁이 저러ᄒ니	태직太稷아비 환녹궁(?)이 저러하니
이십년 쳥빅으란	이십년 청백이란
날 위ᄒ야 조곰ᄒ다	나로서는 별것 아니다(?)
글노셔 탐이 되며	그것으로 탈이 되거나
뉘라셔 나무랄가	누가 나무라지도 않으리라
소경의게 월ᄂᆡᆫ 들	소경에게 달변을 낸들
어듸가 업다홀가	어디선들 못 구하리

———

잔치를 위해 이덕이나 덕남이 같은 종을 팔아도 좋지만(?), 그렇게까지 하지 않아도 이런저런 벼슬살이로 거두어들이는 것 또한 적지 않으니 문제가 없을 것이라 한다. 어디 그뿐인가? 20년 동안 이어온 올곧은 여러 가지 벼슬이 잠깐 무너지게 되더라도 주저하지 말라고 꼬드긴다. 그러나 '장님의 돈을 꾸어서라도 차리라'고 하는 것은 용龍답지 않다.

서윤庶尹은 조선시대에, 한성부와 평양부에서 판윤과 좌우윤을 보좌하던 종4품 벼슬이고, 태직은 임금이 백성을 위해 후직后稷에게 제사 지내던 곳이다.

㉃

뇽이라 ᄒᆞ는 거슨	용이라 하는 것은
셩 곳ᄂᆞ면 어려우니	성 나면 어렵거니
ᄂᆡ 말ᄉᆞᆷ 올히 녁여	내 말을 옳게 여겨
인ᄉᆞ을 차리랴면	인사를 차리려면
며ᄂᆞ리 죵아희을	며느리와 종아이에게
오날노셔 분부ᄒᆞ야	오늘 일러서
도마라도 싹가노코	도마도 깎아놓고
찬 칼이나 가라노코	찬 칼도 갈아놓고
노구솟 가마시옹	노구솥 가마새옹
징반듸졉 슈져들은	쟁반 대접 수저들은
기와장 갈늘마아	기왓장 고루 빻아
죠촐이 삣가시고	말끔히 닦아내고
것잣시나 무러싸고	?
호초라도 마으리소	후추라도 갈게 하소
나롯시 셕ᄌᆞ라도	나룻이 석 자라도
먹어야 영감이니	먹어야 할 터이니
ᄂᆡ 마음 즐거워야	내 마음이 즐거워야
그듸도 깃브리니	그대도 기쁘리니
쳔년 듸 만년 듸의	천 년 뒤 만 년 뒤까지

오복이 구비흐리   오복을 누리리라

———

용이 제사를 잘 차려야 대를 이어 복을 받을 것이라고 으름장을 놓는 것도 그답지 않기는 마찬가지이다.

이승복은 '그대'를 작자의 두 번째 아내 진주 강씨로 보고 '집에 새 우물을 판 뒤, 마침 아들의 생일이 닥치자 용에 대한 보답을 구실로 삼아, 잔치를 평소보다 크게 벌이게 함으로써 우물까지 판 아내를 위로하고 (…) 싶었는지 모른다. (…) 그러한 의미를 지닌 잔치이기에 살림걱정을 하면서 주저할 아내에게 (…) 협박하듯이 해서라도 꼭 벌이고 싶었을 것'이라 하였다(2008 ; 430).

그러나 아내를 위한 노래로는 지나치게 복잡하고 길며, 말 흐름 또한 오락가락이다. 그만한 벼슬에 그만한 수입이 있으면서 '종 둘을 팔아서라도 우물을 판다'는 대목도 비현실적이다.

물 부족으로 인한 살인에 가까운 다툼을 안타깝게 여긴 나머지 물의 상징인 용의 입을 빌려 집집에서 여자들이라도 나서서 우물 파라고 부추기고, 이로써 대대로 복을 누릴 것이라는 권면가사로 보는 것이 좋을 듯하다.

한편, 임동권任東權(1926~2012)은 '서울 서대문구 평동에 있던 웃초리우물과 아래초리우물에 국수와 동전을 놓고 빈 다음, 물 떠오는 것을 용왕의 젖 타가지고 온다고 이른다. 물 담은 병 입을 솔가지고 막아서 산모 목에 걸고 집으로 돌아올 때, 물을 방울방울 떨어뜨리면서 우리 아기 젖 많다고 거듭 읊조린다. 물병 둘을 양쪽 목에 거는 곳도 있다'고 적었다(1974 : 176).

두 우물의 신령스러움을 알리는 말이다.

(3) 이종성李宗城**(1692~1759)의 시(**「삼복 이틀 뒤 여럿이 택당의 운을 골라 각기 짓고, 홍헌이 부사의 다음 제목을 기다림三伏後二日 與諸公拈澤堂韻各賦 ㊟待洪獻使君續題」**)이다(부분).**

———

吾行偶爾子同遷	내 우연히 그대와 함께 옮겨와
又得松翁水石邊	또 송옹의 수석 옆 자리를 얻었네
有酒曾同金把	술 있어 함께 모여 잔 기우리며
湖山養性浮名謝	호산에서 품성 닦고 뜬 이름 버리네

最是老夫歸意足　　이는 늙은이가 가장 바라는대로
一區耕鑿祝堯年　　밭 갈고 우물 파 태평 즐기리라

『오천집梧川集』 권1「북영수창록北營酬唱錄」

――――

'밭 갈고 우물 파는 일'은 태평성대를 가리킨다.

택당은 이식李植(1584~1647)의 호이다.

2. 정명井銘

우물을 파고 나서 그 내력을 비에 새긴 것을 정명이라 한다. 이 관습은 중국에서 생겼으며 우리나라를 거쳐 일본으로 들어간 듯하나, 우리는 일본보다 매우 적다.

다음에 보기를 든다.

(1) 이곡李穀(1298~1351)의 「영암사 새 정명靈巖寺新井銘」이다.

――――

孰室于玆　　　누가 이 절집 지었나
匪佛則仙　　　부처 아니면 신선이지
山環碧玉　　　산은 푸른 옥으로 둘리고
地湧青蓮　　　땅에는 푸른 연꽃 피었네
水在地中　　　물은 땅속에 있지만
窮通自天　　　막히거나 통하기 하늘에 달렸노라
維井之瞀　　　우물 바짝 마른 것도
維陽之愆　　　바로 심한 가뭄 탓이니
求之山下　　　물 얻으려 산 아래로 가서
驢背人肩　　　나귀 등에 싣고 사람 어깨에 메고
往來一舍　　　삼십 리를 오르내리네
斗水百錢　　　물 한 말에 백전이라

人求其福	사람들 복 구한다며
養此福田	물긷는 이 복전 가꾼다지만
雖則福田	말이 복전이지
食可下咽	어찌 목에 넘어가랴
有大檀越	착한 신도 한 사람
乃見其然	이를 보고
乃募良匠	뛰어난 기술자 데려와
乃相東偏	동쪽 우물 터 살피더니
其下惟石	그 아래 바위
鑿之彌堅	팔수록 단단하자
人初指笑	사람들
有類溜穿	낙수落水로 바위 뚫기라 비웃었지
其深百尺	그러나 백 자쯤 깊이 파느라
其久二年	이태나 걸린 끝에
旣難旣獲	마침내 얻었네
有冽寒泉	맑고 찬 샘물
遠近聚觀	사람들 구경하려고
奔走後先	앞서거니 뒤서거니 다투었지
其源混混	근원 깊은 샘 퐁퐁 솟아
其達涓涓	졸졸 끝없이 흐르리라
泓澄涵泳	맑게 고인 깊은 샘에
顚倒星躔	별자리 거꾸로 걸려서
物之隱現	사물의 숨고 드러나는
其理則全	도리 온전히 알리누나
孰無其後	그 누가 마무리 안 짓고
而有其前	중간에 손 떼랴
掘至九仞	아홉 길에 이르도록
不泉勿捐	솟을 때까지 팠노라
我銘在甓	정명을 벽돌에 새기니

凡百勉旃   모두 본받을 지어다

『가정집稼亭集』 제7권 「명찬銘讚」

영암사는 중국 산동성 태안시 태산泰山(1,545미터) 남쪽에 있으며, 이 글은 시인이 그곳에 머물 때 지었다. 그는 조선초의 왕사王師라는 무학無學(1327~1405)대사와 나옹懶翁 혜근惠勤(1320~1376)을 만나 공부하다가 1356년에 고려로 돌아왔다.

『고려사』 기사이다.

이곡은 중국 조정의 문사들과 사귀고 함께 학문에 열중한 덕분에 글을 지을 때 붓을 들어 바로 썼으며 말이 바르고 뜻이 오묘하였다. 문체도 전아典雅하고 고고高古해서 외국인의 글로 보이지 않았다고 한다.

그곳에서 벼슬길에 올라 휘정원 관구徽政院管勾와 정동행 중서성征東行中書省의 좌우사 원외랑左右司員外郞을 지냈으며, 원이 우리에게 자주 처녀를 바치라고 하자 어사대御史臺에 중지를 요청하는 외에 상소문도 지었다(『고려사』 권103 열전 「이곡」).

'부처나 신선이 지었다'는 절집의 우물이 말랐다니 이만저만한 가뭄이 아니었을 터이다. 삼십 리나 떨어진 곳에서 나귀 등이나 사람 어깨로 날랐으니 말이다. '물 한 말에 백전'은 상상을 뛰어넘는 일 아닌가? 그나마 두 해 동안 바위를 30여 미터나 파내려가는 노력 끝에 물줄기를 찾은 것은 여간 다행이 아니다. 그의 말대로 그 노력을 '마땅히 본받을 일'이다

복전福田은 봄에 씨 뿌리고 가꾸어 가을에 거두듯이, 공양하고 보시布施하면 복을 받는다는 뜻의 불교 용어이고, 청련靑蓮은 상서로움을 나타낸다. '물긷는 이 복전 가꾼다'는 말은 그만큼 귀한 물을 길어대니 부처가 복을 내린다는 뜻이다.

(2) 앞 사람은 이 우물에 대한 시(「서산 영암사에 씀. 이 절 중은 모두 고향이 같음題西山靈巖寺寺僧皆鄕人」)**도 남겼다**(부분).

棟宇何時不記初   집 처음 지을 때 모두 적었으련만

斷碑唯載太康書	깨진 비에 태강의 글씨만 남았구나
曲通小逕千峯裏	일천 봉우리로 가는 굽은 오솔길
新鑿寒泉百尺餘	새로 일백 자쯤 판 찬 우물
俗客敢留塵土迹	속객이 진토의 자취를 어찌 남기랴
鄕僧猶愛水雲居	우리 승들도 떠돌기를 즐기나니

『가정집』 제16권 「율시」

――――

'모두 고향이 같다'는 말은 그들이 고려 사람이라는 뜻이다. 태강은 서진西晉 문제 文帝(280~289)의 연호이지만, 글씨를 잘 쓰는 다른 사람일 가능성이 높다.

(3) 이황李滉(1501~1570)의 「열정명洌井銘」이다.

――――

書堂之南	서당 남쪽의
石井甘洌	돌샘 달고도 차네
千古煙沈	오랜 세월 안개에 잠겼었으니
從今勿冪	이제 다시 덮지 않으리

石間井洌寒	돌 사이의 맑고 차디찬 샘
自在寧心惻	스스로 솟으니 기쁘구나
幽人爲卜居	여기 거처를 정한 숨은 이
一瓢眞相得	한 바가지 물로 족하리라

『도산잡영』

서당 남쪽의 돌 사이로 솟는 샘 하나는 맛이 달고도 차다. 이제까지 천년을 안개 낀 남모르는 곳에 가라앉아 있었으니 내가 서당을 연 지금부터는 아무도 메우지 않게 하겠다.

돌 사이로 솟는 물이 맑고도 차가운데 자연의 모습을 그대로 간직해서 내 마음이 기껍다. 나 같은 은자가 이 우물곁에 살고자 하니, 그저 공자의 제자 안회顔回(전 521~전 490)처럼 한 그릇의 밥 먹고, 한 표주박 물로 목축이면 참으로 그 모습이 잘 어울리리라.

열정은 경상북도 안동시 토산면 토
계동 도산서원陶山書院 입구 오른쪽에
있다(사진 317). 사진 318이 우물이고
사진 319는 안 모습이다. 이것도 몽천
처럼 본디 것이 아니라 1980년대에 짐
작으로 복원한 것이다.

사진 317

사진 318

사진 319

물막은 『주역』 상륙上六괘 풀이의 '우물물 길어 올리니 덮지 말라井收勿幕'는 기사에
서 왔다(「水風井」). 이를 주자朱子(1130~1200)는 『주역본의周易本義』에서 '수는 길어서 얻
는 것, 막은 가려서 덮는 것'이라고 새겼다.

'정렬한'에 대해 앞 책 구오九五에서 '우물이 맑아 차가운 물을 마시는 것'이라며,
'열은 달고 깨끗함이다. 우물은 차가워야 맛있다. 달고 깨끗하고 차가운 샘은 사람이
마실 수 있다'고 이어 붙였다.

'자재심측'은 앞 책의 '우물을 깨끗이 청소해도 마시지 않으니 내 마음이 슬프다'는
대목에서 왔다. '자재'는 당唐 두보杜甫(712~770)의 시(「배를 띄움放船」) 가운데 '강물 스스
로 크게 흐르며江水大自在 / 편히 앉아보니 흥취 깊구나坐穩興悠哉'라는 구절에 보인다.
또 송 소식蘇軾(1037~1101)의 시(「육화사 충 스님이 산골물을 막고 헌암을 지음六和寺冲師閘山溪爲水軒」)에
도 '맑은 시내 터놓아 마음껏 흐르게 하려고欲放淸溪自在流 / 차가운 눈얼음 모래로 떨
어지게 하네忍敎氷雪落沙洲'라는 구절이 있다.

'일표'는 『논어』에 들어있다. 공자가 안회를 기려서 '어질구나 안회여, 밥 한 그릇과 물 한 바가지로賢哉 回也一簞食 一瓢飲 / 누추한 골목에 사는 것을 남들은 못 견디지만 그 즐거움을 바꾸지 않는구나在陋巷人不堪其憂回也不改其樂 賢哉 回也'라고 읊조린 내용이 그것이다(「雍也篇」).

열정이라는 이름도 정괘에서 온 것으로, 차가운 우물이라는 뜻이다.

(4) 송시열宋時烈(1606~1689)의 「열천명冽泉銘」이다.

문정공 김 선생이 일찍이 석실산石室山에서 한가로이 지냈으므로, 의관衣冠이 이곳에 묻혔는데, 사손嗣孫 김수증 연지金壽增延之가 그 원천源泉에 돌을 깎아 둘레를 쌓고 이름을 '열천'이라 지었다. 이에 문인門人 은진 송시열이 공손히 절하고 삼가 명한다.

皎皎秋月	맑고 맑은 가을 달
照此寒水	이 찬 샘에 비치니
千載之心	천년의 그 마음
先生仰只	선생이 우러르셨네

이상은 주자朱子의 감흥시 제10편을 전부 끌어서 선생의 원시原詩가 지닌 뜻을 밝혔다.

下泉瘝歎	하천의 개탄은
念彼京師	성주成周를 그리워함인데
萬折而東	온갖 물은 동해로 흐르듯
先生以之	오직 선생이 실천하였네

이상은 『시경詩經』의 「하천시下泉詩」 제3장을 인용하여 노선생의 뜻을 표현하였다.

逝水之歎	서수의 감탄에
微乎聖旨	성인의 뜻 깊으니
仁智見之	인자하고 슬기로운 이를 보고
何不謂矣	어찌 감탄하지 않으리

『송자대전宋子大全』 제150권 「명銘」

석실산石室山은 진晋나라(265~420) 때 석강浙江 상류인 구주衢洲에 있었다. 산 아래 마을의 나무꾼 왕질王質이 나무 아래에서 동자童子 둘이 두는 바둑을 구경하던 중에 한 동자가 건네 준 과일을 먹자 배고픈 줄 몰랐으며, 한판이 끝나자 한 동자가 도끼자루가 썩었다고 일러주었다고 한다. 그 사이 수백 년이 흘렀던 것이다. '신선놀음에 도끼자루 썩는 줄 모른다'는 말은 이에서 왔다(『述異記』).

문정공文正公이 김상헌金尙憲(1570~1652)이고, 영지延之가 김수증金壽增(1624~1701)의 자인 것을 생각하면 석실산은 우리나라에도 있었을 터이지만, 이름을 앞의 중국 고사에서 끌어왔을 가능성도 있다.

'하천의 개탄이 성주를 그리워하듯'의 성주는 중국의 주나라이며, 이 시에서는 곧 명을 가리킨다. 우리가 중국을 본받아야한다는 중화사상의 골수분자였던 송시열은 만년에 충청북도 괴산군 청청면 화양동에 임진왜란 때 도와준 명 신종神宗(1563~1620)을 위한 만동묘萬東廟를 세우고 제사도 받들었다.

3. 상징

1) 고려시대

(1) 신령스러운 우물

① 『고려사』 기사이다.

임금이 밀직제학密直提學 장하張夏(?~?)와 판사 양종진楊宗眞(?~?)을 개성의 한우물
大井에 보내 비를 빌게 하였다. 마침, 이날 비가 내리자 장하에게 궁궐의 말內廏馬
을 상으로 주었다(제134권 열전 제47 「신우」 2).

② 앞 책의 기사이다.

평량공平凉公 왕민王旼이 신종神宗(1197~1204)이 되어 아들 왕연王衍(뒤의 희종熙宗
[1204~1211])을 태자로 삼았다. (…) 임금이 달애 우물疽艾井의 물을 마시면 고자
가 득세한다는 말이 돌자, 이를 메우고 광명사廣明寺 우물을 어정御井으로 삼았다
(제129권 열전 제42 반역 3 「최충헌」).

그러나 『고려사절요』에는 최충헌崔忠獻(1149~1219)이 메웠다고 적혔다(제13권 明宗光孝
大王 2 정사 27년[1197]). 화엄종華嚴宗의 반발을 산 그가 이로써 선종禪宗을 새로운 정치적
후원자로 두려고 했던 것이다.

신종의 어정은 침실 바깥쪽에도 있으며, 앞에서 든 대로 작제건과 용녀의 전설이
얽혀 있다.

③ 『청장관전서靑莊館全書』에 '다래疽艾는 곧 다래達愛와 소리 값이 같다. (…) 속어로
등리籐梨를 다래疽艾라 하는데, 등리 두 글자는 아주 새롭다는 뜻'이라는 기사가 있다
(제55권 「앙엽기盎葉記」 2).

이 물을 마시면 어째서 고자가 권력을 휘두르는지 모르지만, '다래'에 다른 뜻이
숨어 있을 터이다.

④ 김영부金永夫(1096~1172)를 위한 묘지명墓誌銘이다.

재상의 자리에 있은 지 10여 년이나 되었어도 집안에는 아무 것도 남지 않았다.
공이 집을 고치려고 다른 곳으로 떠났더니 평장리平章里 집 근처의 큰 우물이 갑

자기 말라버렸다.

그러나 세 해 뒤 공사가 끝나 돌아오자 다시 솟았다. 아, 기이하지 아니한가?(『고려묘지명집성』 II 「고려 무인정권시대高麗武人政權時代」)

———

우물도 주인공의 깨끗한 성품에 감응하였다는 뜻일 터이다.

김영부는 1157년에 지문하성사知門下省事가 되었으며, 이듬해 참지정사參知政事 판상서병부사判尙書兵部事에, 1164년에 중서시랑中書侍郎·중서평장사中書平章事에 올랐다.

(2) 용과 우물

① 『고려사』 기사이다.

———

용녀龍女가 처음 왔을 때, 개주開州 동북쪽 산기슭을 파고 은그릇으로 물을 떴다. 지금 개성의 한우물이 그것이다. 그네는 일찍이 송악산松嶽山(488미터)에 새로 지은 집 창 밖에 우물을 파고 그곳을 거쳐 서해 용궁으로 드나들었으며, 우물은 광명사廣明寺 동상방東廂房 북쪽에 있다.

그네는 늘 남편作帝建(?~?)에게 '내가 용궁으로 돌아갈 때는 절대로 엿보지 마세요. 어기면 다시 돌아오지 않겠습니다' 하였다. 어느 날 몰래 보았더니 어린 딸과 더불어 우물에서 황룡黃龍으로 바뀌더니 5색 구름이 피어올랐다. 그네는 '부부간의 중요한 도리인 신의를 어겼으니 더 살 수 없다'며 딸과 함께 우물로 들어간 뒤 다시 오지 않았다.

남편은 만년에 속리산俗離山 장갑사長岬寺에서 불경을 읽다가 죽었다. 뒤에 그를 의조 경강대왕懿祖景康大王으로, 용녀를 원창왕후元昌王后로 올렸다. 왕후가 낳은 아들 넷 가운데 맏이가 왕용-건王龍建이다. 이름을 왕융王隆으로 고친 그는 뒤에 세조世祖(918~943)가 되었다(「서문 고려 왕실의 세계」).

———

용녀가 한우물이 아닌, 집 안에 새로 판 우물로 드나든 것은 의문이다. 앞에서처럼 한우물은 고려 말뿐 아니라, 조선시대에도 숭앙의 대상이었다. 앞에서 든 대로 우왕(1374~1388)이 이곳에 신하들을 보내 비를 빌게 한 것이 좋은 보기이다.

용녀가 물을 은그릇으로 뜬 것도 예사롭지 않다. '광명사'는 불교와의 연관성을 강조하려고 적었을 터이다. 개성시 만월동滿月洞 연경궁延慶宮 북쪽 송악산 기슭에 있는 이 절집은 태조가 922년에 옛 집을 바쳐서 지었다고 한다.

②『고려사』의 한우물 기사이다.

신라 경덕왕景德王 15년(756)에 개성군으로 고쳤다. (…) 충렬왕忠烈王 34년(1308)에 성안은 개성부가, 성 밖은 개성현에서 다스리게 하였다. 이 현에 한우물이 있다. 의조懿祖(작제건)가 용녀에게 장가 든 뒤, 개성산開城山 기슭의 땅을 팠더니 곧 물이 솟았다고 한다(제56권 「왕경개성부」 제10 「지리」 1).

---

③『동국여지승람』에 '우물(깊이 60센티미터)이 개성부 서쪽 22리에 있으며 (…) 해 마다 봄가을에 제사를 지낸다'고 적혔으며(권4 「개성부」 상), 이병도李丙燾(1896~1989)는 20세기 중반에도 우물 옆 사당에서 용녀에게 제사를 올렸다고 하였다(1976 ; 790).

④ 이곡李穀(1298~1351)의 시(「도솔 벽 위의 시에 차운함次兜率壁上韻」)이다(부분).

尋山本不爲尋仙	산에 신선 찾으러 가지 않느니
千里游觀豈偶然	천리 유람 또한 어찌 우연이랴
浩劫因緣歸內院	영겁의 세월 인연 끝에 내원에 돌아와
上方世界控諸天	상방 세계에서 제천을 두루 이끈다네
鶴來曾構岩頭閣	학이 날아와 옛적에 세웠다는 바위의 암자
龍去猶存石眼泉	용은 갔어도 예대로 돌샘의 물 솟는구나

『가정집稼亭集』 제20권 「율시律詩」

'영겁永劫'은 미륵보살彌勒菩薩이 도솔천兜率天 내원에서 이 땅에 미래불未來佛로 내려오려고 준비하면서 천신들을 가르친다는 말이다. 도솔천은 불교에서 이르는 욕계欲界의 여섯 하늘六天 가운데 넷째 층으로, 외원外院과 내원으로 이루어졌다. 외원은 천

상의 중생이 살며 욕망을 채우는 곳이고, 내원은 미륵보살이 상주하며 설법하는 정토淨土이다. 이를 선법당善法堂이라고도 한다. 제천諸天은 불법을 수호하는 하늘의 신들을 말한다.

석안石眼은 물이 솟는 바위의 구멍이다.

⑤ 송宋 왕안석王安石(1021~1086)의 시(「우제偶題」)이다.

山腰石有千年碈	산허리 바위에서 솟는 천년의 샘
石眼泉無一日乾	석암의 샘 하루도 마르지 않으니
天下蒼生望霖雨	단비의 은혜 고대하는 천하의 창생들
不知龍向此中蟠	용이 이곳에 깃들리라

『고금사문유취古今事文類聚』 후집 권33

(☞ 729)

⑥ 오늘날의 용궁은 절집에 있다.

사진 320은 충청북도 괴산군 사리면 소매리 백운사白雲寺의 용왕궁이다. 절벽에 높직한 단을 쌓고 팔작지붕의 어엿한 건물을 올렸다. 입구에 세운 까닭에 큰법당에 이르려면 반드시 용왕을 먼저 만난다. '용왕궁'이라는 현판까지 달았다.

사진 321은 용왕이 기거하는 용궁이다. 바다의 물결을 타고 앉은 용왕님은 좌우에도 용을 거느렸으며, 시위 보살과 동자가 곁에 섰다. 벽 왼쪽에 입을 크게 벌린 용과 오른쪽에 천년 묵은 자라를 곁

사진 320

들이고, 천장에는 희고 붉은 연꽃을 줄줄이 매달았다(사진 322).

사진 323은 용궁 아래의 샘이다. 입구 양쪽에 새긴 여의주를 다투는 용 두 마리가

사진 321

보인다. 물은 확의 홈을 타고 앞의 작은 웅
덩이로 흘러내린다. 사진 324는 큰 법당 뒤
의 감로수이다. 단지처럼 깎은 돌에 뚜껑도
덮었다.

사진 322

1321년에 지은 이 절은 대흥사大興寺로 불리다가 18세기에 문을 닫았으며, 지금의
이름은 1930년에 장우長雨(?~?)가 초막 네 칸을
세우면서 새로 붙였다.

사진 323

사진 324

다음은 용신 부부상이다.

그림 76은 '용궁부인만너임(용궁부인 마나님)' 초상이다(서울대학교박물관 소장). 옛 한글
자체도 그렇거니와 '마나님'이라고 적은 것을 보면 나이가 든 그림이다. 너그럽고 복
많이 타고난 마나님이 두 손을 모으고 푸른 용을 타고 앉았다. 수염을 위로 뻗친 채

눈을 부릅뜨고 쳐다보는 용의 턱 밑
으로 푸른 바닷물이 출렁거린다.

그림 77은 '용장군임(용장군님)'이
다(서울대학교박물관 소장). 큰 눈 양쪽
으로 뻗은 뼈와 턱 밑의 팔자수염,
손에 든 홀笏(?) 따위는 신령스러운
존재임을 나타내지만, 앞의 그림과
달리 용의 자취는 보이지 않는다.

그림 76　　　　　　　그림 77

(3) 불교와 우물

① 『동문선』 기사이다.

대반일大半日에 임금(충숙왕 1294~1239)이 우대언右代言 이광시李光時(?~?)를 절에
보내어 향촉을 올려서 받드는 뜻을 나타냈다. 국통國統이 법호사法護寺 주지 대
선사大禪師를 청해 설법하고 임금의 수명을 빌라고 일렀다. 사흘 동안 성안의
많은 사중四衆이 다투어 오가며 설법을 듣고 인연을 맺은 자가 담장처럼 늘어
섰다.

이 절의 오래된 우물은 깊고 크지만 더러 냄새가 났다. 올 9월부터 날마다 심해
진 탓에 불목하니들이 매일 다른 데 물을 길어오느라고 지쳐서 늘 물이 모자랐
다. (…) 사정을 국통에게도 알렸지만 도리가 없었다.

모임 사흘 전, 우물이 갑자기 아주 맑고 깨끗해졌으며, 달고 시원한 맛이 더하였
다. 참으로 기이한 일이었다(제68권 「記 國淸寺 金堂主佛 釋迦如來 舍利靈異記」).

국통은 조정朝廷에서 지덕智德이 높은 중에게 붙인 이름이고, 사중은 부처의 제자,
곧 비구·비구니·우바새·우바니를 가리킨다.

부처님의 신통력 덕분에 물의 냄새가 없어졌다는 뜻이다.

② 앞 책의 기사이다.

절을 언제 세웠는지 알 수 없으나 옛적에는 유암사留岩寺라고 불렀다. 광왕光王 (949~975 광종)이 매일 일정한 수의 중들과 재를 올리는 중에, 하루는 한 명이 모자라 길에서 불러들였다. 모습이 매우 보잘 것 없었지만 하는 수 없어 좌석 아래로 데려 왔다. 옆의 중이 '당신은 어디가든지 왕궁의 재에 참석했다고 말하지 말라'고 비웃자, '너도 약사여래를 직접 보았다고 이르지 말라'고 맞받았다. 이어 공중으로 걸어 올라가더니 유암 우물 속으로 숨었다. 왕이 그제야 불은사佛恩寺를 크게 짓고 높이 받들며 현판도 고쳤다고 한다(제70권 「고려국 천태 불은사 중흥기」).

약사여래가 미욱하고 교만한 중을 깨우치려고 현신한 것인가? 재를 올릴 때 일정한 수를 채워야하는 까닭이 무엇인지 궁금하다.

불은사는 경기도 개성시 서본동 비슬산琵瑟山에 있었다.

③ 『가정집稼亭集』 기사이다.

지원至元 경진년(1340) 가을, 전 성균사예成均司藝 박군朴君이 영해寧海의 수재守宰로 나갈 때, 내게 하직 인사를 하며 이렇게 덧붙였다.

예부터 절에 우물이 없어서 멀리서 길어 오느라고 고생이 많았다. 또 지대가 높고 메말라서 사람의 꾀로는 어떻게 해 볼 길이 없었다. 그런데 어느 날 우연히 부처에게 묵도默禱를 올리고 땅을 팠더니 한 길도 채 못 되어, 차가운 샘물이 세차게 솟아올랐다(「高麗國 江陵府 艶陽禪寺 重建記」).

부처가 물이 솟아오르게 하였다는 일화는 우리뿐 아니라 중국에도 흔하며, 일본에는 헤아리기 어려울 정도로 많다. 이는 포교의 수단이기도 하였다.

(4) 마음과 샘

① 이색李穡(1328~1896)의 시(「미친바람狂風」)이다(부분).

狂風簸海蹴長天	광풍에 뒤집힌 바다 하늘에 발길질
萬斛龍驤亦可憐	만 섬들이 배도 나뭇잎처럼 나부끼리
自幸牧翁如在井	목은의 마음 오랜 우물이라
湛然相照故恬然	맑은 마음 비추니 고요하구나

『목은고牧隱藁』「목은시고牧隱詩稿」 제29권

―――――

'광풍에 뒤집힌 바다'는 티끌세상을, '나뭇잎처럼 나부끼는 배'는 그에 따라 움직이는 속세의 인심을 가리킨다.

'만섬용양'은 곡식 만 섬을 실을 만한 큰 배이다. 『진서晉書』에 서진西晉 용양장군龍驤將軍 왕준王濬(206~286)이 거대한 전함을 지어 오吳를 쳤다는 기사가 있다(권42 「왕준열전」).

② 앞 사람의 시(「미친 듯 읊음狂吟」)이다(부분).

―――――

我本靜者無紛紜	본디 고요한 나 번잡하지 않아
動而不止風中雲	그침 없는 바람 앞의 구름처럼 움직이네
我本通者無彼此	나는 본디 트여서 막힘없으니
塞而不流井中水	막혀서 흐르지 않는 우물 같구나
有錢沽酒不復疑	돈 있을 때 술 사 먹는 일 앞장서고
有酒尋花何可遲	술 있을 때 꽃 찾는 일 서두르리라

『동문선』 제8권 「칠언고시」

―――――

'트여서 막힘이 없다'면서 '막혀서 흐르지 않는 우물 같다'는 구절은 언뜻 모순처럼 느껴지지만, 물 같은 마음이라 막히거나 흐르거나 늘 자유롭다는 뜻일 터이다.

③ 이색李穡(의 시(「우연히 적음偶題」)이다.

―――――

| 謾擬吾心井不波 | 우물처럼 고요한 내 마음 |
| 天光日影共森羅 | 햇빛 환히 비치리라 여겼건만 |

多生三業那能免   다생의 삼업 면할 수 없으니

宛似周妻與肉何   주옹의 아내 하윤의 고기 같구나

『목은고』「목은시고」 제15권

다생은 중생衆生, 삼업은 신업身業·구업口業·의업意業으로 몸의 동작·언어·의지의 작용을 가리킨다.

주옹周顒(?~?)은 남조南朝 제齊(479~502) 사람으로 국자박사國子博士에 올랐으며 서예와 음운音韻에 뛰어났다. 청빈하여 종일 거친 음식만 먹고, 처자妻子가 있어도 홀로 산사山舍에서 지냈다.

그때 불법佛法을 깊이 믿은 하윤何胤(446~531)이 홀로 지내는 것을 안 태자太子가 주옹에게 물었다.

"경卿이 정진한 도道가 하윤과 어떠한가?"

"삼도팔난三塗八難은 모두 면치 못하나 각기 흠이 있습니다."

"그것이 무엇인가?"

"주옹은 아내가 있고, 하윤은 고기를 먹는 것입니다."

이 뒤부터 '주옹의 아내와 하윤의 고기'는 식색食色의 탐욕을 가리키게 되었다.

④ 이숭인李崇仁(1347~1392)의 시(「목암스님 시에 차운함. 스님은 고인의 시체를 본 떠 두 편 지었고, 이름은 혜찬이다次木菴師韻師連賦兩篇效古人體 惠欑」)이다(부분).

詩壇師爲傑   시단의 호걸 우리 스님

令嚴如火烈   시율 엄하기 불이로세

骨秋山高秀   빼어난 기골 가을 산처럼 드높고

沖襟古井澈   담박한 흉금 옛 우물처럼 맑구나

從今約同游   이제부터 함께 노닐 터이니

門前謝塵轍   문 앞의 세상 수레 사절하리라

『도은집陶隱集』 제1권 「시」

'문 앞의 수레 사절'은 세상과의 인연을 끊고 은둔을 즐긴다는 뜻이다.

목암은 고려 중 찬영粲英(1328~1390)의 호임에도 '혜찬'으로 오른 까닭을 알 수 없다. 본문의 '혜찬惠槓'도 번역자(이상현)은 '혜찬惠鑽'의 잘못으로 보았다.

⑤ 앞 사람의 시(「우음을 적어 방외의 벗 천봉에게 보냄偶唫錄奉千峯方外契)이다(부분).

―――――

浪作一宵話	우연히 나눈 하룻밤의 대화
却爲多日思	좀체 잊히지 않네
禪心澄古井	오래된 우물처럼 맑은 선사의 마음
客鬢颯秋絲	가을철 실오리처럼 날리는 객의 수염
鯤化已難得	곤으로 바뀌기 어려운 처지이건만
鷦棲還自怡	뱁새 둥지가 오히려 편하네

『도은집』 제2권 「시」

―――――

'곤鯤으로 바뀌기 어려운 처지'는 붕정만리鵬程萬里의 원대한 꿈을 실현하기 어려운 현실인 만큼, 이제는 가난하더라도 평온한 삶을 누리는 것이 훨씬 낫다는 뜻의 자조적 표현이다. 『장자』에 '북명北冥의 큰 물고기 곤鯤이 붕鵬이라는 거대한 새로 바뀐 뒤, 구만리 창공으로 올라가 남명南冥으로 떠나지만, 깊은 숲 속에 둥지를 트는 뱁새는 나뭇가지 하나로 충분하다'는 기사가 있다(「逍遙遊」).

⑥ 이규보李奎報(1168~1241)의 시(「돌샘石井」)이다.

―――――

轆轤聲斷睡寒虯	도르래 소리 그치며 차가운 용 잠들자
石罅狂噴自在流	돌 틈으로 솟고 솟아 멋대로 흘러가네
水性人心若無垢	사람의 마음 물처럼 맑다면
不須憑仗月輪秋	굳이 가을 달 바퀴 부러워 않으리

대사의 시에 '물 나르던 중 가버리고 산에 달 떠오르니汲罷僧歸山月上 / 아주 맑은 거울에 차갑게 담긴 가을빛이네十分淸鏡冷函秋'라는 구절이 있다.

『동국이상국전집』 제2권 「고율시」

아닌 게 아니라 가을밤의 보름달은 유리처럼 투명하다.

'도르래 소리…차가운 용'은 도르래 집에 용을 새기거나 용처럼 꾸몄다는 뜻이다.
한시漢詩에도 자주 보인다.

⑦ 앞 사람의 시(「돌샘에 씀題石泉」)이다.

每見東流疾	물 흐르는 것 볼 때마다
潛懷逝者悲	세월 빠름 슬퍼하였지
淸泉如我意	맑은 샘물도 내 뜻 알아
礙石故透迤	돌 부여안고 짐짓 돌아가누나

『동국이상국전집』 제14권 「고율시」

'세월이 유수 같다'는 말은 흔하지만, 그 때문에 '샘이 돌을 부여안고 더디 흐른다'
니 놀라운 발상이다.

(5) 눈물과 샘

① 이규보李奎報의 시(「문장로 방, 최수재 승규와 고인의 운을 따라 각기 읊음同文長老方崔秀才升圭用古
人韻各賦」)이다(부분).

詞格淸哀珠有淚	맑고 애달픈 시에 구슬 같은 눈물 떨어지고
道心虛寂井無波	비어 고요한 마음 잔잔한 우물이로세
禪公旅寓窠依鳥	도림선사 계신 곳에 까치 깃들고
園客仙期繭作蛾	원객은 누에 키워 고치 따자 신선 되었지
綠髮相逢須痛飮	늙기 전 서로 만나 흠뻑 마시세
他年重見鬢霜多	다시 만날 때 머리 허옇게 세리니

『동국이상국전집』 제8권 「고율시」

도림선사道林禪師(?~?)는 당唐의 고승高僧으로 진정산秦亭山에서 큰 일산처럼 생긴 소나무 위에 집을 짓고 살자, 까치가 옆에 둥지를 트고 깃들어서 사람들이 그를 조과선사라 불렀다고 한다(『傳燈錄』권4 ·『淵鑑類函』권317). 원객은 신선의 이름이다.

② 이에 대한 『술이기述異記』 기사이다.

그는 제음濟陰(산동성 정도현定陶縣) 사람으로 얼굴이 잘 생겼음에도 홀로 지내며 늘 오색향초五色香草를 가꾸었다. 10여 년이 되던 날, 향초 위로 모여드는 나방을 위해 베 보자기를 깔아주었더니 그 위에 누에를 깠다.

그때 마침 한 여인이 나타나 누에치기를 도우며 향초를 먹여서 항아리만한 누에고치 1백 20개를 거두었다. 이를 하나씩 켜는데 한 이레가 걸렸으며, 실을 모두 뽑자 여인은 원객과 함께 신선이 되어 날아갔다.

------

③ 이규보李奎報의 시(「칠월칠석에 내리는 비七月七日雨」)이다(부분).

銀河杳杳碧霞外	은하수 머나먼 저 푸른 노을 밖
天上神仙今夕會	천상의 신선 오늘 저녁 만나지만
相逢才說別離苦	이별의 한 다 풀지 못한 채
還道明朝又難駐	아침이면 다시 헤어질 슬픔에
雙行玉淚洒如泉	두 줄기 눈물 샘처럼 흘러내려
一陣金風吹作雨	서녘 바람 한 바탕 비를 뿌리네

『동국이상국집』 권제2 「고율시」

한 해 한 번, 칠월 칠석에 만나는 견우牽牛와 직녀織女 두 사람이 재회의 기쁨을 누리기에 앞서, 날이 밝으면 헤어질 슬픔에 하늘도 무심치 않아 비가 내린다는 말이다.

한용운韓龍雲(1879~1944)의 '우리는 만날 때에 떠날 것을 염려하는 것과 같이 떠날 때에 다시 만날 것을 믿습니다'는 시(「님의 침묵」) 구절이 떠오른다.

④ 민사평閔思平(1295~1359)의 시(「유개정을 곡함哭劉介亭」)이다(부분).

氣似長虹吸百川　　긴 무지개 수많은 냇물 마시듯
當時左掖醉忘年　　그때 문하성에서 나이 잊고 함께 취했지
浮生過眼風前燭　　덧없는 인생 바람 앞의 촛불처럼 눈앞을 스치니
老淚交頤雨後泉　　늙은이 눈물 비온 뒤 샘물처럼 턱에 어지럽네
漢江迢遞層氷塞　　아스라이 먼 한강 두꺼운 얼음 가득하니
怊悵無因執紼先　　먼저 상여 줄잡지 못해 구슬프구나

『급암시집及菴詩集』 제4권 「시」

─────

쏟아지는 눈물을 비온 뒤 철철 넘쳐흐르는 샘물에 견주었다. '먼저 상여줄…'은 자신이 세상을 먼저 떠났어야함에도 아까운 인재가 앞서 갔다는 한탄이다.

⑤ 이숭인李崇仁의 시(「취한 배중륜이 윤주신을 만나 울었다는 말 듣고 우스개 시를 지어 보냄聞裵中倫醉後對尹周臣相泣戲呈」)이다(부분).

─────

裵公才調久遭延　　재주꾼 배공 오래 불우하더니
知己逢來淚进泉　　지기 만나자 눈물 샘솟듯
慷慨不須三十字　　강개한 서른 자 어디 쓰리오
治安今見一千年　　지금 천 년 태평 누리는 것을

『도은집』 제3권 「시」

─────

'강개慷慨한 서른 자'는 지금이 태평성대이므로, 한나라 가의賈誼(전 200~전 168)가 문제文帝(전 179~전 157)에게 눈물을 흘릴 일이라며 올린 치안책治安策도 필요 없다는 뜻이다.

그 글對策文 첫머리에 '오늘날의 상황은 통곡할 일이 하나요, 눈물을 흘릴 일이 둘이요, 장탄식할 일이 여섯이며, 그 밖에 도리에 어긋난 것들은 이루 헤아릴 수 없이 많다'고 적혔다(『한서』 권48 「가의전」).

'천년 태평'은 '옛 은殷·주周 때는 정치를 잘한 덕분에 평화가 천여 년이나 이어졌

다古者殷周有國 治安皆千餘歲'는 『사기』의 기사에서 왔다(권10 「효문제본기孝文帝本紀」).

(6) 말하는 샘

① 이규보李奎報의 시(「기해년 오월 초닷새에 집 앞 샘이 다시 솟아 장난삼아 다섯 수 지음己亥五月七日家泉復出戲成問答五首」)이다.

㉮ 주인이 샘에게 묻는다主人問泉.

寒流依舊湧嵒間	찬 샘 예대로 바위틈에서 솟아
入沼盈盈漾翠瀾	못으로 흘러 푸른 물결 넘실대누나
爲問靈泉能會不	묻노니 영천을 아느냐 모르느냐
主人還復幾年間	내 몇 해나 다시 볼지 알려다오

덧없는 인생을 샘물에 견주면서 생이 길게 남지 않았음을 한탄한다.

㉯ 샘의 대답이다泉答主人.

盤廻縈屈石中間	구비 구비 돌 사이 돌고 돌아
罅出方成一掬瀾	이제 한 바가지 이루었네요
地下泉流多少在	땅 속의 샘 그리 많은데
何憂不及此時看	왜 지금부터 못 볼 걱정입니까

'땅속의 샘'은 황천黃泉, 곧 죽음의 세계를 가리킨다. 바로 그리 갈 터이니 서두르지 말라는 대꾸이다.

㉰ 주인이 되묻는다主人又問.

| 我心非必憐人間 | 삶에 대한 애착 탓 아니라 |
| 各愛金缸泛綠瀾 | 푸른 물에 술잔 띄우고 싶은 탓이네 |

地下丁寧泉亦在　　땅속에 참으로 샘 있다면
不知能把一杯看　　물 한 그릇 떠 오려무나

―――――

'황천의 샘'에서 생명의 물을 떠오라는 말이 아니라, 저승에서도 술을 즐기고 싶다는 뜻이다.

―――――

㉣ 샘의 대답이다泉答又主人.
汝愛浮觴淨淥間　　맑은 물에 술잔 띄우기 좋아한다며
釀時何復涸予瀾　　술 빚을 때 어찌 내 물 다 퍼냅니까
地中亦有酒泉在　　땅속에도 술 샘 있건마는
曷不尋源一往看　　어째 한 번 찾지 않으시오

―――――

땅속의 샘은 황천이자 주천酒泉일 터이다.

―――――

㉤ 주인의 대답이다主人又答.
汝智區區尺度間　　네 꾀 어설퍼 한 치 앞도 못 보누나
諭予歸吸酒泉瀾　　나를 꾀어 술샘 파 맛보게 하려느냐
霞旋雲帔昇天去　　안개와 구름 헤쳐 하늘에 오르면
渠輩於時得我看　　그때 너희들 어찌 나를 알아보랴

―――――

'안개와 구름헤쳐 하늘에 오르는 것'은 죽어 승천한다는 뜻일 터이다.

(7) 세상 이치와 샘

『동문선』 기사이다.

―――――

강江ㆍ회淮ㆍ하河ㆍ한漢 따위는 큰물이다. 사람들이 모두 반총蟠冢ㆍ동백桐柏ㆍ

곤륜崑崙·민산岷山에서 솟는 것만 알고, 그것이 앞에서 든 네 산에 이르기 전의 근원에 대해서는 알지 못한다.

대체로 물의 본성은 아래로 스며서 흐르는 데 있다. 물이 땅 밑에 있을 때는 비록 보이지 않게 괴어 있으나, 땅위로 나오면 흐르거나 가득 차며 이치에 따라 바뀐다. 사람은 물에 대해 눈에 띄는 것만 알고, 보이지 않는 것은 모른다. 그러므로 성인이 땅 밑에 물이 있는 형상을 보고 사괘師卦를 짓고 비괘比卦를 더해서 근원을 캐는 이치를 일깨운 것이다.

사람들은 과연 물의 근원을 아는가? 축축하게 젖는 것은 물의 남은 기운이다. 그 흐름이 방울방울 끊이지 않고 이어져서 줄달아 장강長江으로 들어가고, 큰 바다에 이르러 널리 퍼져서 막을 수 없게 된다. (…)

내가 하동河東에 있을 때 집 곁에 작은 샘이 있었다. 수풀에 묻혀서 근원이 어느 방향에 있는지 알지 못한 탓에, 이웃 사람들은 더러운 흙에서 나오는 것이라 여긴 나머지 마시지 않았다. 내가 가서 보고 근원을 깨끗이 하고 흐름을 터놓은 뒤 동쪽에 벽돌을 둘렀다. 바로 이웃에 있는 이름난 찬샘冷井과 물길이 같고 맛 또한 닮아서 한 근원에서 물줄기만 갈린 것을 알았다. 기뻐한 마을 노인들이 오가며 길어도 마르지 않았다. 내가 진실로 옛말처럼 슬기를 내어서 물을 흐르게 한 것인가? 아니면 흐름을 거슬러 근원을 알아낸 것인가?

아, 사람이 세상에 쓰이거나 버려지는 것도 이와 닮은 데가 있다. 마땅히 임금을 착하게 하고, 백성을 넉넉하게 만드는 슬기를 지닌 선비라도 곁에서 헐뜯으면 물러나 거칠고 더러움을 참으며 때를 기다리다가, 성군과 지기知己를 만남으로써 그 도를 천하에 베풀게 되는 이치가 그것이다. 오늘날 위에 있는 자가 외모와 말솜씨로 사람을 호리고 마음의 근본은 아랑곳 하지 않으니, 이는 물이 흐르는 것만 알고 근원을 알지 못하는 것과 같다.

'하늘을 말하는 자는 반드시 사람을 징험한다'는 말처럼, 물을 논하는 일 또한 그러하다. 맹자가 '물을 보는 방술方術은 반드시 그 물결을 보는데 있다'고 일렀지만, 나는 '물을 보는 방술은 반드시 근원을 캐고 또 캐는 데 있다'고 말하겠다 (제105권 「原水」).

———

벼슬아치가 지녀야할 품성을 샘의 근원에 견주어 일깨운 훌륭한 글이지만 굳이 중국의 보기를 든 것은 거슬린다.

'강'은 중국의 장강長江, '회'는 회수淮水, '하'는 황하黃河, '한'은 한수漢水를 가리키며, 반총·동백·곤륜·민산은 모두 이름난 산 이름이다.

주역의 64괘六十四卦의 하나인 사괘師卦는 땅 속에 물이 있음을, 비괘比卦는 땅 위에 물이 있음을 나타낸다.

(8) 샘의 공덕

① 이규보李奎報의 시(「길가에서 두 수 읊음路傍二首」)이다.

南北行人喝	오가는 나그네 목마를 때
寒漿當路傍	시원한 샘물 길가에 있네
勺泉能潤國	온 나라 적시는 작은 샘에
再拜逦堪嘗	두 번 절하고 마셔야하리

『동국이상국후집』 제1권 「고율시」

'두 번'이 아니라 열 번이라도 절을 올려야 마땅하다.

사진 325는 전라남도 구례군 마산면 상사마을의 당몰샘이다. 본디 우물 곁 쌍산재雙山齋 사랑마당에 있었으나, 마을에서 모두 마시도록 두레 샘으로 바꾸었다.

담을 둘러서 위에 삿갓지붕을 얹고 담에도 법식대로 용마루를 꾸몄다. 사진 326의 안쪽이 샘이고 바깥쪽은 허드렛물로 쓰도록 네모꼴 확을 놓았다. 사진 327이 눈이 시리도록 맑아서 바닥의 자갈들이 반짝거린다. 한국관광공사가 전국의 일곱 약수 가운데 하나로 뽑았다고 한다.

사진 325

사진 326

사진 327

사진 328

사진 329

사진 328은 '가장 존귀하고 제일 맛 좋다至尊至味'는 내용의 현판이고, 사진 329는 벽에 새긴 글이다. '천년을 이어온 옛 마을의 단이슬 같은 신령스러운 샘千年古里 甘露靈泉'이라는 뜻이다. 이 집에서 쌓은 공덕은 앞으로도 천년 더 갈 것이다.

② 샘의 유래담이다.

————

천여 년 전 한 스님이 이곳에서 물 뜨는 처녀에게 '그 물이 무슨 물이냐?' 묻자, '지리산 노고단老姑壇(1,507미터)의 마고麻姑신에게 올리는 물입니다' 하였다. 물맛을 본 그는 '샘의 심지가 동해와 백두에 닿았으므로, 늘 마시면 무병장수 한다'고 일러주었다. 그가 바로 뒷날의 도선道詵(827~898)선사이다.

————

③ 이규보李奎報의 시(「오월 이십삼일 집의 샘을 두고 두 수 지음五月二十三日題家泉」)이다.

————

집의 차가운 샘은 4~5월쯤 반드시 한 차례 큰 비를 겪고 나서야 물이 솟아 늪을

채운다. 이 뒤부터 큰 가뭄이 아니면 마르지 않고 9월에 가서야 멎는다. 누런 도랑
물도 아니고 원천源泉도 아니어서 까닭을 모르겠다.

初因雨出晴恒湧　　첫 비에 솟으면 비 그쳐도 그대로
認有源淳秋必焦　　근원 먼 탓인가 가을이면 끊기네
我道此泉非地有　　아마도 이 샘 땅의 것 아니라
天應賜我禦炎歊　　하늘이 내게 더위 식히라고 주신 듯

大熱要寒水　　찬 물 생각나는 찌는 더위
泉流必此時　　샘 마침내 솟아
此時吾富貴　　나 부귀 누리나니
盈井又盈池　　우물은 물론, 못까지 넘치네

『동국이상국집』 제4권 「고율시」

———

무더운 여름에만 솟는 샘은 하늘의 축복이자, 이승에서 누리는 행복임에 틀림없다.

(9) 인연과 우물

「쌍화점雙和店」 노래이다.

———

두레우물에 물을 길라 가고신댄　　마을 한데우물에 물 길으러 갔더니
우물 용龍이 내 손목을 쥐여이다　　우물의 용이 내 손목을 잡았습니다
이 말씀이 이 우물 밖에 나명들명　　이 말이 여기저기로 퍼지면
디로러거디로　　　　　　　　　디로러거디로
조그맣간 두레박아 네 말이라 호리라　　작은 두레박아 네 짓인 줄 알리라

———

　물 길으러 갔다가 우물의 용에게 손목을 잡힌 처녀가 '작은 두레박 너만 보았으니
제발 소문을 내지 말라'고 당부하는 내용이다. '우물의 용'이라고 둘러댔지만 그네를
마음에 둔 사나이였을 것이다. 소문을 겁낸 것을 보면 마음에 없지 않았음에 틀림없다.

346　동아시아의 우물—한국

이 노래는 고려 충렬왕忠烈王(1274~1308) 때 나왔으며, '쌍화'는 '만두'를 한자의 소리 값을 빌려 적은 것이다.

(10) 거울과 우물

① 이인로李仁老(1152~1220)의 시(「홍도 우물紅挑井賦」)이다(부분).

栢堂東麓	백당 동쪽 산기슭
有泉澄渌	해맑은 샘
泠然流出於石縫	돌 틈으로 졸졸 흘러
若漱白雲之幽谷	흰 구름 가득한 골짜기 씻는 듯
旱而不渴	가뭄에도 그대로
響如琴筑	거문고처럼 맑은 소리

『동문선』 제2권 「부賦」

맑은 소리로 말하면 거문고가 아니라 가야금이 제격이다. 샘물이 골짜기의 구름을 씻어낸다니 놀랍다.

② 이규보李奎報의 시(「우물에 비친 내 모습 보고 장난삼아 지음炤井戱作」)이다.

不對靑銅久	거울 본지 오래되어
吾顔莫記誰	내 얼굴도 알 수 없네
遇來方炤井	우연히 와 우물에 비추자
似昔稍相知	전에 본 듯한 얼굴 보이누나

『동국이상국전집』 제18권 「고율시」

그때의 구리거울은 우물에 비치는 것과 크게 다르지 않았을 터이다.

『삼국유사』에도 '신이 보이는 우물神見井'에 관한 기사가 있으며(권3권 「탑상」 제4), 지리산의 마야할미摩耶姑도 장터목 산희천山姬泉에 얼굴을 비춰보았다고 한다.

③ 이색李穡의 시(「새 집新居」)이다.

－－－－－

野泉光可鑑　　들판의 샘 거울처럼 맑고
雲谷錦爲棚　　골짜기 구름 비단 시렁 맨 듯
窓扉氈作帳　　창문의 모전 휘장으로 삼고
牆壁紙垂氷　　장벽 종이에 고드름 드리웠네
人世今如此　　지금의 인간 세상과 같아
孤吟耿曉燈　　어둑한 새벽 등불 아래 외로이 읊노라

『목은고』「목은시고」제5권

－－－－－

'골짜기 구름 시렁 맨 듯하다'는 뛰어난 표현이다.

(11) 악기와 샘

① 이규보李奎報의 시(「사면의 샘泉出四面有作」)이다.

－－－－－

繞家皆湧溜　　집 주위에 샘솟아 고여
無處不笙簫　　여기 저기 생황과 통소 소리
仙樂中間坐　　신선의 음률 속에 앉았으려니
身疑在紫霄　　이 몸 하늘나라에 있는 듯

『동국이상국집』제1권「고율시」

－－－－－

넘쳐흐르는 물소리를 큰 생황과 통소에 견준 것이 그럴듯하다.

② 앞 사람의 시(「가야금 가져다 준 문생 조렴우에게 감사하며謝門生趙廉右留院至伽倻琴来貺」)이다(부분).

－－－－－

懇懃門下賢　　친절하고 착한 그대
知我心所索　　아쉬운 내 마음 읽고
手把一張來　　가야금 들고 왔으니

價如千金直	어찌 천금에 견주리
下手試一彈	한 번 퉁기자
淙若泉落石	샘물 돌에 떨어지는 소리 나누나

『동국이상국전집』 제18권 「고율시」

음률에 대한 아취가 더할 수 없이 뛰어나다.

③ 이색李穡의 시(「우리의 도吾道」)이다(부분).

吾道如天大	크도다, 우리네 도 하늘같고
君恩似海深	깊도다, 임금 은혜 바다로세
明良方勅命	훌륭한 임금과 신하 천명 받으니
忠恕但存心	오직 충서의 도 간직할 뿐
波動風吹酒	물결 일렁이자 바람 술잔에 불고
泉鳴月滿琴	샘처럼 우는 거문고에 달빛 차누나

『목은고』「목은시고」 제29권

'바람 불자 물결 인다' 하지 않고, '물결일자 바람 분다'고 한 것도 그렇거니와, '샘처럼 우는 거문고에 달빛 찬다'는 구절은 아무나 따르기 어려운 경지이다. 그리고 깊은 밤중의 거문고 소리를 우는 샘에 견준 것도 파격을 뛰어넘었다.

(12) 옥과 샘

이색李穡의 시(「느낀 대로 지음卽事」)이다.

牧隱先生病得閑	목은 선생 병으로 간만에 휴가 얻어
柴門雖設却常關	사립문 있지만 늘 닫아두네
牢籠歲月淸樽裏	맑은 술동이에 세월 거두어 담고
搬運江山素壁間	흰 벽 사이에 강산 옮겨 왔네

松坡晚雨披圖畫	송파의 저물녘의 비 그림 펼친 듯
石磵寒泉落佩環	계곡의 찬 샘물 패옥 떨어지듯

『목은고』「목은시고」 제7권

———

시인 자신을 제3자로 견주어 읊은 것이 새롭거니와, 3~5구는 현대의 시에서도 찾기 어려운 명구名句이다. 아, 멀고도 먼 고려 적에 저렇게 읊조리다니 벌어진 입을 다물기 어렵다.

(13) 술과 샘

① 이인로李仁老의 시(「죽취일에 대나무 옮겨 심고竹醉日移竹」)이다(부분).

———

宛宛虹霓垂半天	무지개 하늘에 드리우더니
倒捲酒泉千斛水	술 샘의 천 섬 물 거꾸로 걷어 올리네
朝來細雨滴空階	아침의 보슬비 빈 뜰에 내려
淨滑眞是蒲萄醅	맑고 부드러운 국화주인 듯
此君臨風成一嘯	그대 바람 앞에 휘파람 불었으니
窪尊不用黃金罍	두루미나 황금 술항아리 없어도 좋으리

『동문선』제6권「칠언고시」

———

죽취일竹醉日인 음력 5월 13일 대를 옮겨 심으면 잘 산다는데, 비까지 내려주니 오죽 기꺼우랴. 그럼에도 두루미나 술항아리의 술이 떨어져 안타깝기 그지없다고 한다. 두루미는 목이 두루미처럼 길고 좁은 반면 배가 부른 큰 병으로 흔히 술을 담았다.

② 이규보李奎報의 시(「샘 마르고 술 떨어져泉涸酒乾」)이다.

———

舍南泉已枯	집 남쪽 샘 벌써 마르고
舍裏酒復斷	집안의 술도 떨어져
我殆喉生煙	타는 내 목구멍 연기 날 지경

從茲成渴漢　　　　이제부터 갈증만 더 하리

『동국이상국후집』 제6권 「고율시」

샘은 물론, 술까지 바닥났으니 목구멍에서 연기가 날 터이다.

③ **임춘**林椿(?~?)**의 시**(「유월 맑은 밤에 보름달을 보며六月十五日雨霽對月有懷」)**이다**(부분).

隔屋靑熒望燈火　　　집 너머 푸른 달빛 들불 삼아
槽床壓酒香泉瀉　　　술통 거르니 향기로운 샘 흐르네
我時獨坐望淸光　　　나 홀로 앉아 밝은 달 바라보니
無由共醉西園夜　　　서원의 밤 함께 마실 사람 없구나
直欲乘雲到月宮　　　바로 구름 타고 월궁에 가려하나
凡骨却嫌難羽化　　　나 같은 사람 하늘의 신선되기 어렵네

『서하집西河集』 권제2 「고율시古律詩」

술 향기에 취해 하늘로 날아가 신선이 되고 싶다고 한다.
시인은 의종毅宗(1146~1170)에서 명종明宗(1170~1197) 때의 문인이다.

(14) 젖과 샘

이규보李奎報**의 시**(「팔월 이십일 능가산 원효방에 씀題楞迦山元曉房」)**이다**(부분).

변산邊山을 능가라고도 한다. 옛적 원효元曉(617~686)가 살던 방장方丈이 지금까지 남았다. 한 늙은 비구승比丘僧이 혼자 수진修眞하면서 시중드는 사람도, 솥·탕반 따위의 밥 짓는 기구도 없이 날마다 소래사蘇來寺에서 재만 올릴 뿐이었다.

循山度危梯　　　산길이라 험한 사다리 건너고
疊足行線路　　　발 되짚으며 오가노라
上有百仞巓　　　백 길 위 산마루에

6장 민속　351

曉聖曾結宇	원효 일찍 집 지었으니
茶泉貯寒玉	차 샘의 맑고 깨끗한 물
酌飮味如乳	마시면 젖 맛일세
此地舊無水	옛적 물 나오지 않아
釋子難棲住	스님들 살지 못하더니
曉公一來寄	원효 한번 온 뒤로
甘液湧巖竇	바위에서 단물 솟았네

『동문선』 제70권 「기記」

'사다리'는 절벽과 절벽 사이에 높이 걸쳐 놓은 다리棧橋를 가리킨다.

불교에서 부처의 깊은 철학을 젖에 견주며 맑은 샘물도 이렇게 부른다.

방장은 주로 큰 절의 주지主持를 이르지만, 본디는 사방 한 발의 방을 가리켰다. 이는 부처님 당시 유마거사維摩居士를 문병 온 3만 2천 명을 모두 방장 크기의 사자좌 獅子座에 앉혔다는 데서 왔다.

변산(508미터)은 전라북도 부안군 변산면에 있다.

(15) 시상詩想과 샘

① 이규보李奎報의 시(「또 운자를 나누다가 '동動'자를 얻어 여럿에게 지어주고 현공에게도 편지 보냄 又分韻得動字 贈覺公 兼簡玄公」)이다(부분).

浮碧樓高鶴可控	높은 부벽루 나는 학 잡을 듯
逸想凌霞欻飛動	뛰어난 생각 안개 위로 솟네
走浪春風鳴鐵甕	물결 몰아치는 봄바람 쇠 항아리 울리고
寒流瀉月搖銀汞	강에 쏟아지는 달빛 수은 반짝이듯
歸來作詩似泉湧	돌아와 시 쓰니 샘물 솟듯
句法淸新輒警衆	새로운 글귀에 여럿이 놀라네

『동국이상국전집』 제8권 「고율시」

상대의 인품이 부벽루가 학을 잡고 봄바람이 쇠 항아리를 울리듯 훌륭하고 굳세다는 뜻이다. 시가 샘물처럼 솟는다면야 세상에 부러울 것이 없을 터이다.

② 앞 사람의 시(「두 사람이 화답해 주어 다시 차운함兩君見和復次韻」)이다.

主人詩作癖	주인의 시 짓는 버릇
未有暫停時	잠시도 멎은 적 없네
泉水莫誇漲	샘아 솟는 것 자랑마라
乾予一硯池	내 벼룻물 마르리니

『동국이상국후집』 제4권 「고율시」

샘이 아무리 솟아도 시를 적느라고 벼룻물이 먼저 떨어질 것이라는 말이다.

(16) 고향과 우물

① 최유청崔惟淸(1095~1174)의 시(「고향에 처음 돌아와初歸故園」)이다.

里閭蕭索人多換	쓸쓸한 마을 사람도 많이 바뀌었네
墻屋傾頹草半荒	집 기울고 담장 무너져 풀 우거졌지만
唯有門前石井水	오직 문 앞 돌우물 그대로 있어
依然不改舊甘涼	옛적의 달고 서늘한 맛 변치 않았네

『동문선』 제19권 「칠언절구」

마을이 바뀌고 알던 사람 보이지 않으나 우물만은 예 그대로 있어 고향에 돌아온 것을 실감한다는 말이다. 오늘날이라고 다를 것이 없다.

사진 330은 전라남도 장흥군 장흥읍 평화리 어떤 집 우물과 안채이다. 사람이 떠난 뒤 무너져가는 집을 우물이 남아서 지키는 듯하다.

사진 330

(17) 달과 샘

① 이규보李奎報의 시(「산에서 밤의 샘의 뜬 달에 대해 두 수 읊음山夕詠井中月 二首」)이다.

漣漪碧井碧嵒隈	이끼 낀 바위 모퉁이의 맑은 샘
新月娟娟正印來	이제 뜬 어여쁜 달 바로 비추네
汲去瓶中猶半影	길어 담은 두레박에 반달 반짝이니
恐將金鏡半分廻	반쪽만 가지고 돌아오지나 않을까

『동국이상국후집』 제1권 「고율시」

온 달을 두레박으로 반만 건졌다는 뜻인지, 두레박이 반달처럼 생겨서 반달만 길었다는 말인지 궁금하다.

② 앞 사람의 시(「우물에 비친 달 詠井中月」)이다.

山僧貪月色	맑은 달빛 욕심난 산골 중
井汲一瓶中	두레박에 달까지 길었구나
到寺方應覺	절에 가서야 알리라
瓶傾月亦空	물 쏟자 달빛 사라진 것

『동국이상국집』 제1권 「고율시」

'두레박에 달을 퍼 담는 욕심'은 아무도 탓할 수 없다. 그 산골 중이야 말로 도를 깊이 깨친 선사이다.

③ 조선시대 최립崔岦(1539~1612)은 어린 적에 이를 읽고 다음처럼 읊조렸다(「이문순의 정중월 차운함次李文順井中月韻」).

僧去汲井水	스님 물 길어 갈 때
和月滿盂中	발우에 달빛 가득하더니

| 入寺無所見 | 절집에 이르자 텅 비었구나 |
| 方知色是空 | 옳거니 이것이 색즉시공일세 |

『간이집簡易集』제6권「초미록焦尾錄」

달빛 사라진 발우를 '색즉시공'에 견준 재주가 놀랍다.

이문순李文順은 이규보의 시호諡號이다.

④ 이인로李仁老의 시(「한송정寒松亭」)이다.

千古仙遊遠	옛적 화랑들 까마득한데
蒼蒼獨有松	푸르디푸른 솔만 남았구나
但餘泉底月	오직 단 샘 아래 달빛만
髣髴想形容	옛 모습대로 비치누나

『미수眉叟 이인로 시집』

한송정은 강원도 강릉시 명주군 하시동리에 있던 정자이다. 샘과 비석 받침돌이 남았으며, 돌에 강릉부사 윤종의尹宗儀(1805~1886)가 '신라의 선인 영랑이 단을 구운 돌절구新羅仙人永朗煉丹石臼'라고 새겨놓았지만, 돌절구라가 아니라 비석 받침이다(사진 331). '옛적 화랑'은 영랑이 화랑도의 한 사람이었던 것을 가리킨다.

사진 332가 옛 한송정 자리의 샘에서 솟는 물이다.

사진 331(ⓒ 강릉시청)

사진 332(ⓒ 강릉시청)

(18) 은거와 샘

① 이색李穡의 시(「흐르는 물에 부침流水辭」)이다(부분).

───────

澗泉之幽幽	산골 샘 끝없이 그윽하고
江海之冥冥	강과 바다 아득하기 그지없네
我歌其中兮	내 그 안에서 노래하느라
鬢毛之星星	귀밑머리 희게 뒤덮였노라
千載有人兮	어느 때 날 아는 이 있어
有耳其聆	귀 열면 알아들으리라

『목은고』「목은시고」 제1권

───────

산골짜기 샘이 바다에 이르는 과정을 떠올리면 아득하기 그지없다.

② 앞 사람의 시(「느낀 대로 지음卽事」)이다(부분).

───────

滿庭山影綠苔痕	산 그림자 마당에 차고 이끼 푸르니
車馬無緣到遠村	수레들 먼 마을 찾을 까닭 없지
汲井却成門外路	우물물 긷느라 문밖에 난 길
女奴朝夕頂銅盆	계집종 날마다 물동이 이고 다닌 탓이네

『목은고』「목은시고」 제8권

───────

'산 그림자 마당에 내리는' 선경仙境인 자신의 집, 그 문밖에 길이 난 것은, 누가 찾아와서가 아니라 종이 물 긷느라고 오간 탓이라며 빙긋 웃으며 딴청이다.
'수레들…'은 세속에서 멀리 떠나 있으니 찾아올 사람이 없다는 뜻이다.

③ 이숭인李崇仁의 시(「은봉선사에게寄隱峰禪師」)이다(부분).

───────

邇來遭訪傷	요즈음 환난 당하고부터

杜門蹤跡屏	문 닫고 들어 앉아 지내거니
初如伏櫪驥	처음에 구유에 엎드린 천리마처럼
未曾忘馳騁	이런 저런 일 좀체 잊지 못했지만
機心漸消磨	이제 기심 점점 사라져
湛然一古井	고요한 옛 우물처럼 되었네

『도은집』「시」

―――――

'엎드린 천리마'는 원대한 뜻을 가슴에 품고 숨어 지내며 때가 오기를 기다렸다는 말이다.

이는 중국 삼국시대 조조曹操(155~220)의 시(「보출하문행步出夏門行」)에 '늙은 천리마 구유에 누웠어도老驥伏櫪 / 뜻은 언제나 천리 밖에 있고志在千里 / 열사는 비록 늙었어도烈士暮年 / 장한 그 마음 변함없네壯心不已'라는 구절에서 왔다.

기심은 자신의 욕심을 채우려고 교묘하게 도모하는 마음이다.

(19) 뜻 없는 나날과 샘

이규보李奎報의 시(「황보 서기의 운에 차운하여 우중에 홀로 읊음次韻皇甫書記雨中獨詠」)이다(부분).

―――――

歲儉懼聲小	올 흉년들어 쓸쓸하지만
春酣睡味長	봄이 한창이라 잠 맛은 좋구나
投錢空飮井	돈 던진 뒤 샘물만 마시고
凝寢阻閑香	눕자 향내조차 못 맡네
僻塢花期晚	궁벽한 언덕이라 꽃은 더디 피고
窮閻日色涼	가난한 마을이라 햇빛도 처량하네

『동국이상국전집』제15권「고율시」

―――――

세상사야 어떻든 나른한 봄날의 낮잠은 꿀맛이다.

'돈 던지고'는 공을 들이고도 기대하지 않는다는 말이다.

『신선전神仙傳』에 '갈효선葛孝先이 사람을 시켜 돈 수 십전을 우물에 던져 넣은 뒤,

다시 불렀더니 돈들이 한 닢 한 닢 되 날아왔다'는 기사가 있다.

(20) 깨우침과 우물

이규보李奎報**의 시**(「최태박의 두 번째 화답 시에 다시 차운해 화답함崔大博復和 依韻奉答」)**이다.**

爾來淸瘦骨峛玉　　홀쭉하고 가녀린 몸
夜榻空甼燈蛾撲　　밤에 등아만 지켜보다가
忽因警策來起予　　뜻밖에 그대 채찍질로
廢井更掃陰苔綠　　묵은 우물 이끼 다시 거두네
源淺雖無神物寓　　깊지 않아 별 것 없지만
尙垂短綆還汲古　　두레박줄 드리워 물 길으리라

　　　　　　　　『동국이상국전집』 제12권 「고율시」

등아燈蛾는 등촉燈燭 주위에서 뱅뱅 돌다가 등유燈油에 빠지거나 불에 타서 죽는 불나방이다. 이를 색욕과 탐욕에 어두워 신명身命을 망치는 바보의 대명사로 쓴다. '묵은 우물의…이끼'와 '두레박줄'은 쓸모없는 자신을 다시 부추겨서 학문에 힘쓴다는 말이다.

(21) 늙음과 우물

① **이규보**李奎報**의 시**(「이튿날 학록 서능에게 장편을 줌明日以長篇贈徐學錄陵」)**이다**(부분).

어제 선생과 함께 길수재 집 잔치에 갔을 때, 기녀가 꽃 한 가지씩 올렸다. 내가 받은 것은 잎만 있고 꽃이 없기에, 우스개로 즉흥시 한 편—絕을 읊조렸다. 이에 선생은 그네에게 춤을 추어서 꽃 잘못 올린 죄를 빌고 나의 시弄詩에도 보답하라고 일렀다. 이제 술이 깨어 삼가 고조古調장편을 지어 고마움을 나타낸다.

居士年來身似寓　　육신肉身 이미 텅 빈 거사

湛然無波井已古	묵은 우물 따로 없구나
回頭笑謝散花女	기녀 돌아보며 웃고 사례했지만
結習已空花豈汙	습기習氣 이미 다해 꽃 어찌 피랴
唯予淨業洗未了	모든 번뇌 씻지 못한 나
故作新詞博一笑	우스개 시로 한 차례 기꺼웠노라

『동국이상국전집』제12권「고율시」

'묵은 우물'은 마음이 마치 물 없는 우물에 파도가 일지 않는 것처럼 조용함을, 습기習氣는 물物·심心의 온갖 현상이 그대로 나타나는 것을 이른다.

② '화녀…사례'는『유마경維摩經』의 다음 기사에 왔다.

법회중法會中에 한 천녀天女가 하늘꽃天花을 뿌리자 여러 보살菩薩에 닿은 꽃은 모두 땅바닥으로 떨어졌지만, 사리불舍利弗과 목건련目犍連 등 10대 제자에게 닿은 것은 떨어지지 않았다. 이에 대해 그네는 '습기習氣가 다하지 않은 까닭에 꽃이 몸에 붙어 있다'고 하였다

---

(22) 샘 찾기

이규보李奎報의 시(「진재수 별장에 써 붙임題晉才秀別墅」)이다(부분).

唯限園無漱水玉	오직 동산에 물 없어 아쉽네
未協冠童春暮浴	어른 아이 봄에 씻지 못하니
劃地成河那可學	땅 그어 물 찾는 법 배워
刺山出泉知有孰	산을 찔러서 샘 찾은 이 누구인가
安得長梯萬丈蠹	만 길 사다리 얻는 다면
直注天漢亘相續	은하수에 걸어 물 길으리라

『동국이상국전집』제1권「고율시」

'산을 쑤셔서'샘을 찾은 고사는 중국과 일본에도 드물지 않다.

만 길 사다리를 얻어서 은하수를 길어오겠다는 발상은 기발하고도 멋지다. 이 시의 봄은 음력이므로 초여름일 터이다.

(23) 벼슬아치와 우물

이규보李奎報의 시(「한가한 날 읊음閑日卽事)이다(부분).

古來達士貴知微	옛적 뛰어난 선비 때 알맞게 처신했으니
墮車醉者只全酒	술 취해 수레에서 떨어진 사람 온전하여
把甕丈人寧有機	그래도 손에 든 술병 깨뜨리지 않았다지만
禦寇南華如可作	독 안고 우물로 들어가면 어찌 독 깨지 않으랴

『동국이상국후집』 제10권 「고율시」

'수레에서…온전하고'는 성품天眞이 원만하면 술에 취해 수레에서 떨어져도 다치지 않는다는 말이다.

'독甕 안고 우물로'는 자공子貢이 한음漢陰을 지나다가 독에 물을 길어 언덕으로 오르내리며 밭에 물주는 노인을 보고 '길고를 쓰면 쉬울 터인데 왜 독을 안고 수고하느냐?' 물었더니 '기계機械를 쓰면 기사機事가 생기고, 이어 기심機心이 도는 까닭이라' 하였다는 『장자』의 기사에서 왔다.

벼슬아치는 때와 현실에 알맞게 처신하라는 깨우침이다.

(24) 샘과 죽음

이곡李穀(1298~1351)의 시(「남 부마를 위해 심왕에게 제사 드린 글爲男駙馬祭瀋王文」)이다(부분).

未東其轅	수레 동쪽으로 돌리기 전
遽北其枕	어찌 북망산에 베개를 두십니까

| 哭徹九泉 | 통곡 소리 구천에 사무치고 |
| 血淚斯滲 | 눈물에 피가 배어 흐릅니다 |

『가정집』 제11권 「제문」

─────

샘이 황천을 상징하는 것은 중국은 물론 일본도 똑 같다.

(25) 흩어지는 샘

이규보李奎報의 시(「유월 삼일 이시랑 수와 김장원 신정이 찾아와 우리 집 샘에 대해 지은 시에 화답하므로 술자리에서 그에 차운함六月三日李侍郎需金壯元莘鼎 來訪和家泉詩飮席次韻」)이다(부분).

─────

四出難勝障	사방으로 흘러 넘쳐 막지 못하는
盈盈溢井時	우물의 철철 넘치는 물
初嫌歧作派	처음 물줄기 나뉘는 것 아쉽더니
終喜總歸池	마침내 못으로 흘러들니 기쁘구나

『동국이상국후집』 제4권 「고율시」 98수

─────

물은 언제, 어디서나 귀중하게 여겨야 한다.

(26) 세상과 우물

① 이색李穡의 시(「느낌을 읊음有感」)이다.

─────

高吟風月千篇富	크게 읊조린 풍월 일천 편에
默數江山萬里聯	머리로 헤아린 강산 만리일세
未識掛帆誰濟海	돛 달고 바다 건넌 이 누구인가
可憐坐井我觀天	가엾다, 우물에서 하늘 보는 이 몸
幽居歲晩眞牢落	만년의 허름하고 초라한 거처
淡泊情懷愼勿傳	맑은 이 마음 남에게 알리지 않으리

젊은 시절, 장풍만리長風萬里의 원대한 뜻을 품고 중국에 가서 실력을 인정받아 당대 석학들의 찬탄을 받았건만, 돌아온 뒤 우물 안 개구리처럼 작은 세계에 들어 앉아세월 보내는 것을 자탄한 노래이다.

처음 원에 갔을 때, 구양현歐陽玄(1274~1358)이 『장자』의 하백河伯과 북해약北海若의일화(「추수秋水」)를 들어 '술잔을 들고 바다에 들어왔으니 바다가 얼마나 대단한지 알겠구려持杯入海知多海' 하고 놀렸다. 이에 그는 한유韓愈(768~824)의 「원도原道」를 들어 '우물 속에 앉아 하늘을 보며 하늘이 작다고 하는 격이군요坐井觀天曰小天' 응수하자 상대는 '우리 도의 의발이 해외에 전해졌다衣鉢當從海外傳'며 놀랐다는 말이 있다.

'의발'은 불교 수행자의 의복과 식기로 최소한의 기구 또는 소지품이라는 뜻이다.이에서 스승이 제자에게 물려주는 정법이나 깨달음을 나타내는 물증을 가리키게 되었다.

시인은 다른 시(「일을 적다紀事」)에 '의발이 해외에서 전해질 줄 뉘 알았으랴衣鉢誰知海外傳 / 규재의 말 한마디 아직도 귀에 쟁쟁하구나圭齋一語尙琅然 / 요즘 들어 물가 온통치솟았건만邇來物價皆翔貴 / 내 글은 제 값을 못 받네獨我文章不直錢'라는 구절을 남겼다(제13권 「시」).

② 정총鄭摠(1358~1397)의 시(「개골개골 우는 우물의 개구리閣閣井底蛙」)이다(부분).

閣閣井底蛙	개골개골 우는 우물 안 개구리
跳梁缺甃崖	난간에 뛰어 올라 우물 벽에서 쉬네
喜來鼓吹起	기쁘면 북처럼 소리치고
怒腹脹則已	화나면 배 부풀리니
自誇坎井樂	스스로 우물 안의 즐거움 자랑하고
科斗莫吾若	올챙이도 나만 못하다 뻐기네

『한국한시대관』 6

말 그대로 세상 물정 모르는 우물 안의 개구리이다.

(27) 양기와 우물

① 이곡李穀의 시(「동지冬至」)이다(부분).

扣門送粥自南隣	남쪽의 이웃 팥죽 들고 문 두드려
驚倒周公夢裏身	주공의 꿈속에 있다가 깜짝 놀랐네
雷在地中翻碩果	석과 뒤집혀 우레 땅속에서 울리고
陽生井底轉洪鈞	우물의 양기 홍균을 돌리네
聽取街頭賣新曆	거리에서 들리는 새해 달력 파는 소리
萬年天子又頒春	만년 천자께서 또 새봄 알리셨네

『가정집』 제17권 「율시」

'우물의 양기'는 작아졌던 해가 이 날부터 조금씩 커가는 것을 나타낸다. 옛적에 이 날을 새해 첫날로 삼은 까닭이 이것이다. 동지에 팥죽을 쑤어 먹고, 이웃에도 돌리는 풍속은 고려시대에도 널리 퍼졌던 것을 알 수 있다.

'주공周公의…놀랐다'는 잠자다가 깬 것에 대한 해학적 표현이다. 이는 공자가 '꿈에 주공이 오래 전부터 보이지 않으니 내가 너무 늙었구나' 탄식하였다는 『논어』의 기사에서 왔다(「술이述而」).

'석과碩果가…울리고'는 순음純陰의 달인 10월이 지나 동지가 되면 땅 밑에 양기一陽가 생기는 지뢰복괘地雷復卦가 이루어진다는 말이다. 이는 땅속에서 울리는 우레를 가리킨다.

석과는 『주역』의 '큰 과일은 먹지 않는다碩果不食'는 기사(「산지박괘山剝卦 上九」)에서 왔다. 모두 음陰의 상태인 효爻 다섯 가운데 맨 위의 것 하나만 양陽이라는 말로, 하나뿐인 양의 기운이 결코 끊이지 않고 이어지는 것을 이른다. 박괘를 거꾸로 놓으면 바로 복괘復卦가 된다고도 한다.

'우물…돌리네'는 『예기』의 '동짓달에 우물물이 일렁이기 시작한다'는 말(「월령月令」)과, 『일주서逸周書』의 '동짓달에 미세한 양의 기운이 황천에서 움직인다'는 기사에서 왔다(「주월周月」).

당 두보杜甫(712~770)의 시(「상위좌상上韋左相」)에도 '사방팔방에 인수仁壽의 세계가 열리는 가운데八荒開壽域 / 하나의 양기가 홍균을 돌리기 시작하네一氣轉洪鈞'라는 구절이 보인다(『두소릉시집杜少陵詩集』권3).

옹기를 빚는 큰 물레인 홍균洪鈞은 대자연이 원기元氣를 조화시켜서 만물을 생성하는 것을 나타내며, 이를 임금이나 재상이 베푸는 훌륭한 정치에 빗댄다. '만년 천자'는 만세에 이르도록 복 받을 천자라는 뜻이다. 『시경』에 '소호召虎가 엎드려 절하고 천자의 만년을 빌었다'는 말이 있다(大雅「江漢」).

② 백문보白文寶(1303~1374)의 시(「이중보와 함께 동파의 운을 써서 매화를 읊음同李中父作梅花聯句用東坡韻」)이다(부분).

井底微陽廻	우물 밑에 희미한 양기 돌더니
枝間花意動	가지 사이 매화 피려 하네
的皪早偸春	봄에 앞서 드러난 선명한 빛과
輕盈巧耐凍	추운 겨울 잘 견딘 가냘픈 몸매
性鍾氷雪淸	성품은 눈과 얼음의 맑은 기운 뭉치고
境絶輪蹄鬨	지경은 세상의 수레소리에서 벗어났네

『담암일집淡庵逸集』제1권「시」

맨 마지막 구는 속세에서 떨어진 선경仙境이라는 말이다.

담암이 가까운 벗 이곡李穀과 함께 宋 소식蘇軾(1037~1101)의 시(「이공택의 매화 운을 빌림次韻李公擇梅花」)의 운을 따라서 이어 지었다聯句. 충목왕忠穆王(1344~1348)이 죽은 뒤 공민왕恭愍王(1351~1374)을 임금으로 삼으려다가 충정왕忠定王(1348~1351)이 즉위하자, 두 사람이 관동關東유람에 나선 1349년에 지은 듯하다.

③ 이색李穡의 시(「하인들 모두 나가고, 나무하러 간 놈 돌아오지 않아 미처 절을 못 올리고 다시 다섯 수 지음蒼頭皆出樵者未還不能拜獻復作 五首」)이다(부분).

| 欲敎沆瀣滿中腸 | 창자에 맑은 기운 가득 채우려면 |
| 一線須知井底陽 | 한 가닥 우물 밑 양기 알아야 하리 |

恰到浩然充塞日	호연지기 가득 찬 때라야
始知天地繞書牀	천지 내 곁에 둘러 있음 비로소 알리니

『목은고』「목은시고」제11권

'한 가닥 우물 밑의 양기陽氣'는 동지가 되면 미양微陽이 생기고 천수泉水가 움직인다는 뜻이다.

소식蘇軾(1037~1101)의 시(「동짓날 홀로 길상사에서 노닐며冬至日獨遊吉祥寺」)에 '우물 밑에 희미한 양기 돌듯이井底微陽回未回 / 쓸쓸한 찬비 마른 풀뿌리 적시네蕭蕭寒雨濕枯荄'라는 구절에서 왔다.

(28) 봄과 우물

이색李穡의 시(「눈雪」)이다(부분).

飛雪庭中數點來	마당으로 두어 조각 눈발 날려
已消冬煖百邪摧	겨울 온기 사라지며 요기 없어졌네
陽和密窖重泉底	깊은 우물 속 봄의 화기 움직이지만
草木何時甲拆開	풀과 나무 어느 때쯤 움틀까

『목은고』「목은시고」제20권

언제라는 말은 없지만 동지 무렵일 터이다.

(29) 귀중품과 우물

『고려사』기사이다.

인종仁宗(1122~1146)은 새벽녘에 불길이 번져오자 경령전景靈殿에서 내시 백사청白思淸(?~?)에게 역대 조상의 초상을 궁성 안 제석원帝釋院의 마른 우물에 넣으라고 일렀다. 그 뒤, 서화문西華門에서 말을 타고 연덕궁延德宮으로 갔다(제127권 「열전」제40).

———

흔히 내제석內帝釋이라고 하는 내제석원은 태조太祖가 919년, 송악松岳(개성)에 세운 10대 절집 가운데 하나이다. 불은 이자겸李資謙(?~1126)의 반란으로 일어났다.

우물에 귀중품을 감추는 일은 드물지 않다.

(30) 죽음과 우물

① 『고려사』 기사이다.

———

진주晉州의 중낭장中郞將 정담鄭覃(?~824)이 양자로 들인 주목사州牧事 이인민李仁敏 (1330~1492)의 아들이 여섯 살 때 우물에 빠져 죽자, 그 집안사람 짓으로 여긴 아비가 계림鷄林에 고소하였다. 정담의 조카 정여해鄭汝諧(?~?)와 정희범鄭希範 (?~?)을 의심한 심우경沈于慶(?~?)은 둘을 데려다가 발을 갈라서 기름을 붓고 단근질을 하였다. 이에 부윤府尹 윤승순尹承順(?~1392)은 그에게 '한 해 넘게 고문했음에도 순순히 불지 않으니 다시 국문하라'고 일렀다. 이를 들은 둘은 죽음을 무릅쓰고 달아났다가 되잡혔다.

심우경은 '너희가 잘못이 없다면 달아났겠느냐? 아이를 죽인 것이 틀림없다'며 더욱 참혹하게 다루었다. 견디다 못한 둘은 마침내 사촌누나 강을공姜乙恭(?~?)이 사실을 안다고 거짓 자백하였다. 심우경이 그네를 잡아서 신문하는 중에 돌을 가죽 주머니에 담아 얼굴을 내려쳐서 이를 모두 부러뜨렸다. 그는 윤승순에게 사건을 모두 밝혔다고 거짓 보고한 뒤 그네를 죽였다(열전 「심우경」).

———

앞 책에 '심우경은 성격이 혹독하고 인정이 없었다'고 적힌 그대로이다. 아이가 우물에 빠진 것은 귀틀이 없는 탓이고 이 때문에 잘못되는 일이 드물지 않음에도 뚜렷한 증거도 없이 사람 셋을 이렇게 다루다니 참으로 몹쓸 인간이다.

② 『가정집稼亭集』 기사이다.

———

관청에서 원나라에 보낼 처녀童女들을 뽑으러 다니자, 밤낮으로 울음소리가 그치지 않았다. (…) 심지어 비통하고 분개한 마음에 우물에 몸을 던지거나 목을 매어 숨을 끊는 사람도 있었다(제8권 서書).

———

(31) 저주와 우물

『고려사』 기사이다.

———

영녕공永寧公 왕준王綧(1223~1283)이 인질이 되어 홍복원洪福源(1206~1258)의 집에 머물 때, 매우 후한 대접을 받았음에도 점점 불만을 품었다. 그는 주인이 무당을 시켜서 나무로 깎은 인형의 손을 묶고 머리에 못을 박아 땅에 묻거나 우물에 넣어서 저주하는 것을 보았다.

원으로 도망쳤던 교위 이주李綢가 왕준에게 이를 듣고 황제에게 알리자, 홍복원은 학질에 걸린 아이를 위해 악귀를 쫓았을 뿐이라고 둘러댔지만 마침내 목숨을 잃었다(제130권 「열전」 제43 반역 4).

———

왕준은 충렬왕忠烈王(1274~1308)이 원에 들어갈 때마다 두 아들을 데리고 와서 말을 바쳤고, 단아한 용모에 말 타기와 활쏘기를 즐겼다. 지략이 뛰어나고 대의에 통했다지만『한국민족문화대백과』, 홍복원의 불평을 몽골황족 출신 영녕공의 아내에게 알려서 죽게 한 것은 의리를 저버린 행동이다.

(32) 우물가의 나무

① 이규보李奎報의 시(「영수좌가 임공부에게 부친 시를 차운하여次韻聆首座寄林工部並序」)이다(부분).

———

廢井桐圭滿	옛 우물에 오동잎 쌓이고
荒階苔錦稠	무너진 섬돌에 이끼 끼었네
或恐樵蘇輩	걱정이로세, 나무꾼들

刈松落蒼虬	큰 소나무 베지나 않을까
又惜林下泉	아쉽구나, 숲속의 샘물
盡屬野民喉	아무나 마시게 그대로 둔 것

『동국이상국전집』 제8권 「고율시」

———

샘물이 아까워서가 아니라 큰 소나무만큼이나 아낀다는 말이다.

② **민사평**閔思平**의 시**(「남상서 시에 차운하여次韻南尙書」)**이다.**

———

次聲井上桐	우물가 오동잎 차례로 지는 소리
弄色園中菊	뜰 안 국화 아름다운 빛 환하구나
怊悵阻佳期	정다운 약속 이루지 못한 아쉬움
秋來幾回憶	가을이면 얼마나 더 그리울까

『급암시집及菴詩集』 제1권 「고시古詩」

———

지는 오동잎과 피어난 국화, 그리고 정다운 약속과 가을의 그리움을 대비시킨 솜씨가 뛰어나다.

③ **이색**李穡**의 시**(「새벽 비로 높은 산에 오르려는 흥취 사라질까 걱정되어恐負登高之興」)**이다**(부분).

———

重陽明日有誰呼	오늘 중양절 누가 나를 부를까
小雨濛濛滿九衢	도성에 가랑비 흠뻑 내리누나
只得天晴騎馬去	날 갠다면 말 타고 갈 수 있으니
不愁泥滑倩人扶	진흙탕 길 남의 부축 안 받아도 되련만
一心政欲看籬菊	마음은 오로지 울 밑 국화 보고 싶은데
兩耳難禁屬梧桐	두 귀에 우물가 오동잎 소리 울리누나

『목은고』 「목은시고」 권25

———

예부터 중양절重陽節에는 문사文士들이 등고회登高會를 열어서 시문詩文을 읊조리고 국화주菊花酒를 마시며 풍류를 즐겼다. 시인은 자신을 불러줄 이를 은근히 기대하고 있다.

입추立秋 무렵이면 오동梧桐 잎이 가장 먼저 떨어져서 천하 사람이 다 가을이 온 것을 안다梧桐一葉落 天下盡知秋는 말이 있다. 가을의 상징인 국화와 오동잎을 들어서 감회를 그렸다.

④ 앞 사람의 시(「새벽에 읊음曉吟」)이다(부분).

———

秋氣滿天吾病蘇	가을 기운 하늘에 차니 몸도 가벼워
可憐前日汗流膚	지난날 땀 뻘뻘 흘린 일 덧없구나
五更已好聞簷雨	한 밤의 낙숫물 소리 반갑더니
一葉頻驚落井梧	우물가 오동 잎 자주 떨어져 놀라네
閑中有念眞無賴	한가하자 떠오르는 생각마저 싱겁더니
習習淸風滿座隅	청풍 솔솔 불어 자리에 가득하구나

『목은고』「목은시고」 제24권

———

무더운 여름이 가고 가을이 다가온 데 대한 즐거움이 넘쳐난다.

2) 조선시대

(1) 신령스러운 우물

① 『세종실록』 기사이다.

———

임금의 말이다.

외방外方의 병 고치는 법이 모두 『육전六典』에 있음에도 (…) 방법을 몰라 일찍 죽는 사람이 많아 진실로 가엾다. (…)

「천금방치온병 불상염방千金方治溫病不相染方」은 새 베 자루新布袋에 붉은 팥 한 되를 담아서 우물에 넣었다가, 사흘 뒤 꺼내어 온 식구가 27알씩 먹는다.

또 솔잎 가루를 술에 타서 네모 숟가락으로 하루 세 번씩 떠먹어도 좋다. 새 베자루에 콩 한 되를 담아 우물에 넣어 한 잠 재운 뒤, 일곱 알씩 복용한다(16년 [1434] 6월 5일).

―――――

약재를 우물에 넣는 것은 그 생명력을 빌리기 위한 것이다.

팥의 붉은 빛이 악귀를 쫓는다는 생각은 오래전부터 이어 내렸다. 동지에 팥죽을 쑤어먹는 민속이 좋은 보기이다. 중국도 마찬가지이다.

'사흘'이나 '세 번'은 양陽의 상징인 '삼三'이 음陰인 병마를 쫓는다는 뜻이며, 셋이 아홉 번 거듭된 '27'은 양기가 가장 힘차게 솟는 상태를 나타낸다.

솔잎 가루를 네모 숟가락에 떠먹는 까닭은 알 수 없다.

② 『동의보감東醫寶鑑』 기사이다.

―――――

백출白朮 · 대황大黃 · 길경桔梗 · 천숙川椒 · 방풍防風 · 호장근虎杖根 따위를 썰어 주머니에 넣고 섣달 그믐날 우물에 넣는다.

정월 초하루 이른 새벽에 꺼내 맑은 술 두 병에 섞은 다음, 두어 번 끓여서 남녀 노소가 동쪽으로 서서 한 잔씩 마시면 좋다(『천금식치千金食治』).

―――――

해가 바뀌는 날 우물이 신통력을 발휘한다는 뜻이다. '동쪽'도 양기를 쐬어서 병의 뿌리인 음기를 쫓는다는 말이다.

『천금식치』는 당唐의 의서醫書이다.

③ 『산림경제山林經濟』 기사이다.

―――――

㋐ 코피가 멎지 않으면 우물물에 적신 종이를 정수리에 붙이거나, 정화수를 얼굴에 세차게 뿌리면 멈춘다(권3 구급 「猝衄血」). (『醫學入門』)

㋑ 눈알이 까닭 없이 한두 치쯤 튀어나오면 새로 길은 우물물에 적시되, 물을 자주 바꾸면 저절로 들어간다. 이어 맥문동麥門冬 · 상백피桑白皮 · 산치인山梔仁

따위를 1전씩 달여 먹인다(권3 구급 「眼睛突出」). (『의학입문』)

ⓓ 갑자기 놀란 탓에 구규九竅·팔다리·손가락·발가락 사이에서 피가 흐를
　때, 우물물을 얼굴에 뿌리면 멎는다. 그러나 환자에게 미리 알려주면 효력이
　없다(권3 구급 「九竅出血」). (『의학입문』)

―――

앞의 글들은 우물물이 지닌 신통력을 빌린다는 말이다.

저자가 앞의 기사를 끌어온 『의학입문醫學入門』은 명나라 이연李梴(?~?)이 지은 의학
서이다. 우리가 얼마나 이용하였는지는 알 수 없지만, 중국도 우물을 신령스레 여긴
것이 분명하다.

병자에게 알리지 말라는 것은 믿지 않을 터이기 때문이다.

④ 『**증보산림경제**增補山林經濟』 **기사이다.**

―――

㉮ 사람이 갑자기 정신을 잃으면 우물 바닥의 진흙을 눈에 바른 뒤, 머리를 우물
　속에 넣고 이름을 부르면 곧 깨어난다(권14 구급 「猝死」).
㉯ 설날 아침을 먹기 전에 붉은 팥 27개를 삼키고, 삼씨 27개를 던지며, 팥 27개
　를 우물에 넣으면 그 해에 병에 걸리지 않는다(권15 구급 「防病」).

―――

앞에서 든 『세종실록』 기사를 닮았다.

구규는 눈·코·입·귀·입·똥구멍·오줌구멍 따위의 아홉 구멍을 가리킨다. 이
책은 앞글이 어디 있는지 밝히지 않았다. 우리 치료법이라는 말인가?

일본에도 우물에 대고 사람 이름을 부르는 풍속이 있다. (☞ 1369)

⑤ **황준량**黃俊良(1517~1563)**의 시**(「**상원봉에서 돌아가는 길에 무릉의 시에 차운하여**上元歸路次武陵韻」)
이다(부분).

―――

一徑尋幽度亂峯　　험한 산 넘어 그윽한 곳 찾으니
巖扃石室照玲瓏　　돌문과 돌집 영롱하게 비치네
丹空金鼎仙翁逝　　쇠솥의 단약 비자 신선 떠나고

僧去機泉水伯春　　　스님 두레박 거두자 귀신도 조용하네

『금계집錦溪集』 외집 제1권 「시」

　단공금정은 신선이 장생불로를 누린다는 단약을 달이는 도교의 우물이고, 신선이 떠난 것은 약을 먹은 덕분에 하늘로 올라갔다는 뜻이다.

　기천機泉은 물을 길으려고 설치한 두레박이다. 스님이 우물가의 두레박을 거두고 더 이상 물을 긷지 않자 우물지기도 조용해졌다고 한다.

　북송 황정견黃庭堅(1145~1105)의 시(「치정둔전의 유공 은거지를 찾아서過致政屯田劉公隱廬」)에 '계집종 단지에 밤 삶고女奴煮曫栗 / 돌우물의 두레박물 쏟는구나石盆瀉機泉'라는 구절이 있다.

(2) 용과 우물

① 성현成俔(1439~1504)의 시(「영천군의 송도회고 다섯 수에 차운함次永川君松都懷古五首」)이다(부분).

曾聞龍井肇靈源　　　용정에서 영원이 시작된다더니

畢竟分流屬李園　　　끝내 물줄기 나뉘어 이원에 이르렀네

五百丕基同瓦裂　　　오백 년 큰 기업 기와처럼 부서지자

三千義士若雲屯　　　삼천의 의사들 구름처럼 모였구나

人物南遷麗業盡　　　인물 남으로 내려옴에 고려 국운 다하고

空餘入角鎭平原　　　팔각전만 부질없이 들에 남았도다

『허백당시집虛白堂詩集』 제6권 「시」

　영천군永川君은 효령대군孝寧大君의 아들 이정李定(1580~1647)이다. '용정'은 용이 깃든 샘이며, 영원靈源은 용정에서 솟은 신령한 물의 근원이라는 말이다. 이에서 제왕의 발상지를 가리키게 되었고, 조선왕조의 탄생을 기리는 「용비어천가龍飛御天歌」도 연관이 깊다. 오얏나무 동산이란 뜻의 이원李園은 이씨조선李氏朝鮮, 곧 조선왕조를 나타낸다.

　'오백 년…'은 918년에서 1392년까지 474년 동안 이어내린 고려왕조이며 '삼천의 의사'는 조선태조 이성계의 군대를 이른다.

　'팔각전八角殿'은 개성 송악산 자하동紫霞洞에 있던 전각이다.

② **이승소**李承召(1422~1484)의 시(「개성부에서 중국 사신 김식의 시에 차운하여開城府次中朝使金湜詩韻」)
이다.

山河百二抱雄城	백이 산하 험한 곳에 웅장한 성
佳麗曾誇白玉京	아름다운 모습 백옥경인가
春入舊園花似海	봄 돌아온 옛 동산 꽃 바다 같고
龍歸古井水偏淸	용 돌아온 옛 우물 유달리 맑구나
靑松王氣今安在	푸른 솔에 서렸던 왕기 사라지고
金尺禎符夢已成	금자 받은 꿈 이제 이루어졌구나

『삼탄집三灘集』 제5권 「시」

'용이 돌아온 우물龍井'은 새로운 나라, 곧 조선왕조의 탄생을 나타내며, '금 자'도 마찬가지이다. 이성계李成桂(1335~1408)가 임금 되기 전, 꿈속의 신인神人이 하늘에서 가져온 금 자를 건네며 '그대는 마땅히 이로써 나라를 바로 잡으라'고 일렀다는 고사에서 왔다.

김식金湜(?~?)은 1464년에 명의 헌종憲宗(1465~1487)이 즉위하자, 등극조서登極詔書를 전하러 온 사신이다.

백이산하百二山河는 산천이 아주 험하다는 뜻이다.

『사기』에 '진秦은 지형이 아주 험한 덕분에 나라를 지키기 쉽지만 치기는 어렵다. 따라서 100만의 군사는 다른 나라 200만 명과 맞먹는다'는 기사가 있다(권8 「고조본기高祖本紀」).

백옥경白玉京은 도교에서 말하는 천제天帝의 도성이며 '푸른 솔'은 고려의 멸망을 이른다. 신라 말, 고려가 일어날 것을 안 최치원崔致遠(?~857)이 태조에게 '곡령의 솔 푸르고 계림의 잎 누르네鵠嶺靑松 鷄林黃葉'라는 글을 올린 데서 왔다.

③ 『세종지리지』 기사이다.

개성의 유후사留後司는 선의문宣義門 밖 11리에 있다. 물이 솟는 우물은 깊이 2척 남짓이다. 봄가을로 나라에서 제사 지낸다. 가뭄이 들면 박연朴淵 및 덕진德津과

함께 기우제를 올리며, 이들 세 곳을 용왕이라 부른다.

이밖에 우물물이 붉게 흐리면 반드시 병란이 난다고도 이른다(『舊都開成 유후사』).

———

고려시대에는 같은 곳에 있는 한우물에서도 비를 빌었다.

유후사는 조선시대 초에 서울을 한양으로 옮기고 나서, 개성을 다스리려고 두었던 지방행정行政 기관이다.

④ 김극검金克儉(1429~1499)의 시(「우물井」)이다.

———

地下神龍引海波	땅 속의 신령한 용 바다 물 끌어오니
澄澄石眼鏡新磨	맑은 돌의 눈 새 거울 닦았구나
一泓能解千人渴	우물 하나로 천 사람이 마시니
只爲當時汲引多	물 많이 끌어온 덕분이로세

『속동문선』 제9권 「칠언절구」

———

'석안'은 물이 솟아오르는 바위의 구멍을 가리킨다. 중국에서도 우물 입을 눈에 견준다.

⑤ 서영보徐榮輔(1759~1816)의 시(「구룡연에서 『삼연집』시에 차운하여九龍淵 次三淵集韻」)이다(부분).

———

削屛排劍黝	깎은 돌병풍 칼처럼 검푸르고
巨壑蓄膏蒼	거대한 심연 기름 뿌린 듯
神物何年卧	신령스러운 용 몇 년이나 누웠을까
飛泉萬古忙	나는 샘물 만고토록 바쁘구나
飮非虹敢學	무지개 물마시기 따를 것 없지만
吼想雨無妨	교룡이 비를 부를 터이니 염려없네

『죽석관유집竹石館遺集』 제2책 「시」

———

『삼연집三淵集』은 김창흡金昌翕(1653~1722)의 문집이다.

'무지개'도 생명을 지닌 생물이라 하늘에서 내려와서 물을 마신다는 설화를 인용하였다. 『한서漢書』에 '이때 비가 내리자 무지개가 궁중에 내려와 우물물을 마신 탓에 말라붙었다'는 기사가 있다(권63 「燕刺王劉旦傳」).

⑥ 유중교柳重教(1832~1893)의 시(「용란동에서 세 번 읊음龍卵洞 三詠」)이다.

────

탁영계濯纓溪에서 물길 몇 백 무武를 거슬러 오르면 바로 못에 이른다. 이름은 황계黃溪가 지었다.

水轉山廻闢洞天	산을 돌고 물을 건너는 깊은 별천지
老龍偃寒臥深淵	그 깊은 못에 늙은 용 편히 누웠구나
一出騫騰定何日	언제 나와 높이 날아오를까
千家未耟想望邊	농가마다 쟁기 들고 비 기다리노라

『성재집性齋集』 제1권 「시」

────

논밭을 갈려고 '농가마다 쟁기 들고 비 기다리는' 광경이 눈에 어른거린다. 무武는 도량의 단위로, 1보步의 반이다.

황계는 조선말기의 학자 이복李墣(?~?)의 호이다.

용이 비를 상징하는 것은 중국이나 일본도 마찬가지이다.

(3) 풍년과 우물

① 『동국세시기東國歲時記』 기사이다.

────

농가에서 정월 열 나흗날 저녁, 농사의 흉풍을 점친다. 반으로 쪼갠 수수깡 열두 군데를 오목하게 파고, 콩 열두 알(윤년에는 열세 알)에 열두 달의 이름을 적어 그 안에 넣은 다음 양쪽을 노끈에 동여서 우물에 넣는다.

이튿날 새벽에 꺼내 보되, 콩알이 불어난 정도에 따라 그 달 홍수가 날지 가뭄이 들지를 안다. 이를 달불이月滋라 부른다.

또 마을 호수만큼 콩을 골라서 주인의 이름을 적고 수수깡에 담아 동이고 우물에 넣는다. 이튿날 꺼내 살피되, 많이 불어난 집의 콩 농사가 잘 된다고 여긴다. 이를 집불이戶滋라고 이른다(「대보름」).

─────

이는 우물이 농사의 풍년을 가져오는 생명력을 지닌 것을 나타낸다.

② 『장성長城읍지』 기사이다.

─────

전라남도 장성군 장성읍 영천리鈴泉里에서는 마을 방울샘의 물 빛깔로 한해의 길흉을 점친다. 맑으면 풍년이 들어 태평하지만, 붉으면 흉사가 잇따르고 샘 안 물고기의 오른쪽 눈이 먼다고 한다. 또 물고기를 잡으면 재난을 만난다고 하여 모두 꺼린다.

─────

물고기를 샘의 지기로 받든다는 뜻이다. 마을 이름 '방울샘 마을鈴泉里'도 샘 이름에서 따왔을 터이다.

(4) 마음과 우물

① 이승소李承召의 시(「차 달이기 연구煮茶聯句」)이다(부분).

─────

山童敲茶臼	산골 어린이 절구에 차 찧어
玉屑碎月團	월단으로 옥가루를 내누나
煎出蟹魚眼	차 달이자 게 눈 보이고
時澆錦繡肝	이따금 금수간장 적시네
詩成鬼應泣	시 지으면 귀신 응당 울리니
心定井無瀾	마음은 우물물처럼 고요하리라

『삼탄집』 제7권 「시」

─────

'자다연구'는 차를 끓이면서 여럿이 함께 시를 이어 짓는다는 말이다. 월단月團은 둥글게 뭉친 차 덩이를, 게 눈은 찻물이 끓기 시작할 때 잘게 이는 거품을, 물고기 눈은 물이 한창 끓을 때 떠오르는 큰 거품을 가리킨다. 송宋 소식蘇軾(1037~1101)의 시(「시원전다試院煎茶」)에 '게 눈 뒤에 물고기 눈 나오더니蟹眼已過魚眼生 / 설설 끓는 소리 솔바람 닮았네颼颼欲作松風鳴'라는 구절이 있다.

금수간장錦繡肝腸은 뱃속에 시문詩文이 가득 든 덕분에 멋지게 짓는다는 뜻이다. 이를테면 당唐의 이백李白(701~762)은 '심간心肝과 오장五臟이 온통 금수錦繡로 이루어졌다'고 일렀다.

② **서거정**徐居正(1422~1492)은 '흐드러진 꽃과 향기로운 풀은 하늘에서 받은 것이 아니라 양생楊生(?~?)이 손으로 받은 것이요, 푸른 우물과 맑은 샘은 땅에서 솟는 것이 아니라 양생의 마음에서 나오는 것'이라고 적었다(『동문선』 제66권 「通齋記」).

푸른 우물과 맑은 샘이 마음에서 솟는다니 한량없이 부럽다. 양생은 누구인지 모른다.

③ **이황**李滉(1501~1570)의 시(「다시 의고에 화답함又和擬古」)이다(부분).

我思在何許	내 마음 어디 있나
巖泉鳴處鳴	바위의 샘에서 울고 있지
故林非不好	옛 고향의 수풀 오죽 좋으랴마는
寒瀨自愁聲	찬 여울 소리 절로 시름겹구나

『퇴계선생속집』 제1권 「시」

마음이 샘에서 울고 있어 여울도 시름을 자아낸다는 말이다.

'의고시擬古詩'는 옛 시를 본 떠 지은 것으로, 여기서는 다른 이의 '의고'라는 제목의 시에 운을 맞춘 것을 가리킨다.

앞 사람은 다른 시(「도산에서 우연히 읊다山中遇書」)에 '어둡고 약삭빠르기 사마귀와 매미 닮고物情癡點喩螳蟬 / 마음 맑고 흐리기 샘물 같네心地淸汗比水泉'라는 구절을 남겼다(『도산잡영陶山雜詠』).

④ **'어둡고 약삭빠른 사마귀와 매미는'**은 『장자』에서 왔다.

조릉雕陵 숲을 노닐던 장주莊周(장자)는 남쪽에서 오는 이상한 까치를 보았다. 날개 너비 일곱 자(23미터)에 눈 지름 한 치(3.3센티미터)임에도 자신의 이마에 닿았다가 밤나무에 앉았다. '어떤 새이기에 날개가 커도 날지 못하고, 눈이 커도 보지 못하나?' 중얼거리며 활彈弓을 들고 지켜보았다.

이때 매미 한 마리가 나무 그늘에서 쉬느라고 자신을 잊었고, 나뭇잎에 몸을 숨긴 사마귀螳螂는 매미를 잡으려는 생각에 정신이 없었으며, 까치 또한 이놈을 잡으려는 생각에 빠져있었다. 그가 탄식하였다.

"아, 사물이란 본시 서로를 해치며, 이利와 해害는 서로를 불러들이는구나. 나 또한 내 한치 앞을 잊고 있는 것은 아닐까?"(外編 「山木」)

⑤ 이황李滉은 시(「양생 절구 고인이 지은 시의 각운자를 써서 경림에게 보임養生絶句 次韻古人韻景霖」)에 '남에게 빌린 『운서韻書』 서문에, 생각은 정신에 해로우며 오직 빈 마음만 몸을 지킨다. 내 마음 또한 오랜 우물처럼 고요하여 물결도 없고 먼지도 없기 바란다는 대목을 읽었다'고 덧붙였다(『퇴계집退溪集』 퇴계선생문집별권 1 「시」).

경림은 남응룡南應龍이다.

⑥ 기대승奇大升(1527~1572)의 시(「규봉에 이르러到圭峯」)이다(부분).

禪心古井澄	선의 마음 옛 우물처럼 맑고
世慮春氷泮	세상 생각 봄 얼음처럼 풀리네
氛埃方未豁	흐린 기운 아직 남아
欲待東方旦	날 밝기 기다리노라
剛凝莽何窮	단단히 굳어 아득하지만
此理期一貫	이 이치 반드시 깨치겠네

『고봉집高峰集』 제1권 「시」

마음이 우물처럼 맑다면 풀리지 않는 일은 없을 터이다.

사진 333은 전라남도 구례군 마산면 사도리 상
사마을의 당몰샘으로 '선禪의 마음'처럼 맑고 투명
하다.

사진 333

⑦ 권필權韠(1569~1612)의 시(「여인의 가을 느낌에 차운
하여次汝仁秋日感懷韻」)이다(부분).

———

昨夜夢歸程	어젯밤의 꿈속 귀향길
水天相與永	물과 하늘만 길게 이어졌네
窮愁出新什	가난과 시름 속에 새로 지으니
筆陣何整整	그 글씨 아주 뚜렷하구나
微才安敢和	보잘것없는 내 재주로 어찌 화답하랴
渴思如枯井	마른 우물처럼 빈 내 마음인 것을

『석주집石洲集』 별집 제1권 「오언고시」

———

상대의 시가 워낙 뛰어나서 선뜻 화답하지 못한다는 겸양이다.
여인은 이재영李再榮(1553~1623)의 자이다.

⑧ 『현종개수실록』 기사이다.

———

홍문관 부제학 유계兪棨(1607~1664) 등이 동지冬至를 맞이하여 아뢰었다.
"양陽은 음陰에 뿌리를 두고 동動은 정靜에서 나오는 까닭에, 천지 생물들의 마음
이 모두 이에서 비로소 싹이 틉니다. 나의 한 마음도 단 한 가지의 착한 생각이
처음 타오르는 불길처럼이나, 처음 솟아나는 샘물처럼 점점 퍼지다가 천지와 하
나가 됩니다."(1년[1660] 11월 22일)

———

'착한 마음 한 가지가 샘물처럼 퍼지다가 천지와 하나가 된다'는 말은 두고두고 새
길 일이다.

⑨ 강세황姜世晃(1713~1791)의 글(「여송오와 여감호를 함께 사당에 모시고 올리는 제문呂松塢鑑湖幷亨祠宇祭文」)이다(부분).

———

군자다운 이 사람이여. 백 년 뒤를 기다려야 알 수 있도다. 저 흐르는 샘물처럼 바탕이 깨끗하여 마음에 찌꺼기 없구나. (…) 후손에 길 열고 앞 시대 이으니, 백 년 동안 훌륭한 업적 쌓였구나.

———

송오는 여응구呂應龜(1523~1577)의 호이다.

한편, 여감호(?~?)가 이천배李天培(1558~1604)와 편지를 주고받으며 교류하였다는 기록으로 미루어 16세기 중후반기 사람인 듯도 하다.

⑩ 『목민심서牧民心書』에 '청렴한 관리를 소중히 여기는 것은 그가 지나가는 숲과 샘山林泉石에 모두 맑은 빛이 미치기 때문'이라는 기사가 있다(권1 제2부 율기律己 육조六條」제2장 「청심清心」).

관리의 마음이 저처럼 깨끗하다면 숲과 샘 뿐 아니라 온 천지가 맑아질 것이다.

⑪ 박장원朴長遠(1612~1671)의 시(「기성수세箕城守歲」)이다(부분).

———

시詩 『서행록西行錄』 십일 월

공이 중국 사신을 맞으려고 평안도로 갔을 때의 기록이다. 이 시는 벽제를 떠나면서 지은 것 가운데 하나이다公以儐使西下時所錄自此詩至發碧蹄係錄中作.

身似病蟬猶擧翼	병 든 몸 매미처럼 날개 파닥이지만
心如古井不生瀾	마음은 오랜 우물처럼 고요하네
雪消荒戌聞鴉噪	눈 녹으니 쓸쓸한 변경에 까마귀 울고
天豁平郊見鶴盤	갠 하늘 너른 들에 학의 둥지 보이누나
浿館歲除容信宿	섣달그믐날 패관에서 묵으니
願憑歸夢入長安	꿈에서라도 서울로 돌아가고 싶구나

『구당집久堂集』 권7 「시」

병든 몸에 객지에서 까마귀 울음을 들으니 비록 마음 고요해도 꿈을 빌려서라도 향으로 돌아가고 싶다고 한다.

패관은 평양의 다른 이름이며, 대동강도 패수라 불렀다.

⑫ 『기측체의氣測體義』 기사이다.

────

더러 마음에 새긴 이치 가운데 오래된 것은 없어지고 그 다음 것은 점점 희미해지며 지금의 것은 분명하니, 그 본체가 순수한 것을 알 수 있다. 전날 잊었던 것을 갑자기 떠올리면 곧 생각나고, 지난 번 익혔던 것을 거듭하면 힘이 덜어지니, 익힘이 쌓이는 것을 알 수 있다.

마음의 본체는 순수한 우물과 같다. 우물에 먼저 청색을, 다음에 홍색을, 이어 황색을 넣고 조금 기다리면, 청색은 없어지고 홍색은 점점 희미해지며 황색은 남아 있으나, 그마저 오래지 않아 사라진다. 순수한 우물은 오색을 순서대로 받아들이다가 한참 뒤 본색으로 돌아가는 것이다. 따라서 오색은 물의 순수한 본체를 빼앗지 못하는 것을 알 수 있다. 다시 청색을 넣으면 앞에 넣었을 때와 형색形色이 같아지므로, 뒤에 청색을 더해도 마찬가지일 터이다. 홍색이나 황색도 이와 같을지니 이는 익힘이 쌓이기 때문이다.

만일 우물이 고요해져도 본색으로 돌아가지 않는다면, 해를 거듭하여 받아들인 색들이 마침내 엉망진창이 되고, 백 년이 지난 색도 한구석에 남아 있어 변하지 않고 지금 새로 첨가한 색과 다름없어서 비단 우물이 될 것이다. 그러나 능히 고요하면 본색으로 돌아가 뭇 색을 받아들여 그 색채를 분별하고, 뭇 색을 거두고 감추어서 그 자취를 없앤다.

흐린 우물에 여러 색을 섞으면 반드시 흐리멍덩하지만, 고요하기를 기다려 본색으로 돌아가는 것은 앞에서와 같다. 따라서 순수한 것은 우물의 본색이고, 색을 첨가한 것은 우물의 경험이다. 첨가한 색이 없어지더라도 순수한 가운데 있는 경험이 거듭 쌓일수록 추측이 절로 생긴다(제1권 「推測提綱」).

────

이론과 비유에 한 치의 틈이 없는, 물처럼 맑은 명문이다.

앞 사람은 '마음의 바탕은 순수한 우물 같다'는 구절도 남겼다(『氣測體義』 제1권 「推測提綱」).

(5) 덧없음과 우물

① 이황李滉의 시(「경림이 보낸 시에 각운자를 써서 지음次韻景林南應龍贈」)이다(부분).

———

靜夜燒香丈室空	고요한 밤 장실에 향 사르자
鼻中惟覺寂然通	조용히 코에 스미누나
他時尙昧先王道	다른 때는 선왕의 도에 어두웠으나
此日猶聞長者風	오늘은 오히려 장자의 교훈 듣노라
蛇嚙樹根從井底	뱀이 나무뿌리 갉는 쥐 따라 올라오고
地逢雷響在泉中	땅을 치는 우레 소리 우물에서 울리네

『퇴계선생문집』 제1권 별집 1권 「시」

———

장실은 주지住持의 거실로 방장方丈이라고도 하며, 장자풍은 '장자풍도長者風道'의 준말로 덕망이 높고 노성한 사람의 풍도를 가리킨다.

② 이에 대한 『대집경大集經』 기사이다.

———

옛적 어떤 이가 취한 코끼리 두 마리를 피해 등나무를 타고 우물 속으로 들어가자, 검은 쥐와 흰 쥐 두 마리가 나무를 갉아서 곧 끊어지려 하였다. 또 곁에서 뱀 네 마리가 물려고 덤비고, 아래에서 용 세 마리가 불을 뿜으며 발톱을 세우고 막았다. 그가 코끼리 두 마리가 이른 것을 보고 도리가 없음을 한탄하던 중에, 별안간 벌이 지나가며 꿀을 떨어뜨린 덕분에 받아먹고 두려움에서 벗어났다. 코끼리는 삶과 죽음, 등나무는 목숨, 우물은 무상無常, 쥐는 해와 달, 뱀은 네 계절, 꿀은 다섯 가지 욕심을 나타낸다.

———

남응룡(1514~1555)은 조선중기의 문신이며, 경림은 그의 호이다.

③ 김창협金昌協(1651~1708)의 시(「부지암에서 농수정籠水亭 운을 따라 지음不知菴次籠水亭韻」)이다.

———

稠疊青岑與翠巒	푸른 뫼 푸른 언덕으로 이루어진
小菴孤迥寄中間	그 가운데 깊은 곳의 작은 암자
冥冥一枕希夷界	베개 위 희이세계 적막한데
枉遣奔泉吼滿山	샘물소리 부질없이 온 산에 울리누나

『농암집農巖集』 제3권 「시」

———

'깊은 산 속에 감추어진 작은 암자'인 탓인가? 이름 그대로 어디 있는 지 알 수 없지만, 농수정은 강원도 화천군 사내면 삼일리에 위치한 화악산華岳山(1,468미터) 북쪽의 화음동華陰洞 계곡일 터이다.

'희이세계'의 '희'는 눈으로 보아도 보이지 않으며, '이'는 귀로 들어도 들리지 않는다는 뜻이다. 이는 정신이 외물外物의 영향을 받지 않아 적막하고 현묘한 경지에 놓인 것을 가리킨다(『노자』 제14장).

④ 정약용丁若鏞(1762~1836)의 시(「금정에서 옛 역사를 회상하며金井懷古」)이다.

———

청양현青陽縣 북쪽의 금정은 백제왕의 우물이다.

當年玉溜進王宮	단 샘물 왕궁에 바치던 무렵
白馬江深伯氣雄	깊은 백마강에 서린 패기 웅장했지
虹銷古甃莓苔綠	무지개 사라진 우물 벽 이끼 파랗고
雨洗荒智薜荔紅	비에 씻긴 낡은 우물의 담쟁이 붉구나
回首自溫臺下路	자온대 아랫길 머리 돌려 바라보니
轆轤聲斷暮煙中	해 저문 연기 속에 도르래소리 끊기네

『다산 시문집茶山詩文集』 제2권 「시」

———

옛 백제 왕궁의 우물 앞에서 멸망한 나라에 대한 아쉬움을 읊조렸다. '사라진 우물의 무지개'는 없어진 나라, 곧 백제를 가리킨다.

⑤ 자온대에 대한 『신증동국여지승람』 기사이다.

———

현 서쪽 5리에 있다. 낙화암에서 물을 따라 서쪽으로 내려가면 물가에 걸터앉은 듯한 괴상한 바위가 있으며, 크기는 열 사람이 앉을만하다. 자온대라는 이름은 백제왕이 앉으면 자연히 따듯해진 데서 왔다고 한다(제18권 부여현 「고적」).

———

이것을 한 때 건축학계에서 구들(온돌)의 한 가지로 본 것은 잘못이다.

(6) 숨어살기와 샘

① 김시습金時習(1435~1493)의 시(「답을 보냄酬答」)이다(부분).

———

月白東林秋夜長	동산에 달 밝아 가을 밤 긴 데
放吟孤嘯大笑狂	노래하며 휘파람 부니 미치광이로세
金風萬里兼葭老	금풍 끝없어 갈대 시들고
玉露一天星斗凉	이슬 가득하니 별들도 차갑구나
已許雲霞藏老拙	일찍부터 늙은 모습 자연에 맡기고
更將泉石洗肝腸	다시 샘물로 마음 씻으리라

『매월당전집』 제6권

———

금풍은 가을바람의 다른 이름으로, 오행에서 가을을 금金으로 다루는 데서 왔다. '시든 갈대'야말로 전형적인 가을의 얼굴이다.

② 앞 사람의 시(「새벽에 일어나曉起」)이다(부분).

———

曉起看庭宇   일찍 일어나 뜰과 집 둘러보니

庭宇整且肅	정돈되어 깔끔하구나
雲歸巖壑靜	구름 걷힌 바위의 골짜기 고요하고
鳥鳴咽蘿碧	새 우는 안개 속 넝쿨 푸르네
自喜放曠人	스스로 매이지 않은 이 즐거하노니
林泉甘寂寞	숲 속 샘물 달지만 사람 없구나

『매월당전집』 제2권

————

속인이야 은자의 깊은 마을을 알 까닭이 없다.

③ 김시습金時習의 시(「상원사에서題上元寺」)이다(부분).

————

踪跡猶如水上萍	자취는 오히려 물 위 부평초 같아
雲山只可送餘生	구름 낀 산 여생 보낼만하이
自憐形影徒相弔	내 몸과 그림자 조상할 만큼 가엽지만
端喜林泉是處情	오로지 이곳 숲 샘의 정 기꺼워하네
遺悶謾除庭草色	시름 잊으려 부질없이 뜰의 풀빛 없애고
牽愁厭聽砌蛩聲	수심 누르고 싫도록 풀벌레소리 듣노라

『매월당전집』 제13권

————

'몸과 마음을 조상할 만큼' 스산했던 자신의 평생을 그대로 드러냈다. '뜰의 풀빛' 조차 눈에 거스르는 까닭이 이것이다.

④ 앞 사람의 시(「무제無題」)이다.

————

石泉凍合竹扉關	샘 얼어붙어 대사립 걸자
剩得心閑事事閑	마음 느긋하여 일마다 한가롭네
簷影入窓初出定	처마 그림자 창에 비쳐 선정에서 나와
時聞霽雪落松閒	눈뭉치 솔 사이로 떨어지는 소리 듣노라

『속동문선』 제9권 「칠언절구」

샘이 얼어붙는 무렵에 사립문을 닫아 걸은 것은 세상사에서 멀리 벗어난 것을 이른다.

⑤ 정희량鄭希良(1469~?)의 시(「광노행狂奴行」)이다(부분).

鳥窺頹院穴	새는 무너진 담 구멍 엿보고
人汲夕陽泉	사람은 저녁에 샘물 긷네
山水爲家客	산수로 집 삼은 나그네
乾坤何處邊	하늘과 땅 어디 머물까
孤筇遊宇宙	쓸쓸히 지팡이 짚고 천지를 떠도나니
嫌鬧并休詩	시끄러움 꺼려 시마저 그만두리라

『수문쇄록諛聞瑣錄』 권하

시인의 눈이 무너진 담 구멍을 엿보는 새의 눈에 머물고 있다.
자연이 곧 시이니, 새삼 시를 다시 지을 까닭이 무엇이랴?

⑥ 이황李滉의 시(「도산에서陶山言志」)이다(부분).

移書稍稍舊龕盡	책 옮기니 차츰 옛 서실 다 비고
植竹看看新笋生	대나무 심고 자주 보니 새 죽순 싹트네
未覺泉聲防夜靜	샘물소리 밤의 고요 깨는 줄 모르고
更憐山色好朝晴	맑은 아침 산 경치 더욱 사랑스럽구나
方知自古中林士	이제 알겠네 예부터 숲 속 선비
萬事渾忘欲晦名	모든 일 잊고 이름 숨긴 것

『도산잡영陶山雜詠』

반이나마 이루어진 서당으로 책을 옮기자 차츰 옛적에 책을 둔 감실龕室처럼 좋은 시설이 비어가고, 서당 주위에 대나무 심어놓고 틈나는 대로 나가서 보고 또

보노라니 새 죽순의 싹이 튼다. 서당 밖에서는 샘물이 졸졸 소리를 내며 흘러나오건만 사람의 소리와 달라서 밤의 고요를 깨지 않는다.

산의 경치도 활짝 갠 아침에 더욱 아름다워서 사랑스레 느껴진다. 예와서 지내보았더니 숲속에 숨어살던 옛 선비들이 이러한 멋진 풍경 때문에 속세의 모든 일을 완전히 잊고 명예 따위를 거들떠보지 않으려한 까닭을 알만하다.

―――――

'감'은 신불神佛이나 신위를 모시는 작은 석실石室이나 누각, 곧 감실이나 감벽龕壁을 가리키지만, 여기서는 보잘 것 없는 작은 집이라는 뜻이다.

'신순생'은 송 매요신梅堯臣(1002~1060)의 시(「주표신 및 여러 벗들과 번씨 동산에서 놀며同朱表臣及諸君游樊氏園」)의 '옛 대나무 그대로 있지만舊物此君在 / 뒤에 새 죽순 많이 났구나後生新竹多'라는 구절에서 왔다. '중림'은 숲속을, '회명'은 이름을 숨긴다는 뜻이다.

전촉前蜀 두광정杜光庭(850~933)의 책(「기이한 기록錄異記 신선·은사·주군의 기록仙隱士朱君記」)에 '주도추朱挑椎(?~?)는 은사이다. 풀 옷에 흰 모자 차림으로 이름과 벼슬 숨기고, 베 짜고 신 삼으며 살아갔다'는 기사가 있다.

⑦ 앞 사람의 시(「동주도원을 16절구로 옮김東州道院十六節」)이다(부분).

―――――

混沌溪山氷玉地	태초의 모습 지닌 옥 같은 얼음 땅
林泉久被丈人欺	좋은 숲과 샘 도사들이 숨겼네
米鹽敲朴東州遠	쌀·소금 내라고 회초리 휘둘러도 동주는 못하니
應有英靈作檄移	마땅히 영험한 산신령이 격문 지어 옮겨 오리라

『퇴계시 풀이』

―――――

1·2구와 3·4구는 동떨어졌다.

동주는 경상북도 흥해興海 곧, 경상북도 포항시 일대의 옛 이름이다. 이야순李野淳(1755~1831)은 『퇴계집』 주석서에 '영남의 낙동강 왼쪽은 일이 호젓한데다가 흥해興海 고을은 가장 한가롭고 구석져서, 이를테면 옛적의 도원이라는 곳의 이름에 부끄럽지 않다'고 적었다(『요존록要存錄』).

⑧ 휴정休靜(1520~1604)의 시(「감사 이식의 시운을 빌려서次李監司試韻」)이다(부분).

———

蒼然迷竹色　　　푸른 연기 대나무에 가득 차고
清澗照花明　　　맑은 시내에 환하게 꽃 비치네
宇內爲閑客　　　온 우주의 한가한 나그네 되어
林泉畢此生　　　숲속의 샘에서 생애를 마치리라

———

숲속의 샘은 세상에서 숨어들어간 은둔자가 지닐만한 선경仙境이다.

⑨ 앞 사람의 시(「숨어사는 사람隱夫」)이다(부분).

———

耕鑿無餘事　　　밭 갈고 우물 파는 일밖에 모르는
林泉一老翁　　　숲속 샘가의 한 늙은이
因鶯驚午夢　　　꾀꼬리 소리에 한낮 꿈 놀라 깨자
殘雨細隨風　　　가랑비 가벼이 바람에 흩날리누나

『청허당집淸虛堂集』

———

바람에 흩날리는 가랑비가 안개를 일으키는 가운데, 그 속에서 꾀꼬리 울음까지
울린다니 무엇을 더 바랄 것이랴?

⑩ 권필權韠의 시(「사오당명四吾堂銘」)이다.

———

食吾田　　　밭 갈아 먹고
飲吾泉　　　샘물 마시며
守吾天　　　하늘 뜻대로 살다가
終吾年　　　목숨 다 하리

『석주집』「외집」제1권

———

사오당은 시인의 당호堂號이다. 이 가운데 '사'는 앞에서 든 네 가지 계명일 터이다.

이처럼 간결하게 삶의 이치를 다 펴 보인 작품은 찾기 어려울 터이다.

(7) 시와 샘

① **김시습**金時習**의 시**(「정 대사에게 올림贈正上人」)**이다**(부분).

道人夜挑燈	도인 밤에 등잔 심지 돋우고
謾題詩一篇	부질없이 시 짓누나
膏煎聲沸喞	기름 닳아 찍찍 거려도
詩想流如泉	시상은 샘물처럼 솟으니
香殘知夜永	향불 다해 밤 깊은 것 알겠고
露冷認流年	이슬 차니 해 바뀐 것 느끼네

『매월당전집』 제3권

'기름 닳는 등잔'과 '샘처럼 솟는 시'는 더할 수 없이 어울리는 짝이다. '찬 이슬에 해 바뀐 것을 안다' 구절은 섣달 그믐날 시를 지었다는 뜻인가?

② **성현**成俔**의 시**(「개성부 연복사에 머물며 지은 절구 네 수到開城府留宿演福寺作四節」)**이다**(부분).

정천井川

靈源混混瀉無窮	신령스러운 근원에서 끝없이 샘물 솟아
萬落均霑后媼功	수많은 마을 고루 후온의 덕 입누나
却訝吟唇今始潤	떠 마시자 신기하게 시 술술 풀려
如吞沆瀣駕天風	항해를 먹고 하늘 바람에 멍에 멘 듯

『허백당시집』 제6권

'후온'은 후토부온后土富媼의 준 말로 토지신 할멈을 가리키고(『한서』 권22 「예악지」), '항해'는 신선이 마시는 맑은 밤이슬로, 물을 마시자 바람 타고 하늘을 나는 듯이 상쾌해 졌다는 뜻이다.

연복사는 개성시 한천동에 있던 고려 때 절이다. 광통보제사廣通普濟寺 또는 보제사라고도 불렀다.

③ 강세황姜世晃(1713~1791)의 시(「무인년 시월 상순 한양에서 허여정·홍계주·홍성중이 성촌으로 왔기에 이성수와 함께 현불산 안원사에 모여 밤에 '원객좌장야 우성고사추'의 구를 뽑아 운을 나누어 각기 지으며 '고'자 운을 얻음歲戊寅十月上元 許汝正·洪季周·洪成仲 自京城來訪聲村 因與李星叟幷會于見佛山之安院寺 夜拈 '遠客坐長夜 雨聲古寺秋' 之句分韻各賦 得孤字」)이다(부분).

一夜羣賢集	한 밤에 어진이들 모이니
千峰古寺孤	깊은 산 속 옛 절 고요하네
雨泉珠灑落	비 내린 샘에 구슬 떨어지듯
楓壑錦縈紆	단풍 든 골짜기에 비단 두르듯
敧枕探詩句	베개에 기대 시구 찾으며
挑燈展畫圖	심지 돋우어 화폭 펼치네

『표암고豹菴稿』 권2 「시」

시상이 '비 내린 샘에 구슬 떨어지듯, 단풍든 골짜기에 비단 두른 듯' 솟는다니 놀랍고도 부럽다. '비 내린 샘 … '은 시이고, '단풍 든 골짜기 …'는 그림을 가리킨다. 고요한 밤에 선비들이 돌아가며 시를 짓고 그 내용을 화폭에 옮기는 정겨운 모습이 눈에 선하다.

현불산(489미터)은 경기 안양시와 군포시 경계에 있으며, 수리산修理山이라고도 한다.

④ 김정희金正喜(1786~1856)의 시(「서원 석경루에서 '달밤에 폭포 구경하는 시'를 받들어 화답함奉和 犀園石瓊樓 月夜賞瀑」)이다(부분).

君詩似泉籟	그대의 시 샘물소리 같아
在山遂滿山	산에 있으면 곧 산에 가득 차네
示我聽泉意	내게 샘물 듣는 뜻 알려 주니
三昧此一斑	삼매가 바로 이 한 반점일세

| 月光施無畏 | 월광 부처가 무외 베풀자 |
| 老石俱點頑 | 늙은 돌도 고개를 끄덕이네 |

『추사 김정희 시전집』

───

친구의 시가 아무리 뛰어나기로 '산에 가득차고 이로써 흐르는 샘물 소리를 듣는 뜻 을 알게 되었다'고 추켜세우는 일은 아무나 못한다.

서원은 김선金鐥(1772~1833)의 호이며, 석경루는 서울시 종로구 세검동 앞 향나무 자리에 있던 누각이다. 삼매는 한 가지 일에 집중하는 일, 반점은 여러 가지 색이 곳곳에 섞인, 가장 핵심 되는 부분이다.

월광부처는 과거 세상의 월광태자月光太子였던 석가를, 무외는 삼시三施의 하나인 무외시無畏施로, 부처가 대중에게 설법할 때 태연하여 두려워함이 없는 덕을 이른다.

늙은 돌은 '축도생竺道生이 호구산虎丘山에서 돌을 모아 도중徒衆을 만들고『열반경涅槃經』을 강설하자 그들이 머리를 끄덕였다'는 고사에서 왔다.

(8) 젖과 샘

① 성현成俔의 시(「성천 강선루 시에 차운하여次成川降仙樓韻」)이다(부분).

───

俗骨無緣服乳泉	속인이라 젖샘 맛 못 보았더니
偶因王事到樓前	우연히 나랏일로 누대 앞에 왔네
桃源作記陶彭澤	도팽택처럼 도원기 짓고
芳草吟詩謝惠連	사혜련처럼 방초 시 읊노라
北闕雲煙迷遠夢	대궐 운무 속이 먼 꿈처럼 아득한데
西來旌旆拂晴天	서쪽 갠 하늘에 깃발 높이 펄럭이누나

『허백당시집』 제12권 「시」

───

샘에서 젖 맛이 난다니 부처의 제자임을 나타낸 것인가?

도팽택은 진晉의 도잠陶潛(365~427)이다. 그가 「도화원기桃花源記」를 지어 이상향理想鄕인 무릉도원을 노래하였듯이, 시인은 복사꽃 핀 강선루의 풍경을 읊으며 자신을 도

잠에게 견주었다.

'사혜련謝惠連(464~499)이…'는 매우 훌륭한 구절이 떠올랐다는 말이다. 남조南朝 송宋의 시인 사영운謝靈運(385~433)이 영가永嘉의 서당西堂에서 온종일 애쓰다가, 꿈에 동생族弟 사혜련을 만나 '못가에 봄풀이 난다 池塘生春草'는 구절을 얻고 좋아했다는 고사가 있다(『南史』 권19 「사혜련 열전」).

강선루는 평안남도 성천군 성천읍 있던 고려시대의 누각으로, 북한에서 국보 문화유물 제32호로 삼았다(사진 334).

사진 334

② 황경원黃景源(1709~1787)의 시(「도담島潭」)이다(부분).

———

三島出澄潭	맑은 못에서 솟은 섬 셋
雲霞欝蔥然	이내 잔뜩 어렸구나
東嶼偃神松	동쪽 섬에 소나무 눕고
西嶼泄乳泉	서쪽 섬에 젖샘 솟네
中嶼凌河漢	가운데 섬 은하수 찌르니
可以來靈仙	신선이 내려올 만도 하이

『강한집江漢集』 제1권 「시」

———

도담삼봉三峯은 단양팔경丹陽八景의 하나로 꼽히는 남한강 가운데에 솟은 섬들이다(사진 335).

③ 이덕무李德懋(1741~1793)의 시(「총수에서 혜보의 운을 빌려서蔥秀 次惠甫韻」)이다(부분).

———

사진 335(ⓒ 유홍준)

嶙峋壁影倒川靑　　우뚝한 석벽 그림자 물에 비쳐 푸르니
輝映當年幾使星　　그때 사신들 몇이 이곳에 빛났던가
皺石皆堪增畫譜　　주름진 돌은 모두 그림책을 더하였으나
乳泉還恨漏茶經　　젖샘이 『다경』에 빠진 것 한스럽네
先洄一曲憑仙榻　　한 굽이 먼저 돌아와 신선 자리에 비겼다가
欲攬眞形上驛亭　　본디 모습 보려고 역정에 올랐네

『청장관전서』 제10권 아정유고雅亭遺稿 2 「시」

————

총수蔥秀는 황해도 황주 평산부平山府에 있는 우거진 숲속의 아름다운 수석水石 밭이다. 돌 벽에서 '감류甘溜'라는 샘이 솟고 그 위에 관음대사觀音大師상이 있다.

『다경茶經』은 당의 육우陸羽(?~804)가 차에 대해 쓴 책이다. '젖샘이 다경…'은 차는 젖샘처럼 맛이 뛰어난 물로 달여야 함에도, 정작 그 책에 우리네 감류가 빠져서 아쉽다는 뜻이다.

④ 앞 사람의 시(「총수蔥秀」)이다(부분).

————

飄帶花鬔石影圓　　나부끼는 꽃다발 뭉치고 돌 그림자 뚜렷한데
靈泉如乳滴涓涓　　신령스러운 샘물 젖처럼 방울방울 지누나
攀蘿若測峯高遠　　다래덩굴 잡고 올라 봉우리 멀리 보면
恰想垂猿百臂聯　　원숭이 팔뚝 백 개 이은 듯하리
先洄一曲憑仙榻　　한 굽이 먼저 돌아와 신선 자리에 기댔다가
欲攬眞形上驛亭　　본디 모습 보려고 역의 누각에 올랐네

『청장관전서』 제10권 아정유고 2 「시」

————

젖샘이라는 이름에 걸맞도록 '샘물이 젖처럼 방울방울 떨어진다'고 하였다. 멀리 보이는 봉우리들을 원숭이 팔뚝에 견준 것도 예사롭지 않은 명구이다.

⑤ 박제가朴齊家(1750~1805)의 시(「총수蔥秀」)이다.

————

古壁題痕尙宛然	옛 절벽 자취 지금도 뚜렷한데
枯林卷曲夕陽懸	마른 숲 등성이에 지는 해 걸렸네
當年不有朱天使	그때 주지번이 보지 않았다면
遮莫東方漏乳泉	동방에 젖샘 없었으리라

『정유각집貞㽔閣集』「시」

———

본디 이름은 '총수聰秀'였으나 고려 때, 송의 사신 동월董越(?~?)이 산이 파처럼 파랗다고 하여 지금 이름으로 바뀌었다.

이 풍경에 감탄한 명의 사신 주지번朱之蕃(?~?)이 옥류천玉流泉·청천선탑聽泉仙榻·옥유영천玉乳靈泉이라는 글씨를 새겼다고도 한다.

⑥ 김정희金正喜의 시(「서벽정 가을 풍경을 대하고棲碧亭秋日」)이다(부분).

———

幽洞螺旋入	빙빙 돌아 그윽한 골짝에 드니
細泉潑乳紅	작은 샘에서 붉은 젖 솟네
禽鳥似持世	온갖 새 제 세상인 듯
晝陰石壇空	석단은 비어 낮에도 어둡네
春來厭繁華	봄의 번잡함 싫증 나
愛此秋玲瓏	영롱한 이 가을 좋아한다네

『완당전집』 제9권 「시」

———

'붉은 젖'은 샘물에 광물질이 섞이거나 그것이 바닥에 갈아 앉아서 붉은 빛이 도는 것을 가리킬 터이다.

서벽정은 전라북도 무주군 설천면 두길리에 있다.

(9) 산골과 우물

① 이승소李承召의 시(「회인 객사에서懷仁客舍」)이다(부분).

———

石壁巉巉擁四邊	삐죽삐죽 솟은 바위 사방 에워싸
渾如坐井仰觀天	우물 속에서 하늘 쳐다 보는 듯
峰高障日常先暮	높은 산 해 가려 늘 일찍 저물고
樹老無枝不記年	늙은 나무 가지 없어 나이 가늠 못 하네
山深地僻煙霞古	산 깊고 땅 구석져 이내 끼니
疑有仙人種玉田	신선이 옥전에 씨 뿌리는가

『삼탄집三灘集』 제4권 「시」

───────

옥전玉田은 한漢의 효자 양옹백陽雍伯(?~?)이 자갈밭을 갈다가 옥玉을 얻었다는 밭이다. 그가 무종산無終山 옥전에 살며 3년 동안 목마른 행인들에게 물을 먹였더니, 어떤이가 돌 한 되를 주며 심으라고 하였다. 그가 서너 해 뒤 서씨徐氏 집 딸을 아내로 맞을 때, 백옥 한 쌍을 달라고 하여 밭에서 다섯 쌍을 캐 주었으며, 후손들이 밭에 비석을 세워 이 일을 남겼다고 한다(『수신기』).

② 『한강집寒岡集』 기사이다.

───────

최대용崔大容(1588~1641) 유해有海에게 답하다.

고을 관아에 왔다기에 만나기 바랐더니 되짚어 조정으로 달려간다는 편지를 읽고 공사 간에 걱정일세. 사정이 그러하니 어찌 감히 섭섭하다 이르겠소. 다만 서쪽의 참혹한 소식은 차마 듣기 어려울 정도이네. 이곳 시골은 우물 속보다 더 좁아 자세한 내용을 알 수 없거니와, 나라의 백성으로 걱정이 이만저만 아니로세. 내 병세는 그만하지만 옛적처럼 뻣뻣하게 엎드려 죽을 날만 기다릴 뿐이라네. 세월이 매우 험악한 이때 서울에 어찌 오래 머물겠나. 열흘이나 보름 사이에 다시 만나기 바라는 마음 간절하네(속집 제8권 「서」).

───────

정구鄭逑(1543~1620)가 1619년에 쓴 듯하다.

대용은 최유해崔有海의 자이다. 작자의 문인으로 1617년에 평안도평사平安道評事를 지낸 것으로 보아 이때 병조의 관원이었을 터이다.

(10) 별과 우물

① 정인지鄭麟趾(1396~1478)의 행장行狀 가운데 한 대목이다.

천자의 사명을 받들어 조선에 온 시강侍講 예겸倪謙(1415~1479)은 관반館伴 정인지
와 시를 주고받고 나서 상대를 높이 보았다. 밤에 앉았다가 뜰 가운데 밝은 달이
뜨자 시강이 '달은 무슨 자리에 있는가?' 묻자, 공이 바로 '동정東井의 분야에 있
습니다' 하였더니 무릎을 쳤다(「月在東井」).

'동정東井'은 하늘의 별 이십팔수二十八宿 가운데, 옥정玉井 동쪽에 있는 데서 왔으며
지금의 쌍둥이 자리이다. 또 서쪽 일곱째 성수인 삼수參宿 아래의 네 번째 별이 우물
꼴이라 하여 옥정玉井이라 부른다.

예부터 신비한 별로 여긴 나머지 이것이 보이면 전쟁이 터지고 흉년이 든다고 믿었
다. 『삼국사기』의 '백제 근초고왕近肖古王(166~214) 39년(204) 10월, 살별星孛이 동정 별자
리에 나타났다'는 기사가 좋은 보기이다. 같은 7월에 신라가 사현성沙峴城을 공격하였
고, 이태 뒤 가을에 누리가 생기고 가물어 흉년이 들었으며 사방에서 도적이 들끓었다.

관련 기사는 조선시대 기록에도 드물지 않게 나타난다. 이러한 점에서 우물 이름
'동정'은 물을 주관하는 동정성東井星에서 왔을 터이다.

반관은 고려 시대에, 서울에 묵는 외국 사신 접대를 위해 임시로 둔 정3품 벼슬이다.

② 김정희金正喜의 시(「장난삼아 '자기의 동정에서 노는 시'의 운을 빌려서戲仿慈屺遊東井韻」)이다(부분).

城內外分井路斜	성 안팎의 우물 길 꼬불꼬불
飛根漱玉盡家家	옥 방울 같은 홈통의 물 집집에 흘러
此從鴻漸書中輔	이제 『다경』에 적힌 대로
第二湯來試白花	차 달이는 중탕에서 흰 꽃 피네

『완당전집』 제10권 「시」

자기는 김정희의 북청 및 제주도 귀양길에 같이 따라 간 강위姜瑋(1820~1884)의 호이

고, 동정은 함경도 북청에 있다.

비근은 나무뿌리 밑에서 솟는 샘이며, 홍점은 『다경』을 쓴 육우陸羽이고, 백화는 끓는 찻물의 물방울이다.

물이 워낙 귀한 고장이라 우물을 파지 못하고 먼 곳에서 홈통으로 끌어와 집집에서 나누어 쓴다는 말이다.

사진 336은 전라북도 무주군 설천면 어떤 마을에서 나무를 파서 만든 홈통을 이어서 물을 끌어오는 모습이다. 물확을 구유처럼 팠다.

사진 336

③ 『임하필기林下筆記』 기사이다.

———

동정東井은 (함경도) 북청부北靑府 동문 밖에
있다. 돌을 두른 것은 경성京城 훈련원의 통정桶井과 같다. 매우 맑고 차가우며,
물을 마시면 장님도 눈을 뜬다고 한다.
내가 북쪽에 있을 때, 한 해 동안 학질瘧疾에 걸려 갖은 약을 써도 효험이 없다가
자정子正(첫새벽)에 이 물 두 사발을 마시고 나았다. 과연 성수聖水인지라, 우물가
정자에 '성수가聖水歌'를 지어 걸었다. 중국에 있었다면 혜천惠泉과 더불어 자웅雌
雄을 겨루었을 터이다(제27권 春明逸史 「東井水」).

———

꼭두새벽에 일어나 마셔야 효험이 난다는 뜻도 있다. 이 무렵의 뜬 물을 정화수井華
水라고 따로 부르는 까닭이 이것이다.

훈련원은 서울시 중구의 옛 동대문운동장 부근에 있었으며, '통정'은 나무귀틀 우
물이라는 뜻이다. 명정銘井이라고 할 '성수가'는 전하지 않는다.

④ 『임원경제지林園經濟志』 기사이다.

———

『사기 천관서史記天官書』에 '동정은 물과 연관된 일水事을 맡는다'고 적혔고, 이 책

을 주석한『색은索隱』에는 '『원명포元命苞』에 동정 8성은 수형水衡을 주관한다'는 기사가 보인다.

또『진천문지晉天文志』에 동정의 별 여덟은 하늘의 남문南門으로 황도黃道가 지나는 하늘의 정후亭堠이며, 수형의 일과 법령이 공평하게 이루어지는 일을 주관한다는 대목이 있다(「魏鮮志」).

────

정후는 국경을 비롯한 중요한 곳을 지키려고 세운 정자 모양의 초소哨所이다.

⑤ **박제가朴齊家(1750~1805)의 시**(「삼수재 밤 이야기三秀齋夜話」)**이다(부분).**

────

疎星千井夜	깊은 밤 우물마다 성근 별 뜨고
烟樹澹將春	안개 낀 나무 맑아 봄이 오려나
白屋茶鐺雨	초가의 차 끓는 소리 비 내리는 듯
紅燈酒市人	붉은 등불 든 이 술 사오네
風流歡宿昔	풍류는 해묵음 기뻐하나니
時物愛淸新	시절은 만물의 청신함 아끼누나

『정유각집貞㽔閣集』「시집」1

────

우물마다 별이 뜨고 안대 낀 나무가 오히려 맑은 밤중에 때맞추어 술까지 들고 오는 벗이 있으니 이만한 풍류는 아무나 누리기 어렵다.

(11) 악기와 샘

① **김종직金宗直(1431~1492)의 시**(「백운동 시권에 씀書白雲洞詩卷」)**이다(부분).**

────

이곳에 중추부사 이염의李念義(1409~1492)가 산다樞府李念義所居.

| 架岩鑿谷築精舍 | 바위에 나무 걸치고 골짜기 뚫어 지은 절집 |
| 中和之堂絶依俙 | 옛 중화당 닮았구나 |

石泉冷冷代琴筑	찰랑찰랑 돌 샘물 거문고 대신하고
澗霧簇簇爲屛幃	짙은 안개 병풍처럼 둘렀네
朝出金魚映繡幰	아침에 나갈 때 수놓은 수레 휘장에 금어 비치고
暮歸鶴氅裝哀衣	저녁에 돌아와 관복 벗고 학창의 걸치네

『속동문선』 제4권 「칠언고시」

중화당은 고려 후기 충선왕忠宣王(1308~1314)과 가까웠던 채홍철蔡洪哲(1262~1340)이 자신의 집 남쪽에 지은 초당草堂으로, 권부權傅(1248~1326) 등과 기영회耆英會를 열었다고 한다.

수헌은 피륙을 여러 폭으로 이어서 빙 둘러치는 수를 놓아 꾸민 장막이고, 또 학창의는 소매가 넓고 뒤 솔기가 갈라진 흰옷의 가장자리를 검은 천으로 넓게 댄 웃옷이다.

② 김시습金時習의 시(「산마루에서 잠들어宿峰頂」)이다.

蘿月掛明鏡	청미래 덩굴에 달 거울처럼 걸리고
松泉鳴古琴	솔 아래 샘 옛 거문고 소리 내누나
夜深心地惺	밤 깊어 마음자리 성성도 한데
無復去來今	이제는 다시 방황하지 않으리라

『매월당전집』 제4권

앞 사람은 또 다른 시(「맑음 샘에 씻어 스스로 깨끗이 함濯淸泉以自潔」)에 '맑은 샘 졸졸 거문고 소리 내더니淸泉鳴咽作琴聲 / 맑은 못으로 흘러들며 고요해지네流下澄潭靜不鳴'라는 구절을 남겼다(『매월당전집』 제1권).

③ 유순정柳順汀(1459~1512)의 시(「산에 살며山居卽事」)이다(부분).

雨霽黃梅晚色明	비 개자 저녁 황매 밝게 빛나
開簾獨坐對岩扃	발 걷고 홀로 바위 문 앞에 앉았네
林間鳳尾蕨芽老	숲 사이 봉의 꼬리 고사리 순 늦어가고

園裏蠶頭菁子成　　동산의 누에머리 무 씨 익어가네
素月臨牕宵代燭　　밝은 달 창에 들어 촛불을 대신하니
清泉漱石曉聞笙　　새벽에 돌에 부딪는 생황 소리 울리누나

『속동문선』제8권「칠언율시」

―――――

황매는 익어서 누렇게 된 매화나무 열매이다.

④ **박세당**朴世堂(1629~1703)**의 시**(「새집新屋」)**이다**(부분).

―――――

五間新屋經時就　　다섯 칸 새집 날자 걸려 지으니
林燕山禽共落成　　숲 제비와 산새도 축하 하누나
擁戶畵圖千嶂立　　높은 봉우리들 그림처럼 둘러싸고
繞床琴筑一泉鳴　　흐르는 샘은 세상에 퍼지는 거문고 가락
世事不豐幽意足　　세상일 끊기고 그윽한 정취 넉넉하니
從他人笑拙謀生　　남이 비웃어도 소박하게 살리라

『서계집西溪集』제2권「시」

―――――

집지은 즐거움이 하도 커서 제비나 산새가 축하는 말할 것도 없고, 샘물도 같은
뜻으로 거문고 가락을 울리며 흘러간다고 한다.

⑤ **이황**李滉**의 시**(「한가하여 우스개 삼아 지음閒中戲題」)**이다**.

―――――

窓下清泉金石奏　　창 아래 샘물 소리 금석 악기 울리고
臺前觀漲雪雲崩　　대에서 쏟아지는 물에 눈구름 무너지네
莫言樂水偏於智　　슬기로운 자 물 좋아한다 말 말게
更有青山面面層　　더구나 푸른 산 이쪽저쪽 포개졌나니

『도산잡영』

창문 아래에 앉아 샘물 흐르는 소리 들으니 마치 금석악기의 연주를 듣는 듯 아름

답다. 높은 곳에 올라 그 앞으로 흐르는 물이 비로 불어난 것을 보고 있으려니 눈과 구름이 무너지듯 흰 거품을 일으키며 요란하게 흩어진다. 더욱 이곳에서 흐르는 물 위로 푸른 산이 서로 마주보고 겹겹이 포개져 있어 『논어』의 말대로 꼭 슬기로운 사람만 물을 좋아하는 것이 아니라, 나같이 어리석은 사람도 따라서 물을 좋아함을 깨닫게 것이다.

―――――

'금석주'는 금속과 돌 따위로 만든 악기를 모두 아우르는 말이다. 주자朱子(1130~1200)의 시(「밤에 진현 객사 묵다」에 각운 자를 씀次韻擇之夜宿進賢客舍」)에 '귀 씻고 금석 악기 연주 들으니洗耳金石奏 / 먼지 쌓인 가벼움 실로 알겠네信知塵累輕'라는 구절이 있다.

'요수樂水'는 『논어』의 '어진 사람은 산을 즐기고智者樂山, 슬기로운 자는 물을 즐긴다賢者樂水'는 말에서(「雍也」), '청산면면충'은 송 육유陸游의 시(「누대에 오름登樓」) 가운데 '강 가까워 때로 흰 비 날리고江近時時吹白雨 / 누대 높아 여기저기 푸른 산 보이누나臺高面面看靑山'라는 구절에서 왔다.

⑥ 강세황姜世晃의 시(「가을날 읊음秋日詠懷」)이다(부분).

―――――

霜髮昂藏七十翁	서리 같은 흰 머리의 속 깊은 늙은이
肅然老屋澗之東	쓸쓸히 개울 동쪽 낡은 집에 사네
琴筑泉聲依石細	거문고 같은 샘물소리 바위 따라 잦아들고
書圖楓葉萬林紅	그림 같은 단풍 온 숲 가득 붉구나
今年孤負登高節	등고절 그대로 보냈으니
擬上巖阿一倚筇	지팡이 짚고라도 언덕에 오르리라

『표암고』 권2 「시」

―――――

음력 9월 9일의 등고절은 중국의 세시풍속으로 중양절重陽節이라고도 한다. 날과 달의 숫자가 같은 양수陽數가 겹친다고 하여 중양, 또는 중구重九로도 불린다. 이 날 산수유 주머니를 차고 국화주를 마시며, 또 높은 산에 올라가면 장수를 누린다고 일러온다. 우리도 신라 때부터 쇠었으며, 고려 때는 국가에서도 잔치를 벌였다.

⑦ 앞 사람의 시(「같은 운으로 세 번째 지음三疊」)이다(부분).

———

響發笙竽静夜月	고요한 달밤에 생황과 피리부니
變徵咽咽水泉流	변치 소리 목 메어 샘물처럼 흐르고
移商颯颯霜林秋	이상의 소리 스산하여 서리 내린 가을 숲일세
奇勳已策起我衰	기이한 공훈 이미 쇠약한 나를 일으키고
妙音眞堪銷客愁	오묘한 울림에 나그네 시름 녹으니
得仙元非鍊鉛汞	신선된 것 납과 수은 단련 덕분 아니네

『표암고』 권2 「시」

———

변치는 오음五音의 하나로 치徵의 변성이고, 이상은 상음商音의 변조이다.

예부터 납과 수은으로 제련한 단사丹沙를 신의 약이라 불렀으며, 이를 먹으면 장생 불로를 누리다가 신선이 된다고 일러온다. (☞ 815)

⑧ 이가환李家煥(1742~1801)의 시(「침천헌枕泉軒」)이다.

———

流到軒牕淨	흐르는 물소리 창문에 아래 맑고
源窮草樹蒙	샘솟는 곳 풀과 나무 덮였구나
筑琴生永夜	축금 소리 긴긴 밤 잇고
羅綺動輕風	비단 같은 초목 산들바람 타누나
甘滑元通井	좋은 맛 본디 우물물 같고
霏微或透欞	자욱한 이내 이따금 창살로 드나니

『이가환시전집』 「시문초詩文艸」 권1

———

축은 비파, 금은 거문고이다. 맛으로 이르자면 목이 탈 때의 물맛이 으뜸이다.

(12) 홈통과 샘

① 김종직金宗直의 시(「두류산 기행遊頭流紀行」)이다(부분).

———

향적암 빈 지 이태 째이다香積庵無僧已二載.

携手扣雲關	서로 손 잡고 운관 찾아드니
塵蹤汚蕙蘭	속인의 발자국 혜란 더럽히누나
澗泉猶在筧	산골짜기 샘물 홈통에 남고
香爐尚堆盤	향불의 재 향반에 쌓였네
倚杖秋光冷	지팡이 기대자 가을빛 써늘하고
捫巖海宇寬	바위에 오르니 온 세상 넓구나

『점필재집佔畢齋集』「점필재시집」제8권

———

오래도록 비었다는 서두와 홈통의 물마저 흐름을 멈추었다는 구절은 그럴듯한 짝이다. 향적암은 지리산에 있던 암자이며, 운관은 이를 운치 나게 부른 이름이다. 혜란은 동양 난의 한 가지이다.

사진 337은 전라남도 강진군 대흥사 경내에 있는 일지암一枝庵으로, 오른쪽에 대나무 홈통 일부가 보인다. 사진 338이 대나무 홈통 넷을 연결한 모습이다. 첫째와 둘째 확에 언제라도 떠 마실 수 있도록 쪽박을 올려놓았다.

이곳은 선승 초의의순草衣意恂(1786~1866)이 39세에 지은 뒤, 40여 년 동안 머물며 차도와 선도를 닦았다.

사진 337

사진 338

② 김시습金時習의 시(「대 홈통竹笕」)이다(부분).

———

刳竹引寒泉	대 홈통으로 찬 샘 끌자
琅琅終夜鳴	밤새 졸졸졸 울어 대누나
細聲和夢咽	가는 그 소리 꿈처럼 흐느끼고
淸韻入茶煎	맑은 소리 차 끓일 때 울리누나
不費垂寒綆	찬 두레박줄 내리지 않고도
銀床百尺牽	은상을 백 척이나 끌 수 있다네

『한국한시대관』 19

———

'꿈처럼 흐느끼는 홈통의 물소리'와 '차가 끓을 때 울리는 맑은 소리'는 빼어난 짝이다.

당 두보杜甫(712~770)의 시(「동짓날 낙양성 북쪽의 현원 황제 노자의 사당묘에 절하고 지음冬日洛城北謁玄元皇帝廟」)에 '풍경風磬은 백옥白玉 기둥에서 울리고風箏吹玉柱 / 지붕 없는 우물가의 돌 귀틀 얼어붙었네露井凍銀床'라는 구절이 있다.

③ 김시습은 또 다른 시(「보살사菩薩寺」)에서 '가는 샘물 대통으로 이어지고細泉連竹笕 / 성긴 나무 중의 방으로 눕는다疎樹偃僧寮'고 읊조렸다(『한국한시대관』 20).

『신증동국여지승람』에 '동환희사東歡喜寺・보살사菩薩寺・화림사化林寺・영천사靈泉寺는 모두 낙가산洛迦山에 있다'고 적혔다(제15권 충청도 청주목 「불우佛宇」). 이 산(높이 475미터)은 충청북도 청주시 상당구 용정동과 용암동에 걸쳐 있다.

사진 339(ⓒ 김가운)

④ 시인은 이어 다른 시(「가난 걱정窮愁」)에서 '한가히 대 쪼개 찬 샘물 끌어오고閑刳竹笕添寒井 / 솔가지 꺾어 짧은 처마 깁는다爲折松枝補短簷'는 구절을 남겼다(『매월당전집』 제1권).

당唐 원결元結(723~772)의 시(「단애옹댁에 묵다宿丹崖翁宅」)에도 '바위 꼭대기에 있는 단애의 정자丹崖之亭當石巓 / 산 중턱의 대통으로 찬 샘물 끌어오네破竹半山引寒泉 / 덮인 나뭇가지 아래로 흐르는 샘물流泉俺映在木杪 / 그 모습 흰 새 숲 사이 나는 듯하네有若白鳥飛林間'라는 구절이 있다(『당시별재집』 2).

사진 339는 전라남도 순천시 승주읍 선암사仙巖寺의 대 홈통이다.

⑤ **채수蔡壽(1449~1515)의 시(「속리산을 돌아보고 욱상인에게 올림遊俗離山記行贈旭上人)이다.**

黃昏到福泉	저무는 무렵 복천암에서
試看岩下井	바위 아래 샘 들여다보네
刳木注石槽	홈통으로 물확에 대니
不用瓮與綆	귀틀이나 두레박 없어도 좋으이
夜與旭上人	밤에 욱상인과 마주앉아
共飮一椀茗	차 달여 한 잔씩 마시네

『속동문선』 제3권 「오언고시」

욱상인은 누구인지 모르며, 복천암福泉庵은 충청북도 보은군 속리산 문장대文藏臺(1,054미터) 남쪽 기슭에 있다.

⑥ **이에 관한 민담이다.**

세조世祖(1455~1468)가 속리산에서 피부병을 고치며 고승들에게 국운의 번창을 바라는 법회를 열라고 하여 학조學組(?~?)·신미信眉(?~?)·학열學悅(?~?)대사 들이 모였다.

쉬는 시간에 산책하던 임금이 암자 곁 웅덩이에 이르러 갑자기 목욕을 하고 싶어서 천천히 몸을 담갔더니 갑자기 나타난 미소년이 말하였다.

"마마, 저는 월광태자月光太子로 약사여래藥師如來의 명을 받아 왔습니다. 대왕의 병은 곧 나을 터이니 너무 고심치 마소서."

약사여래는 중생을 질병을 고쳐준다는 부처이다. 대가야大伽倻의 마지막 왕이라는 월광태자가 등장한 까닭은 알 수 없다. 사실여부야 어떻든, 세조가 복천암에 거동한 것은 분명하다.

⑦ 『신증동국여지승람』 기사이다.

———

복천암은 법주사 동쪽 7리쯤에 있다. 절 동쪽에 돌 틈에서 쏟아져 나오는 샘을
식수로 쓰는 까닭에 이렇게 부른다.

천순天順 갑신년(1464), 우리 세조대왕이 속리산 (…) 법주사에서 이곳으로 와서
경치를 두루 둘러본 뒤, 김수온金守溫(1410~1482)에게 적어두라고 일렀다(제16권 보
은현 「불우」).

———

또 세조가 복천암에 머물며 목욕소沐浴沼에 몸을 담근 덕분에 피부병이 낫자 절을
고쳐짓고 '만년보력萬年寶曆'이라고 쓴 네모 옥판玉板을 내렸다고도 한다.

김원행金元行(1702~1772)이 지은 시(「갑신년에 송제 회가 명흠과 속리산에 가서 임유보 상주의 시에
함께 차운함與宋弟晦可明欽 入俗離山共次任幼輔相周韻 甲申」)의 '이파곡의 웅대한 문장은 산악과 다투
고葩谷雄文爭異嶽 / 광릉의 보배로운 글씨는 여러 대를 제압하네光陵寶墨鎭禪樓'라는 구
절에 보이는 '광릉의 보배'가 그것이다.

송제 회가宋弟晦可는 송명흠宋明欽(1705~1768)이다.

⑧ 윤휴尹鑴(1617~1680)의 시(「금수굴金水窟」)이다.

———

至寶神全祕	귀한 보물 신이 꼭꼭 숨기지만
名區世浪傳	세상에서 함부로 명구라 이르지
窺焰那得井	불같은 여름 날 우물 찾기 어려워
刳木漫通泉	홈통으로 멀리서 샘물 끌었네
客有相如病	나 상여처럼 목이 타서
添杯坐月邊	물 더 마시고 달 아래 앉았노라

『백호전서白湖全書』 제2권 「시」

———

명구는 산수로 이름난 곳이다. 상여는 한 무제武帝 때의 문인 사마상여司馬相如(전

179~전 117)이다. 벼슬자리에 있을 때도 평소 앓고 있던 소갈증을 핑계로 나랏일을 멀리하고 한가히 지냈다. 시인이 그를 끌어들인 것은 이를 좋이 여긴 까닭이다.

윤후는 송시열宋時烈(1607~1689)에게 병자호란의 전말을 듣자 통곡하며 '앞으로 다시는 과거를 보지 않으며, 좋은 때 벼슬을 살더라도 결코 오늘의 치욕을 잊지 않겠다'더니 그대로 살았다. 금수굴이 경상북도 구미시 도리사桃李寺에 있다지만 분명치 않다. (☞ 240-241)

사진 340은 강원도 강릉시 연곡면에 있는 소금강사小金剛寺의 홈통이다. 비구니 절집답게 긴 네모꼴로 반듯하게 판 구유 셋을 물길에 박아 놓았다. 첫째 것은 먹는 물로, 둘째 것은 채소 따위를 씻는 데, 셋째 것은 허드렛물로 쓴다.

사진 340

(13) 인연과 우물

① 여성이 우물에서 만난 외간 남자와 인연을 맺는다는 이야기는 아주 흔하다. 목마른 나그네가 물 한 그릇을 청하자 그릇에 버들잎을 띄워서 건넸고, 까닭을 묻는 상대에게 물도 급히 마시면 체한다고 이르자 슬기로움에 감탄한 나머지 아내로 맞았다는 내용 따위이다. (☞ 601)

조선태조 이성계李成桂(1335~1408)도 우물가의 아가씨에게 물을 청하자 그릇에 버들잎을 띄워 건네준 데 감동하여 둘째부인 강씨神德王后(1356~1396)를 맞았으며, 연산군 때 몸을 피해 달아나던 이장곤李長坤(1474~1519)도 우물에서 이렇게 만난 고리백정의 딸을 아내로 삼았다. 무교「세경본풀이」에 등장하는 자청비와 문도령도 마찬가지이다.

판소리「심청가」의 '젖동냥하는 대목'에도 '날이 차차 밝아지니 우물가 두레박 소리 심봉사 반겨듣고 젖을 멕이러 나간다'는 대목이 있다.

② 유희춘柳希春(1513~1577)의 간추린 일기이다(「우리 선조대왕 7년[1574] 7월」).

초이틀 날 (…) 이 집으로 이사 온 뒤, 밥 지을 솥이 없어 남에게 빌렸다. 어느 날, 여종이 빨래하러 우물에 갔더니 마을 여인들이 모두 '이 사람이 밥솥이 없어 남에게 빌렸다는 재상집 여종인가?' 빈정댔다고 한다. 우스운 일이다(『미암집 眉巖集』 제11권 「일기」).

———

세상의 온갖 소문은 우물가의 아낙네들 입에서 나와서 퍼져나가게 마련이다.

유희춘은 대사성과 전라도관찰사를 거쳐 이조참판을 지낸 인물로 경전·제자諸子·역사 따위에 밝았다. 임금이 되기 전 그에게 배웠던 선조는 늘 '내가 공부를 한 것은 희춘에게 힘입은 것이 크다'고 일렀다.

② **민요 「일으랴 보자」이다.**

———

일으랴 보자 일러 보자
내 아니 이르랴
네 서방더러 거짓으로 물 긷는 체하고
물통 내려 우물 앞에 놓고
똬리 벗어 물통 손잡이에 걸어 놓고
건넛집 작은 김서방, 눈 꿈적 불러내어
두 손목 마주 덥석 쥐고 소근소근 말하다가
삼밭으로 들어가서 무슨 일 하는지
잔 삼은 쓰러지고 굵은 속대 끝만 남아
우즉우즉 하더라 하고
내가 아니 이르랴, 네 서방다려
저 아이 입이 부드러워 거짓말 말아라
우리도 마을 공동 일로 실 삼 캐러 갔더니라

『청구영언靑丘永言』

———

물 길으러 간다는 핑계를 대고 우물에 가서 이웃집 김 서방 불러낸 다음, 인삼밭으로 들어가 몸을 섞었으니 가만히 있지 않겠다는 협박이다. 이 가운데 '잔 삼은 쓰러지

그림 78(간송미술문화재단 제공)

고 굵은 속대 끝만 남아 우쭉우 쭉 하더라'는 대목은 실감이 넘친다.

신윤복申潤福(1758~?)도 이러한 정경을 그림 78에 담았다(간송미술문화재단 소장). 달 밝은 밤, 다리加髢를 잔뜩 얹은 뚜쟁이가 우물 전에 앉은 여인에게, 대문 옆 담장 밖의 영감 이야기를 속삭인다. 두레박줄을 잡은 채 왼손을 머리에 댄 것을 보면 마음은 이미 기운 듯하다. 한밤중에 물을 뜨러나오다니, 지레 짐작

이 아주 없지 않았을 터이다. 바위에 서린 음기陰氣도 분위기 조성에 제 몫을 한다. 두 개의 물동이는 뚜쟁이도 물을 뜬다는 핑계를 대려고 나온 것을 알려준다.

(14) 거울과 우물

① 김종직金宗直의 시(「기유년 동지에 다섯 수 지음. 십일월 이십이일己酉冬至五首十一月二十二日」)이다(부분).

颯颯頭風久廢冠	두풍으로 오래도록 관 못 쓰니
腦脂遮眼更妨歡	눈물이 눈을 가려 서글프구나
妻孥共道形顏毀	가족들 말 하네 내 몸 워낙 상해서
叵耐跰足鮮井上看	비틀거리며 우물에 가 비치지 못 한다고

『점필재집』「점필재시집」 제23권

이는 병 든 중국의 자여子輿(?~?)가 비틀거리며 우물가에 가서 자신을 비추어보았다는 고사에서 왔다. 그는 공자의 손자인 자사子思(전 483~전 402)의 제자이고, 이름은 가軻이다.

② 황준량黃俊良의 시(「영신사靈神寺」)이다(부분).

—————

出雲飛寶閣	구름 위로 날 듯 한 대웅전
難律奏風琴	음률로 고르기 어려운 바람소리 들리네
剔蘚連碑讀	이끼 긁어내자 비석의 글 이어지고
開窓近竹吟	창문 열면 대숲 소리 가까이 들리네
山昏藏雨氣	비 머금은 산 어둑해졌지만
泉淨照人心	샘물은 사람 마음도 비출 듯 맑구나

『금계집錦溪集』 내집 제1권 「시」

영신사靈神寺는 경상남도 하동군 화개면 대성리에 있던 절이다.

『신증동국여지승람』에 '영신사 뒤 봉우리에 깎은 듯한 돌이 서있고, 꼭대기에도 작은 돌이 평상처럼 놓였다. 이 좌고대坐高臺에 올라가 네 번 절하면 불성을 깨친다고 한다'는 기사가 있다(제30권 진주목 「불우」).

(15) 슬픔과 샘

① 이이李珥(1536~1584)의 시(「삼청동 나들이遊三淸洞」)이다(부분).

—————

曳杖煙蘿逕	안개 낀 숲길 막대 잡고 올라가
支頭老樹根	고목 뿌리에 머리 괴누나
石泉幽處咽	깊은 돌 틈의 샘 울며 흐르고
松籟靜中喧	고요 속의 솔바람 소란스럽네
暮雲生邃谷	깊은 골에서 이내 피어오를 무렵
從却鎖山門	닫힌 산문 뒤에 두고 내려오노라

2016년 5월 28일자 「조선일보」

'돌 틈으로 흐르는 샘물 소리는 들을 만하나, 조용한 솔숲의 바람 소리는 시끄럽다'며 딴청을 한다. 마지막 구절에, 아름다운 자연을 두고 돌아서는 이의 아쉬움이 서려 있다.

'산문'은 경상북도 안동시 남후면 모운산의 모운사暮雲寺일 터이다.

② 김시습金時習의 시(「보이는 대로 읊음卽事」)이다.

東山雲起西山雨	동쪽 산에 구름 일고 서산에 비
北岳斜輝南岳風	북쪽 메에 빗긴 햇볕 남쪽 메에 바람
一道石泉鳴作惡	한 줄기 돌샘 모질게 울며
喧轟吹落半天中	바람에 불려 하늘에서 요란히 떨어지네

『매월당전집』 제1권

동·서·북·남에 구름·비·햇볕·바람을 늘어놓은 솜씨가 돋보인다.

③ 앞 사람의 시(「옛일을 말함述古」)이다(부분).

脩名終不立	큰 이름 끝내 못 세웠으니
懷抱爲誰開	내 마음 속 뉘에게 펼치랴
見月中宵立	달 보느라 한밤까지 서있고
聽泉半夜哀	샘물 소리 밤중까지 듣노라
泉聲哀可羨	그 소리 애달파도
達海向蓬萊	바다에서 봉래산 향하니 부럽네

『매월당시집』 제1권

자신은 이름을 남기지 못한 채 밤중에 달보고 샘물소리나 듣지만, 샘물은 바다로 향해 흘러가니 부럽다고 한다.

④ 김시습은 다른 시(「새벽에 깨다曉霽」)에서 '뜰 가득 솔잎 떨어지고滿庭松葉參毛參毛落 / 섬돌 가 샘물 졸졸졸 운다繞砌流歷歷鳴'고 읊조리고(『매월당전집』 제2권), 다른 시(「갠 날이 기뻐서 씀晴日喜題」)에서도 '숲 속의 산 새 지저귀고林間幽鳥語 / 얼음 밑 샘 남몰래 우네氷下暗泉鳴'라는 구절을 남겼다(『매월당전집』 제14권).

⑤ 박제가朴齊家(1750~1805)의 시(「천우각에서 무관 이덕무와 함께 '선'자 운을 얻음泉雨閣同懋官得禪字」)이다(부분).

晴亦冷冷雨	갠 날 내리는 찬 비
四時鳴石泉	네 계절 우는 돌샘 탓이네
山空何所有	텅 빈 산에 무엇이 있나
雲出與之然	구름 피어 샘과 함께 흐를 뿐이지
衰柳蒙塵易	시든 버들 먼지 앉기 쉽다지만
高松先蔭先	높은 솔 그늘 먼저 보내누나

『정유각집貞㽔閣集』 시집 1

'돌샘의 울음'은 '갠 날 내리는 비' 탓임에도 시치미를 떼었다. '텅 빈 산에 구름과 샘이 함께 흐른다'는 구절은 신선하다.

천우각은 서울의 남산 북쪽 기슭에 있던 샘으로, 이 일대를 청학동青鶴洞이라고도 불렀다.

⑥ 『청구영언青丘永言』의 노래이다.

님이 가려커늘 성낸 결의 가소 ᄒ고	님에게 가려거든 성낸 김에 가라 이르고
가는가 마는가 窓 틈으로 여어보니	가는지 마는지 창틈으로 엿보려니
눈물이 싀얌 솟 듯ᄒ니 風紙 저저 못 볼너라	샘솟듯 하는 눈물에 문풍지가 젖어보지 못 하네

꼴도 보기 싫어 가라고 해 놓고도, 그래도 아쉬워서 정말 가는가 싶어 엿보려니 흐르는 눈물이 가려서 가늠하지 못한다는 말이다.

⑦ 김윤식金允植(1835~1922)의 시(「향림사香林寺」)이다(부분).

路入香林寺	길은 향림사로 접어들고

門開亂竹邊	어지러운 대숲 옆의 문 열렸구나
庭心雙白塔	마당 한가운데 백탑 한 쌍
座右一靑蓮	불좌 오른쪽의 청련 한 줄기
淡靄籠原樹	맑은 이내 들판 나무 에워싸고
微風咽石泉	산들바람 돌샘에서 흐느끼네

『운양집雲養集』 제1권 「시」 승평관집昇平館集

'백탑'과 '청련'이 묘한 조화를 이룬다.

향림사는 전라남도 순천시 석현동에 있는 통일신라시대 절이다.

(16) 가까워서 정다운 우물

① 서거정徐居正(1420~1488)의 글(「통진현 대포곡에 세운 양판서 별장에서 지은 기문通津縣大浦谷梁判書別墅落成記」)이다.

공의 네 아들 집이 모두 곁에 있어 용마루가 이어지고 처마가 맞닿았다. 아침저녁으로 문안 인사차 오가며, 밤이나 낮이나 그치지 않으니 함께 사는 듯하다. 또 네 아들이 사는 곳 왼쪽, 오른쪽, 앞, 뒤에 작은 별장을 지었다. 아버지와 아들, 형과 아우가 서울과 외방을 오감에 같은 마을에 살고 같은 우물을 써서, 효성과 우애의 도리가 깊고 어려울 때 서로 돕는 의리가 있다. 어쩌면 그리도 성대한가?(『사가문집四佳文集』 제2권 「기」)

조선시대 상류층은 흔히 살림을 따로 나는 아들들의 집을 본가 주위에 마련하였다. 이를테면 전라북도 영광군 영광읍의 조씨네가 두 아들의 집을 본가 곁에 짓고 길 위에 구름다리를 놓고 오간 것이 대표적이다.

② 신흠申欽(1566~1628)의 시(「금릉 촌에서金陵村舍」)이다.

誰言少鄰並	이웃 드물다 누가 말 했나

煙火足相通	밥 짓는 연기 서로 얽히네
村路高低見	마을길 오르락내리락
泉源上下同	한 우물 위아래 집 함께 쓰네
疎籬殘雪後	잔설 뒤 엉성한 울타리 너머로
寒杵夕陽中	저물녘 쓸쓸한 절구공이 소리 들리네

『상촌선생집』 제10권 「시」

———

우물을 같이 쓰는 가까운 사이인지라 밥 짓는 연기조차 서로 얽힌다고 한다. '울타리가 엉성하고 절구소리가 쓸쓸한 것'은 살림이 가난하기 때문이다.

(17) 효도와 샘

① 『명종실록』 기사이다.

———

충청도 덕산德山의 김응신金應臣(?~?)은 어머니가 돌림병으로 죽자 가슴을 치며 통곡하다가, 무덤 곁에 여막廬幕을 차리고 아침저녁 끼니를 올렸다. 샘이 멀어 걱정이던 끝에, 꿈에 나타난 노인이 여막 옆을 파라고 일렀다. 이튿날 물이 솟더니 상을 마치자 곧 말라붙었다(2년[1547] 12월 30일).

———

아무리 효행을 드높이려고 꾸민 이야기일지라도, 샘이 대상이 끝나마마자 말랐다니 야박한 일이다.

② 『중종실록』 기사이다.

———

임금이 효행 극진한 유언겸兪彦謙(1496~1588)에게 걸 맞는 벼슬을 주고 정문旌門을 세우며 복호復戶하는 외에 향표리鄕表裏 한 벌, 쌀 닷 섬을 내려서 널리 본보기로 삼으라 일렀다.
그가 3년 동안 어미 무덤의 여막에서 지낼 때, 근처에 돌림병이 돌았음에도 곡을 그치지 않자, 범 두 마리가 나타나 부르짖은 덕분에 병이 사라졌다. 또 겨울에 샘이 말라 먼 데서 길어오게 되자, 갑자기 물이 솟더니 3년 뒤 끊겼다(35년[1540] 2월 1일).

─────

여막살이 중의 효자를 범이 돕는다는 이야기는 드물지 않다. 향표리는 우리네 옷감鄕織으로 짠 옷의 겉감과 안감이다. (복호 ☞ 276)

유언겸은 중종 35년(1540)에 사직서 참봉社稷署參奉이 되었다가 1549년, 형조정랑을 거쳐 서너 곳의 현령을 지냈다. 모든 일을 깨끗하고 공평하게 다루는 외에 백성을 자식처럼 돌보았다고 한다.

(18) 정략과 우물

① 『우포도청 등록右捕盜廳登錄』 기사이다.

─────

홍선대원군興宣大院君(1820~1898)은 경복궁 중창을 위해 어린 임금과 터를 돌아보았다. (…) 비변사의 권한을 의정부로 옮기고 옛 경복궁 앞 의정부 청사를 고쳤다. 청사 안에 우물을 팠더니 네모 돌이 드러났다. 다음은 그 돌에 새긴 글자이다.

"계미癸未(1883년) 갑원甲元에 새 임금이 오르지만 나라의 명줄이 또 끊어질 터이니 어찌 두렵지 않으랴. 경복궁을 다시 세워 임금이 옮겨가면 성스러운 자손이 줄이어 태어나 나라와 백성이 번성하리라. 이를 보고도 아뢰지 않으면 동쪽 나라의 역적이라.

을축乙丑(1865) 3월, 의정부를 고칠 때 이 돌이 드러나리라."

─────

글 중간에 '동방노인비결東邦老人秘訣'이라고 적혀 있었다. 이는 말할 것도 없이 주치의主治醫 김두하金斗河(?~?)가 홍선의 지시를 받아 미리 파묻어 두고 우물을 판 것이다. 이 사실이 곧 서울에 퍼졌고 사람들의 입을 통해 둘이 꾸몄다는 소문도 돌았다. 그럴 만도 한 것이 바로 그 다음 달, 경복궁 재건을 시작하였던 것이다.

② 『오하기문梧下紀聞』 기사이다.

─────

19세기 말, 호남지방에 다음 노래가 퍼졌다.

　윗녘 새 아랫녘 새
　전주 고부全州高阜 녹두 새
　함박 쪽박 딱딱 후여

청주의 오래된 우물에서 나온 돌에 쓰인 말이다.

　만리장성 큰 문의 천자天子가 동쪽의 속국을 지키리
　팔 왕八王이 일으킨 난을 누가 갈아 앉힐까?
　갑옷 걸치고 말 위에 앉은 사람이라

사람들은 '팔 왕은 전全, 갑옷 입고 말 탄 사람은 신申이며, 전쟁이 일어났지만 신이 멈추게 한다'고 풀었다.

이처럼 어지러운 말들은 다 적을 수 없을 정도로 많았다(「수필首筆 파랑새 노래와 녹두 전봉준」).

―――――――

'전'은 녹두장군 전봉준全琫準(1855~1895), '신'은 의병장 신돌석(1878~1908)일 터이다.

(19) 서울 인심과 우물

성현成俔의 시(「집을 빌려 옮김借家移寓」)이다(부분).

―――――――

魚鱗接比隣	이웃들 다닥다닥 붙어 있지만
閉戶每防人	문 걸고 집 안에 들이지 않네
汲井相爭水	우물물 긷느라 서로 다투고
驅車競沸塵	수레 달리면 먼지만 풀썩
乞蔬盤饌足	채소 얻어 반찬 삼고
買杏渴喉津	새큼한 살구 사서 목축이네

———

문을 걸어 잠근 것은 물을 재산으로 여긴 까닭이다. 이 때문에 서울에서는 1960년 대에도 아침에는 남에게 물을 주지 않았다.

'새큼한 살구…'는 신 것이 입에 들어가면 침이 나와서 목마름이 줄어든다는 뜻이다.

(20) 달빛과 샘

① 휴정休靜(1520~1604)의 시(「백전에서 묵으며宿栢顚」)이다(부분).

飛泉和月落	나는 샘물 달빛에 섞여 떨어지며
桂子送花香	계수나무 꽃향기 실어 나르네
白雲生石劍	흰 구름 석검에서 피어나고
春色曉蒼蒼	봄빛은 새벽이라 더욱 푸르구나

『청허당집淸虛堂集』「시」

———

이 시의 석검은 '돌칼'이 아니라, 바위에서 자라는 고사리 목에 딸린 여러해살이로 풀일 터이다. 석검石劍·석위石葦·석란石蘭 따위로 부른다. '달빛에 섞인 샘물이 계수 나무의 향취를 실어나른다'는 구절은 참으로 빼어난다.

② 황준량黃俊良의 시(「스님이 찾아와서 차운함次僧來」)이다.

瓶分小白山泉月	소백산 샘물과 달빛을 병에 나누어 담아
訪我深林草土年	깊은 산 숲 속의 나를 찾았구나
鶴駕煙霞携滿袖	학가산 노을도 소매 가득 담아 와
重逢碧眼照湖天	다시 만난 푸른 눈동자에 호수와 하늘 비치누나

『금계집』 외집 제6권 「시」

———

함께 어우러진 샘물과 달빛, 푸른 호수와 하늘이 눈에 보이는 듯하다.

학가산鶴駕山(882미터)은 경북 예천군 보문면, 안동시 북후면과 서후면에 걸쳐 있다. 산세가 '수레를 타고 날아가는 학과 같다' 하여 붙인 이름이다. '푸른 눈동자'는 달마대사達摩大師를 벽안호승碧眼胡僧이라 부른 데서 온 말로, 승려僧侶를 가리키는 뜻으로도 썼다.

(21) 끊임없음과 샘

① 윤선도尹善道(1587~1672)의 시(「차운하여 장자호에게次韻酬張子浩」)이다(부분).

吾伊聲雜石龕前	글 읽는 소리 석감 앞에 섞일 때
布穀杜宇啼南北	뻐꾸기와 두견이 남북에서 화답하네
捲簾淸曉思浩然	새벽에 발 걷어 호연한 기운 떠올리며
靜坐共論牛山木	고요히 앉아 우산의 나무 함께 논했지
時登危岫爽襟懷	때로 높은 산에 오르니 상쾌한데
更向源泉觀不息	다시금 샘물 바라보며 쉬지 않음 지켜보노라

『고산유고孤山遺稿』 제1권 「시」

'새벽에 발 걷고'는 유가儒家에서 밤사이에 생기는 천지의 맑은 기운, 곧 야기夜氣를 흔히 사람의 양심良心에 견주어 중히 여기는 것을 가리킨다. 외물을 접하기 전의 청명한 새벽에는 마음이 맑지만, 낮에 불선不善한 행위를 저지르면서 점점 사라진다고 한다.

② 『맹자』는 우산의 나무에 견주었다.

우산의 나무는 한 때 아름다웠으나 외진 곳에 있던 탓에 도끼에 잘렸으니 어찌 더 무성하랴? (…)
밤낮으로 늘려서 매일 아침 공기를 마시되, 그 좋고 나쁨이 남과 다르지 않다면 새벽부터 낮까지 하는 행위는 이를 가두고 없애는 것이나 마찬가지이다. 가두기를 거듭하면 밤새 키웠던 기氣는 피어나지 못한다. 그러므로 밤기운이 사라지면 짐승과 다를 것이 없다(「告子章句」上).

───────

'샘물 바라보며 쉬지 않는다'는 공자孔子가 시냇가에 서서 '흘러가는 것은 이와 같아逝者如斯夫, 밤이고 낮이고 멈추지 않는구나不舍晝夜'라고 탄식한 데서 왔다(『논어』 「子罕篇」).

(22) 땀과 샘

성현成俔의 시(「영평英平」)이다(부분).

───────

萬口日喧闐	수많은 이들 날로 떠들썩하니
東西大市邊	동서의 큰 시장 때문이로세
連衽遮似屋	서로 닿는 옷깃 지붕처럼 가리고
揮汗落成泉	땀방울 뿌리면 떨어져 샘 이루네
酒餅開千店	주점에 술과 떡 쌓이고
金錢列百廛	많은 돈 전방에 널렸구나

『허백당집』 허백당시집 제4권 「시」

───────

'옷깃이 지붕처럼 가리고, 땅에 흘러 떨어진 땀방울 샘처럼 흐른다'는 구절은 비유가 지나치지만 크게 거슬리지 않는다.

이 시는 1485년, 그가 첨지중추부사僉知中樞府事로 천추사千秋使가 되어 명나라에 다녀올 때 본 중국 길림성 영평지방의 풍경을 그린 것이다.

(23) 우물과 샘의 원리

『성호사설星湖僿說』 기사이다.

───────

우물에는 일정한 양의 물이 고인다. 물이 아무리 많이 솟아도 넘치지 않는 까닭이 무엇인가?

물은 반드시 아래로 흐르게 마련이어서 잠시도 위로 거스르지 못한다. 땅 가운데의 빈틈에 고인물의 높이가, 우물 높이와 같기 때문이다. 따라서 맥을 따라 솟은 물은 높이가 같아지면 멈출 수밖에 없다.

이를테면, 굽은 대竹로 만든 통筒 양쪽 머리를 위로 올린 뒤, 한쪽에 물을 붓고 다른 쪽을 낮추면 물이 흘러나가지만, 높이가 같으면 수평水平이 되어 한 방울도 더 들어가지 못하며 또 흘러나가지도 않는다.

땅에 박힌 돌은 사람 뼈와 같아서 땅을 깊이 파면 돌이 있고, 그 사이에 틈이 생기게 마련이다. 깊은 석굴에 더러 샘·폭포·개천·못 따위가 있는 까닭이 이것이다.

땅속은 음습하고 싸늘하며 또 훈훈한 까닭에 젖은 기운이 엉기고 이슬이 맺혀 오늘날 소주燒酒 고듯이 흘러나오는 것이다. 그렇지 않으면 물이 어디에서 솟아오르나?

높은 봉우리 꼭대기에도 샘이 있는 것은 그보다 높은 곳의 샘 줄기가 지맥地脉을 따라 스며든 결과이며, 이는 앞에서 든 죽통竹筒 원리와 같다. 더러 땅 기운이 물을 내뿜기도 하지만 (…) 물의 본질적 성질과는 다른 것이다(제2권 天地門 「泉脉」).

———

아무도 생각해보지 않은 기발한 성찰이다.

(24) 우레와 샘

김수항金壽恒(1629~1689)의 시(「옛적에 쓴 글을 읽고 인해스님에게 지어 줌感舊書 贈印海上人」)이다(부분).

———

客到雲居寺	나그네 운거사에 이르자
鐘鳴日暮時	해 저물어 종 울리누나
瀑泉雷怒吼	쏟아지는 샘물 성난 우레 울부짖듯
霜葉錦離披	서리 맞은 단풍 비단 찢어지듯
宿約僧猶記	옛 약속 스님 아직도 기억하건만
浮生我已衰	덧없는 삶에 나는 벌써 늙었구나

『문곡집文谷集』 제3권 「시」

———

'나그네'와 '저녁 종'은 어울리는 짝이다.

'운거사雲居寺'는 개성 박연폭포 아래에 있는 성거사聖居寺의 다른 이른 이름이다. 조헌趙憲(1544~1592)은 『조천일기朝天日記』에 '운雲'은 '성聖'의 잘못이라고 적었다.

(25) 절집에 이르는 길과 샘

김시습金時習의 시(「내소사來蘇寺」)이다(부분).

僧尋泉脈居	흐르는 샘물 따라 중 절 찾아가는데
鶴避茗咽廻	학은 차 달이는 연기 피해 나는구나
寺古松千尺	오래 된 절이라 솔 천길 자라고
山深月一堆	산 깊어 달 한 무더기로세
無人堪問話	말 물을 이 없어
庭伴獨徘徊	뜰에서 홀로 서성이노라

『매월당전집』 제11권

'흐르는 샘물과 차 달이는 연기 피해 날아가는 학'을 따라가서 겨우 절집을 찾았건만, 아무도 없는 텅 빈 마당에서 보름달을 보며 우두커니 서 있는 시인 모습이 떠오른다.

(26) 보리밥과 샘

윤선도尹善道의 시(「을유년에 밥상을 받고對案乙酉」)이다.

前山雨後蕨芽新	앞산에 비온 뒤 고사리 싹 트니
饌婦春來莫更顰	밥 짓는 아낙이여 봄 맞아 얼굴 펴시게
滿酌玉泉和麥飯	샘물 가득 떠 보리밥 말아 먹으면
幽人活計不爲貧	숨어 사는 이의 살림살이 바랄 것 없지

『고산유고』 제1권 「시」

을유년은 1645년이다.

어찌 그 시절뿐이랴? 1970년대에도 여름 날 찬물에 보리밥을 말아 먹기 일쑤였다. 시원함보다 반찬이 없고 그 위에 밥도 넉넉하지 않아 물배를 채우기 위해서였다.

(27) 과일과 우물

① 성현成俔의 시(「태감 강옥이 어주의 진귀한 과실을 보내주어太監姜玉送御廚珍果」)이다(부분).

주리朱李

千枝懸磊磊	천 가지에 주렁주렁 매달린 것
萬顆疊團團	만 개나 동실동실 쟁반에 쌓였구나
豈是路傍苦	이 어찌 길가의 쓴 오얏이랴
却疑龍血殷	짙붉은 용의 핏빛인 듯
最宜沈井水	맛 좋은 것 우물에 담갔으니
一嚼遍肌寒	한번 맛보면 온몸 서늘해지리라

『허백당집』 허백당시집 제11권 「시」

어주는 임금의 음식을 장만하는 부엌이다. 태감은 내시이고 강옥(?~?)은 누구인지 모른다. 내시가 임금의 부엌에서 과일을 빼돌려서 보내주었다는 말인가?

② '길가의 쓴 오얏'에 대한 『진서晉書』의 기사이다.

왕융王戎(234~305)과 함께 길가에서 놀던 아이들이 오얏 열매를 따려고 다투어 달려갔지만 자신은 꼼짝 않았다. 까닭을 묻자 '길가의 것은 반드시 쓰기 때문입니다' 하였다. 과연 그대로였다(권43 「왕융열전」).

---

③ 박제가朴齊家의 시(「영변의 명생에게寄寧邊明生」)이다(부분).

濯水追涼樹影多	맑은 물차고 나무 그늘 짙은데
氷泉自泛錄沈瓜	얼음 샘에 초록 참외 담갔네
丈人頻問郎何事	어르신 자꾸 웬일이냐 물으시니
又被明君載酒過	명군이 술 싣고 찾아왔네

『정유각집』「시」 1

―――

1960년대에도 도회지에서는 여름 과일을 망태기 따위에 넣어서 우물 담가 두었다가 먹었다. 사진 341은 광주광역시 남구 양림동 이장우집 우물로 전 오른쪽에 고리를 박아 놓았다. 사진 342는 고리이다.

사진 341   사진 342

여름철, 물이나 과일 따위를 우물에 담글 때 그릇의 줄을 이곳에 꿰어 둔다.

(28) 양기와 우물

김종직金宗直의 시(「동짓날 매화를 보고冬至日詠梅」)이다(부분).

―――

井底潛陽七日回	우물 밑 숨은 양기 이레에 되살아나
一元消息透寒梅	그 소식 제일 먼저 찬 매화에 이르네
天心昭灼盈枝動	천심은 가지에 가득 차 움직이고
春信丰茸滿意開	봄소식 힘차게 뜻대로 펼쳐지네
香影微微侵棐几	향기 그림자 조용히 책상에 오르고

精神故故蘸金杯　　　정신은 자주 금 술잔에 머무네

　　　　　　　　　　　『점필재집佔畢齋集』「점필재시집」 제2권

───────

　새 봄 기운에 벌써 마음이 설렌다는 말이다. '책상으로 오르는 향기 그림자를 보노라니 한 잔 술이 간절하다'는 구절은 그럴 듯하다.

　일日은 월月과 같은 뜻으로, 7개월 만에 음양陰陽이 바뀌는 것을 가리킨다. 이를테면 괘卦로써 월月에 배합시키면 오월五月(구괘姤卦에 해당함)부터 양이 점점 줄어서 없어졌다가, 7개월 만인 십일월十一月(복괘復卦에 해당함)에 다시 생겨서 회복되는 것을 이른다(『주역』「복괘復卦」).

　고려의 시인들도 같은 내용을 많이 읊조렸다. (☞ 363~365)

(29) 구름과 샘

의순意恂(1786~1866) 시(「일지암을 고침重成一枝庵」)이다(부분).

───────

煙霞難沒舊因緣　　　좋은 풍광에 맺은 인연 끊기 어려워
瓶鉢居然屋數椽　　　맨 손으로 두어 칸 올렸네
鑿沼明涵空界月　　　못 파 허공의 달빛 가득 담고
連竿搖取白雲泉　　　홈통으로 백운샘 끌어왔네

　　　　　　　　　　　『초의선사 의순 시집』 권 상

───────

　'바리때鉢'와 '물병甁'은 스님들이 지니는 최소한의 물품으로, 이 시에서는 특별한 기구 없이 두 손으로 고쳤다는 뜻이다.

　전라남도 해남군 대흥사에 딸린 이곳은 초의선사草衣禪師(1786~1866)가 81세에 입적할 때까지 머물렀다. 대 홈통으로 끌어온 샘물을 유천乳泉이라 부른다.

사진 343

(30) 시와 샘

황준량黃俊良의 시(「학관 권응인이 차운하여 화답하고 다시 두 수의 절구와 한 수의 율시에 차운하여次 權學官應仁見和 復次二絶一律」)이다(부분).

滿壑松陰撥不開	골짜기 가득 찬 솔 그늘 걷히지 않아
幾聞淸籟舞徘徊	맑은 소리에 춤추며 오가네
四時山簇當簷展	사시사철 높은 산 처마 앞에 펼쳐지고
半夜泉絃遠檻回	한밤중 샘물 소리 귀틀을 휘감으리
詩界眼隨雲外去	시는 눈길 따라 구름 너머로 가고
書聲風送月邊來	글 읽는 소리 바람결에 달에서 들리리라

권학관은 호가 송계로 시 한 수를 청하여 지어주었다(「가야산에서 돌아오는 길」을 읊었다).

『금계집』 외집 제1권 시

3·4·5·6구는 더할 수 없는 명구이지지만, 이 가운데 '샘물소리가 귀틀을 휘감는다'는 주옥 그대로이다. 조선시대 전기에 저렇듯 뛰어난 시인이 있었다니 온 나라에 내린 축복이다.

(31) 봄과 샘

황현黃玹(1855~1910)의 시(「제야에 대숙륜의 운을 빌려서除夜次戴叔倫韻」)이다(부분).

便覺動愁思	문득 시름 잣는 듯해
寒燈不可親	쓸쓸한 등잔 밀어놓네
鐘前留歲夜	종 치기 전 가는 해 잡으려는 밤
微吟現在身	지금의 내 신세 낮게 읊조리네
淙潺聞雪底	눈 밑으로 졸졸대는 소리
泉脉已知春	샘물은 벌써 봄 알리누나

고달픈 시름을 잊기 위해 새 봄을 기다린다는 뜻인가?

당의 대숙륜(732~789)은 당시 농촌의 생활상과 변경의 수자리 사는 병사들의 애환을 잘 그렸으며, 백거이白居易(772~846)가 제창한 신악부체新樂府體의 선구적 구실을 했다는 평가를 받는다.

황현이 운을 빌린 그의 시는 「섣달그믐에 석두역에서 머물며除夜宿石頭驛」이고, 신축은 1901년이다.

(32) 뱀과 우물

홍여하洪汝河(1620~1674)의 시(「황산곡의 주침 시에 차운하여次山谷晝寢韻」)이다.

入井老蛇忙裏四	늙은 뱀 네 마리 재빨리 우물로 들고
過墻蝴蝶夢中雙	꿈속 한 쌍의 나비 담장으로 나네
睡回午榻微涼動	잠든 대낮 평상에 산들바람 불고
十里松聲拍翠江	십 리 밖 솔 소리 푸른 강물 치누나

『목재집木齋集』 제1권 「시」

제4구는 뛰어난 착상이다.

산곡은 중국 북송 황정견黃庭堅(1045~1105)의 호이며, '주침 시'는 그의 시(「6월 17일 낮잠에서 깨다六月十七日晝寢」)이고(『산곡집山谷集』 권9), 뱀은 용의 다른 이름이다.

'잠든 대낮 …'은 잠이 자신의 수양에 방해가 된다는 말인 듯하다. 우물은 사람의 몸, 노사老蛇는 잠을 가리킨다. 『금강경 최승왕경金剛經最勝王經』의 '땅·물·불·바람이 함께 몸을 이루니地水火風共成身 / 인연 따라 다른 결과 불러오네隨彼因緣招異果 / 한 곳에 함께 있으며 해 끼치는 것同在一處相違害 / 네 마리 독사 한 상자에 든 듯하네如四毒蛇居一篋'라는 대목에서 왔다(권5).

'꿈속의 나비'는 깊은 잠에 빠져 꾸는 꿈이다. 꿈속에서 나비가 되어 훨훨 날다가 깬 뒤 꿈인 것을 안 장자莊子가 '내가 꿈에서 나비가 된 것인지, 나비가 꿈에서 내가 된 것인지 모르겠다'고 한 데서 왔다(『장자』「제물론齊物論」).

(33) 연꽃과 우물

홍여하洪汝河(1620~1674)의 시(「백련白蓮」)이다.

———

月中唯見葉	달빛 아래 잎만 보이더니
風外尙聞香	바람 불자 향기 날리네
玉井何人到	옥 같은 우물에 뉘 왔을까
移花擬作裳	이 연꽃으로 옷 지으리

『목재집』 제1권 「시」

———

날리는 향기를 우물에 온 신선에 견주었다.

'연꽃으로 지은 옷'은 은자隱者의 맑고 깨끗한 성품을 가리킨다. 『초사楚辭』의 '연잎 엮어 윗옷 짓고製芰荷以爲衣兮 / 연꽃 모아 치마 꾸미네集芙蓉以爲裳'라는 구절에서 왔다 (「이소離騷」).

(34) 바람과 샘

① 서거정徐居正의 시(「수락사水落寺」)이다(부분).

———

水落山中水落寺	수락산 수락사
水落石出山中暮	물 줄자 돌 드러나고 산 저무네
黃鶴去邊近靑天	황학 나는 곁에 하늘 나직하고
黑雲拖處飛白雨	검은 구름 몰린 곳 소나기로세
杖藜一枝苔蹤滑	명아주 지팡이 이끼 낀 길 미끄럽고
石泉激激風生腋	샘물 세차게 흘러 겨드랑이에 바람 이네

『사가집四佳集』 사가시집보유四佳詩集補遺 제3권 「시류詩類」

———

'물이 흐는 산水落山'에 있는, '물이 흐르는 절水落寺'에 물이 줄어들었다며 의뭉스럽게 둘러댔다. '황학 날자 하늘 낮아지고 / 검은 구름이 소나기 쏟는다'는 구절은 곱씹을 만하다.

② 의순意恂의 시(「사시사四時詞」 임오년)이다(부분).

晚覺綠陰窓下眠	녹음 짙은 창가에서 늦게 깨어
捲簾放出鵲爐煙	발 걷어 화로의 연기 빼네
風檐因甚凉如洗	처마에서 이는 바람 씻은 듯 서늘하니
得傍冷冷落澗泉	옆에서 떨어지는 차디찬 샘물 덕이네

『초의선사草衣禪師 의순 시집』 권 상

녹음이 짙은 계절임에도 화로에 불을 피운 것은 바람이 찬 탓이라는 뜻인가? 임오년은 1822년이다.

(35) 쓸모없는 인간과 우물

박제가朴齊家의 시(「한 밤중에 앉아 과거 보러 길주에 가서 오지 않은 문인 한자서와 주순경 등을 생각함夜坐 憶門人 韓子舒 朱順卿等赴擧吉州未還」)이다(부분).

紫塞秋砧急	북방의 가을 다듬이질 바쁜데
靑燈雪鬢深	푸른 등잔 살적은 희기만 하네
矢亡寧射稚	화살 없이 무엇으로 꿩을 쏘나
井廢自無禽	우물 덮자 새들 절로 날아갔구나
斷茗消全厄	차 끓여 모든 수액 없애고
勤書作半淫	공부 힘써 반미치광이 되었네

『정유각집』「시」 4

'북방의 가을 …'은 추위가 일러서 가을이면 집집마다 겨울옷 짓기에 바쁘다는 뜻

이다. '우물 덮자 …'는 주역 정괘의 초육初六 효爻에 대한 설명에 '우물 흐려져서 먹을 수 없으니 옛 우물에 새들도 없다井泥不食 舊井無禽'는 대목에서 왔다.

쓸모없는 인간은 세상에서 버림받는다는 뜻이다.

(36) 새벽과 샘

① 이현일李玄逸(1627~1704)의 시(「응중의 시에 차운하여 중씨에게 드림次應中韻呈仲氏」)이다(부분).

輕嵐玉液供晨興	희미한 이내 맑은 샘 새벽 흥 돋우어
白石晴沙任夕遊	흰 돌 깨끗한 모래에 저녁까지 노니네
至樂寓時捐咄咄	즐거움 지극하면 근심 없어지고
深憂隨處沒休休	근심 깊으면 아름다움 없나니
長生準擬三千劫	장생을 삼천 겁이라 이르지만
急景相催不暫留	빠른 세월 잠시도 머물지 않네

『갈암집葛庵集』 별집 제1권 「시」

응중은 이숭일李嵩逸(1631~1698)의 자이고, 중씨는 남의 둘째 형에 대한 높임말이다. '즐거움 지극하면 근심 없어진다'고 하였지만, 한 무제武帝(전 142~전 87)는 이와 대조적으로 '피리 소리 북 소리 뱃노래 이어지니簫鼓鳴兮發棹歌 / 기쁨이 지극하면 슬픈 마음 절로 나네歡樂極兮哀情多'라고 읊조렸다(「추풍사秋風辭」). 이것이 옳은 말이다.

옥액은 경화瓊花의 꽃술藥에서 뽑은 정기로, 도교에서 신선이 되는 선약으로 꼽는다. 동한東漢의 왕일王逸(89?~158)이 굴원屈原(전 343?~전 278)을 애도하며 쓴 글(「구사九思」·「질세疾世」)에 처음 보이며, 뒤에 맛좋은 음료·술·맑은 샘·비·이슬 따위를 가리키게 되었다.

② 황현黃玹(1855~1910)의 시(「오봉의 시골 학교로 소천을 찾았다가 못 만나고 학생들과 이야기 나눈 뒤, 당시의 오언율시에 차운함五峯村庠訪小川不遇與諸生話懷次唐律韵」)이다(부분).

| 蕭蕭聞松吹 | 씽씽 솔바람 소리 |

虛堂一倍淸	빈 집이 한결 깨끗하구나
井濛升曉氣	우물에서 새벽 김 피어오르고
月屬迴人情	달빛은 사람 마음 모르는 체
猛火烹鷄候	센 불에 닭 삶는 냄새 풍기고
疎篘漉酒聲	성긴 용수에서 술 거르는 소리

『매천집梅泉集』 제3권 「시」

──────

닭을 삼고 용수로 술을 거르는 것을 보고 달아오르는 마음을 '달이 모른체 한다'는 구절에 웃음이 터진다. 우물에서 김이 피어오르고 달빛이 뚜렷한 추운 새벽일지라도 솟구치는 그 설렘을 어찌 주체할 것이랴?

(37) 삼복과 우물

황준량黃俊良의 시(「혜운암慧雲庵」)이다.

──────

萬里平看處	멀리 아득히 보이는 곳
雲巖隱小林	혜운암 작은 숲에 숨었구나
玉井三庚凍	우물물 삼복에도 차갑고
風松永夜吟	솔바람 밤새 불어오네
投簪思避世	벼슬 버리고 세상 떠나
塵夢莫相尋	속세의 꿈 좇지 않으리

『금계집』 외집 제1권 「시」

──────

이만한 곳이라면 세상에서 떠난 선비가 지낼만하다. 혜운암은 어디 있는지 모른다.

(38) 우물 깊이 재기

『담헌서湛軒書』 기사이다.

──────

지름 4척(1.3미터쯤)의 우물 바로 뒤에 높이 4척 5촌(1.5미터쯤)의 표적을 세우고 그
꼭지점에서 내려다보았더니, 바닥과 우물 입이 곧게 이어졌다고 한다. 우물 깊이
를 알려면 유원구심有遠求深의 방법을 쓴다. 답은 36척(12미터쯤)이다. 그 방법이다.
물러난 거리를 소구小勾 1율로 하고, 표적 높이를 소고小股 2율로 잡으며, 우물
입 지름을 대구大勾 3율로 하여 4율을
얻어서 곱하면 1,800이 되고 공식에 따
라 나누면 답이 나온다. 척尺을 촌寸으
로 바꾸는 것은 앞에서 보였다(외집 5권
주해수용籌解需用 내편 하 「비례구고比例勾股」).

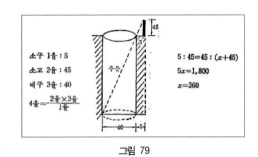

그림 79

그림 2가 그 공식이다.

(39) 여든 살과 우물

① 서거정徐居正의 시(「늙은이의 한탄老嫗嘆」)이다.

人生兩井不多得	양정에 이르기 어렵나니
千金不得博靑春	천금으로도 청춘 바꾸지 못 하네
百金不得買白髮	백금이라도 백발 살 수 없나니
君不見北邙山下葬如雲	구름 같은 북망산 장사행렬
云是太半殤兒墳	태반은 일찍 죽은 아이 무덤이라네
嗚呼小娘莫笑嫗	아가씨야 할멈 보고 웃지 말아라

『사가시집』 제29권 「시류詩類」

양정은 남조南朝 송宋 포소鮑照(414~466)가 '정자 수수께끼井謎'에서 80세를 이른다고
한 데서 왔다. 그는 '一八五八 飛泉仲流'를 '一八은 井자의 여덟 모서리이고, 五八은
井자를 쪼개서 넷으로 나누면 十자가 넷이 되므로 四十이 곧 五八이며, 飛泉仲流는
두레박으로 물 긷는 것을 이른다一八 井字八角也 五八 析井字而四之則爲十字四 四十卽五八也
飛泉仲流 謂垂綆取水而上之也'고 새겼다.

② **송시열**宋時烈(1607~1689)**의 시(「수충동 문희연**守沖洞聞喜宴**」)이다(부분).**

———

숭정崇禎 신유년(1681) 10월에 정군 지하 윤구鄭君之河潤九의 장남 상길相吉이 진사
上舍에 합격하고, 그 차남 상일相一은 먼저 정사년에 합격하였다. 이에 영소전永昭殿
의 담제禪祭가 끝나기를 기다려 섣달 22일에 문희연을 베푸니 두 아들이 모두 청금
青衿을 입어 문채가 서로 빛났다. 이때 윤구와 그 부인의 나이는 모두 60세였다.
또 상길의 외조부 호군護軍 오공吳公은 80세가 넘었는데도 얼굴이 붉고 윤택하였는
데 지팡이를 짚고 참석하였으므로 보는 사람들의 칭송이 높았다. 이에 상길 형제가
나를 찾아왔으니, 어찌 내가 한마디를 적지 않을 수 있겠는가. 나는 그 조부 부정공
副正公과 가까웠고 윤구도 내게서 오래 배운 터이라 마침내 근체시近體詩 한 수를
지어 보냈다.
이달 어느 날 파곡병부巴谷病夫 쓰다.

烏川一派沃川東　　포은의 가족 오천 동쪽에 사니
恤匱憐飢副正公　　가난하고 주린 이 도운 부정공 있었네
雙親鶴髮皆周甲　　양친의 학발은 모두 갑년 되고
兩井龜蓮是外翁　　두 우물의 귀련 바로 외조부라네
早識逢將元不爽　　일찍부터 반듯한 인재인 줄 알았지
自玆餘慶更無窮　　앞으로 남은 경사 다시 무궁하리라

『송자대전』 제4권 「시」

———

'학발'은 흰 머리털을, 귀련은 우물의 거북과 연꽃을 가리킨다.
샘 '정井' 자에 열 십十 자 넷 들어 있으므로 한 자를 더하면 곧 80이 된다는 말이다.
오천은 포은 정몽주鄭夢周(1337~1392)의 본관인 경상북도 연일延日지방이다. '포은
일가'는 이에서 왔으며 앞글의 주인공들은 그의 후손들이다. 수충동은 어디 있는지
모른다.
영소전은 숙종肅宗의 첫 왕비 인경왕후仁敬王后(1661~1680) 김씨金氏의 신주를 모신
혼전魂殿으로 경덕궁慶德宮(경희궁慶熙宮의 다른 이름)에 있었으며, 담제는3년 상을 마친
뒤 상주가 평상으로 되돌아감을 고하는 제례의식이다.

(40) 하늘의 뜻과 우물

이항복李恒福(1556~1618)의 시(「노원의 오두막에 우물이 없어 늘 작은 계곡 물을 마시다가 우물을 파서 물을 얻고 기뻐서 지음蘆原寓舍無井 常飮小澗 余鑿井得水喜而有作」)이다(부분).

苦厭臨溪汲	시냇물 길어 먹기 너무 지겨워
披榛得小山	덤불 헤치고 얻은 작은 언덕
經營尋地脈	이리저리 살핀 끝에 물길 찾아
疏鑿破天慳	땅을 파니 하늘의 신비 어겼구나
帝力於何有	임금 은혜 내게 끼친 것 없으니
吾生自在閑	내 생애 참으로 한가롭구나

『백사집白沙集』 제1권 「시」

노원은 서울시 노원구 상계동 일대에 있던 들이다. '하늘의 신비 어겼구나'는 하늘이 감쪽같이 숨겨놓았던 물을 마침내 찾아낸 것에 대한 감격의 일성이다.

'임금의…은혜'는 태평太平세월을 가리킨다. 중국 요堯임금 때 정사가 잘 되어 천하가 평안하자, 한 노인이 땅을 치며 '해 뜨면 나가 밭 갈고, 해 지면 들어와 쉬며, 우물 파 물 마시고, 밭 갈아 밥 먹고 사니 임금의 은혜 받은 것 없다'며 읊조렸다고 한다.
(☞ 921)

(41) 공부와 샘

① 이현일李玄逸(1627~1704)의 시(「다시 정원양에게又鄭元陽」)이다(부분).

蓋其用工	선생이 힘 쓴 학문
專在本地	오로지 마음에 있었지
博學審問	널리 배우고 꼼꼼히 물어
眞知實履	잘 알자 실천 하였네
井已及泉	샘 파듯 전적 뒤지고

山不虧簣   산 쌓듯 학문 이루었구나

『갈암집』「속집」 부록 제4권

———

정원양은 누구인지 모른다.

'샘 파듯 책 뒤지고 / 산 쌓듯 학문 이루다'는 다시 찾기 어려운 절구絶句이다.

② 『중종실록』 기사이다.

———

성균관 대사성 유숭조柳崇祖(1452~1512)가 아뢰었다.

"글을 중히 여기고 백왕의 스승을 높이며 (…) 유학儒學을 받들어 만대의 법을 넓히시고 (…) 뜻을 낮추어 계속 밝히기를 배우셔서 일취월장日就月將하면 불길처럼 오르고 샘물처럼 이르지 않는 데가 없습니다."(6년[1511] 3월 12일)

———

유학을 열심히 그리고 두루 공부하면 샘물처럼 미치지 않는 데가 없으리라는 말이다.

③ 『인정人政』의 기사이다.

———

비록 자신의 눈으로 해日를 보면서도 해를 보았다는 남의 말을 듣고서야 해로 여기고, 비록 자기 입으로 샘물을 마시면서도 남이 샘물을 마셔보고 하는 소리를 듣고서야 샘물로 여긴다. 단지 옛날 문적文籍만 가지고 학문을 하는 자도 진실로 이와 같으니 참으로 무엇을 얻으랴?

눈으로 해를 보고 해를 본 사람의 말을 그와 참고하고 견주어야 해의 체용體用을 점차 알게 되며, 입으로 샘물을 마시고 샘물을 마신 사람의 말을 비교 검증해야 샘물의 수용須用을 조금씩 깨닫게 되는 것이다(제10권 敎人門 3 「虛實聽民黜陟」).

———

공부를 제대로 하려면 여러 사람의 의견을 참고하고 또 여러 모로 견준 뒤에 결론을 내려야 한다는 말은 진리이다.

(42) 부처와 샘

이황李滉의 시(「농암 이상공께서 황을 부르시어 함께 병풍암에서 노닐며聾巖李相公 招滉同遊 屛風庵」)이다(부분).

雨霽天空積水平	비 개자 하늘 맑고 물 불어나니
閒騎果下傍沙汀	한가로이 과하마 타고 모래톱으로 가네
窈窕巖泉供佛祖	아름다운 바위의 샘물로 부처 받들고
風流杯酒答山靈	풍류의 술잔 들어 산신령께 답하네
何能小作壺中隱	어찌 호리병속 은자 가볍게 여기랴
靜裏工夫討汗青	조용히 공부하여 역사서를 담론하리라

『퇴계집退溪集』「퇴계선생문집별집退溪先生文集別集」권1

샘물을 부처에게, 술잔을 산신령에게 바친 것은 그럴만하다.

'호리병 속의 은자'는 도교에서 이르는 여덟 신선 가운데 한 사람인 이철괴李鐵拐(?~?)를 가리킨다. 그는 장춘長春이라는 영약靈藥이 담긴 뒤웅박을 짊어지고 다니며 가난한 이들의 병을 고쳐주었다고 한다(김광언 2015 ; 630).

사진 344는 전라남도 순천시 송광사의 샘이다. 샘 크기에 견주어 웅장한 돌집을 지었다. 맷돌 아래짝 입으로 흘러나오는 물은 아래의 돌확으로 떨어진다. 이 물은 부처님께 바칠만하다.

사진 344

(43) 의지와 샘

정약용丁若鏞의 시(「물과 돌을 읊음詠水石節句」)이다(부분).

泉心常在外	샘물의 뜻 언제나 밖으로 향해

石齒苦遮前	돌 이빨 제아무리 가는 길 막아도
掉脫千重險	천 겹 험한 길 이리저리 헤치고
夷然出洞天	깊은 골짜기 벗어나 거침없이 달리누나

『다산시선』

———

세상을 향한 자신의 뜻을 쉬지 않고 흐르는 샘물에 견주었다.

(44) 벼슬아치와 샘

정약용丁若鏞의 시(「명봉편 한치응에게鳴鳳篇 贈韓獻納致應」)이다(부분).

———

官莫作諫大夫	벼슬해도 간대부의 직책은 맡지 말라
縱言無補徒爲迂	말해도 소용없고 멍청하다는 탓만
末俸新進氣泉涌	말단의 신진 관료 샘솟듯 기세 높아
銀鞍白馬粉騶擁	은 안장에 백마 타고 하인 호위 받으며
倏若回飆捲地來	회오리바람 몰아치듯 싹 쓸고 지나가면
辟易一路飛黃埃	어라 쉬, 외치던 길 누런 먼지만 자욱하네

『다산시문집茶山詩文集』 제2권 「시」

———

같잖은 젊은 벼슬아치의 거드름 피우는 꼬락서니가 눈에 선하다.

한치응(1760~1824)은 시문詩文에 뛰어나 이유수李儒修 · 홍시제洪時濟 · 윤지눌尹持訥 · 정약전丁若銓 · 채홍원蔡弘遠 등과 죽란시사竹欄詩社를 통해 사귀었다.

(45) 비와 샘

『다산시문집』 기사이다.

———

날이 가물면 우물이 마르고 비가 오면 콸콸 솟는 것에 대해 사람들은 '샘물은 모름지기 비가 내려야 잘 나온다'고 한다. 그러나 나는 우물의 맥脈은 돌틈磊空을 통해 강해江海에 뿌리를 두고 있어서, 환경에 좌우 되지 않는다고 믿는다. 따라서 비와는 연관이 없다.

마른 물체物體가 젖은 것에 닿으면 반드시 물기를 머금는 것이 사물의 이치이다. 이에 따라 건조한 성질을 지닌 흙은 산맥山陵과 습지原隰의 물을 빨아올려서 스스로 윤택하게 만들고 초목草木도 기른다. 가물 때 거두어들이는 힘이 더 커진 흙덩이土體가 샘물의 줄기泉脈가 지나가는 곳마다 남김없이 끌어올리는 탓에 우물이 마르는 것이다.

그러나 비가 오면 젖은 흙덩이의 힘이 줄어들게 되어 샘물줄기가 활기를 얻어 콸콸 솟는다. 오래도록 비가 오면 물이 잘 솟고, 우물에 가득 차서 넘치는 이치가 이것이다. 따라서 한 방울의 물도 비와 연관이 없으며, 스스로 넉넉해진 덕분에 솟는 것이다(제12권 변辨 「우천雨泉에 대한 변증」).

———

평범한 사람의 생각을 뒤집은 말이다.

(46) 고치켜기와 샘

이응희李應禧(1579~1651)의 시(「비단실繭絲」)이다(부분).

玉手當爐火	손 고운 여인 화롯가에서
繅絲日不休	고치 켜느라 쉴 사이 없네
長長如雨下	길고 길어 비 내리듯
繹繹似泉流	뽑고 뽑으니 샘 흐르듯
庭畔黃雲擾	뜰에 누른 구름 움직이듯
階前白雪稠	섬돌 아래 흰 눈 쌓이듯

『옥담사집玉潭私集』 만물편萬物篇 「재물류財物類」

———

쉬지 않고 고치 켜는 솜씨를 비·샘·구름·흰 눈 따위에 견준 것이 그럴듯하다.

(47) 눈과 샘

김정희金正喜의 시(「각산에 올라 동으로 창해를 바라보고 북으로 몽골경계를 굽어본 다음, 돌아와 절집 벽에 적음登角山絶頂 東觀滄海北俯蒙古界 歸題寺壁」)이다.

泉眼嵌明珠	샘 눈에 밝은 구슬 박히고
殘碑映空碧	옛 비 푸른 벽에 어리네
昔聞一老師	들기로 옛적 한 늙은 중
於此示禪寂	이곳에서 선적에 들었다지
勝朝殉節錄	승국勝國이라 순절의 기록 보면
千秋光爀爀	천추에 뻗혀 그 빛 길이 빛나리

『완당전집』 제9권 「시」

샘에 비치는 자신의 눈동자를 구슬에 견주었다.

선적은 마음을 가라앉히고 고요히 좌선에 드는 것을, 승국은 바로 전대前代의 왕조를 가리킨다.

(48) 아첨과 샘

『숙종실록』 기사이다.

오명준吳命峻(1662~1723)은 달콤한 말로 붙좇기를 잘하는 성품이어서, 경연經筵 자리에 드나들며 아첨하는 말이 샘물처럼 솟았다. 늘 '옥색玉色이 여윈다'며 근심하는 듯한 그의 말을 들은 임금은 아주 좋아하는 나머지 특별히 돌보았다. (…) 그가 오래 밖에 있어서 한 번도 경연에 들지 않았으니, 어찌 천안天顔이 살찌고 여윔을 알아서 먼저 적어 오겠는가? 일은 비록 작지만 이로써 그 마음을 알 수 있다(29년[1703] 4월 19일).

그러나 무슨 까닭인지 달리 『한국민족문화대백과』에는 '성품이 강직하여 조정에

임금의 외척이 늘어나는 것을 탄핵하는 외에, 때때로 직간直諫을 잘하여 한때 파직 당하였고, (…) 이로써 자주 오해를 불러일으켰으며, 문장과 글씨가 뛰어나고 경사經 史에도 조예가 깊었다'고 적혔다.

(49) 샘물소리

① 경기도 남양주시 조안면 송촌리의 남한강과 북한강의 두물머리가 한 눈에 내려다보이는 운길산雲吉山(610.2미터) 중턱에 수종사水鐘寺가 있다.

절 이름 유래담이다.

세조世祖가 1458년에 신하들과 금강산金剛山에 다녀오다가, 두물머리에서 하룻밤 묵었다. 한밤중에 들리는 난데없는 종소리에 잠이 깨어 부근을 살폈더니 뜻밖에 바위굴이 있고, 그 안으로 18나한羅漢이 보였다.

그리고 이곳에서 떨어지는 샘물 소리가 종소리처럼 들리는지라 절을 짓고 수종 사라 불렀다.

---

② 송시열宋時烈의 시(「밤에 앉아 시내 소리에 읊어 손자 주석에게 보이고 사앙·동보·치도 및 자소 여러 사람에게 화답을 구함夜坐聽溪 吟示疇孫 轉以求和於士昻 同甫 致道泊子邵諸人」)이다.

山中老翁欲無言	산속 늙은이 입 다물려고
禍福乘除久任天	화복 하늘에 맡긴 지 오래로다
好靜還嫌泉觸石	고요 즐기려니 샘물 소리 싫고
愛閒頗似佛逃禪	한가함 좋아하니 자못 선승이로세
休論萬事紛如繡	얽히고설킨 세상살이 말 말기를
且喜雙淸不用錢	바람과 달은 돈도 필요 없으니

『송자대전』 제4권 「시」

조선왕조에 그이만큼 영욕을 함께 겪은 이도 드물다. '얽히고설킨 세상살이에 입

다물겠다'고 하였지만, 제주도 유배에서 풀려나 서울로 묶여 오다가 정읍에서 사약을
받고 죽었으니 말이다.

③ 이덕무李德懋(1741~1793)의 시(「달밤에月宵」)이다(부분).

———

小月留軒如雅士	난간 비추는 작은 달은 우아한 선비
暗泉鳴枕若情人	베개에 들리는 샘물 소리는 정든 임
每於卽景虛明地	늘 보는 경치 그대로 허명한데
添得自家灑落神	쇄락한 내 정신만 늘어나누나
惜夜不眠眞氣葆	밤새우며 참된 기운 지키는 중에
丑時鷄動唱催晨	새벽 알리는 축시의 닭 울음 들리노라

『청장관전서』 제2권 「영처시고嬰處詩稿」 시 2

———

초승달을 선비에, 샘물 소리를 베게 밑에서 속삭이는 연인의 낮은 목소리에 견주었
다. 축시는 오전 1시부터 3시 사이이다.

④ 정약용丁若鏞의 시(「절구絶句」)이다.

———

寂歷林中屋	적막하고 쓸쓸한 숲속의 집
琤琤沈下泉	졸졸졸 베개 아래 샘물소리
已經三兩日	이틀 사흘 지나자
廳慣不妨眠	귀에 익어 잠 잘 오누나

『시로 읽는 다산의 생애와 사상』

———

자연에 대한 친밀감을 남김없이, 그것도 아주 쉬운 말로 드러냈다.

⑤ 박제경朴齊暻(1831~1910)의 시(「산재에서山齋書懷」)이다.

———

天寒一茅屋	찬 날씨에 초가 한 채

渺在西湖邊	아득히 서호 가에 있구나
夜枕山泉響	밤 베게 밑 샘물 소리에
老人未猶眠	늙은이 여전히 잠 못 이루노라

『하강시 역주河江詩譯註』

――――

'찬 날씨에…서호 가에 있구나'는 그대로 그림이다.

(50) 술과 샘

최립崔岦(1539~1612)의 시(「즉흥시를 지어 남 영공에게 바침卽事贈南令公」)이다.

――――

瓢泉斗甕地中埋	샘물 담아 묻은 한 말들이 술 단지
麴米相將初醱醅	국미 처음 익어 이제 서로 맛볼 새
此是閑居好消息	한가한 중에 이보다 더 좋은 소식 있으랴
新晴又得故人來	날 개이자 옛 벗 다시 찾아와 준다니

『간이집簡易集』 제8권 「서도록西都錄」 전前

――――

물이 좋아야 술 맛이 난다는 뜻인가? 술도 술이지만 마침 벗이 온다니 참으로 기쁠 터이다. 조선시대에 종2품·정3품 당상관의 품계를 지닌 관인을 영공 또는 영감令監이라 불렀다.

국미麴米는 중국 운안雲安의 명주名酒 국미춘麴米春의 준말로, 흔히 술의 별칭으로 쓴다.

② **김정희**金正喜의 시(「선유동仙遊洞」)이다.

――――

碧雲零落作秋陰	푸른 조각구름 가을 그늘 이루고
唯有飛泉灑石林	샘물 숲속으로 나네
一自吹簫人去後	옥통소 불던 이 떠난 뒤
桂花香冷到如今	서늘한 계화향기 오늘에 이르렀네

'푸른 조각 구름…'과 '숲으로 나는 샘'은 더할 나위 없이 잘 어울리는 짝이다. 옥퉁소 불던 이의 떠난 자리를 채우려고 계화향기가 날아왔다는 말일 터이다. 선유동은 여러 곳에 있다.

(51) 추위 타는 도르래

송상기宋相琦(1657~1723)의 시(「연구의 운에 맞게 지어 박여후에게 보임次聯句韻 示朴汝厚」)이다(부분).

半夜嚴風凍碧池	깊은 밤 모진 바람에 연못 얼고
禁林殘雪亦多時	금림에 잔설도 많이 쌓였구나
銀蟾送彩籠簷角	은빛 밝은 달 처마 끝에 어리고
玉虎凌寒臥井眉	도르래 추위에 떨며 우물에 걸렸네
鑾掖恩榮知我忝	난액의 영광 내 분수에 넘치지만
錦囊才思見君奇	금낭의 글에 그대 뛰어난 것 보이네

『옥오재집玉吾齋集』제1권 「시」

박여후朴汝厚는 박태순朴泰淳(1653~1704)의 다른 이름이다.

'은빛 밝은 달'이 '추위에 떠는 도르래'를 부르는 듯하다.

옥호는 도르래 장식이고 난액鑾掖은 '난파鑾坡 시신侍臣'의 준말이다. 당唐 한림원翰林院을 난파라고도 하므로, 이는 우리네 승문원承文院이나 예문관藝文館 관원을 가리킨다.

'금낭'은 박태순의 글이 아주 뛰어난 것을 나타낸다. 당의 이하李賀(790~816)가 놀러갈 때마다 시를 지어 따르는 어린이의 비단 주머니에 넣었고, 저녁에 돌아와 보면 가득 차 있었다는 고사에서 왔다.

사진 345는 충청남도 상류가옥 우물에 달린 쇠 도르래이다.

사진 345

(52) 기타

① 이황李滉(1052~1571)의 시(「김태화에게 드림贈金泰和」)이다.

感君高義蕩秋旻	그대의 높은 의기 가을 하늘에 사무쳐
急手援拯井裏人	재빨리 우물에 빠진 이 구했구나
更護遠來分付我	다시 보러와 내게 당부하고는
翛然歸去不矜仁	횡하니 돌아가 입 다물고 있네

『퇴계시풀이』

이는 상대가 설사 병에 걸린 자신을 구완해 준 일을 가리킨다.
김태화(?~?)는 누구인지 모른다.

② 김정희金正喜(1786~1856)의 시(「혜산에서 차를 마시며惠山啜茗」)이다(부분).

天下第二泉	천하 버금가는 샘
又重之秦洪	다시 진소현 홍치존과 마셨네
飮泉猶可得	이러한 샘물 다시 맛 볼 수 있지만
二妙眞難同	두 선비는 참으로 만나기 어렵지

원서原序에 '혜산은 천하 둘째가는 샘인데 진소현 및 홍치존과 함께 좋은 차를 가지고 가서 마시며 이야기 나누었다'고 적혔다.

『완당전집』 제9권 「시」

천하 제이천은 중국 강소성 무석시無錫市에 있다. 홍치존은 청 홍량길洪亮吉(1746~1809)의, 진소현秦小峴은 진영秦瀛(1743~1821)의 자이다.

③ 『성호전집星湖全集』 기사이다.

숭정崇禎 경오년(1630) 1월 7일에 태어난 공은 일찍부터 성품이 슬기로워서 이따금 지어보이는 글에 사람들이 혀를 내둘렀다.

어린 적, 외조부를 따라 나주羅州 관아에 갔을 때, 어두워지면 마당 가운데 우물에 사람이 자주 빠져서 홍공洪公이 걱정하였다. 이에 그는 '대울을 치고 문을 달아서 필요할 때 여닫으면 안전합니다'고 일렀다. 이에 홍공은 어른의 식견과 도량을 지녔다며 기특히 여겼다(제62권 「승정원 좌부승지 목공 묘갈명 병서承政院左副承旨睦公墓碣銘 幷序).

사진 346

사진 346이 나주 관아의 금성관 앞 우물이다. 우물의 지름(전 포함)은 2.4미터이고 전 높이는 75센티미터이다. 전은 근래에 붙였을 터이다.

④ 김정희金正喜의 시(「잃은 제목失題」)이다(부분).

淸晨漱古井	맑은 새벽 우물에서 씻으려니
古井紅如燃	우물 빛 붉어 훨훨 타는 듯
不知桃花發	복사꽃 활짝 핀 것 모르고
疑有丹砂泉	단사천인가 다시 보았네

『완당전집』 제9권 「시」

우물에 비친 복사꽃을 단사에 견준 것이 의뭉스럽다.

단사천은 바닥에 수은과 유황이 섞인 흙이 쌓인 샘으로, 도가道家의 술사術士들은 이를 마시면 불로장생한다고 이른다.

⑤ 김창협金昌協의 시(「구리병銅瓶」)이다.

古銅葫蘆樣	뒤웅박 닮은 낡은 구리 병
汲泉常在手	샘물 담겨 늘 내 손에 있네
却笑鴟夷饕	우습다, 언제나 시큼한 술 담는
終年但盛酒	큰 가죽 술 자루

『농암집農巖集』 제3권 「시」

―――――

가죽자루라야 기껏 술이나 담으니, 맑은 물을 넣는 낡은 구리 병이 훨씬 낫다는 말이다.

1689년에 일어난 기사환국己巳換局으로 아버지가 전라남도 진도珍島에서 사약을 받자, 경기도 영평永平(포천)으로 물러나 학문에 힘쓴 자신을 구리 병에 견주었을 터이다.

⑥ **정약용**丁若鏞의 시(「차운하여 황상의 보은 산방에 부침次韻寄黃裳寶恩山房」)이다(부분).

―――――

炎敲思走寺	찌는 더위 절에라도 가고 싶지만
衰疲畏陟嶺	늙고 피곤해 재 넘기 어렵네
蚊蚤恣侵虐	모기 벼룩 극성스레 물어대는
夏夜覺苦永	여름밤 어쩌면 이리도 길까
更深每發狂	밤 깊어 미칠 듯하여
解衣浴村井	옷 벗고 우물가에서 목욕하노라

『다산 시문집』 제5권 「시」

―――――

모기나 벼룩 그리고 더위 쫓기에는 목욕이 안성맞춤이다.

황상(?~?)은 정약용이 강진유배시절에 만난 애제자이다. 시를 잘 지어서 김정희金正喜(1786~1856)의 칭찬을 들었다고 한다.

⑦ **정약용**丁若鏞의 시(「굶주리는 백성들을 읊음饑民詩」)이다(부분).

―――――

槁項顑鵠形	삐쭉 마른 목은 따오기꼴

病肉縐雛皮	병든 살갗 주름져 닭 살일네
有井不晨汲	우물 있지만 새벽 물 긷지 않고
有薪不夜吹	땔감 두고도 저녁밥 짓지 못해
四肢誰得運	사지 아직 멀쩡하게 움직이건만
行步不自持	걸음도 혼자서 떼지 못 하누나

『시로 읽는 다신의 생애와 사상』

―――

굶주림에 지쳐서 꼼짝도 못하는 백성의 참상을 그대로 드러냈다.

⑧ 김시습金時習의 시(「흥취를 느낌感興」)이다(부분).

―――

直木必先伐	곧은 나무 먼저 베어지고
甘井必先渴	단 샘 먼저 마르지
人喜鵬擊溟	사람들 대붕의 바다 날기 좋아하나
我喜龜藏六	나는 거북이 육효 간직한 것 기쁘네
人誇犬戲麋	남들 개와 사슴 희롱 자랑하지만
我笑微聲鹿	나는 소리 작은 사슴 보고 웃네

『매월당전집』 제1권

―――

눈에 버쩍 뜨이는 것보다 자연의 작은 움직임에 마음이 더 쏠린다는 말이다.

⑨ 『약포집藥圃集』 기사이다.

―――

무릇 종이 마을의 약속을 지키니 않는 죄를 지었음에도 주인이 더러 정리를 내
세워 싸고돌면 더 큰 벌을 준다.
이렇게 해도 조심 않고 도리어 구실을 붙여 약조를 가볍게 여기면 동계洞契에서
영원히 내쫓고 한데우물도 쓰지 못하게 막는다(제3권「序」洞契約條).

―――

이 책을 쓴 오희영吳僖泳(?~?)은 조선 말기의 학자이다.

3) 근대

(1) 암샘 · 수샘

① 『조선의 풍수朝鮮の風水』 기사이다.

———

경상북도 안동읍 뒤로 둘러선 영남嶺南산맥 가운데, 지금의 초등학교 뒷산자리에 보지 모양의 작은 산이 있다. 이를 흔히 공알산 곧, 음핵산陰核山이라 한다. 이 산의 샘에서 사시사철 솟는 샘물에서 냄새가 난다.

맹사성孟思誠(1360~1438)이 부사로 왔을 때, 읍내 여자들이 바람을 피우자 (…) 이 산이 내려다보는 탓이라 하여 (…) 산기슭과 산을 마주한 두 곳에 자지꼴 돌을 한 개씩 세웠다는 말이 돌았다.

이들은 지금의 형무소 앞 길 옆, 전기회사 부근, 남문 밖 5층탑 부근에 십여 년 전까지 있었다. 길이 넉 자(1.3미터)에 지름 석 자(1미터)쯤 되는 기둥 꼴이었다고 한다(村山智順 1931 ; 768~769).

———

임재해林在海(1952~   )는 맹사성이 아니라 현종顯宗 때의 맹주서孟冑瑞(1622~?)라고 바로잡았다.

② 『영남의 전설』에도 닮은 내용이 있다.

———

지금의 기관차 물탱크에서 100미터쯤 되는 남천방 개목犬項의 팽나무 둑에 남자의 성기를 돌로 크게 다듬어 영남산과 마주 보게 세웠다. 일설에는 맹孟 부사가 음기淫氣를 없애려고 (…) 세웠다고 한다.

일제강점기에 일본인들이 낙동강 제방공사를 할 때, 팽나무를 베고 돌 성기를 제방 밑에 묻어 버렸다. 그런 후부터 안동 처녀들의 풍기가 문란하다는 소문이 떠돌기 시작하였다. 그러자 일인들이 영남산의 정기와 음기를 뽑는다며 영남산, 지금의 채석장에 쇠말뚝을 박았다. 이런 일이 있은 후부터 안동 여성들은 대체로 품행이 단정해졌다는 것이다(임재해 2004 ; ?).

여근곡은 신라 때의 지명으로, 경북 경주시 건천읍 신평리에 있다(사진 347). 골짜기 가운데의 옥문지玉門池는 신기함을 더해준다.

사진 347

③ 『삼국유사』 기사이다.

영묘사靈廟寺 옥문지에서 겨울임에도 개구리 떼가 며칠 동안 이어 울었다. (…) 이에 왕은 각간角干 알천閼川(?~?)과 필탄弼呑(?~?) 등에게 정병 2천을 거느리고 서쪽의 여근곡을 찾으면 반드시 적병이 있을 것이라 일렀다. (…) 이로써 부산富山 아래 여근곡에 숨었던 백제군 500명과 뒤따르던 1천2백 명을 모두 무찔렀다.

그네가 승하하기 전, 까닭을 묻자 이렇게 대답하였다.

"개구리의 성난 모습은 병사를 나타낸다. 옥문은 곧 보지이고, 음은 여자이며 그 빛이 흰 것은 서쪽을 이르므로 그곳에 숨은 것을 알았다. 또 자지가 보지에 들어가면 죽으므로 곧 물리칠 것이라 믿었다(권제1 기이 제1 「善德王 知幾三事」).

④ 『안동의 비보풍수 이야기』의 간추린 기사이다.

성진골의 여근 형상은 경주 여근곡女根谷 이상의 완벽한 조건을 잘 갖추고 있다. (…) 여성이 가랑이를 벌리고 있는 사타구니 모습을 단순히 형상화 하고 있는 데 머무르는 것이 아니라, (…) 여근의 음핵에 해당하는 공알바위가 별도로 있고 마르지 않는 샘까지 갖추고 있어서 여근곡과 비교할 수 없을 정도로 구체성을 띠고 있는 것이다.

여근 형상 자리에 늘 물이 흐르고 그 아래에 작은 못이 있어서 여성 성기 구조와 흡사하다 따라서 신평 마을에 바람난 처녀가 많다는 우스개와 함께, 음기가 강한 탓에 처녀들이 마을에서 견디지 못하고 객지로 떠난다는 속설이 전한다(2004 ; 21-23).

사진 348이 여근곡을 연상시키는 성진골의
여근이다.

⑤ 『민속한국사』 기사이다.

사진 348

옛적 개성시의 미인 황녀黃女(?~?)에게 많은
청년들이 눈독을 들였음에도 운수가 기박하
여 처녀로 죽었다. 그네 무덤이 마주 보이는
곳의 큰 바위가 갈라지더니 사이에서 샘이
솟았다. 이는 그네가 주는 사랑의 샘이라는
소문이 돌았다. 이 물을 남자가 마시면 마음
먹은 여자의 마음이 움직이고, 여자가 마시면 예뻐지고
요귀가 돋는다고 하였다.

물을 마시는 사람들은 그 보답으로 돌이나 나무로 깎은
자지를 바쳤다. 1940년대 무렵까지 이 샘을 입맞춤(키
스)의 우리말 '입말'을 가리키는 입알천이라 불렀다(이규
태 1983[2] ; 177).

예부터 어부들이 강릉시 안인진면 안인진리와 삼척시
신남마을에 있는 해랑당海浪堂의 처녀신에게 나무로 깎은
자지를 바쳤다. 이를 기뻐한 신이 고기를 많이 잡게 해준
다고 여긴 것이다.

사진 349는 신남마을 사당에 걸린 자지 묶음이다.

사진 349(ⓒ 장주근)

⑥ 충청북도 제천시 수산면 오티리 황룡사에는 암물과 수물이 따로 흘러나와 한 곳에
고이는 샘이 있다. 이를 떠서 섞어서 마시면 아기를 밴다고 한다.

사진 350이 암물, 사진 351이 수물이다.

사진 350 사진 351

⑦ 지리산 세석돌밭細石平田의 샘 이름도 음양수이다.

민담 「지리산 음양수」의 간추린 내용이다.

———

경상남도 하동군 화개면 대성골에 처음 들어와 살던 호야乎也와 연진蓮眞이 아이가 없어 걱정할 때, 곰이 찾아와 세석돌밭의 음양수를 마시고 신령님께 빌면 아이를 밴다고 일러주었다.

그러나 연진이 물 마시는 것을 본 범이 산신에게 고자질 한 탓에 곰은 굴에 갇히고, 그네는 평생 세석돌밭의 철쭉을 가꾸는 벌을 받았다. 마침내 그네는 촛대봉에서 천왕봉 산신령에게 빌다가 돌이 되었고, 호야는 끝내 아내를 만나지 못하였다.

지금도 세석돌밭의 철쭉이 필 때면, 연진을 부르는 호야의 소리가 바람에 실려 온다고 한다.

———

사진 352의 왼쪽에서 흘러드는 물이 암물, 오른쪽이 수물이다. 우리네 남향 집에서도 여성의 거주 공간인 안채를 왼쪽(서쪽)에, 남성과 연관된 사당과 사

사진 352(ⓒ 자연과함께)

랑채를 오른쪽(동쪽)에 둔다.

(2) 신령스러운 샘

① 『민속한국사』 기사이다.

전라도에서는 며느리들이 반드시 해뜨기 전에 일어나 샘으로 가서 제 얼굴을 비춰
본 뒤, 물을 떠서 동녘으로 차려놓고 아들 낳기를 빈다. 이것이 정화수井華水이다.
이 지역 산간지대에서는 아기를 배고 백 일째 되는 날 이른 새벽에 남편의 옷갓
을 걸치고 샘가를 세 번, 일곱 번, 아홉 번 등 홀수로 돌고 다시 제 모습을 비춰
보고 돌아온다. 이때 뒤돌아보지 않으며, 다른 사람과 마주치지 않도록 뒷길로
돌아온다(이규태 1983[1] ; 125~126).

'남편의 옷갓을 걸치는 것'은 음과 양이 합치는 것을 나타낸다. 또 샘을 양기를 상
징하는 홀수로 도는 것도 여성에게 양기를 보태려는 주술이다.
　해가 뜨는 동쪽 또한 양의 방향이다. 그리고 얼굴을 비추는 것은 우물의 생명력을
빨아들이려는 행동이다.

② 황해도 옹진군甕津郡에서는 한데우물에서 기우제를 지낸다. 집집에서 모은 입춘서
立春書를 쑥으로 싸서 불을 붙이고 흔들며 '비를 내려주소서' 읊조린다. 제물로 개나
소를 쓰지만 송화군松禾郡 일대에서는 소·돼지·개를 잡으며, 제사 뒤 고기 조각을
여기저기 뿌린다.
　이와 달리 신천군信川郡에서는 흙으로 빚은 용龍에게 비가 내릴 때까지 제사를 올리
며, 물 담은 병을 처마에 매달기도 한다. 이를 용왕제라고 부른다.
　입춘서는 비가 내려서 풍년을 거두게 해 달라는 뜻이고, 불에 태우는 것은 연기가
비를 머금은 구름을 나타내는 까닭이다. 처마에 매달린 물병은 비를 부르는 유감주술
類感呪術이다.

4. 우물 제사

1) 백성의 용왕제

우물의 지기는 용이다.

한 해가 무사태평하고 농사가 잘되며 고기도 많이 잡히고 우물물이 마르지 않게 해 달라고 비는 의례를 흔히 용왕제라고 부르는 까닭이 그것이다. 곳에 따라 요왕제(경기도)·어부슴(강원도)·유왕제(충청북도)·유왕치기(충청남도)·용왕먹이기(경상도)·용신제(전라북도)·갯제(전라남도)라고 한다. 흔히 정월 대보름이나 삼월삼짇날 지내지만 형편에 따라 날을 따로 잡으며, 식구 생일이나 돌림병이 돌 때도 거르지 않는다. 형식은 곳에 따라 다르다.

사진 353은 전라남도 나주시의 한 가정에서 정월 대보름에 샘에서 지내는 용왕제 모습이다.

여러 곳의 보기이다.

사진 353(ⓒ 국립민속박물관)

① 경기도 이천시 호법면 매곡리

안마을(돈실)과 바깥마을로 이루어진 이곳에서는 용왕제를 정월 초사흘 오전 9시에 따로 지낸다. 제물도 안마을에서는 돼지의 통새미를, 바깥마을에서는 쇠머리를 쓰다가 근래 돼지머리로 바꾸었다. 다섯 개이던 안마을 우물은 1999년에 둘, 바깥마을은 여섯 가운데 가장 오랜 '제일 어른우물'만 남았다. 이들은 모두 바가지우물이다.

옛적에는 비용을 치성계에서 가마니를 짜서 댔으나 외지인이 늘어나면서 1990년 무렵부터 12월말의 대동총회에서 거둔다. 안마을에서는 만 원씩 걷은 30만 원으로 검은 수퇘지를 사서 다른 곳에서 잡아온다. 마을에서 피를 흘리면 부정하다고 여기는 까닭이다. 제주를 우물물로 대신하는 것도 특징이다.

이날 이장(한 명)과 반장(두 명)의 보수도 거둔다. 이장은 집마다 쌀 닷 되를 내고, 반장 몫은 안팎 마을이 따로 모은다. 안마을 반장은 쌀 한 가마 서 말 닷 되 값을 받는다. 따라서 동제를 우물고사로 대신하는 셈이다.

용왕제는 서넛이 둘러선 가운데 제관이 절을 세 번 올리는 것이 절차의 전부이다. 축원이나 소지는 물론, 풍악도 잡히지 않는다. 고기는 호수대로 나누되, 제관에게 한 몫 더 준다. 옛적에는 제사 날 아침 우물곁에 윗뿔꼴로 세운 수수깡에 주저리를 덮고 우물을 쳤으나, 지금은 축대를 쌓고 시멘트 전을 얹었다.

사진 354는 안마을 우물 앞에 놓은 돼지통새미와 제상이고, 사진 355는 제관이 절을 올리는 모습이다. 사진 356은 각 집 주인의 명단이고, 사진 357에서는 집집에 보내는 고기를 나눈다.

사진 354

사진 355

사진 356

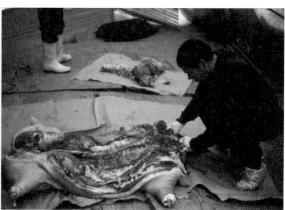

사진 357

사진 358은 바깥마을의 용왕제이다. 반듯하게 다듬은 돌전 앞쪽에 '하늘을 두려워하고 사람을 사랑한다崇天愛人'는 글귀를 새겼다. 옆에 펌프를 박은 덕분에 두레박으로 물을 뜨지는 않는다.

사진 358

② 같은 시 부발읍

우물굿이라 하여, 거북놀이의 한 과정으로 대신한다. 해마다 8월 보름날, 수수 잎으로 엮은 거북을 앞세우고 마을을 돌며 복을 빌어주고 악귀를 쫓으며 이렇게 읊조린다.

———

동방청제 용왕님 남방적제 용왕님

서방백제 용왕님, 북방흑제 용왕님

중앙황제 용왕님

7년 대한 가뭄에도 물이나 철철 내 주오

9년 장마 홍수에도 물이나 맑게 해 주오

———

이는 거북을 용으로 여기는 까닭이다. 아닌 게 아니라 거북의 머리도 용머리를 닮았다. 『숙향전淑香傳』에 아버지가 구해준 금 거북이 바다에 뛰어든 딸 숙향을 살려낸 다음, 자신은 동해 용왕의 둘째딸이라고 말하는 대목도 있다. 『이충무공 전서李忠武公全書』에도 '거북선도 엎드린 모습이 거북을 닮아서 귀선龜船이라 부르지만, 머리는 용이고 꼬리는 거북'이라고 적혔다(券首 「圖說」). 삼국시대부터 근래에 이르는 미술품 가운데 머리는 용이고 등과 배는 거북인 것도 적지 않다(서영대 2002 ; 219~220). 실제로 큰 비석의 좌대도 머리는 용이고, 등과 꼬리는 거북 형상이다.

사진 359가 거북놀이의 한 장면이다.

사진 359(ⓒ 국립민속박물관)

③ 충청북도 보은군

정월 열나흘이나 보름날 산골짜기 샘 옆에 열십자로 깔
아놓은 짚 다발 위에 팥 시루떡 · 삼색과일 · 정화수 따위를
차리고 용왕제를 올린다. 집안의 무사태평을 빈 다음, '용
왕님'을 세 번 읊조리며 식구 수대로 소지도 올린다.

사진 360은 1978년 1월, 충청북도 문의면 압실마을의 용왕
굿이다. 마을의 어린이들이 모두 쏟아져 나와서 지켜본다.

④ 충청남도 논산시

우물에 사람이 빠져 죽었을 때 지기인 용왕에게 혼을 돌
려달라고 비는 굿을 넋건지기굿이라고 한다. 무당이 쌀 담
은 주발을 흰 명주 수건에 싸서 우물에 넣고 경을 읊조리
며 휘젓다가 서너 번 들어서 살핀 다음, 머리카락이 붙었으
면 죽은 이의 넋으로 여긴다. 이어 용왕에게 넋을 뭍으로
보내달라며 천도제薦度祭를 베푼다. 호남지방도 마찬가지
이다.

사진 360(ⓒ 김기윤)

이와 달리 중부 및 제주도에서는 죽은 이의 옷을 입은 무당이 넋그릇을 들고 우물
에 들어가서 건진 뒤, 간단한 상례喪禮를 치른다.

⑤ 충청남도 보령군

오천면鰲川面 장고도長古島에서는 해마다 가족의 평안, 항해의 안전, 풍어豊漁를 위
해 용왕제를 지낸다. 2월의 첫 용날, 물이 들 때도 아낙이 짚 위에 메 · 떡 · 과일 · 나
물 따위를 놓고 축원을 올린다.

⑥ 충청남도 천안시

정월에 수신龍神이 내려오는 날을 가려서, 제관 셋이 한 밤중에 우물 옆에 삼색과
일 · 쇠고기 한 근 · 명태 한 쾌 · 떡 한 시루를 차려놓고 용왕제를 지낸다. 축문을 읊
조리고, 마을 집집의 호주 이름을 부르며 소지를 올림으로써 돌림병이 비켜가고 우물
물도 마르지 않는다고 믿는다(村山智順 1934 ; 189).

⑦ 강원도 삼척시

정월 대보름날 새벽, 아낙이 마을 앞 내나 바닷가에서 용왕에게 식구 수대로 흰 종이에 싼 약밥을 던지며 풍어를 비는 것을 어부제라고도 한다.

또 액운이 낀 식구가 있으면 미리 냇가에 촛불을 밝히고 메 한 그릇을 놓는다.

⑧ 경상남도 의령군

용왕먹이기라고 한다. 정월초하루나, 다음 달 초하룻날 편리한 시간에 지낸다. 새벽에 몸을 깨끗이 씻은 아낙이 정화수·밥·나물·명태 따위를 마련하고 깨끗한 길을 골라 샘으로 가서 집안의 평안을 빌고 식구 수대로 소지를 올린다. 이 제사는 삼월삼짇날과 시월에도 치른다.

사진 361은 의령군 어느 가정에서 샘가에 차려놓은 제물이다. 쌀을 담은 그릇에 촛불을 밝혀서 띄워놓았다.

사진 361(ⓒ 국립민속박물관)

⑨ 전라남도 곡성

집마다 샘(우물)이 없었던 옛적에는 대보름날 밤, '용왕공'이라 하여 아낙들이 각기 차린 제물을 대야에 담아 섬진강으로 가져가서 지냈다. 오늘날에는 집안에서 소지를 올린 뒤, 깔아놓은 짚에 제물을 차리고 소원을 빈다(표인주 2011 ; 532~534).

이밖에 전라도에서는 뒤란의 터주와 집안 성주를 모두 철륭泉龍이라 부른다. 신체는 단지 안에 든 쌀이나 나락이며 성주처럼 해마다 올벼로 바꾼다. 따라서 이들 지역의 용은 성주·업·농경신의 구실을 하는 셈이다.

황현黃玹(1855~1910)의 시(「대보름노래上元雜詠」)이다(부분).

| 鼓淵淵鉦洸洸 | 북소리 둥둥 징소리 쾅쾅 |
| 缶坎坎角嘈嘈 | 질장구 따당따당 피리소리 삐리삐리 |

旗獵獵舞蹺蹺	깃발은 펄럭펄럭 춤은 너울너울
獸面獰獰虎冠嶢	사나운 짐승 탈에 높다란 범관이네
園場井竈雷殷地	마당·우물·부엌을 우레처럼 울리며
捲進擁退奔驚潮	들물처럼 밀려왔다 우르르 나가네

『매천집梅泉集』 권4 「시」

지신밟기가 실제로 눈앞에서 벌어진다. 백여 년 전에 이렇듯 사실적으로 읊조리다니 믿기지 않는다.

⑩ 전라남도 나주시 세지면 내정리 부치마을
국립민속박물관에서 2003년 8월에 조사한 간추린 내용이다.

마을은 삿갓굴·울대미·가장실 셋으로 이루어졌으며 한 골의 호수는 12~13호이다. 1980년대부터 백중의 우물제와 정월달의 동제를 골마다 따로 지낸다.

유래담이다.

시주를 거절당한 불회사佛會寺 스님이 해코지 삼아 정자나무 아래를 파면 물이
나온다고 하였고, 속마음을 안 사람들은 그를 콩 마대에 묶고 물을 부었다. 콩이
물에 불어남에 따라 몸을 조여서 마침내 숨이 끊어지는 까닭이다. 그의 말대로
물이 솟았지만 지형이 배형국行舟形인 탓에 지기地氣가 빠져서 부자들이 망했으며
이때부터 백중에 제사를 지내게 되었다.

이밖에 스님이 우물을 파면 마을이 가난해진다고 일러주었음에도 듣지 않은 탓에
물은 나왔으나 재앙이 끊이지 않아 지낸다는 말도 있다.

이웃의 불회사와 사이가 나빴다기보다, 조선시대의 이른바 '숭유억불崇儒抑佛' 정책
에 맞추어 악의적으로 꾸며낸 말일 터이다. 스님이 밉기로서니 어떻게 그렇게 죽이는
가? 오히려 그를 기려야 마땅하다.

옛적에는 걸립으로 비용을 댔지만 1980년부터 세 골에서 돌아가며 맡는다. 유사
둘이 제사 나흘 전, 돈(3만원)과 쌀을 거두어 남평장에서 돼지머리를 비롯한 제물을

사진 362(ⓒ 국립민속박물관)

사진 363(ⓒ 국립민속박물관)

장만하며 이때 에누리를 하지 않는다. 떡과 제주祭酒는 제삿날 마련한다.

제관은 부정이 없는 노인을 뽑는다. 백중날 일찍 마을 청소를 한 뒤, 15~20여 명의 남자들이 샘 주위의 잡풀을 뽑고 물을 퍼내며(사진 362), 여자들은 마을 회관에서 제물을 차린다.

우물 주변에 세운 대나무 장대에 솔가지와 한지를 꽂아서 금줄로 삼는다. 제관과 풍물패는 거리굿장단을 치며 수맥이 연결된 이웃의 '못시암물'로 간다. 물을 뜨고 풍물을 울리며 돌아오는 사이, 우물 앞에 차린 상에 제관이 잔을 올리고 절을 하면 집사가 다음의 축문을 읊조린다(사진 363).

─────

우물지신님이시여, 옛적의 부귀는 누리지 못해도 지금까지 저희 마을을 지켜주시고 풍족한 지하수를 주셔서 감사합니다. 몇 년 전인지 모르나, 배 형상이라는 지명을 가진 우리 마을 사람이 500~600미터 떨어진 곳에서 물을 길어 생활하다 보니 당시에 편리함만 생각하고 파서는 안 될 곳에 우물을 판 탓에 당시 큰 재앙을 당하여 마을이 파손에 이르렀으나 다시 제를 모시고 음陰의 샘인 마을샘에 양陽의 못시암물을 보태어 (…) 부족한 제수나마 정성껏 올리오니 흠양(향)하여 주시옵소서.

─────

물이 담긴 단지를 우물에 거꾸로 걸어서 한 방울씩 떨어지게 해서(사진 364의 왼쪽),

사진 364(ⓒ 국립민속박물관)　　　　　　　　　　　　사진 365(ⓒ 국립민속박물관)

물이 끊임없이 솟는 상징으로 삼는다.

　제관이 다시 절하고 음복한 뒤, 풍물패가 샘굿을 치며 우물을 세 번 돌고 동각洞閣으로 간다(사진 365). 우물물은 해 지기 전까지 긷지 않는다. 일행이 뒤풀이삼아 마을 회관에서 점심을 먹을 무렵이면 우물물이 다시 반쯤 차오른다.

　우물의 물 합치는 것을 흘레붙기 또는 결혼식이라고 하며, 이로써 풍년이 든다고 여긴다.

⑪ 대구광역시 동구 옻골

1930년대에도 가물면 용왕제를 지냈다.

이 마을 최완식(1939~　)의 말이다.

―――――

　샘이 마를 때가 많아요. 그 기원祈願과 그 다음에 식수의 기원은 곁들여서 기우제 비슷하게 지냈는데. 그때 지낼 때에 보면, 동네에 큰집에서 누가 대표가 선비 중에 하나가 나아가고, 하인들하고 보통 부녀자들이 아주 정성스럽게 주가포酒果脯를 해 가지고, 과일하고 닭 같은 걸 잡아 갖고 올려 가주고 금구를 치고. 금구카는 게 뭐고 카면은, 숯하고 고추하고 뭐 이래 가지고 금줄, 금줄을 해서. 글자로 어떻게 표현하는지 모르겠지만요.

금구를 쳐 가지고 부녀자들이 아주 정성스럽게 소복을 해 가지고 정화수를 떠 놓고요. 그건 보통 아침에 해요. 마지막 지냈는 건 아마(무)래도 1930년도쯤 보면은. 내가 39년생이니까요. 그때 기우제 지내는 건, 현재 기억이 나지 않십니다. 기우제 보다 '용왕 믹인다' 카더라구요. 용왕님께 치성을 디린다꼬요. 용왕님께 음식을 믹인다꼬요(김광언 2008 ; 46).

———

명망 높은 유가의 선비가 지냈다니 놀라운 일이다.

(1) 용신당

이름난 샘에는 흔히 용신당龍神堂이 있다. 강원도 평창군 집무면 척천리 방아다리 약수 아래의 용신당과, 위의 산신각이 좋은 보기이다(사진 366). 용왕은 용을 거느린 백발노인으로(사진 367), 절을 올리며 소원을 비는 사람들이 그치지 않는다(사진 368). 사진 369는 부산시 기장읍 연화리의 용왕당이다. 이름에 걸맞게 동해 바닷가 절벽 위에 세웠다. 용왕상을 불전함佛錢函 위에 모신 것이 눈을 끈다(사진 370). 오늘날에도

사진 366

사진 367

사진 368

사진 369　　　　　　　　　사진 370　　　　　　　　　사진 371

참배객들이 몰려든다(사진 371).

① 절집에서 읊조리는 「용왕경龍王經」이다(부분).

———

　화수길 용왕대신 사해바다 용왕대신

　대서양의 용왕대신 깊은 물의 용왕대신

　얕은 물에 용왕대신 팔도명산 용왕대신

　방방곡곡 용왕대신 부근도당 용왕대신

　용왕대신 용왕대신 용왕대신

　이 맑고 깨끗한 향이 무지개다리 되어

　천지지간 계시는 용왕대신님을 받드나니

　중생들과 영가들의 간절한 마음 아신다면

　하해와 같으신 마음으로 받아주시길 바라옵니다

　　　　　　　　　　　　　　　　　『한국고전용어사전』

———

화수길和脩吉은 산스크리트 말 vāsuki를 소리 값에 따라 한자로 옮긴 낱말이다. 팔대용왕八大龍王의 하나로, 구두九頭 또는 다두多頭라는 별명처럼 머리가 아홉이며, 수미산須彌山 주위를 돌다가 작은 용을 잡아먹는다고 한다. '부근도당府根都堂'은 주로 중부지역의 당집 이름이고, 영가靈駕는 불교에서 육체 밖에 따로 있다고 이르는 정신적 실체이다.

② 우물을 용왕당龍王堂이라고도 부른다.

『삼국유사』에 '해룡왕사海龍王寺의 용왕당은 자못 신령하여 이상한 일이 많았다. 용왕이 대장경을 따라 이곳에 머물렀으며 용왕당은 지금까지 남아 있다'는 기사가 그것이다(제3권 탑상 제4 「前後 所將 舍利」).

---

③ 용왕당에 아기를 빈다.

『동국세시기』 기사이다.

충청(북)도 진천지방에서 3월 3일부터 4월 8일 사이에 여자들이 무당을 데리고 우담牛潭 연못가에 있는 동·서 용왕당과 삼신당에 가서 아들을 점지해 달라고 비는 풍속이 있다. 사방의 여인들이 모여드는 까닭에 그 행렬이 끊이지 않아서 장을 이룬다(「삼월 삼짇날」).

우담은 충청북도 진천군 문백면 은탄리에 있다. 동과 서쪽으로 기암절벽이 길게 뻗고, 동으로 두타산이, 서쪽 중류에 양천산이 솟았으며 하류에 태봉산이 있다. 태봉산은 조선 말기 왕의 태를 묻은 데서 왔다고 한다. 또 이 산의 끝이 용머리를 닮은 데다가 내를 건너는 형상이라 하여 도룡渡龍골이라고도 한다. 또 명성황후明成皇后(1851~1895)가 권세를 이용하여 태봉산을 쌓으려고 많은 주민들을 동원했다는 말이 전한다.

따라서 용왕당에서 아이를 비는 것은 태봉이라는 이름과 연관이 있다.

(2) 용왕각

사진 372(ⓒ 옛문화답사회)

사진 372는 경주시 외동읍 모화리 봉서산鳳棲山 원원사遠源寺에 딸린 용왕각이다. 절은 신라 신인종神印宗의 개조開祖인 명랑법사明朗法師(?~?)가 세운 금광사金光寺와 더불어, 통일신라시대 문두루비법文豆婁秘法의 중심도량이었다.

용왕각은 동서 두 칸에 남북 한 칸 규모이다. 왼쪽에 용 위에 올라선 신장神將 셋을 벽마다 그리고(사진 373) 그 아래의 우물을 마련하였다(사진 374). 오른쪽 칸 벽에도 동자를 거느린 용을 타고 앉은 면류관 쓴 노인이 보이며, 그 앞에 상을 따로 모셨다

사진 373(ⓒ 옛문화답사회)

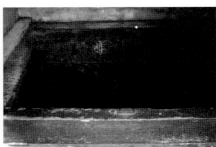

사진 374(ⓒ 옛문화답사회)

사진 375(ⓒ 옛문화답사회)

(사진 375). 이밖에 이곳의 물이 흘러나가는 도랑에도 구멍 둘을 파고 물이 고이게 해서 물이 끊어지지 않기를 바라는 뜻을 나타냈다(사진 376).

이러한 점은 당에서 돌아오던 명랑법사가 용왕이 보시한 황금을 가지고 자기 집 우물로 나와서 금광사를 지었다는 『삼국유사』의 기사를 나타낸 것이 아닌가 생각된

다(제5권 神呪 제6 「明朗神印」). 절을 그의 후계
자 안혜安惠(?~?) 등을 비롯하여 김유신金
庾信(595~673) 등 여러 중요 인물들이 세운
점도 증거의 하나이다.

또 법사는 통일 뒤에 벌어진 당과의 전
쟁에도 큰 구실을 하였다. 『삼국유사』의
'668년, 당의 이적李勣(583~669)이 고구려
를 꺾은 뒤 (…) 신라를 치려 들자 (…) 문

사진 376(ⓒ 옛문화답사회)

무왕文武王이 법사의 비법에 따라 물리쳤다'는 기사가 그것이다(권제5 신주 제6 「명랑신인」).

앞 책에 실린 「문무왕전」의 간추린 내용이다.

———

각간 김천존金天尊(?~?)의 말에 따라 명랑에게 낭산狼山 남쪽 신유림神遊林에 사천
왕사를 세우라고 하였다. 그러나 시간이 모자라자 명랑은 채색비단으로 임시 절
을 지은 뒤, 풀로 오방五方 신상을 마련하고 스님 12명과 문두루文豆婁 비법을 썼
다. 이 결과 적군은 풍랑으로 모두 물에 빠졌으며, 두 번째 들어온 조헌趙憲(?~?)
의 군사 5만 명도 같은 방법으로 물리쳤다.

———

절을 그의 제자들과 여러 인사들이 힘을 합쳐지은 까닭이 이것이다. 따라서 용왕각
의 용신은 명랑법사이고, 용신장은 김유신 등의 무장상으로 보아도 좋을 터이다.

문두루는 산스크리트말 '무드라Mudra'를 소리 값에 따라 적은 것으로 한자로는
'신인神印'으로 적는다. 이는 불단을 세우고 「무구정광 대다라니경無垢淨光大陀羅尼經」
따위를 읊조리면 국가의 재난이 물러간다는 비법으로 신라와 고려 때 널리 퍼졌다.
명랑이 이 종파의 창시자였던 까닭에 『삼국유사』에서 「명랑신인」이라고 한 것이다.

『동경잡기』에 '원원사의 창건연대는 모른다. 1630년에 다시 지은 뒤, 1656년에 불
을 만났지만 바로 다시 세웠다'고 적혔다(권2 「佛宇」). 지금의 건물은 1933년 것이다.

용왕각도 본디 모습을 거의 그대로 지닌듯하다. 앞에서든 도랑을 기와나 잡석이
아닌 통 돌을 깎아 박은 것이 뚜렷한 증거이다. 통일신라의 시대적 분위기와 장인의
뛰어난 재주가 이룬 위대한 공력이 아닐 수 없다.

2) 국가의 용왕제

(1) 고려시대

용왕제는 국가에서도 빠뜨리지 않았다. 사해四海·대천大川·연못 따위와 더불어 우물과 샘井泉에서도 고루 제사를 올렸다. 신라의 나정蘿井과 고려의 대정묘大井廟가 그곳이다. 다음은 용왕제문이다.

① 『동국이상국전집東國李相國全集』 기사이다.

———

임진·사평을 지나며 용왕에게 올립니다臨津沙平通行龍王祭文.
물에 사시는 용신은 재주가 무궁하십니다. 나루를 앞둔 이 길에서 군대가 동서 어느 쪽으로 가야 하는지 가르쳐 주소서. 바야흐로 군대를 출동시키기에 앞서 정성을 모아 제사 올리며 간곡히 바라옵니다. 신께서는 부디 아낌없는 도움으로 성난 파도를 거두시고 가는 길이 편안케 하시며, 다리橋 또한 튼튼해서 무사히 건너게 하소서(권제38 道場齋 醮踈祭文「東京招討 兵馬所製」).

———

개경에서 떠나 경주로 가는 도중의 임진·사평 두 나루를 건너기에 앞서 용왕에게 올린 축원이다. 임진은 경기도 파주시 문산읍 문산리에 있는 나루이고, 사평은 서울 한남대교 부근의 나루로, 고려 때 개경으로 드나드는 중요 길목이었다. '다리가 튼튼하기를 빈 것'은 배다리舟橋인 까닭인가?

② 앞과 같은 책의 기사이다(「황지원 용왕제문黃池院龍王祭文」).

———

깊은 연못에 계시어 현묘玄妙한 덕을 지닌 용왕님이시여, 날거나 잠기는 일이 끝 없어 그 변화 다 헤아리지 못합니다. 기도하고 구하면 무슨 일인들 이루어지지 않겠습니까? 이제 왕명을 받든 제가 역적 토벌을 위해 깃발을 앞세워 동쪽으로 가려 하오니, 날랜 힘을 빌려주소서. 우리 군사가 적의 목을 베어 묘당廟堂에 바치고 승전고를 울린다면 이 어찌 저희만의 공적이겠습니까? 국가에서 용왕님의 공적을 기리는 제사를 영원히 받들 것입니다. 지극한 정성으로 이 잔을 올리오니 부디 흠향하소서(권제38 도장재 초소제문 「동경초토 병마소제」).

―――――

황지원은 경상북도 영천시 부근이고, 동경은 경주이다.
'역적 토벌'은 1202년, 경주 일대에서 일어난 민란民亂을 가리키는 듯하다.

③ 『동국이상국전집』 기사이다(「일선진 용왕문―善津龍王文」).

―――――

하늘에도 있고 못에도 있어서 잠기고 나는 일 헤아릴 수 없는 신이시여. 나물을 시내에서 캐고, 못에서도 캐어 정성껏 제사를 올립니다. 바라건대, 음으로 힘껏 도우셔서 다리를 무지개처럼 건너고, 험한 길 숫돌처럼 평탄해서 순조롭게 도와 주소서(권제38 도장재 초소제문 「동경초토 병마소제」).

―――――

일선은 경상북도 선산善山의 신라 때 이름이다.

④ **앞 책의 기사이다**(「용왕에게 비는 축문으로 여러 곳을 지나감龍王祭祝 諸處通行」).

―――――

덕德은 건괘乾卦의 효사에 상응하여, 날거나 잠기는 신기神技를 헤아리지 못하고, 율령律令은 태방兌方의 기운에서 나오므로 삼가 아름답고 깨끗한 제수를 베푸나 이다. 바라건대, 신령은 굽어 흠향하사 화협한 기운을 이끌어내어 펼치소서(권제 40 釋道疏祭祝翰林詰院并 「동경초토 병마소제」).

―――――

'덕은…상응하여'는 변화무궁한 용에 대한 칭송이다. 『주역』의 건괘 효사爻辭는 양 陽인 건괘를 변화무궁한 용에 견주었다. 또 초구初九의 효사는 못에 숨은 용을 잠룡재 연潛龍在淵, 구오九五의 효사는 하늘을 나는 용을 비룡재천飛龍在天이라 하였다.
'율령律令이…발생하여'는 가을철에 용왕에게 제사를 올린다는 말이다. 율령은 십 이율十二律을 열두 달의 월령月令에 맞춘 것이며, '태방의 기운'은 가을을 가리킨다. 이는 금기金氣라는 오행설五行說에서 왔다.
『고려도경』에도 '(고)군산도群山島 객관客館 서쪽 봉우리에 오룡사당五龍廟이 있으며, 어부들이 그 안에 모신 오룡신상을 정성껏 받든다'고 적혔다(제17권 「寺宇」).

(2) 조선시대

① 용왕경

송준길宋浚吉(1606~1672)의 「비를 비는 글祈雨祭文」이다.

지주地主인 고을 원을 대신해 짓다.

하늘이 우리 백성에게 재앙을 내린 탓에 견디기 어려운데 연거푸 가뭄이 들어, 집짐승이 죽고 사람들도 굶주려 죽을 날이 머지않았습니다. 살아남은 이들이 죽기 전, 힘을 다해 밭 갈아 풍년 들기를 바랐지만 하늘이 끝내 돌보지 않으실 줄은 꿈에도 몰랐습니다. 옛적에도 보기 드물었던 올 같은 가뭄으로 모든 곡식이 말라 죽어서 세 철 농사가 엉망이라 가을걷이는 바랄 수도 없습니다.

고을을 맡아 다스리는 수령이 어질지 못하면 하늘이 재앙을 내리는 것이 마땅하지만, 불쌍한 우리 백성은 무슨 죄로 이러한 고통을 받아야 합니까? 끼니를 걸러 굶주리며 밤낮으로 허둥대는 참혹한 광경을 차마 보지 못해, 하늘에 호소하고 싶었으나 그마저 길이 없었습니다.

이곳은 옛 서낭이자 고을의 주산主山이며, 가운데의 묵은 우물은 바로 용신龍神이 깃든 곳으로, 노인들은 전에도 영험靈驗을 겪었다고 합니다. 이에 새로 단을 쌓고 부정을 물리친 다음 삼가 제물을 올리오니, 신께서는 바로 마음을 돌려 단비를 내려 주소서. 마른 곡식을 살리고 마른 밭을 적시는 것은 한줄기의 비로도 넉넉합니다. 백성이 진실로 살아난다면 감히 그 은혜를 어찌 잊겠습니까? 올부터는 제사를 거르지 않겠습니다(『東春堂集』 속집 제4권 「祭文」).

우물에 비를 비는 것은 지기인 용이 비를 상징하는 까닭이다.

『조선왕조실록』에 '흥천사興天寺 기우제 때 용왕경을 읊었다'는 기사가 보이고(「문종실록」 원년[1450] 5월 25일), 『용재총화慵齋叢話』에도 '저자도楮子島 용제龍祭 때, 도교신자들이 용왕경을 외웠다'고 적혔다(제7권).

서울시 성북구 정릉로에 있는 흥천사는, 태조太祖의 계비繼妃 강씨康氏(?~1396)의 원당願堂으로 세웠다. 저자도는 서울 삼성동 동쪽의 한강 복판에 있던 마을로 닥나무를 많이 키운 데서 이렇게 불렸다.

이밖에『경국대전經國大典』에서도「태일경太一經」·「옥추경玉樞經」따위와 함께「용왕경」을 열 가지 도道의 하나로 들었다(「禮典」).

② **용왕제사**

가.『태종실록』기사이다.

———

임금이 예조에 덕적德積·감악紺岳·개성開城 한우물大井에 제사를 올리라고 일렀다. 이보다 앞서 국가에서 고려 적前朝의 잘못을 이어받아 덕적·백악白岳·송악松岳·목멱木覓·감악·개성 한우물·삼성三聖·주작朱雀 등지에 봄·가을로 왕가의 복을 비는 제사祈恩를 지냈다. 이를 내시宦寺·무녀·사약司鑰이 맡았으며 여악女樂도 베풀었다.

그러나 임금은 신神은 예의에 벗어난 것을 받지 않는 법이라며 고전에 따라 모두 없애고, 앞으로는 제사를 내시별감內侍別監이 올리라고 일렀다(11년[1411] 7월 15일).

———

고려 적에 내시와 무녀 따위가 벌였던 제사를, 내시별감이 유교절차에 따라 간단히 그리고 엄숙하게 지내라는 말이다.

덕적은 인천광역시 옹진군 덕적도이고, 감악은 경기도 파주시 감악산(678미터)이다. 이 산에 신당도 있었으며 상주하는 무당을 국무당國巫堂이라고 따로 불렀다. 백악은 종로구와 성북구에 걸쳐 있으며 북악이라는 별명은 서울 북쪽에 위치한 데서 왔다. 목멱은 남산의 정식 이름이고, 삼성은 관악구의 삼성산三聖山(481미터), 주작은 관악산冠岳山(632미터)을 가리킨다.

사약은 조선시대 액정서掖庭署에 딸린 벼슬로 대전大殿을 비롯한 각 문門의 열쇠를 맡았다. 정6품의 잡직雜織으로, 현직을 떠난 문무관에게 녹봉을 주려고 둔 벼슬遞兒職이다.

정조 21년(1797)부터는 한강 용왕제 때 강물을 올렸다.

나.『일성록』기사이다.

———

승지 이익운李益運(1748~1827)이 '한강의 제정祭井이 저자 가운데 있어 땅이 낮고 습기가 많아 알맞지 않은데다가, 한강의 제향은 다른 것과 달라서 (…) 제정 대신 강물을 써도 괜찮습니다. 한강별장漢江別將이 미리 길어 두었다가 바치게 하소서. 이로써 수정관修井官이 머물 필요가 없습니다'고 하자, 그대로 따랐다(정조 21년 [1797] 2월 7일).

———

'한강의 제향이 다른 것과 다르다'는 말은 제사 대상이 용왕이라 격이 낮으므로 강물을 올려도 좋다는 뜻이지만, 그 무렵에는 강물도 우물물 못지않게 깨끗하였다. 제사 장소는 알 수 없다.

한강별장은 한강 나루를 관장하던 관직으로 삼전三田·양화楊花·노량露梁에도 한 명씩 두었다. 삼전은 서울시 송파구 삼전동에, 양화는 마포구 합정동 한강 북쪽에, 노량은 동작구에 있던 나루이다.

다. 제정祭井관리

조선시대(1437년)에는 용왕 제사를 위한 우물을 따로 마련하고 담당 관리를 두었으며 그들을 정관井官·수정관修井官·수정관守井官 따위로 불렀다. 『승정원일기』에 '임금이 제정수리에 수정관이 까닭 없이 빠졌으니 의금부에서 추고하라는 명을 내렸다'는 기사가 있다(영조 3년[1727] 3월 6일).

정조正祖에게도 의금부에서 영제禜祭의 제정을 깨끗이 관리하지 않은 수정관 북부 도사北部都事 권위權煒(1708~1786)의 죄를 묻자고 하였으나 듣지 않았다(『일성록』 정조 즉위년[1776] 6월 19일). 임금이 된 첫 해여서 관용을 베풀었을 터이다.

『일성록』에도 '대향大享 때 제정 치는 일은 반드시 이틀 전, 부의 종部隸이 맡고 수정관은 하루 전에 부관部官이 간다. 이제부터 청소는 중임中任이 살피고, 정비는 종사관과 존위尊位가 번갈아 맡으며 수정관도 규례規例에 따른다'는 기사가 보인다(정조 20년[1796] 12월 22일). 우물 청소는 예대로 종이 맡고, 우물은 여러 부서가 돌아가면서 관리한다는 말이다.

같은 책에 '동부관東部官의 우두머리 민두혁閔斗爀(1763~?)이 이달 22일과 23일 제관에 뽑히고, 도사都事 이재안李在安(?~?)은 22일과 23일 수정관이 되었습니다. 비록 이들이 공무 중이었지만 두루 다니며 잘 살폈다면 선전관을 길에서 못 만났을 까닭이 없습니다'고 한 기사를 보면, 독립된 상근직이 아니라 제사에 앞서 우물 상태를 점검하는 임시 겸임직이었던 듯하다(정조 23년[1799] 1월 26일).

구상具庠(1759~?)의 시문집(『무명자집無名子集』)에도 '수정관이 각 관서에서, 장악원掌樂院 전악典樂이 악생樂生들을 거느리고 와서 기다린다'는 기사가 있다(시고 제2책 시 「泮中雜詠」).

이로써 우물 담당관이 조선후기까지 이어내린 것을 알 수 있지만 전에도 닮은 직책을 맡은 관리가 있었을 터이다.

앞 책에 실린 관련 기사와 시(「반촌의 명승지泮洞名勝」)이다.

_____

(성균관) 계성사啓聖祠 서북쪽의 돌 귀틀石築 우물은 유난히 달고 차다. 이 어정御井은 큰 가뭄에도 물이 줄지 않는다. 석채釋菜 때는 관리守井官 한 사람을 특별히 보내서 그 달고 깨끗함을 보존한다.

啓聖祠傍井洌寒	계성사 옆 우물물 매우 차갑고
其名御井築堅完	이름 어정이라 난간 튼튼하네
清泉決決甘仍潔	넘쳐흐르는 샘물 맑고 깨끗해
釋菜特差守井官	석채 때면 특별히 수정관 보내네

_____

계성사는 1691년, 문묘文廟에 공자孔子 등 다섯 성현의 아버지를 모시려고 마련하였다. 곧 공자의 계성공啓聖公, 안자顔子의 곡부후曲阜侯 안무유顔無繇, 자사子思의 사수후泗水侯 공리孔鯉, 증자曾子의 내무후萊蕪侯 증점曾點, 맹자孟子의 주국공邾國公 맹격孟激들이다. 이 뒤 영조는 각 도와 큰 고을 향교마다 갖추라는 명을 내렸고, 1759년에는 사액賜額까지 하였다.

석채는 문묘에서 공자를 비롯한 네 성인四聖과 열 사람의 철인十哲 그리고 72현七十二賢을 받드는 의식으로, 석전제·석채釋菜·상정제上丁祭·정제丁祭라고도 한다. 성균관 밖의 마을을 가리키는 반동은 성균관 자체로도 불린다. 이 우물은 『조선왕조실록』에 성정聖井으로 적혔다.

3) 용왕민속

(1) 용왕龍王 목간木簡

옛 우물에서 나온 용왕 목간도 우물과 용이 아주 가까운 관계임을 알
려주는 증거이다. 이들 가운데 경주시 월성 부근의 전인용사지傳仁容寺址
우물의 것이 좋은 보기이다. 김인문金仁問(624~694)의 원찰이라고 알려진
대로, 6세기 후반에서 7세기 초의 유물이 많이 나왔다. 우물은 입 지름
1.5미터에 깊이 3.67미터이며, 벽은 30~50센티미터 크기의 돌로 쳤다(권
택장 2010 ; 135).

소나무 목간은 길이 15.7센티미터에 너비 0.4~1.4센티미터이며, 두께
0.1~0.9센티미터에 무게 11.63그램이다. 앞과 뒤 양쪽에 쓴 것 가운데
앞은 한 줄이고, 뒤는 두 줄을 반대방향으로 적었다(사진 377).

사진 377

① 그 내용이다.

앞	: 大龍王中自主民渙次心阿多乎去亦在
뒤(역방향)	: [名]自所貴公歲卅金[候]公歲卅五
정방향	: 是二人者歲中人亦在如□与□□右□

② 이에 대한 이재환의 설명이다.

———

㉠ 뾰족한 칼을 닮은 점은 인형이나 재곶齋串처럼 인
간을 대신하여 용왕에게 바친 것을 암시한다.

㉡ 소귀공과 김[후]공 두 사람은 바로 용왕에게 바친
희생제물이다. 목간이 사람을 대신한 희생물이라
면 주인공이 반드시 실존 인물일 필요가 없으며
두 사람도 단순히 귀족일 가능성이 높다. 경상남도
창녕昌寧 화왕火旺산성에서 나온 인형 목간의 '진족

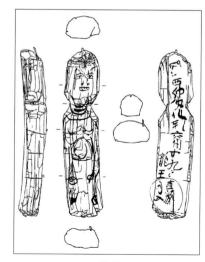

그림 80

眞族'도 출신성분이 아니라 가상의 이름으로 보는 것이 자연스럽다(그림 80).

ⓒ 뒤의 가운데 줄을 거꾸로 적은 것은 제의 또는 주술적 의미를 지녔다. 충청남도 부여 능산리陵山里 절터에서 '무봉无奉'과 '천千'을 반대 반향으로 쓴 남근형이, 창녕 화왕산성에서 네 줄 가운데 셋째 줄을 거꾸로 쓴 것이 나왔다.

ⓔ 일본 오사카후大阪府 다카스키시高槻市 아구도신사阿久都神社에 있는 10세기 무렵의 우물에서 나온 목간도 오방五方수신을 적으면서 '남방토공 수신왕南方土公水神王'만 거꾸로 썼다. 현지에서는 우물을 새로 팔 때 수신을 진정시키는 동시에 물이 마르지 않기를 바라는 제사에 쓴 것으로 본다(2011 ; 82~101).

────

③ 다음은 앞 사람의 목간 새김이다.

────

大龍王님께 사룁니다. 主·民이 갈라져 마음에 많은 것이 사라집니다.
이름은 所貴公, 나이 서른, 金(候)公, 나이 서른여섯
이 두 사람은 나이가 적당합니다. (먹어) 주시기를 (빕니다).

────

이 글에 궁금한 점이 있다.

ⓐ 주민을 '주主'와 '민民'으로 나눈다면 '주'는 누구를 가리키는가?

ⓑ 갈라진 원인이 두 사람 탓이어서 용왕에게 제물로 바친다는 뜻인가?

ⓒ 그렇다면 소귀공과 김후공은 주와 민, 두 패거리의 대표인가?

ⓓ 나이를 밝히면서 '적당하다'고 덧붙인 것은 '먹어 주시기에' 알맞다는 뜻인가?

이러한 구체적인 의문을 젖혀두고 대강의 뜻을 살린다면, 두 사람이 다툼을 끝내고 다시 하나가 되도록 도와달라는 내용으로 보는 것이 자연스럽다. 그러므로 '둘을 먹어주시기 비는 것'이 아니라 '둘의 뜻을 받아주시기 비는 것'으로 보아야 한다. 그렇더라도 나이를 밝힌 의문은 그대로 남는다.

한편, 이재환이 일본 등윙경藤原京 유적右京 九条에서 나온 목간의 여성 그림과 글婢麻佐女性卅九黑色을 들어 신에게 바친 희생물이라고 하였지만, 이는 해코지를 위한 저주물일 가능성이 더 높다.

④ 이보다 앞서 나온 김영욱의 새김이다.

———

대용왕께 사룁니다. 주민이 갈라져 마음에 많은 것이 사라집니다.

또 있습니다. 이름은 소귀공으로 나이는 삼 십세이고, 김□공은 나이가 삼십오세인데 두 사람은 나이가 적당한 사람입니다.

또 있습니다. (두 사람이) 계약을 맺은 것과 함께 화해하기를 비나이다(2011 ; 1~9).

———

이어 그는 '이 목간의 서술자는 용왕님께 지배자主와 피지배자民의 관계가 틀어진 것에 대해 마음이 상하였음을 호소하고, 그러한 계층 갈등을 풀기 위해 소귀공과 김□공, 두 사람을 용왕님께 천거하여 계를 맺어서 화해하기를 비는 내용'이라고 덧붙였다.

매우 그럴듯한 해석이다. 이에 따른다면 목간은 용왕에게 바치는 제물이 아니라, 화평을 회복해 달라는 호소문으로 보아야 한다.

한편, 이들이 두 패의 대표라면 피지배자 이름에 '공公'을 붙인 것은 의문이다. 따라서 '주민'은 신분상의 상하 관계가 아니라 권력을 차지하려는 양대 세력으로 이해하는 것이 좋다.

이밖에 경주 안압지에서 나온 60여 점에 이르는 정명井銘 유물 가운데 '신심용왕辛審龍王(11점)·용왕심신(6점)·본궁심신本宮審辛·용龍' 따위를 쓰거나 새긴 토기가 나온 것을 보면 신라에서 용왕을 열심히 섬긴 것이 분명하다.

경주박물관 미술관 터에서도 토기류나 씨앗 따위와 함께 용왕과 관련된 목간이 나왔다. 이것도 제물로 바쳤을 터이다(사진 378).

목간 가운데 알려진 부분은 다음과 같다.

사진 378

万本來身中有史□□白龍王時爲□內
時策施故暘哉[　]

이는 '만본래신에게 관리(=史) □□가 지금 아뢰옵니다. 용왕님이 시책을 베풀어주신 덕분에, 밝히…'라는 뜻이다. '관리'가 누구인지 모르지만 『삼국사기』의 '용왕전龍王殿에 대사大使와 사史를 둘씩 둔다'는 기사는 용왕 담당 관리를 따로 두었던 것을 알려준다(권제39 잡지 제8 「직관」 중).

⑤ 목간문화에 대한 이경섭의 설명이다.

목간문화는 서기 전 100년 무렵 중국이 한사군漢四郡을 두면서 들어왔다. 지금까지 6~7세기의 것 700여 점이 나왔으며, 묵서명墨書銘을 지닌 450여 점 가운데 70퍼센트가 신라의 것이다. 고구려는 없고 나머지 30퍼센트는 백제 것이다. 우리와 대조적으로 일본은 7~8세기의 것이 40여만 점에 이르며, 7세기 후반의 아스카飛鳥궁 터에서만 1만 점이 선보였다. 이는 663년에 나라를 잃은 백제 유민이 건너간 것과 연관이 깊다. 목간의 형태가 신라보다 백제 것을 닮은 것도 증거의 하나이다. 따라서 중국의 목간문화는 우리를 거쳐 일본으로 들어갔다(2016 ; 33~65).

---

(2) 용알뜨기와 용밥주기

① 용알뜨기

대보름이나 새해 들어 첫 용날上辰日 새벽, 간밤에 하늘에서 내려온 용이 우물에 낳은 알을 가장 먼저 뜨면 그해 운수가 좋고, 밥을 지으면 무병장수하고 풍년이 든다는 풍속이다. 곳에 따라 용물뜨기·용알줍기·새알뜨기·복물뜨기·수복수壽福水뜨기 따위로 부른다. 이때 처음으로 뜬 사람은 지푸라기를 우물에 띄워서 효험을 독차지하는 것으로 삼는다.

가. 윤기尹祁(1535~1607)의 시(「정월 대보름 고사又記東俗」)이다.

汲井攘龍卵	새벽 우물에서 용알 뜨고
環繩施狗蹲	개 주저앉히고 목줄 거네
簷挑裁紙襪	종이 버선 지어 처마에 끼우고
路棄脫衣幡	옷과 두건 벗어 길에 버리네
屋宇勤長篲	긴 비로 집 안 소제하고

木綿被宿根   솜으로 묵은 뿌리 감싸주네

『무명자집無名子集』 시고 제3책 「시」

———

종이 버선·옷·두건 따위를 길에 버리는 것은 악운을 쫓기 위한 주술이다. 새해 점을 쳐서 불길한 괘가 나오면 종이로 접은 버섯이나 옷을 처마 밑이나 용마루에 끼워두고, 헌 옷가지를 길에 버리기도 한다. 『한양세시기漢陽歲時記』에도 닮은 기사가 있다(「대보름」). '주저앉힌 개에 목줄 거는' 까닭은 알 수 없다.

나. 『동국세시기東國歲時記』 기사이다.

———

황해도와 평안도에서 용알뜨기儀龍卵라 하여, 대보름 전날 밤부터 이튿날 새벽 사이에 닭 울기를 기다렸다가, 집집마다 다투어 바가지에 정화수를 뜬다. 맨 먼저 뜨는 집이 그 해 농사를 제일 잘 짓는다(「대보름」).

———

앞의 두 도 뿐 아니라 거의 전국에 퍼져 있었다.

다. 최영년崔永年(1856~1935)의 시(「용알줍기汲龍卵」)이다.

———

紅粧曉汲月糢糊   단장한 아낙 새벽에 희미한 달 건지자
石井欄頭響轆轤   돌우물 귀틀에 도르래 소리 울리누나
白頭阿母低聲問   늙으신 어머니 낮은 소리로
龍卵撈得幾個無   용 알 몇 개 길었느냐 물으시네

『해동죽지사海東竹枝詞』

———

이 풍속은 물을 상징하는 용의 새끼를 건져 올리면 그 해 농사에 필요한 비가 알맞게 내리고, 이로써 농사 풍년이 든다는 생각에서 나왔다.

같은 민속을 중국 귀주성貴州省 남부의 소수민족이 이어온 것은 매우 흥미롭다.

부이족布衣族은 새색시가 정월 초하룻날 새벽에 우물로 가서 향을 사르고 종이돈을 태운 다음 물을 뜬다. '취근수取勤水'라는 이름은 그네의 부지런을 가늠하는 잣대로

삼은 데서 왔다(迅河 1991 ; 230). 이와 달리 라쿠족拉枯族은 청년이 물을 떠서 마을에서 나이 많은 노인의 집으로 가져간다. 집주인은 조상신에게 바치고 나서 얼굴을 씻으면서 상대에게 축복의 노래를 불러준다(彭華 외 1991 ; 313).

이를 '신수新水'라고 부르는 것은 일본의 '약수若水'나 '초수初水'를 떠올리게 한다. (☞ 1360~1365)

② 용밥주기

이름 그대로 용에게 먹이를 주는 풍속이다. 이를 용왕먹이기 또는 어부심이라고 한다. 『열양세시기洌陽歲時記』의 '대보름날 새벽, 정화수 한 그릇 뜨는 것을 용알뜨기 撈龍子, 깨끗한 종이에 싼 이밥을 강에 던지는 것을 어부심漁鳧心이라 부른다'는 기사가 그것이다(「대보름」).

'어부심'은 용왕에게 먹이를 준다는 말이다. 경상도에서 용왕제를 '용왕먹이기'라 부르는 것도 연관이 있다.

권용정權用正(1801~?)이 '강이나 우물에 조밥 던지는 것을 용밥주기飯龍라 한다. 이는 용이 배가 부르면 풍파를 일으키지 않는다고 여기는 데서 왔다'고 한 것도 마찬가지이다(『한양세시기』 「대보름」).

가. 『해동죽지사』 기사이다.

―――――

옛 풍속에 정월 대보름에 물고기들이 먹으라고 조밥을 우물에 뿌린다. 이를 살어식撒魚食 또는 어부식魚付食이라 한다.

家家粟飯問何爲	집집마다 조밥 지어 무엇하나
守直星人好捨施	수직성 든 사람 위해서이지
古井無魚猶撒食	오랜 우물에 물고기 없어도 뿌리니
寧開天下放生池	이곳저곳의 방생지 마련할 것 없네

「살어식」

―――――

방생지放生池를 따로 마련할 것이 아니라 우물에 넣는 것으로도 충분하다는 뜻이다. 강원도 일대의 어민들은 바다에 뿌려서 한 해의 악운을 쫓는다.

앞글의 물고기는 바로 용이다.

수직성은 사람의 운명을 맡은 아홉 개의 별 가운데 하나이다. 이들이 제웅직성(또는 나후羅睺직성·처용處容직성이라고도 한다)·토직성土直星·수직성水直星·일직성日直星·월직성月直星·금직성金直星·화직성火直星·목직성木直性·계도직성計都直星들이다. 그 해에 걸리는 사람이 대보름에 액땜을 한답시고 물고기 밥을 준 것이다.

나. 『경도잡지京都雜誌』에도 닮은 기사가 보인다.

———

장님이 일월성日月星과 수성水星이 명궁命宮에 든 탓에 재액이 닥쳤다고 하면 해와 달 형상으로 오린 종이를 나무에 꿰어 지붕 용마루에 꽂거나, 종이에 밥을 싸서 우물에 던진다. 이로써 악운이 물러간다고 여긴다(「대보름」).

———

음식을 받아먹은 지기가 보답으로 악운을 쫓아준다는 뜻이다.

성명술사星命術士들은 사주 방위의 하나인 명궁이 사람의 생시生時부터 태양궁 방향으로 돌다가 묘성卯星에서 만난다고 한다.

전라북도의 용왕은 한밤중에 물을 뒤집어서 물꽃을 피우는 조화를 부리며, 이것을 떠서 조왕의 물을 갈아 붓거나, 치성을 올리면 모든 일이 잘 이루어진다고 믿는다. 곳에 따라 용알을 뜨기 전, 오곡밥이나 약밥덩이를 우물에 넣기도 한다. 생쌀이나 팥 따위를 우물이나 강에 뿌리는 곳도 있다.

충청북도 제천시 수산면 오티마을에서는 정월 초사흗날 찰밥을 먹고, 대보름 날 짚으로 뜬 작은 똬리를 가지고 가서 새벽닭이 울 때 우물에 넣으며 용알이라 하여 물 한 바가지를 떠가지고 와서 그 물로 밥을 짓는다. 이때 만두나 수수팥떡을 용알 물에 삶아 먹으면 두드러기가 없어지고 농사도 풍년이 든다고 한다(이창식 2001 ; 212).

전라남도 임자도荏子島에서는 정월 14일 저녁, 여자어린이가 '해의밥 빠치기(용왕 밥 주기)'라 하여 작은 김쌈을 우물에 넣는다. 이로써 다래끼나 부스럼이 나지 않는다는 것이다.

용알뜨기가 적극적으로 용의 신령스러움을 이용하는 것이라면, 용밥주기는 용의 마음을 사서 바라는 것을 얻으려는 간접적인 주술이다.

(3) 물달아오기와 용물달기

물이 넉넉한 우물의 물을 떠서 적은 데에 부으면 잘 솟는다는 유감주술이다. 이때
잰 걸음으로 돌아와야 효과가 높다.

조수삼趙秀三(1762~1849)의 시(「우물물 옮기기移井」)이다.

金壺走索繫淸波	붉은 줄로 묶은 뒤웅박에 물 길어
切莫回頭疾走過	뒤돌아보지 않고 바로 집으로 가면
不用丹砂里十斛	단사 한 섬 먹은 효과 나타나
丁男有力挽江河	남편의 힘 강물 끌만 하리라

『상원죽지사上元竹枝詞』

'운이 좋아진다'는 말 대신 '남편의 힘이 솟는다'고 둘러댄 것이 웃음을 자아낸다.
'붉은 줄'은 부정을 가신다는 뜻이다. 그는 '단 물甛井水을 도자기 병에 담아 뒤돌아
보지 않고 달려가서 자기 집 우물에 부으면 물맛이 좋아진다'고도 적었다(『秋齋集』「정
월 열나흘」).

각 지역의 민속이다.

① 강원도 강릉시 성산면 금산리

정월 열나흗날 저녁, 짚으로 엮은 용(길이 1미터에 지름 30센티미터쯤)을 마을 동서남북 네
우물에 잠시 담갔다가 '신령스러운 우물의 용왕님靈井龍王之神이여, 물이 끊이지 않게 하
소서' 읊조린 다음, 그릇을 하나씩 든 채 용을 새끼줄에 매달고 '용물 달자, 용물 달자'
외치며 다시 동서남북의 우물물을 떠서 용에 조금씩 뿌리며 임경당臨鏡堂으로 돌아온다.

사진 379의 오른쪽 아래가 우물이고, 사진 380은 용머리를 우물에 넣는 모습이다.
이 뒤 우물 옆에 용을 말아두고 썩어 없어질 때까지 그대로 둔다고 하나, 2016년 12
월에는 보이지 않았다.

임경당은 강릉 12향현鄕賢의 한 사람인 김열金說(1506~?)의 고택(강원도 유형문화재 제
46호)이다.

사진 379

사진 380(ⓒ 임경당)

② 충청북도 속리산면 백현리

마을우물물이 산외면 백석마을 우물에서 흘러내린다고 하여 대보름날 물을 떠서 우물
에 붓는다. 이로써 한 해 내내 물풍년이 든다는 것이다. 이를 흰들 물다리기라고 한다.

한편, 상대쪽에서는 자기네 우물이 마른다며 한사코 막다가 상대방이 물을 몰래
떠가면 우물 옆 땅을 파서 물길을 끊는다. 이 뒤 백현마을 농악대가 와서 기旗를 숙이
고 사과해야 터준다.

사진 381은 경상북도 양산시 원동면 용당리 천태사天台寺의 용왕당이다. 이 깊은
산골짜기에 용왕당이라니 믿어지지 않는다. 사진 382는 용왕상이고, 사진 383은 용이

사진 381

사진 382

사진 383

입으로 물을 뿜는 모습이다.

③ 충청북도 옥천군 군서면 사정리

정월 동제 때, 풍물패를 앞세운 제관이 산제당 샘물을 병에 담고 입을 솔잎으로 틀어막는 뒤, 제 마을로 우물로 가져와서 거꾸로 매달아 둔다. 이로써 한 해 동안 물이 마르지 않는다고 믿는다(이필영 2008 ; 257).

④ 충청남도 홍성군 수룡동

농악대를 앞세우고 물이 맑고 끊임없이 솟는 우물의 물을 떠다가 물이 부족한 다른 우물에 붓는다. 이때 물을 조금씩 흘려서 땅 속의 물길이 따라오는 것으로 여긴다(이필영 2008 ; 257).

⑤ 전라북도 순창군

집의 물이 모자라면 정월 대보름날, 밥과 나물 따위로 간단한 제사를 지낸 뒤, 작은 구멍을 낸 그릇에 물이 넉넉한 곳의 샘물을 떠 담고 방울방울 떨어뜨리며 걷는다. 우물에 이르러 '이 물을 따라가자'고 읊조리며 붓는다.

(4) 용갈이

① 『세종실록』 기사이다.

연안 도호부延安都護府 남쪽에 큰 둑大堤池이 있다.

못물이 해마다 겨울에 얼었다가 갑자기 터지는 것을 '용갈이龍耕'라 한다. 가물 때 비를 빌면 자못 효험이 있다. 태종太宗 8년(1408) 봄, 도관찰사都觀察使 안노생安魯生이 아뢰었다.

"옛 늙은이들이 못에 있는 영검한 용神龍이 얼음을 간다고 합니다. 위쪽에서 아래쪽으로 갈면 이듬해 장마가 지고, 가로 끊어서 얼음과 흙이 섞이면 풍년이 들며, 얼음이 터지지 않으면 흉년이 든다 하옵니다."

이에 따라 유사有司가 해마다 봄 가을로 제사를 지내게 하였다(지리지 「황해도」).

―――――

② 『성종실록』에도 황해도 도체찰사黃海道都體察使 김질金礩(1422~1478)이 '못의 용이 해마다 겨울에 얼음 가는 것을 용갈이라 하며, 이로써 그 해 풍년과 흉년을 가립니다. 세조世祖께서 터놓았던 것을 되 막은 까닭이 이것입니다'고 아뢰었다. 이에 임금은 '괴이하고 허망하지만 백성을 위해 논에 물을 대라'고 일렀다는 기사가 있다(6년[1475] 8월 28일).

③ 이황李滉(1501~1570)의 시(「용갈이神龍耕水」)이다(부분).

―――――

玄陰閉野陂水凝	겨울 그늘 들 막아 방죽 얼자
素田百頃寒稜稜	일백 이랑 빈 밭에 찬 기운 뿐
淵潛神物亦憂人	못에 잠긴 신물도 걱정이라
起蟄明告豊凶徵	겨울잠 깨어 풍흉 일러주누나
勸汝作勞待天時	그대여 힘쓴 뒤 때를 기다릴 뿐
無使坐負龍耕水	손 놓고 앉아 얼음 간 용 기대하지 마시게

『퇴계집』 퇴계선생문집고증 권2 제3권 「시」

―――――

용이 풍년을 가져다준다며 기다리지만 말고, 농사를 열심히 지어 때를 기다리라는 도학자다운 내용이다.

④ 『동국세시기』 기사이다.

―――――

충청도 홍주洪州 합덕지合德池에 해마다 겨울에 용이 땅을 가는 이상한 일이 일어난다. 그 모습이 남쪽에서 북쪽으로 향하면 풍년, 서쪽에서 동쪽으로 나가면 흉년, 동서남북을 갈아 젖히면 평년작이라고 한다.
경상남도 밀양密陽 남지南池에서도 용이 땅을 가는 듯이 얼음이 갈라지는 현상을 보고 흉풍을 점친다(11월 「月內」).

용갈이가 20세가까지 어어 내려온 것은 놀랍다. 농사의 흉풍은 비에 좌우되고, 용은 바로 비를 상징하며, 물갈기는 곧 용의 논밭갈이를 나타내는 점에서 풍년을 바라는 심성이 빚은 민속이다.

우리네 절집이 용과 연관이 깊은 것은 잘 알려졌다.

사진 384는 전라남도 장흥군 유치면 보림사寶林寺 샘 위에 세운 지붕이고, 사진 385가 샘이다. 세 칸으로 나누어서 용도에 따라 쓰게 하였다. 사진 386은 지붕 용마루

사진 384

사진 385

양쪽에 마주 올려놓은 용머리이며, 사진 387은 오른쪽의 것이다. 샘 지붕에 물을 상징하는 용을 올려놓은 것은 다시 말할 것도 없이 물이 끊임없기 솟기를 바라는 뜻이다.

사진 386

사진 387

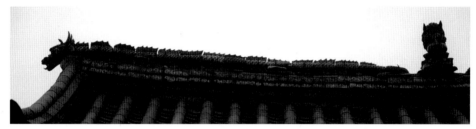

사진 388

사진 388은 대작광전大寂光殿 용마루 왼쪽에 얹은 용이다. 아래에 구름무늬를 깔아서 하늘로 나는 형상을 나타냈다. 또 꼬리 옆에 탑의 복발覆鉢과 보주寶珠를 연상시키는 장식물이 보이며, 그 오른쪽에 같은 모양의 용을 반대쪽으로 얹었다. 다른 곳에 없는 아주 드문 보기이다.

5. 우물 청소

① 『산림경제』 기사이다.

여름철에 우물을 치다가 사람이 더러 죽으며, 그 중에도 5월과 6월이 심하다. 깊은 우물 속에 모두 쌓인隱伏 기운伏氣이 있어서, 들어가면 숨이 갑자기 막히는 것이다.

주검에 푸르고 검은 빛이 돌고 다친 자취가 없는 것은 바로 그 기운에 중독中毒된 까닭이다. 이때 우물물을 떠서 입에 머금었다가 얼굴에 뿜어주고 아울러 찬물에 웅황雄黃가루 1~2전을 개어 먹인다(제3권 救急 「入井死」).

웅황은 한약재의 하나로 도교에서 장생약으로 쓰기도 한다. 1전은 한 냥兩의 10분의 1이고, 한 냥은 37그램쯤이다. 오늘날에도 물탱크나 똥오줌 통에 들어갔다가 고여 있던 가스에 목숨을 잃는 일은 자주 일어난다.

『증보산림경제』는 앞의 기사를 끌어온 다음 '흔히 무덤이나 우물에 들어가기에 앞서 닭의 깃털을 넣는다. 이것이 똑 바로 내려가면 독이 없고, 춤추듯 빙빙 돌아 내려가면 있는 증거이다. 이때 뜨거운 식초 서너 줍을 떨어뜨리고 나서 들어가면 좋다'고 덧붙였다(권14 救急 「入井死」). 매우 그럴듯한 방법이다.

영호남지방에서는 흔히 칠월칠석에 우물을 치고 제사를 올린다. 이때 한 사람이 바닥에 들어가 물을 퍼서 중간 사람에게 올리고 그는 다시 위 사람에게 넘긴다. 임신한 아내가 있는 남자가 맨 밑으로 들어가면 어여삐 여긴 용왕이 아들을 점지해 준다고 여긴다.

전라북도 고창군 공음면 구암리에서는 청소 뒤 어른 손바닥 크기의 붕어 서너 마리를 잡았으며 이를 샘각시라 불렀다. 아무도 넣지 않은 것이라 청소에 대한 지기의 선물로 여긴 것이다.

청소는 칠석 무렵이면 논농사 가운데 가장 힘이 드는 김매기가 거의 마무리 되어 손이 비기 때문이지만 더러 청명淸明에도 벌였다.

② **권호문權好文(1532~1587)의 시(「청명에 친구에게 보냄淸明日贈友」)이다(부분).**

───────

〇〇取柳新火改	버드나무로 새 불 일으키고
今曉淘井古事肇	오늘 새벽 우물 청소 고사 올리네
扶藜出門開晩睡	지팡이 집고 문밖에서 졸음 쫓으니
靄靄野色晴窈窕	아지랑이 낀 들판 맑고 고요하네
踏芳終日傍碧沼	종일 연못가에서 뛰어난 경치 즐기고
坐聽林間啼衆鳥	앉아서 숲속 뭇 새 노래 듣노라

『송암선생속집松巖先生續集』 권1 「시」

───────

청명일의 우물청소는 중국 풍속으로 우리가 이를 얼마나 따랐는지는 모른다. '버드나무로 불을 새로 바꾼다'는 말은 중국에서 들어온 '불씨 바꾸기' 민속이다.

근래에도 우물 치는 날을 따로 잡았다.

③ **오정희吳貞姬(1947~) 소설(「옛 우물」)의 한 대목이다.**

───────

장마가 지난 후 우물을 쳤다. 우물 속에 차오르던 황톳물이 가라앉기를 기다려

날을 잡아 떡·돼지머리·과일을 차려놓고 고사를 지냈다. 고사를 지낸 뒤 남자들이 물을 퍼냈다. 그리고는 제대군인 순옥이 삼촌이 양말과 신발을 벗고 옛날 얘기에 나오는 사람처럼 튼튼히 엮은 삼태기를 타고 우물 밑으로 내려갔다. (…) 삼태기에는 바닥의 흙이며 녹슨 두레박과 두레박 건지는 갈쿠리, 삭아버린 고무신 한 짝, 썩은 나무토막, 사금파리 따위들이 한없이 실려 올라 왔다. (…)

정옥이는 그해 가을 우물에 빠져 죽었다. 해가 퍼지기 전 물을 뜨러간 사람이 우물가에서 빈 초롱과 우물 속에 떠 있는 정옥이를 발견했다. 동네 누구도 해 진 뒤에 물을 긷는 것을 금기로 알았기에 정옥이가 죽은 때는 밤중이리라 했다. (…) 어른들은 그 어린 것이 무엇엔가 홀린 것이 틀림없다고 수군거렸다. 일찍 죽은 제 어머니가 불러갔다고도, 우물 치는 일에 부정이 끼어들었기 때문이라고도 하였다.

우물은 메워졌다. 하루 동안 굿을 하고 흙으로 메워 물귀신을 꽝꽝 묻어버렸다.

———

삼태기는 네 귀에 연결한 끈을 사람들이 쥐고 조금씩 내려 보냈을 터이다. 이것은 바닥에 깔렸던 쓰레기들을 담아 올리는 데에도 큰 구실을 하였다. 사다리가 없어서가 아니라 쓰레기 처리에 쓴 것이다.

'날을 따로 잡아 떡·돼지머리·과일 따위를 차려놓고 고사를 지냈음'에도 정옥이가 죽은 것은 부정 때문이 아니라 제 어미가 하도 가여워서 데려간 것이 아닐까? 물동이가 아니라 초롱으로 길었다니 이만저만 힘들지 않았을 터이다.

사람이 죽은 우물은 바로 메웠다.

④ **정인섭**鄭寅燮(1955~　)의 시(「우물 치는 날」)이다.

———

비가 갠 이튿날

우물을 치려고

어른들은 머리를 감아 빗고 흰옷을 갈아입었다

신발도 빨아 신었다

손 없다는 날

마을은 개도 안 짖고
하늘이 어디로 다 가서 텅 비었다

늬들 누렁코도 부스럼도 쌍다래끼도 우물 땜시 다 벗었니라던
할매 말씀이 참말이라고
우리들은 턱을 누르고 믿었다

울타리도 절구통도 살구나무도 언제 본 듯한 날
우물가엔 아래서 올라온 것들이 쌓였다

삼대 부러진 것 바가지 실꾸리 신발짝 호미자루 쇳대 뼈다귀 돌쩌귀 이끼 못 흐레
쇠시랑날 연필 눈썹 꿈동 텅

「조선일보」 2012년 7월 9일자

―――

  신령스러운 일로 여긴 까닭에 날을 따로 잡고, 머리 빗고, 흰 옷 입고, 신발까지 빨아 신었다. 이에 따라 개도 안 짖고 하늘도 텅 빈 것이다. 청소 덕분에 잇달아 흘러 내리는 누런 콧물, 부스럼, 쌍다래끼도 모두 낫는다. 물을 다 퍼내자 바닥에서 자취를 감추었던 온갖 잡동사니들이 나온다.

  지규식池圭植(?~?)은 '1892년 5월, 우물 돌 벽을 다시 쌓는데 술 값 8전을 건넸다(김 매는 하루 품삯 열 냥), 우물 친 값으로 두 냥을 주었다. 우물 석축은 5년 뒤에 다시 쌓았 다'고 적었다(『荷齋日記』).

  경상북도 경주시 강동면 양동리에서는 1960년대 무렵부터 우물 치는 날 빠지면 반 나절에는 하루 품삯의 반을, 온 날에는 하루치를 물렸다.

  큰 마을에서는 서너 개의 우물을 중심으로 생활권이 나뉜다. 같은 우물을 쓰는 사 람끼리 품앗이를 하고, 고사떡을 돌리며, 마을을 다니는 등 가까운 이웃으로 지낸다. 또 우물 관리를 위한 정계井契 또는 정호계井戶契를 묻고 관리자有司도 따로 뽑는다.

  양성지梁誠之(1415~1482)가 '사창社倉을 사장社長에 맡겨서 자기와 친하고 그렇지 않 은 것과 (…) 마을을 같이 하고 우물을 같이 하는 무리로 나누는 탓에 폐단이 많다'는 상소를 올린 까닭이 이것이다(『세조실록』 14년[1568] 6월 18일).

6. 물긷기

1) 물긷기와 방아 찧기는 아낙의 평생을 상징한다

① 서거정徐居正(1420~1488)의 시(「강경우 그림에 적음題姜景愚畵」)이다.

———

물긷는 시골 아낙田婦汲水

蓬鬢荊釵茜色裙	헝클어진 머리, 가시나무 비녀, 붉은 치마
一生井臼爾辛勤	그대 평생 방아질과 물긷기에 지쳤구나
長門寂寂蛾眉老	고요한 장문에서 고운 얼굴 늙은 나
爭似渠家老瓦盆	어찌 그대 집 묵은 질동이만 하랴

『사가시집』 제12권 「시류」

———

'헝클어진…치마'는 한漢의 은사隱士 양홍梁鴻(25 ?~104 ?)의 아내 맹광孟光(?~?)이 가시나무 비녀에 베치마荊釵布裙만 입었다는 고사에서 왔다. 이를 아낙의 검소한 옷차림으로 여긴다.

'고요한 장문'은 처음에 남다른 총애를 받던 한漢 무제武帝(전 147~전 67)의 진陳 황후가, 뒤에 장문궁長門宮으로 쫓겨나 시름과 슬픔의 나날을 보낸 것을 가리킨다. '묵은 질동이'는 당唐 두보杜甫(712~770)의 시(「소년행少年行」)의 '농가의 묵은 질동이 비웃지 말게나莫笑田家老瓦盆 / 술 담기 시작한 뒤 자손 자라게 하였으니自從盛酒長兒孫'라는 구절에서 왔다. 아무리 고귀한 신분이라도 쓸 모 없는 늙은이가 되었으니, 오래된 질동이만 못하다는 탄식이다.

② 김시양金時陽(1907~?)의 「노인회심곡老人回心曲」이다(부분).

———

이집저집 여러분들 友情도 깁허지고	이 집 저 집 여러분과 우정도 깊어지고
仁慈하신 言辭들이 骨肉之情 질데없이	부드러운 말씀 친 형제 다름 없네
마음만큼 즐거우나 女子의 職責이란	마음은 그렇지만 물긷는 여자의 일

井口之免할소냐   면할 길 없어
밥을 하니 죽이 되고 죽을 하니 밥이 되네   밥을 하니 죽이 되고 죽을 하니 밥이 되네
『한국역대가사문학집성』

———

마을의 여러 분네가 피붙이처럼 다정하게 대해주지만, 집안일에 얽매여서 갈피를
잡기 어렵다는 하소연이다.

여자들은 물을 질동이에 담아 머리에 여 날랐다.

③ 『삼국사기』 기사이다.

———

주몽朱蒙(전 58~전 19)이 부여夫餘에 있을 때 맞은 아내 예禮씨의 딸은 그가 떠난
뒤 유리琉璃(전 19~18)를 낳았다. 어린 적에 유리는 길거리에서 놀며 참새를 쏘려
다가 잘못하여 한 아낙이 머리에 인 물동이瓦器가 깨졌다.

상대는 '아비가 없는 탓에 장난이 심하구나' 꾸짖었다. 집으로 돌아온 그는 어머니
에게 아버지는 누구이고, 지금 어디 계시느냐? 물었다(권13 고구려본기 1).

———

물이 온 몸으로 쏟아졌을 터이니 '마른하늘의 날벼락'이 따로 없다. 이만한 지청구
는 들어도 싸다. 1950년대 무렵에도 장난이 심한 어린이는 '애비 없는 후레자식'이라
는 꾸짖음을 들었다.

이로써 물동이를 머리로 나른 역사가 아주 오랜 것을 알 수 있다. 조선시대에도
마찬가지였다.

명의 사신으로 왔던 동월董越(?~?)도 『조선부朝鮮賦』
에 '머리에 물동이를 이고도 손으로 잡지 않으며, 쌀
열 말을 이고도 걸음 또한 얌전히 그리고 빨리 걷는
다'고 적었다. 중국과 다른 풍속이라 눈에 번쩍 띄었
을 터이다. 일본도 중국과 같지만, 오키나와沖繩제도
만은 무슨 까닭인지 우리처럼 머리로 나른다. 똬리도
우리 것과 같다.

사진 389가 물동이와 똬리이다(국립민속박물관 소장).

사진 389

동이의 배는 조금 부르고 바닥(지름 21.5센티미터)은 조붓하며 입은 이보다 조금 너르다(지름 29센티미터). 배에 물결무늬를 새기는 외에 양쪽에 손잡이를 붙였다.

똬리는 지름 15.5센티미터에 높이 4.5센티미터이다. 흔히 헝겊을 둥글게 말아 쓰지만, 짚으로 튼 것은 왕골 겉껍질이나 부들껍질로 겉을 싸서 반들거린다. 물을 나를 때 테두리에 달린 끈을 입게 가볍게 물면 떨어지지 않는다.

그림 81은 김홍도金弘道(1745~?)의 작품이다(국립중앙박물관 소장).

아낙 셋이 물을 뜨는 한데우물에 배를 다 드러낸 사나이가 나타나서 물을 청하자, 가운데 여인이 두레박 채 건넨 다음 얼굴을 돌리고 있다. 두레박줄을 손에 잡고 있는 것은 어서 마시고 떠나라는 뜻일 터이다. '내외'가 서슬처럼 시퍼렇던 시절에 저렇듯 뱃심 두둑한 남자가 있었다니 믿기 어렵다.

오른쪽의 물동이를 머리에 얹은 여인은 손잡이를 왼손으로 잡고 오른손에 두레박을 들었다. 치마가 거추장스러워 정강이 위까지 걷어 올린 모습이 눈에 들어온다. 왼쪽 아래 여인 오른쪽에 놓인 것이 동이가 아니라 쪽나무로 짠 물통인 것을 보면 이 무렵에 둘을 같이 쓴 것을 알 수 있다.

우물 전이 궁궐 우물처럼 낮지만 위는 너른 편어서 그 위에 올라서서 두레박질을 한다.

오른쪽 아낙이 왼손에든 두레박이 눈에 띤다. 바가지로 보이는 그릇에 작대기를 가로 걸고 손잡이를 박았다. 두레박줄은 그 꼭대기에 뚫은 구멍에 꿰었을 터이다. 이것이 앞에서 든 김홍도 그림의 것과 같은 것은 18세기부터 널리 쓴 것을 알려준다. 물을 뜰 때마다 두레박을 가지고 간 탓에 불편이 컸다.

그림 82는 19세기 말의 풍속화가 김준근金

그림 81

그림 82(ⓒ 숭실대학교 한국기독교박물관)

俊根의 작품(「물깃고」)이다(숭실대학교 기독교박물관 소장).

두 아낙과 어린이가 모두 물동이에 바가지를 엎어놓았다. 이로써 물동이를 나를 때 물이 넘치지 않는 까닭이다. 이것이 없으면 발뒤꿈치를 먼저 내딛으며 조심스럽게 '춘향이 걸음'을 걸어도 여간해서는 넘치는 것을 막지 못한다.

④ 한용운韓龍雲(1879~1944)의 시(「산촌의 여름 저녁」)가 그것이다(부분).

———

산 그림자는 집과 집을 덮고
풀밭에는 이슬 기운이 난다
질동이 이고 물긷는 處女는
걸음걸음 넘치는 물에 귀밑을 적신다

『한용운 시전집』

———

세 사람 모두 머리와 물동이 사이에 똬리를 괴었다.

사진 390의 주인공은 물동이 손잡이를 두 손으로 잡았지만, 이렇게 하면 팔이 아파서 오래 걷기 어렵다. 길이 멀면 손을 바꾸어야 하는 까닭이다. 사진기 앞이라 물동이 쥐는 법을 보이려고 두 손을 올렸을 터이다.

왼쪽이 함석지붕을 얹은 우물이다.

사진 390

사진 391은 어린아이를 등에 업고 물동이를 나르는 어머니이다. 집에 다른 사람이 없으면 이렇게라도 물을 긷지 않을 수 없었다.

사진 392는 물동이를 머리에 얹은 세 여인의 모습이다. '북조선의 물긷는 여인과 보통 여자 어린이'라는 설명이 붙었다. 왼쪽 여인은 가슴을 다 드러냈지만, 가운데 아낙은 왼손으로 가렸다. 오른쪽 여인이 두 손을 다 내리고 오른손에 두레박을 든 모습이 인상적이다. 익숙해지면 앞에서 든 동월의 말대로 손으로 잡지 않고도 얼마든지 걷는다.

사진 391

사진 392

사진 393

사진 393은 놀라운 재주를 남김없이 보여준다. 왼쪽 두 번째 여인 머리 위의, 좁고 목이 긴 1.8리터들이 병이 그것이다. 찍은 이가 '병도 머리에 얹고 거리를 걷기 좋아하는 한국 여성'이라는 설명을 붙인 것을 보면 어지간히 놀랐던 모양이다(S. Bergman, 1938, 『In Korean Wilds and Villages』).

사진 394도 앞 책의 사진이다. 왼쪽 아낙은 물동이가 아니라 항아리를 얹었고, 또 한 이는 나팔꽃처럼 생긴 자배기에 물동이 둘을 얹고서도 손을 놓고 걷는다. 이것이야말로 보기 드문 재주임에 틀림없다.

사진 395는 여자 어린이들이다. 물동이가 조금 작기는 하나, 사진 찍히는 일이 신기한 듯 모두들 밝은 표정으로 웃는다.

사진 394

똬리는 천을 둥글게 말아서 꾸몄다. '보통의 여아'라는 사진 설명은 어디서나 흔히 보이는 풍경이라는 뜻일 터이다. 물긷는 일과 동생 돌보기야말로 어린 여자 어린이들이 맡은 중요 일과의 하나였다.

사진 396은 어린이용 '아기동이'이다. 입 지름 18.5센티미터에, 높이 18.9센티미터

사진 396

사진 395   사진 397

이며 바닥 지름은 17센티미터이다.(원광대학교박물관 소장)

　사진 397은 독처럼 허리가 꼿꼿한 호남지방의 어른 물동이다. 지름 32.5센티미 터에 높이 30.5센티미터이다.(국립민속박물관 소장)

　어린이들의 이러한 고난은 1980년대까지 이어졌다.

⑤ 오정희吳貞姬 소설(「옛 우물」)의 한 대목이다.

　계집아이들은 학교에서 오전 수업을 마치고 돌아오면 해지기 전까지 물을 길어 놓아야 했다. 두레박을 빠뜨리면 매를 맞거나 밥을 굶었지만 아이들은 늘 두레박 을 빠뜨리고 저물 때까지 우물가에서 무료하고 절망적이고 공포에 찬 울음을 울 곤 했다. (…) 계모가 낳은 아이를 업고 물을 길러 나오면 염장이의 딸 정옥이는 자주 두레박을 빠뜨렸다.

(…) 물을 길러 나온 아주머니나 동네 큰 언니들은 정옥이의 덜렁대는 버릇을 한바탕 나무란 뒤 '이것도 빠뜨리면 네가 우물 속에 들어가서 건져 와야 해' 경고 하며 선심 쓰듯 두레박을 빌려 주었다.

———

계집아이뿐 아니라 사내 녀석들도 마찬가지였다.

⑥ **방정환**方定煥(1899~1931)**의 글이다.**

———

쌀 꾸러 다니기, 전당포 다니기, 그런 것 외에 또 한 가지 고생스러운 일은 물 길어 오기였습니다. 하인도 없고 어른들은 활판소에 가시고 또 삼촌 한 분은 남 의 상점 점원으로 가시고, 물을 길어 올 사람은 열 살 먹은 나 하고, 여덟 살 먹은 사촌 동생밖에 없었습니다.

집은 사직골이었으니까 우리 집에서 두어 마장쯤 떨어진 곳에 사직 뒷담 밑에 성주우물이란 우물이 있는데 학교에만 갔다 오면 물통(석유통) 하나를 들고 가서 물을 길어 가지고, 열 살짜리 여덟 살짜리가 둘이 들고 비틀비틀하면서 집으로 옮겨 나르기에 얼마나 힘이 드는지.

여름에는 별 고생이 없지만은 겨울이 되면 물이 나오지 않고 맨 밑바닥에 조금 씩밖에 안 나오는 고로 물난리가 날 지경이어서 우물 앞에 차례로 온대로 물그 릇을 쪼르르 늘어놓고 기다려서 자기 차례가 되어야 바가지를 들고 우물 속에 기어들어가서 떠가지고 나오게 되는 고로 우물 앞에는 물통 물동이가 골목 밖에 까지 체조하는 병정처럼 늘어 놓이고 자기 차례를 기다리자면 두 시간씩이나 기 다리게 됩니다. 날은 차고 바람은 뺨을 베어버릴 듯이 부는데 배는 고프고 몸은 떨리고 (…) 우물 옆에서 두발을 동동 구르고 울던 일이 해마다 겨울마다 몇 백 번씩인지 모릅니다(『한국의 독립운동가들』).

———

남자라고는 하여도 열 살과 여덟 살의 어린이가 추운 겨울에 물통을 지게가 아니라 손으로 들어 날랐다니 이만저만한 괴로움이 아니었을 것이다. 그것도 '바가지를 들고 기어들어가서 퍼야 하는 샘'이었다니 말이다. 지금이라면 보호자가 어린이 학대 죄로 쇠고랑을 찼을 터이다.

'사직골'은 서울시 종로구 사직동이고 '사직 뒷담'은 사직단社稷壇 뒷담을 가리킨다. 한 마장馬丈은 400미터쯤이므로 두어 마장은 1킬로미터가 더 되는 거리이다.

방정환이 '아이'를 존중하자는 뜻에서 '어린이'라는 낱말을 짓고, 1922년에 어린이 날을 제정하며, 이듬해 월간 잡지 『어린이』를 내기 시작한 것도 어린 시절 겪었던 이 같은 고통이 빌미가 되었을 터이다.

사진 398의 오른쪽이 일제강점기에 평양 대동강에서 물을 긷는 소년 모습이다. 열 살 안팎으로 보이는 가녀린 어린이가 물지게를 진 채 일어서려고 허리를 잔뜩 구부렸다.

사진 398

물통이 바로 앞글의 '석유통'으로 '석유초롱'이라고도 한다(10리터들이). 19세기말 미국에서 석유를 담아 들여온 이 양철제품을 뒤에 물통으로 많이 썼다. 나이로 미루어 물을 가득 채우지는 못했을 터이다. 소년의 왼쪽에서 빨래하던 두 소녀가 돌아본다.

어린이의 물 나르기는 1980년대에도 이어졌다.

사진 399는 1977년, 충청북도 청원군 문의면 형강마을 두레우물에서 물을 긷는 세 소녀 모습이다. 둘은 두레박질을 하고, 물지게를 진 하나는 순서를 기다린다. 이 무렵에도 사내 어린이가 없으면 여자어린이가 나설 수밖에 없었다. 이쪽을 쳐다보는 꼬맹이 앞에 모란무늬 꽃 요강이 놓였다.

사진 399(ⓒ 김가윤)

시멘트 전에 '단기 四二九三년 十月 二十九日 오영ㅇ'이라고 새긴 정명井銘이 보인다. 오 아무개가 마을을 위해 우물을 팠거나, 전을 놓았다는 말이다.

사진 400이 함석물통이다. 바닥에 쇠테를 두르고 홈을 입 주위에 셋, 어깨와 아랫도리에 둘씩 둘러서 힘을 보탰다. 입 지름 29.5센티미터에 높이 37센티미터이다.(광주민속박물관 소장)

사진 400

7. 물장수

서울에 물장수가 등장한 것은 1800년대 초이다. 서울에 와서 어렵게 살던 함경도 사람들, 그 중에도 북청北靑사람들이 많아서 '북청물장수'가 물장수의 대명사가 되었다. 시골에서 온 이들은 자기네끼리 모여 살고 끼니는 물을 대는 단골집에서 한 끼 얼마씩에 먹고 물 값으로 셈하였다. 가뭄이 들어서 물이 달리면 집집마다 옷가지 따위를 주며 환심을 사려 애썼다. 밥도 고봉으로 퍼 담아서 '물장수 밥'이라는 말이 나왔으며, 허기진 판이라 상의 반찬을 깡그리 먹어 치운 까닭에, 반찬이 남지 않은 빈상을 '물장수 상'이라 불렀다.

① 김동환金東煥(1901~?)의 시(「북청물장사」)이다.

새벽마다 고요히 꿈길을 밟고 와서
머리맡에 찬물을 쏴아 퍼붓고는
그만 가슴을 디디면서 멀리 사라져 버리는
북청물장사

물에 젖은 꿈이
북청물장사를 부르면
그는 삐걱삐걱 소리를 치며
온 자취도 없이 다시 사라져 버린다

날마다 아침마다 기다려지는
북청물장사

『해당화海棠花』

그림 83은 김홍도金弘道의 「연광정
연회도練光亭宴會圖」에 보이는 대동문
앞 시가지 장면이다. 물장수 둘이 물지
게로 나르는 동이가 신기하게도 앞의
것과 똑같다.

그림 84는 19세기 말의 화가 김준
근金俊根의 작품(「물장사 모양」)이다. 맨
상투에 수건으로 머리를 질끈 동인
앞 사람은 물지게 고리에 오지 동이
를 걸고, 동이 아랫도리의 구멍에 바

그림 83

닥을 감은 두 줄을 꿰어 합친 다음 끝을 나무 고리에 걸었다. 쇠붙이가 귀한 시절이라
나무로 깎은 것이다. 물그릇이 오지인 까닭도 마찬가지이다.

앞 사람의 작품인 그림 85(「물장ᄉ」)의 물그릇이 나무통인 것을 보면 20세기 초기의

그림 84

그림 85

것일 터이다. 지게고리도 쇠붙이로 바뀌었다. 물장수가 짚신에 감발을 한 것은 앞 사람들과 같지만, 두 손을 소매에 감추고 짧은 담뱃대를 입에 문 모습이 강인한 인상을 준다.(독일 브레멘박물관 소장)

독립운동가 이준李儁(1859~1907)도 '북청물장수'였다.

② 『한국의 독립운동가들』의 기사이다.

───────

이준은 열일곱 살이 되자 1875년 2월, 몇 푼의 노자 돈을 챙겨 다시금 서울을 향해 발길을 내딛었다. 북청을 떠난 지 보름 만에 서울에 도착하였지만, 연고하나 없는 곳이라 갈 데가 없었다. 우선 그는 북청물장수들이 운영하는 수방도가水房都家를 찾아 여장을 풀었다. 수방은 물장수들의 숙소로, 흔히 '물방'이라 불렀다. 이들은 이곳에서 잠만 자고, 식사는 물 사는 사람 집에서 물 값 대신 한 끼씩 얻어먹었다. 당시 물장수로는 북청물장수가 가장 유명했는데, 그것은 19세기 이래 서울로 올라온 북청 사람들이 물을 각 집에 배달하면서 비롯되었다. 서울에서 물장수하면 으레 북청물장수로 통할 정도였다.

이준은 서울로 올라오면 무슨 일이든 할 수 있으리라 생각했지만, 무작정 올라온 터라 마땅한 일자리가 없었다. 그저 서울의 이곳저곳을 둘러보며 시간을 보냈고, 북청물장수들이 전해주는 얘기를 들으며 세상 돌아가는 소식을 알았다. 그러는 가운데 그는 국내 정세에 관심을 가지게 되었다.

───────

서울에 수도가 생긴 것은 1908년, 뚝섬(서울시 광진구 구의동)에 정수장이 생기면서부터이다. 220개소의 공용수도를 설치한 한국상수도회사에서 물장수들이 조직한 수상조합과 계약을 맺고 공급을 시작한 것이다. 한 사람이 단골이 된 10~20여 호에 아침이나 저녁에 나르고 삯은 달마다에 몰아서 받았다. 그때는 가정에서 수도까지 거리가 멀어서 물장수에게 기댈 수밖에 없었고 덕분에 물장수의 벌이도 나쁘지 않았다. 이것도 하나의 이권이 되어 권리금을 받고 다른 사람에게 넘기기도 하였다. 조합은 1914년에 없어졌다.

한편, 수도가 생기기 전에는 한데우물이나 강물을 길어 댔으며, 1905년 무렵에는 한 지게에 20전이었다.

사진 401의 두 사람이 평양 시 대동강에서 얼음을 깨뜨리고 물을 긷는다. 왼쪽은 지게를 기울여서 나무 고리를 통을 걸고 있다. 함석 통이 약한 탓에 작대기를 바닥과 양 벽에 덧대었다. 뒤의 다른 하나는 물통에 강물을 채우는 중이다. 오른쪽에 동생을 등에 업은 소녀가 추위를 못 견디고 몸을 앞으로 잔뜩 움츠린 채 서있는 모습이 안쓰럽다.

사진 401

③ **이이화**李離和(1937~)**의 글이다.**

———

노동야학은 대한제국 시기에 북청사람들에 의해 처음 시작되었다. 서울에는 함경도사람 특히 북청사람들이 대거 몰려와 물장수를 했다. 물장수들은 한강이나 외곽에서 지게로 물을 날라 종로의 상인이나 북촌의 부호와 양반집에 공급했다. 이들은 향학열이 높아 고향사람들의 계몽단체인 서북학회에 야간강좌를 개설하여 글을 가르쳐 달라고 요구했다. 그렇게 해서 처음으로 노동야학이라는 이름의 강습소가 생겨났다.

그 뒤 노동단체의 지원으로 야학이 생겨나면서 본격적으로 노동야학이라 불렸다. 노동단체에서는 빈농이나 소작인도 노동자계급에 속한다고 하여 농촌의 야학도 이 범주에 포함시켰다. 야학의 이름을 농민야학, 농우農友야학, 부녀야학이라고도 하였지만, 보통 모든 야학을 묶어 노동야학이라고 불렀다(『이이화의 한국사 이야기』제1부 「상해 임시정부」 식민지 해방 그날이 오면).

———

타향에서 물장수로 하루하루를 이어가는 젊은이들이 그대로 주저앉지 않고 고향 선배들에게 배울 기회를 청하고, 이것이 실마리가 되어 '노동야학'이 생겼다니 여간 다행한 일이 아니다. 뒤에 여러 종류의 야학이 전국으로 들불처럼 퍼졌나간 것도 기꺼운 일이다.

사진 402에 보이는 한강의 물장수들이 멘
함석물통은 앞의 것과 같다. 나무 물통이 물이
더 많이 담기는 양철통으로 바뀐 것은 1900년
대 초이다.

그들은 일제에 빌붙은 매국노들에게 항거하
는 장한 뜻을 지니기도 하였다.

사진 402

④ 『대한계년사大韓季年史』 기사이다.

> 도성 안 각 마을의 물장수 수백 명이 12월
> 11일 오후 1시에 일진회一進會회원 집에 마
> 실 물을 공급하지 않는 문제를 협의하려고
> 한성부민회漢城府民會 안에 모였다. 그러나 지역 담당 경찰서에서 막은 탓에 회의
> 를 열지 못하고 물러나 흩어졌다(1909년 12월).

일진회는 1904년, 송병준宋秉畯(1858~1925), 윤시병尹始炳(1851~1932), 이용구李容九
(1868~1912), 유학주兪鶴柱(?~?) 따위의 매국노가 한일병합韓日倂合을 위해 조직한 정치
단체이다. 이들에게 물을 팔지 말자는 의론을 하려다가 경찰이 나선 탓에 그대로 흩
어진 것이다.

한성부민회는 1907년에 유길준兪吉濬(1856~ 1914)이 국민계몽운동을 벌이려고 세운
모임이다.

⑤ 조동걸趙東杰(1932~2017)의 글이다.

> 농민야학은 원래 노동야학으로 불렸다. 그것은 구한국시대 야학이 일어날 때 서
> 울의 물장수들이 서북학회에 야학수업을 요구한 데서 붙은 이름이었다. 그리하
> 여 농민에 대한 야학도 같이 묶어 노동야학이라고 했던 것이다.
> 1908년에는 서울의 물장수들이 서북학회에 몰려와 야학 설치를 요구하였다. 박
> 은식朴殷植(1859~1925)은 서우 제15호 「노동동포의 야학」이라는 제목 밑에 '물장

수의 신분으로도 개명과 자기 발전을 위하여 학업에 열중하고 부지런히 일을 하나니 우리 동포의 귀가 있고 눈이 바른 사람이라면 이를 보고 감흥하지 않을 사람이 없을 것'이라 하였다(『우사 조동걸전집』 9권 「식민지 조선의 농민운동」).

———

사진 403의 물장사는 앞의 나무통으로 긷는다. 쪽나무를 둥글게 세우고 위에 두 곳, 아래 한 곳에 대나무 테를 둘러서 메웠다. 주먹 크기의 맨 상투에 짚신감발 차림은 앞 사람들과 같다.

사진 404는 서울 큰길가의 한데우물에서 물긷는 물장수들이다. 물지게와 물통은 앞의 것들과 같다. 왼쪽 사람이 오른손에 든 것이 두레박이다.

사진 403

매우 큰 우물에 돌 전 또한 두툼하다. 전 바닥 주위에 부채살처럼 깔아 놓은 돌은 궁중의 우물을 연상시킨다.

사진 405는 1920년대의 우물가 풍경이다. 물통이를 두 겹으로 둘러놓았다.

사진 406은 길에서 통을 고치는 통메료 장수이다. 삿갓을 벗은 채 긴 담뱃대를 물었다. 오른쪽이 손을 본 통이다.

나무통은 시간이 지나면 테가 헐거워지고, 특히 여름에는 나무가 마르면서 풀어지는 까닭에 한 해 한두 번 반드시 조여야한다. 두 사람이 지게에 둥글납작하게 말아놓은 것이 통을 메우는 댓가지이다.

'통메료 장수'라는 이름은 지게를 지고 '통메료(통 메우시오)' 외치며 다닌 데서 왔다(사진 407). 그들은 물통뿐 아니라 개수통 따위도 고쳤다. 이들이 서울에서 자취

사진 404

사진 405

사진 406

사진 407

사진 408

를 감춘 것은 1950년 중반이다.

사진 408은 통으로 물을 나르는 아낙이다. 오른손에 물 뜬 바가지를 들고 정작 통은 왼손으로 가볍게 잡았다. 시골에서는 1970년대 초에도 이렇게 물을 날랐다.

⑥ 『내가 자란 서울』의 기사이다.

─────

서울의 아침은 물지게 소리로 밝았다.

'삐걱빼각 삐걱빼각 삐걱빼각 삐걱빼각'

빨리 걸어가면, 그 소리도 빠르게 이어진다. 집집마다 우물이 있었지만, 수돗물을 먹었다. 그런데 집 안에 수도가 있는 집은 없었던 것 같다.

동네 어귀에 공동수도가 하나 있었다. 이 공동수도는 지름이 20센티미터쯤 되는 둥근 쇠기둥 같고, 물이 나오는 수도꼭지는 지름이 5센티미터쯤 되었다. 이리로 물이 뻗치듯이 세게 나왔다. 공동수도는 주인이 있어서, 한 지게 두 통에

1전을 받고 팔았다. 그때, 엿 한 가래에 1전이었으니까, 지금 돈 100원과 맞먹는다.

집집마다 물지게가 있어서 져 가는가 하면, 공동수도 임자가 수돗물을 져다가 주기도 했다. 부엌 바닥에 묻어 놓은 큰 독에 물을 붓고 간다. 물지게는 질빵을 건 등태에다 길이 1미터가 좀 넘는 막대기를 가로로 대고, 양끝에 쇠갈고리를 단 것이다. 이 갈고리에 물통을 걸어 들어 올리게 되어 있다. 함석으로 만든 물통은 크기가 양동이만 했다. 동그란 것도 있고 네모난 것도 있었다. 네모난 것은 석유를 담았던 통으로, 마개를 도려내고, 통 아가리 가운데에다 네모난 막대기를 대고 양쪽에 못을 박아 만들었다.

물지게를 지고 빨리빨리 걸을라치면, 물통이 흔들려서 '삐걱삐걱' 소리가 재게 났다.

공동 수도 주인을 물장수라고 했다. 물장수는 힘이 센 남자 어른으로, 길어 가는 사람들보다 가볍게 지고 성큼성큼 다녔다. 물통이 흔들리니까 물이 조금씩 넘쳐흘러서, 바짓가랑이와 두 발이 젖었다. 그런데도 장화가 없어서, 짚신이나 까만 고무신 따위를 신었다. 빨리빨리 걸으면 고무신 뒤축이 벗겨지니까, 신 신은 발을 새끼로 동여매었다. 물장수는 한 달에 얼마씩 물값과 져다 주는 삯을 받고, 한 달에 두세 번 그 집에서 밥을 먹었다. 물 져다 주는 집 서른 집을 정해 놓아서, 세 끼 밥걱정이 없었다(어효선 1990 ; 6~9).

———

사진 409

사진 409는 앞글에 등장한 20세기 초의 공동수도이다. 한 아낙이 물동이에 받은 물을 머리에 얹으려고 똬리를 인 머리를 기우리고 있다.

⑦ 『경성야화京城野話』기사이다.

———

내가 다섯 살 때(1914) 상수도물 나

오는 것을 구경하던 기억이 난다. 그때 처음으로 공동수도를 한 동네씩 놓아주고 우물대신 거기서 수돗물을 길어먹게 하였다. 수돗물 고둥을 가진 사람에게 한 달에 30전씩 물값을 내고 물을 길었다.

그때까지는 집마다 우물이 있어서 길어먹었고 (…) 없는 집은 남의 집에 가서 물을 얻어먹었다. 처음 수돗물이 나올 때 남녀 구경꾼들이 (…) 길가의 조그마한 쇠 통에서 물이 쏟아져 나오는 것을 보고 떠들던 생각이 난다. 아낙네들은 왜놈들이 요술을 부려서 물이 나온다고 수군거렸다. (…)

조석으로 오는 사람 가운데 또 하나 물장수가 있었다. 공동수도를 그때 수통이라 불렀는데 이곳의 물을 길어오는 사람이다. (…) 방 하나를 얻어서 몇 식구가 같이 쓰고 밥은 물을 길어대는 집에서 번갈아 얻어먹었다. (…) 그들은 머리에 상투를 틀고 바지저고리에 짚신감발을 하였다. 감발이란 버선을 신지 않고 광목오라기로 발을 동여매는 것이다. 이것이 발을 가볍게 만들어서 빨리 움직일 수 있다고 한다.

수통물은 먹는 물이고 허드렛물은 뒤꼍에 있는 큰 우물물을 썼다. (…) 나는 이 집에서 여덟 살 되던 해 봄까지 살았다(조용만 1992 ; 21~22).

─────

서울 서대문구 옥천동에도 1950년대 말까지 공동수도가 있었다. 관리인은 얼기설기 얽은 좁은 널쪽집에 들어 앉아 작은 구멍으로 돈을 넣는 대로 고둥을 틀어주었다.

그는 아침에 출근해서 열시 무렵까지 물을 팔았지만, 걸핏하면 물이 끊기는 바람에 물장수와 아낙 그리고 어린이들은 물통을 밤중부터 미리 가져다 놓았다. 새벽이 되면 수십 개의 물통이 줄을 이었고, 이에 따라 사람들이 북새통을 이루었다. 통을 밤을 새워가며 지키지 못하는 탓에 앞뒤 통의 주인 사이에 자리다툼이 끊일 새가 없었다. 더구나 관리자의 출근이 조금 늦어지거나 하면 기다리던 사람들 입에서

사진 410(ⓒ 이형록)

욕이 수없이 터져 나왔다.

사진 410은 1958년, 서울시 마포구 공덕동에 있던 공동수도 모습이다. 왼쪽 판자
집 안의 관리자가 지켜보는 가운데, 물을 받은 소년이 걸음을 떼고 있다.

겨울철에는 물통에서 흘러 떨어진 물이 바로 얼어붙어서 길 양쪽으로 높이 20여
센티미터의 이랑이 생겼다. 고랑도 미끄럽기는 마찬가지여서 물장수들은 짚신이나
고무신에 새끼줄을 서너 번 둘러 감고 '춘향이 걸음'을 걸었다. 더러 재를 뿌리기도
하지만 서너 번 지나가면 다시 얼음판으로 바뀐 탓에 누구든지 자칫하면 엉덩방아를
찧었다. 그러나 어린이들에게는 더할 수 없는 놀이터가 되었다. 몰려들어 팽이도 쳤
지만 그보다 신나는 것은 썰매였다. 어른들의 꾸지람이 거셀수록 재미는 더 좋았다.

사진 411이 물지게 앞쪽으로, 장대 길이 1.18미터이다. 위쪽으로 조금 굽었으며 힘
을 받도록 가운데 3분의 1쯤 되는 곳에 같은 굵기의 작대기를 덧대었다. 등판의 한쪽
은 길이 46센티미터이며, 너비는 위가 16센티미터, 아래는 44센티미터이다. 사진 412
는 뒤, 사진 413은 이것을 지고 걷는 모습이다.

사진 411

사진 412

사진 413

8. 우물가의 나무

1) 오동

① 신숙주申叔舟(1417~1475)의 시이다(「강원 체찰사로 가는 한명회韓明澮[1415~1487]에게 줌寄別子濬體察江原」).

一夜西風生井梧	한 밤의 서녘 바람 우물가 오동나무에 불더니
海天寥落碧雲浮	쓸쓸한 바다 하늘에 푸른 구름 떴구나
題緘遠寄相思字	그리운 마음 멀리 보내나니
魂夢超超乍有無	혼이라도 꿈에 멀리 반짝거리기를

『보한재집保閑齋集』 권6 「칠언소시七言小詩」

깊은 밤에 부는 가을바람에 오동잎 떨어지는 것을 보고 멀리 있는 벗을 그린 노래이다.

② 김종직金宗直(1431~1492)의 시(「겸선에게 화답함和兼善」)이다.

歸思霜前雁	돌아갈 생각 서리 직전의 기러기요
秋聲井上桐	가을 소리는 우물가의 오동이로세
西樞頗閑冗	서추의 자리 아주 한산하니
勝在十銓中	십전가운데 있느니보다 나으리

『점필재집佔畢齋集』「점필재시집」제1권

가을이 깊어지자 기러기처럼 고향으로 돌아가고 싶다는 말이다.

겸선은 홍귀달洪貴達(1438~1504)의 자이다.

'서추'는 중추부中樞府의 다른 이름이고, '십전'은 인재를 뽑을 때 한 사람에게 시험을 열 번 보이던 당唐의 제도이다. 본디 세 번三銓이던 것을 호부시랑 우문융宇文融(?~729)의 건의에 따라 바꾸었다(『唐書』「選擧志」).

③ 권벽權擘(1520~1593)의 시(「입추에 지음立秋日作」)이다(부분).

人間猶暑雨	아직 여름 비 뿌리지만
天上已秋風	하늘은 벌써 가을이로세
淨洗庭前草	뜰 앞 잡초 깨끗이 씻으며
潛催井上桐	슬며시 우물가 오동나무 재촉하네
新凉蘇肺病	서늘한 기운에 폐병 나을 듯해
藥餌欠全功	약효 전혀 바라지 않네

『습재집習齋集』 권4 「시」

여름의 자취가 남기는 하였지만 하늘은 벌써 가을이라 폐병조차도 곧 나을 듯 상쾌
하다는 말이다.

④ 정두경鄭斗卿(1597~1673)의 시(「중산유자첩가中山孺子妾歌」)이다(부분).

雙雙碧梧桐	짝지어 자란 벽오동
雙對黃金井	황금우물에 마주 섰구나
昨日一葉下	어제 한 잎 떨어졌거니
漸知秋夜永	가을밤 길어지리라
白露濕玉階	흰 이슬 섬돌 적시는데
那堪洞房冷	싸늘한 규방의 밤 어이 지낼까

『동명집東溟集』 제1권 「악부樂府」

짝지어 자란 오동나무 잎 떨어지는 깊은 가을, 홀로 남은 규방의 주인공이 긴 밤을
어찌 지낼까 걱정이다.

당唐 장적張籍(766 ?~830 ?)의 시(「초비원楚妃怨」)에 '오동잎 황금우물에 질 때梧桐葉下黃金
井 / 물레우물 장대에 감은 두레박줄 당기누나橫架轆轤牽素綆'라는 구절이 있다.

⑤ 조문명趙文命(1680~1732)의 시(「칠석 뒤 서늘한 가을을 못 느끼는 이七夕後秋凉頓生」)이다.

銀浦天孫駕鵲烏	은하수 물가 직녀성 오작교 건너고
人間秋信井邊梧	인간 세상 우물가 오동잎 가을 알리네
西風一夜多功力	가을바람 밤새 불어온 덕분에
塵却殘炎太半無	불타던 여름 모두 사라졌구나

『학암집鶴巖集』 제2권 「시」

하늘의 은하수를 건너는 직녀를 이승의 우물가 오동잎에 견준 솜씨가 뛰어나다.

⑥ 박제가朴齊家(1750~1805)의 글(「칠칠책七七策」)에 '우물가의 오동잎 날릴 때 천하는 가을을 떠올리고, 들녘의 기장 익을 때를 농부는 보배로 여긴다井梧飄而天下記秋 野黍熟而農人爲珍'는 대목이 있다(『貞蕤閣集』 문집 1).

⑦ **정약용**丁若鏞(1762~1836)**의 시**(「가을 느낌秋心」)**이다**(부분).

金井寒煙鎖碧梧	우물가 찬 연기 벽오동 감싸고
轆轤聲斷度啼烏	두레박소리 멎자 까마귀 울며 나네
偏知日沒星生際	해 지고 별 뜨는 이 무렵
銷得黃昏一刻殊	황혼의 한 시각 사라져가네

『다산 시문집』 제2권 「시」

'벽오동 감싸는 찬 연기'와 '울며 나는 까마귀' 그리고 '하늘에 뜨는 별'과 '사라지는 황혼의 한 시각'이 눈에 보이는 듯하다.

⑧ 「**청춘과부가**靑春寡婦歌」**이다**.

한숨 쉬기 병이 되고 오동금정 떨어지니
밤은 어이 그리 긴고 우름 울기 병이 되네
이 날 가고 저 날 가고 육백 네 날 다 지낸들

우슴 우슬 날이 없고 눈물 마를 날이 없네

『한국 역대가사 문학집성』

_____

오동잎 지는 가을이 되니 님에 대한 그리움 더욱 솟구친다는 한탄이다.

오동금정梧桐金井의 '금정'은 서쪽의 해 떨어지는 곳에 있다는 우물로, 서쪽이나 가을을 가리키는 말로 쓴다. '육백 네 날'은 님과 헤어진 뒤, 두 해가 되어간다는 말인가?

⑨ 서거정徐居正의 시(4월 초사흘날 정원의 느낌을 적음四月初三日園中卽事」)이다(부분).

_____

老槐陰合蛟龍影	늙은 홰나무 그늘 교룡 그림자와 짝짓고
柳絮飛飛覆桐井	버들 솜 날고 날아 오동우물 덮네
政值淸和時節好	바로 맑고 화창한 좋은 시절이라
落花如雨憐不掃	비처럼 쏟아진 꽃 어여뻐 쓸지 않고
穩斟一杯時打睡	조용히 한잔 마시고 때로 낮잠 즐기며
謝家池塘夢春草	사씨네 못 둑의 봄풀을 꿈꾸기도 하노라

『사가시집』 제51권 「시류」

_____

나이 먹은 홰나무의 그늘이 워낙 얽히고설켜서 교룡을 연상시킨다고 한다. '오동우물'은 옆에 오동나무가 있는 우물이다.

⑩ 사씨는 중국 남북조시대의 시인 사령운謝靈運(385~433)이다. 『남사南史』의 기사이다.

_____

일찍이 영가永嘉의 서당西堂에서 종일 시를 떠올리지 못하다가, 꿈에 족제族弟 사혜련謝惠連을 만나 '못 둑에 봄풀 돋는다池塘生春草'는 구절을 얻었다. 그는 뛸 듯이 기뻐하며 '이는 신의 공이지, 내가 떠올릴 수 없는 말이라此語有神功 非吾語也'고 하였다(권19 「사혜련 열전」).

_____

2) 버들

이황李滉의 시(「월란암 아래에 고반대, 그 아래의 샘이 몽천이며 위에 거사가 지낸 토실 자취가 남았음月瀾庵下有臺曰考槃臺下得泉曰夢泉其上有居士土室舊基」)이다(부분).

我寓月瀾庵	나 월란암에 머물지만
有意頗不適	그윽한 뜻에 어울리지 않네
老屋匪蕭	낡은 집 산뜻하지 않고
殘僧禪寂	남은 중들 참선에만 빠졌구나
柳下汲井	버드나무 아래 우묵한 샘 물 길으려니
蝦所跳擲	두꺼비 제자리에서 뛰누나

『퇴계선생문집退溪先生文集』 권1 「시」

월란암은 예안현 자하봉에서 마주 보이는 동봉(옛 이름은 동취병東翠屏) 아래쪽에 있으며, 현재는 사촌沙村 안동 김씨네 월란정사로 되었다. 월란은 달빛이 강물에 비치어 출렁거림을 이른다.

불교에 관심이 없으니 주위 환경은 말할 것도 없고, 참선하는 중들조차 꼴 보기 싫다고 한다. 오죽하면 놀라 뛰는 두꺼비조차 들먹이겠는가?

3) 오얏

이황李滉(1501~1570)의 시(「초여름初夏」)이다.

田家相賀麥秋天	농가 보릿가을 반기고
鷄犬桑麻任自然	닭 개 뽕 삼 모두 그대로 두었네
縱使年來窮到骨	아무리 근년이 어렵기로
免教匍匐井蟲邊	우물 가의 굼벵이 파먹은 오얏은 따지 않으리

『퇴계시 풀이』 「임거십오영林居十五詠」

맥추는 보리 거두는 음력 4월이다.

'아무리…곤궁하기로서니'는 주자朱子(1130~1200)의 '정말로 늘그막에 가난이 뼈에 스며도正使暮年窮到骨 / 애끊는 소리 내지 않으리라不教吟出斷腸聲'는 구절에서 왔다.

'우물 가의 굼벵이'는 오릉於陵에 사는 제나라의 진중자陳仲子(?~?)가 사흘 동안 굶은 탓에 귀가 먹고 눈이 멀자 우물가로 엉금엉금 기어가 굼벵이가 파먹다가 만 오얏을 세 번 삼킨 뒤에야 귀와 눈이 제대로 돌아왔다는 『맹자』의 기사에서 왔다(「滕文公章句」下). 이황이 오얏을 먹지 않겠다고 한 것은 맹자가 진중자를 어리석은 청렴가라고 비난한 것과 연관이 있다.

4) 복숭아

김정희金正喜(1786~1856)의 시(「잃은 제목失題」)이다(부분).

淸晨漱古井	새벽 옛 우물에서 씻자
古井紅如燃	붉은빛 훨훨 타는 듯
不知桃花發	복사꽃 핀 것 모르고
疑有丹砂泉	단사천인가 싶었네

『완당전집』 제9권 「시」

단사丹沙·丹砂는 수은으로 이루어진 붉은 광물질이다. 도교에서는 이를 먹으면 불로장생하다가 신선이 된다고 한다. 붉게 핀 우물가의 복사꽃을 단사에 견준 것이 기발하다.

7장

어러 곳의 우물

1. 서울

1) 옛 기록

(1) 『신증동국여지승람』

「한성부漢城府」에 우물 13개가 있다고 적혔다(제3권 「동국여지비고」).

① 종묘서宗廟署

―――

하나는 건물署 안에, 하나는 밖에 있다.

―――

종묘서는 왕실 능원陵園의 정자각丁字閣과 종묘를 관리한 부서이다. 고려 문종文宗 (1047~1083) 때 처음 설치되어 조선시대에도 이어 내렸다.

우물 둘은 지금의 종묘 안팎에 남은 제정祭井일 터이다.

② 성제정星祭井

―――

소격서昭格署 옆에 있다. 돌 사이에서 솟는 물은 맛이 달고 차다. 옛적 초제醮祭에 쓴 까닭에 성제정이라고도 한다.

소격서는 고려 때 소격전昭格殿이라 하여, 산천에 복을 빌고 병을 고치며 비가 내리기를 바라는 국가 제사를 맡았던 부서이다. 조선 세조 때(1466) 소격서昭格署로 바뀌었다가 임진왜란 뒤 없어졌다.

종로구 삼청공원에 도교사원인 삼청전三淸殿과 소격서가 있었으며, 소격동이라는 이름도 이에서 왔다. 초제는 별에게 올리는 제사이다.

물은 위장병에 효험이 있다고 한다.

사진 414가 성제정으로 시멘트 벽 위에 앙증맞은 기와지붕을 올렸다.

사진 414(ⓒ 정연학)

③ 의성위 우물宜城尉井

가. 『아계유고鵝溪遺稿』 기사이다.

남쌍호南雙湖의 선대부先大父이자 부마駙馬 금헌공琴軒公은 성묘조成廟朝에 문아文雅함으로 시대를 풍미하였다. 그에게 하사한 저택이 유촌柳村 신교新橋 서쪽에 있었는데, 아름다운 수목과 넓고 화려한 정자는 장안長安에서 으뜸이었다.
임금이 내리신 우물물은 차고 달았다. 금헌공이 일찍이 우물곁에 심은 소나무 한 그루가 오래 되어 높이 자란 나머지, 구부러진 모습이 용이 엎드린 듯하였다. 밝은 달이 내리비쳐서 나무 그림자가 뜰에 가득하면 쌍호공은 늘 기뻐하였다. 이에 정자 이름을 송월헌松月軒이라 지었다(제6권 記類 「송월헌기」).

남치원南致元(?~?)이 성종(1469~1494)의 넷째 딸 경순옹주慶順翁主(1482~?)를 아내로 맞자, 의성위宜城尉에 봉하고 천달방泉達坊 어의동於義洞에 집邸宅을 내려주었다. 글과 글씨에 뛰어난데다가 풍류를 지닌 까닭에 임금도 자주 그의 집에 거둥하였다. 또 집안의 무성한 반송盤松 아래에 우물을 파고 돌난간을 두르자 왕이 '사정賜井'이라는 글씨를 내렸다. 공은 이를 돌에 새기고 '홍치계축弘治癸丑' 녁자를 곁들였다.

어의동은 종로구 동숭동東崇洞이며, 우물은 '의성위집 우물'로 불렸다. 홍치계축의 '홍치'는 명 효종孝宗 때 연호(1488~1505)이고 '계축'은 1493년이다.

나. 이에 관한 윤두수尹斗壽(1533~1601)의 시(「다시 차운함又次韻」)이다(부분).

———

駱峯前路自逶迤	낙봉 앞길 저절로 구불구불
淸簟何時看變棊	언제 깨끗한 대자리에서 바둑 함께 둘까
舊軒松月傳先世	옛 송월헌 선대부터 전한 것이니
當日風流是我師	당시의 풍류 바로 나의 스승일세
書劍無成今白首	글과 칼 못 이룬 채 백발 되어
閑看園木長新枝	한가로이 길게 뻗은 새 가지를 보네

『오음유고梧陰遺稿』 제2권 「시」

———

낙봉은 낙산駱山(125미터)이고 '선대부터 전한 것'은 임진왜란을 겪고도 불타지 않은 것을 가리킨다. '서검무성'은 문文과 무武를 이루지 못하였다는 말이다.

다. 『월사집月沙集』 기사이다.

———

한양 동쪽, 낙봉 기슭이 바로 우리 동네이다. (…) 언덕 위로 큰 소나무 우거진 가운데 층계를 놓고 담장을 둘러서 그윽하고 아름다운 모습을 이룬 곳이 의성宜城의 사제賜第이다. 그 아래로 사람처럼 구부정한 솔이 서 있고, 서너 칸 정사精舍 곁에 날개를 편 것처럼 솟은 건물이 송월헌이다 (…)

주인은 누구인가? 쌍호 남공이다. 공의 선대부 부마 금헌공 남치원은 풍류와 문아文雅를 갖춘 분으로 부귀한 신분임에도 포의布衣처럼 살았으며, 집안의 정자와 누대 등 정원의 풍광이 당대 으뜸이었다.

추녀 앞의 사정賜井은 맑고 달다. 곁의 솔 한 그루는 세월이 오래 흐르면서 주인과 함께 늙어 서너 길 높이로 자라서 푸르른 빛이 뛰어나며, 특히 밤의 달구경이 더욱 좋다. 공이 (…) 날마다 이곳에서 시를 읊다가 마침내 집 이름으로 삼았다

(제37권 記 상 「松月軒記」).

———

라. 이에 대한 『지봉유설芝峯類說』 기사이다.

———

　서울에서는 어의동 의성위댁宜城尉宅 우물 물맛을 첫 손에 꼽는다. 성묘조에 우물을 봉하고 임금께만 바친 까닭에 어정御井이라 불렸다. 뒤에 의성위에게 내렸으며 우물 벽 위에 사정賜井이라고 새긴 것이 지금도 남아 있다. 전년에 명의 관원 만경리萬經理(?~?)와 형군문邢軍門(?~?)도 맛이 제일 좋다며 날마다 길어먹었다고 한다(지리부 「우물」).

———

　형군문은 임란 때 구원병을 이끌고 온 총독군문總督軍門의 한 사람인 형개邢玠이다. 만경리도 같이 왔을 터이다. 우물을 어정이라고 불렀다는 대목이 사실인지는 의문이다.

　마. 남치원의 후손 남구만南九萬(1629~1711)이 앞의 솔을 두고 읊은 시(「송월헌 시의 운을 빌려 지음次韻松月軒詩」)이다.

———

人間何事不如花	인간은 무슨 일로 꽃만 못 한가
往迹悠悠感慨多	지나간 자취 아득하여 느껍구나
猶有沁園餘物色	오직 심원에 물색 남아
老松銀井影交斜	늙은 소나무와 우물에 그림자 드리우네

『약천집藥泉集』 제2권 「시」

———

　'인간이…못한가'는 꽃은 봄이 돌아오면 다시 피지만, 사람은 한번 죽으면 그만이라는 말이다. 심원沁園은 중국 하남성河南省 심양현沁陽縣에 있던 장원莊園으로, 금金나라 때 백관들이 모여 잔치를 벌였다.

　호옹의 집은 낙산에 있었으며, 양호는 뜰이 아름답다는 말을 듣고 찾았다고 한다.

　바. 『서울지명사전』 기사이다.

낙산 아래의 종로구 동숭동은 군수 남상문이 살던 데서 이름이 붙었다. 명의 장수 양호가 이 산에서 내려다보니 마을 한가운데의 어느 집 정원·연못·나무 따위가 조화를 이루어 경치가 뛰어나게 아름다운 것을 보고 단숨에 뛰어 내려가 주인을 만났다. 주인의 기상에 감탄한 그는 대문에 '연세 많고 덕도 높은 어르신이 사시는 집齒德俱優達尊之閭'이라고 썼다. 이 뒤부터 마을에서 자랑스럽게 여긴 나머지 마을 이름을 남상문이라고 불렀다.

─────

지금이야 위인이나 장군 이름을 흔히 거리 이름으로 삼지만, 그때로서는 거의 없던 일일 터이다.

④ 미정尾井

─────

돈의문敦義門 밖에 있으며 물이 매우 맑다.

─────

돈의문은 없어진 서대문의 다른 이름이다. 중구 의주로 1~2가 및 서대문구 미근동·충정로 2가에 걸쳐 있는 마을 이름 미동尾洞은 이 우물에서 왔다. 물이 늘 넘쳐흐르는 모습이 꼬리를 닮았다고 하여 초리우물尾井이라 불렀다. 오늘날에는 미동渼洞으로 바뀌었다.

이 우물은 「우물파기 노래」에도 등장한다. (☞ 312)

⑤ 통정桶井

─────

훈련원 서남쪽에 있으며 성 안에서 맛이 달고 차기로 첫손에 꼽힌다. 겨울에는 따스하고 여름에는 차다. 가뭄이나 장마에도 늘거나 줄지 않으며, 조정朝廷에서 봉하여 어정御井으로 삼았다.

─────

훈련원은 조선시대에 병사의 무재武才시험, 무예 연습, 병서兵書의 강습을 맡은 관청으로, 서울 동대문 역사문화공원 부근인 명철방明哲坊에 있었다. (☞ 518)

통정이라는 이름은 통을 박아서 벽으로 삼은 데에서 왔을 터이다. 『춘향전』에는 통새울로 올랐으며, 경남지방에서는 이러한 샘을 통새미라고 부른다.

⑥ **초정**椒井

> 인왕산仁王山(338미터) 아래 있으며, 목욕하면 병이 낫는다고 한다. 효종孝宗(1649~1659)과 현종顯宗(1641~1674)이 거둥하였다.

'인왕산 아래'는 경희궁慶熙宮 터이다. (☞ 203)

이밖에 충무로 3가·초동草洞·을지로 3가 일대에도 초정이 있어서 일대를 초정골이라 불렀다. 후추우물이라는 이름은 물맛이 맵고 톡 쏘는 데서 왔다. 속병에 효과가 높다고 알려졌으나 1906년, 일본인들이 진고개에 하수구 도랑을 내면서 물빛이 흐려지고 맛도 보통 물처럼 바뀌더니 효능도 사라졌다고 한다.

⑦ **잠룡지**潛龍池

> 이문里門 안에 있던 인조仁祖(1623~1649) 잠저潛邸에 영종英宗[祖](1724~1776)의 어필 사액賜額을 걸고 잠룡지潛龍池라 불렀다.

서울에 방범초소 구실을 하던 이문이 생긴 것은 세조世祖(1455~1468) 때이며, 지금의 국세청 뒤가 그 자리이다. 『한경지략漢京識略』에 '태화관 일대가 이문안里門內'이라는 기사가 보인다.

'잠룡'의 '용'은 인조가 임금이 된 것을 가리킨다. 우물을 '못'이라고 한 것도 이에 있을 터이다

⑧ **동지**東池

> 하나는 흥인문興仁門 밖에, 하나는 경모궁景慕宮 앞에 있으며 양쪽에 연꽃을 심었다.

홍인문은 동대문의 다른 이름이고, 경모궁은 창덕궁에 있다. 조선시대에는 인왕산仁王山의 살구꽃, 서대문 서지西池의 연꽃, 동대문 동지東池의 수양버들, 세검정 탕춘대蕩春臺의 수석水石, 성북동천城北洞天의 복숭아꽃北屯桃花을 볼거리로 즐겼다.

못을 우물 설명에 넣은 까닭이 궁금하다.

⑨ 남지南池

―――――

숭례문崇禮門 밖에 있으며, 연꽃을 심은 까닭에 연지蓮池라고도 불렀다. 이곳은 본디 김안로金安老(1481~1537)의 집터였다고 한다.

―――――

이것도 우물이 아닌 못이다. 김안로의 집은 중구 봉래동 1가에 있었다.

⑩ 서지西池

―――――

모화관慕華館 북쪽에 있다. 큰 가뭄에 비를 빌면 영험을 보였으며 연꽃을 심었다. 못 가의 반송盤松은 그늘이 수십 걸음이나 되었으며, 남경南京에 거둥했던 고려 임금이 여기서 비를 피하였다고도 한다. 본조本朝 초기에도 나무가 그대로 있어 반송지盤松池라고 불렀다.

주위에 천연정天然亭과 원관정遠觀亭을 세웠다.

―――――

남경은 서울의 고려 적 이름이다. 모화관은 조선시대에 명과 청의 사신을 영접하던 곳으로, 1407년에 송도의 영빈관을 본떠 서대문구 영천동 65번지에 세웠다. 처음 이름 모화루慕華樓를 1430년에 모화관으로 바꾸었으며, 1897년에 독립협회獨立協會에서 건물 앞 영은문迎恩門에 독립문獨立門을 세웠다.

부근의 마을 이름인 천연동은 천연정에서 왔다. 정자는 반송과 함께 동명東明여중 자리에 있었다.

⑧·⑨처럼 우물이 아닌 연못이다.

⑪ 와암천臥巖泉

───

모화관 곁에 있으며, 맛이 매우 상쾌하고 차다.

───

⑫ 휴암천鵂巖泉

───

목멱산木覓山 아래 삼아동三丫洞 위에 있으며, 물은 달고 차다.

───

목멱산은 남산의 옛 이름이고, 삼아동은 중구 남산동 2가이다. 바위에 '삼아동'이라고 새긴 글씨가 있던 데서 왔다고 한다. 휴암천은 모른다.

(2) 『한경지략漢京識略』

한성부의 역사와 모습을 적은 것으로 1830년에 나왔다(2권 2책의 필사본). 저자 수헌거사樹軒居士는 유득공柳得恭의 아들 본예本藝(1777~1842)라고 한다. 우물 11개를 실었다.

① 통정桶井

───

경성京城 동쪽 훈련원에 있다. 맛이 달고 차며 겨울에는 따뜻하고 여름에는 차다. 가물거나 장마 때도 물이 넘치거나 줄지 않으며 물 좋기가 경성에서 제일이다.
우물을 팔 때 큰 버드나무 뿌리를 잘라내자 물이 솟았다. 밑바닥이 없는 큰 통을 박은 까닭에 통정이라 부른다. 통이 오래도록 썩지 않은 것은 기이한 일이다.

───

『신증동국여지승람』에도 같은 우물이 실렸다.

② 미정尾井

———

돈의문 밖에 있다. 물이 아주 맑아서 훈련원 통정 다음으로 친다. 물이 넘쳐 길게 흐르고 가물어도 마르지 않는다. 초리정이라는 별명은 꼬리가 달린 듯 길게 이어 흐르는 데서 왔다. '초리'는 꼬리尾의 사투리이다.

———

(☞ 515)

③ 성제정星祭井

(☞ 511~512)

④ 의성위 우물

(☞ 513~515)

⑤ 창의궁彰義宮 우물

———

창의궁 앞에 있으며, 물이 마르면 그 해 풍년이 든다고 한다.

———

영조英祖의 잠저潛邸인 창의궁은 종로구 통의동 35번지 일대에 있었다. '물이 마르면 풍년이 든다'니 무슨 뜻인가?

⑥ 동정銅井

———

중부 전동 옆 동정동銅井洞에 있다. 우물 벽을 구리로 싼 까닭에 물을 길을 때 '둥둥 탕탕' 하는 소리가 울렸다. 본디 옛 원각사圓覺寺 우물이었다고도 한다. 동정동은 종로구 견지동의 옛 이름이며, 우물은 전의감典醫監 영문 앞의 있었다. 이곳을 구리우물골이라고도 불렀다.

———

벽에 구리판을 둘렀다니 예사 우물이 아니다. 종로 네거리에도 같은 우물이 있었다.

⑦ 팔송정八松井

남산 아래 남별영南別營 서문 밖에 있다. 팔송정의 '팔송'은 주인 윤황尹煌(1571~1639)의 호이다.

중구 필동 2가 일대에 있던 남별영은 금위영禁衛營의 분영이다.

윤황은 정묘호란과 병자호란 때의 사간司諫으로 척화斥和를 주장하여 군세고 절개가 높다는 평을 들었다.

이 책에서 '옛집의 우물宅舊井云'이라고 하여 다음 네 개를 곁들였다.

⑧ 박정朴井

남산 아래 회현동會賢洞에 있다. 우물이 깊지 않아 허리를 굽혀 바가지로 뜰 수 있다. (…) 물맛 또한 좋고 차서 차를 끓이거나 약을 달이기 알맞다.

'박정'은 바가지朴로 뜨는 우물(샘)이라는 뜻이다. 같은 이름의 샘이 종로구 명륜동과 청운동에도 있었다.

⑨ 굴정窟井

남부 이현泥峴에 있으며 아주 깊다. 이름은 물이 굴에서 솟는 데서 왔다.

이민구李敏求(1589~1670)의 『동주집東洲集』 기사이다.

"내가 열세 살 적(1601), 진고개 길가에서 놀다가 바위 밑에서 샘이 흐르는 것을 보고 아이들과 함께 파서 길가는 사람들이 마시게 하였다. 쉰세 살이 되어 돌아보니 먼 옛적 우물이 되었다. 지금 지나다가 느끼는 것이 있어 이렇게 읊었다.

當年手鑿一泓新　　그때 손으로 후벼 판 샘
歲月今過五十春　　벌써 50년 흘렀구나
石甃凉波猶不減　　맑은 물빛 예 그대로인데

鑑中枯朽是何人　　물에 비친 늙은이 누구인가"

지봉芝峯 이수광李晬光의 아들인 동주는 시로 세상에 알려졌다. 지금 이 시를 보니 바로 동주가 판 것이다.

───────

이현은 충무로 2가이다.

동주 이민구는 문장이 뛰어나고 사부詞賦에 능했으며 강도검찰부사江都檢察副使, 경기우도 관찰사 등을 지냈다. 『지봉유설』을 지은 그의 부친 이수광(1563~1628)은 실학의 첫 장을 열었다.

⑩ 허정許井

───────

남산동에 있으며 목멱신사木覓神祠에서 쓴 옛 우물이라고 한다. 우물 벽을 무덤 표석으로 쌓은 것은 괴이하다. 정조正祖(1776~1800) 때 벼슬아치 허씨가 옆에 산 까닭에 허정이라 불렀다.

───────

목멱신사는 국사당國師堂의 다른 이름이다. 말대로 무덤의 돌로 우물 벽을 쌓은 것은 이해하기 어렵다.

⑪ 약천藥泉

가. 영천靈泉

───────

돈의문敦義門(서대문) 밖 모화관 서쪽에 있다. 산과 계곡 사이에 바위를 악암惡巖이라 한다. 돌 사이로 흐르는 물을 넉넉히 마시면 복통과 설사가 곧 멎는다. 해마다 여름이면 사람이 들끓어서 물이 고일 틈이 없다.

───────

'악암'은 서대문구 안산鞍山(295.9미터)의 정상 동쪽 아래 바위가 절벽을 이룬데서 온 듯하며, 1950년대에는 '악박골'로 불렸다. '안산'은 마소의 등에 얹어 짐을 싣는 길마를 닮았다고 하여 붙였지만 현지 이름은 '말바우'였다. 정상의 바위가 말 머리를 닮은 까닭이다. 이밖에 정상에 봉수대가 있어서 봉우재라 하였고, 조선시대에는 모악산母岳山, 곧 어미 산이라고 불렀다. 한편, '악박골'은 '약바위골'에서 왔다는 말도 있다.

'돌 사이로 흐르는 물'은 '영천'이며, 마을이름 관동館洞이 영천동靈泉洞으로 바뀐 까닭이 이것이다. '돈의문(서대문) 밖 모화관 서쪽'이라고 하였지만, 정확한 위치는 서대문 독립공원(옛 서대문 형무소) 뒤쪽인 안산 허리께이다. 1930년대 중반까지 '영천'이라고 새긴 바위 아래에 큰 샘이 있었으며 근처 200여 호의 젖줄구실을 하였다.

서울의 명소로 위장병을 고치려는 사람뿐 아니라, 산보객들로 북새통을 이루었다. 작은 못과 숲까지 곁들여서 봄여름에는 장사꾼들이 차일을 치고 손님을 맞았으며 자리 값만 내면 물을 주전자로 떠왔다. 물을 될수록 많이 마시려는 사람은 주위에 진을 친 엿장수의 엿을 깨물고 굴비장수의 굴비를 뜯었다.

「동아일보」 1936년 5월 30일자에 따르면, 한 토지회사가 이 일대에 집을 지으면서 샘이 사라졌다고 한다. 주민들이 들고 일어나 서대문경찰서에 진정을 넣었지만 효과가 없었다.

한편, 영천의 서쪽, 곧 안산의 등 너머에 있는 유명 약수 복주물(본디 이름 복수천福壽泉)도 안산의 물줄기가 동서 양쪽으로 나뉘어서 솟은 결과일 터이다.

나. 옥천玉泉

창의문彰義門 밖 한북문漢北門 옆에 승려들의 숙소인 옥천암玉泉庵이 있다. 샘이 절벽 사이에서 나오는데 풍에 걸리거나 체한 사람이 마시면 신비한 효험이 있고, 눈을 씻으면 눈병도 나았다. 옥천암 불상은 절벽을 쪼개 만든 것으로 해수관음海水觀音이라 부르며, 가까운 곳에 약샘이 솟는다.

그러므로 샘물을 마시려는 사람들이 승려의 숙소에 많이 머물렀는데, 먼저 짠 음식을 먹고 나서 종일 배가 부르도록 마셔야 효험을 보았다.

『임원경제지林園經濟志』에도 '창의문 밖 산허리의 암혈에서 흐르는 옥천암 약수는 병이 낫는다고 하여 도회의 남녀들이 줄을 서서 다투어 물을 마신다'는 기사가 있다.

옥천암은 서대문구 문화촌文化村에서 종로구 세검동洗劍洞쪽으로 돌아가는 중간의 개울 건너에 있으며(홍은동), 암자보다는 불상(해수관음)이 더 유명하다.

사진 415의 오른쪽이 옥천암, 왼쪽이 관음상이다. 지금은 이름뿐, 샘은 수십 년 전에 없어졌다.

사진 415

(3) 기타

① 어정御井

후조당後凋堂은 세조世祖 때 명신 권익평공權翼平公의 옛집이다. 집은 목멱산 북쪽 기슭 비서감秘書監 동쪽 바위 언덕에 있다. 지금도 사람들은 임금이 그 집에 거둥한 일을 말한다. 서쪽 언덕의 돌샘이 '어정'이다. (…)

곁채 남쪽 바위 밑에서 솟는 샘물은 매우 맑고 차갑다(『記言』 제13권 棟宇 「후조당기」).

익평공은 권람權擥(1416~1465)이다. 세조가 그의 집을 찾은 것은 1453년, 단종端宗(1452~1455)을 내쫓으려고 일으킨 계유정난癸酉靖難에 큰 공을 세운 것과 연관이 있을 터이다. 그는 정난공신 1등으로 우부승지에 특진하고, 1463년에는 부원군이 되었다.

② 종친부宗親府 우물

종로구 소격동昭格洞에 있다.

전은 반달꼴로 다듬은 돌 두 장을 마주 붙여서 꾸몄다. 전의 높이 34센티미터에 두께 30센티미터이며, 우물 입 지름은 지름 1.82미터이다. 벽은 자연석을 둥글게 쌓아 올렸다.

종친부는 조선시대 종실제군宗室諸君의 봉작封爵 · 승습承襲 · 관혼상제 등의 사무를 보던 관서로 종로구 화동花洞에 있었다.

　사진 416이 본디 전이고, 사진 417은 이곳에 있던 관청에서 수도를 설치한 모습이다. 오래된 우물을 되살린 좋은 보기이다.

사진 416(ⓒ 문화재청)　　　　　　　　　　　사진 417(ⓒ 문화재청)

2) 근대 우물

① 옥류동샘玉流洞泉

최영년崔永年(1856~1935)은 인왕산 아래의 옥류동 샘을 첫 손에 꼽았다.

淸冷玉流洞中天	맑고 서늘한 옥류동 골짜기
此是西山第一泉	여기가 서산에서 으뜸가는 샘일세
綠髮沐過三尺長	새로 감은 긴 머리 검푸른 윤기 나니
婦人香癖到年年	아낙들 버릇처럼 해마다 찾아오네

『해동죽지海東竹枝』「6월」

　옥류동천은 서울 종로구 인왕산仁王山(338미터) 동쪽에서 솟아 청계천 상류인 청운동 백운동천白雲洞川으로 흐르는 내로, 지금은 시멘트로 덮였다. 서산은 조선초기의 이름이며 세종世宗 때 인왕산으로 바뀌었다.

　시인은 '옛적에 6월 복날, 부녀자들이 약수에 머리를 감고 옥류동에서 물맞이를 하였지만 근래에는 정릉貞陵으로 간다'고 적었다.

　머리 감고 물 맞는 풍속을 동류 수두목욕東流水頭沐浴이라 하며, 수두는 물맞이를 가리킨다. 삼각산三角山(836미터) 남장대南將臺 동쪽 아래의 정릉은 산수 좋고 물 맑은 곳으로 널리 알려졌었다. 지금의 성북구 정릉동이 그곳이다.

②『서울잡학사전』 기사이다.

────────

　옛날 종로구에는 유명한 우물이 많았다. 와룡동臥龍洞 28에 있던 '쫄쫄우물'은 돌 틈에서 쫄쫄 나오는 것으로 어떠한 눈병도 다 고치는 신효神效한 약수였다. 필자 가 1924년인 중학생 때 삼눈을 앓았었다. 중간시험 때라 (…) 안과에서 치료를 받았으나 낫지 않았다. 어머니와 (…) 찾아가 돌 틈으로 나오는 물로 씻자 (…) 그 이튿날 깨끗이 나아 있었다.

　명륜동明倫洞 4가 127에 있던 우물은 깊이가 30척(10미터쯤)으로 (…) 물맛이 썩 좋아 근처가 '깊은 우물골'이었다.

　충신동忠信洞과 이화동梨花洞 사이에 있던 우물은 오목한 데서 나온다 해서 '옹달 우물'이었고, 주위 마을이 '옹달우물골'이었다. 화동 47번지의 큰 우물이 '복주福 主우물'로, 예로부터 궁궐에서만 길어 쓰고 일반에게는 금지되어 (…) 돌로 울을 둘러치고 군인들이 지켰다. 이것을 날마다 길어다가 창덕궁에서 썼다.

　박우물은 청운동靑雲洞과 궁정동宮廷洞에 걸쳐 있었다. (…) 이를 중심으로 '박우 물골' 또는 한문으로 박정동朴井洞이 생겼다. 필운동弼雲洞 배화여중고 위에 있던 '당나귀우물'은 궁내부대신 심상원沈相源(1875~1927)이 살 때, 우물 옆에 늘 당나 귀를 매어 둔 데서 이름이 생겼다.

　훈정동熏井洞 62의 우물은 (…) 여름에는 얼음같이 차고 겨울에는 매우 덥다하여 '더운 우물' 또는 '한우물'이라 불렀고, 임금이 썼다 하여 '어수御水우물'이라는 별 명이 붙었다. 창성동昌盛洞 27의 (…) '더운 우물'도 훈정동 것과 구별하려고 '옥 정玉井'이라 불렀다.

　광화문 우체국 동쪽 혜정교惠政橋 부근의 큰 우물은 항상 뚜껑을 덮었기 때문에 '뚜껑우물'이었다. 이밖에 위를 구리로 싼 '구리우물'이 종로 네거리에 있었으나 위치는 모른다(조풍연 1989 ; 302~303).

'복주우물'의 '복주'는 귀한 사람이 마시는 우물이라는 뜻이다.

③ 보름석정石井

종로구 계동桂洞에 있는 '보름석정' (사진 418)은 보름동안은 물이 맑았다가 나머지 보름은 다시 흐려진다고 한다.

사랑하는 남녀가 신분의 차이로 혼인을 못하게 되자 남자가 우물에 뛰었고, 보름 뒤 여자마저 몸을 던져서 이때부터 물이 흘러넘쳤으며, 이들의 영혼을 위로하는 제사를 지냈더니 처음처럼 되었다고 한다.

사진 418(ⓒ 정연학)

우리나라 최초의 천주교 신부 주문모周文謨(1752~1801)가 근처의 신자 집에 숨어살며 전교할 때, 이 물로 세례를 주었으며 천주교 박해사건으로 많은 신자가 목숨을 잃은 뒤부터 물이 써져서 마시지 못하였다는 설도 있다.

④ 복정福井

종로구 삼청동에 있다(사진 419).

궁궐의 어정이었던 까닭에 보통 때는 군인들이 문을 닫아걸고 지키다가 정월 대보름날에만 열었다고 한다. 이 날 이 물로 지은 밥을 먹으면 한 해 동안 행운이 따른다고 믿은 까닭이다.

사진 419(ⓒ 정연학)

지금도 맑은 물이 넉넉하게 솟으며(사진 420·421), 복수우물이라고도 불렀다.

사진 420(ⓒ 정연학)　　　　　　　　　사진 421(ⓒ 정연학)

⑤ 백호정白虎亭

종로구 옥인동의 백호정은 옛적에 활쏘기를 겨루던 정자로, 인왕산의 다섯 곳 가운데 유래가 가장 깊고 규모도 크다.

이 밑의 샘은 물맛이 좋기로 유명하였으며, 곁에 살던 인왕산 범이 이 물을 마시고 병을 고쳤다는 말도 있다.

사진 422가 '백호정'이라고 음각한 바위이고, 사진 423은 그 아래의 샘이다. 지금은 마시지 못한다.

사진 422(ⓒ 정연학)　　　　　　　　사진 423(ⓒ 정연학)

⑥ 중학천中學川

종로구 중학천은 북악산北岳山(342미터) 남서쪽에서 흘러 청계천으로 들어간다.

사진 424는 1920년대에 내 곁에 있던 길가 우물로, 오른쪽 건물은 경복궁 동남쪽 모퉁이의 동십자각東十字閣이다.

우물 주위에 크고 튼튼한 돌 귀틀을 얹었으며, 바닥에도 낮은 돌로 배수로를 마련하

사진 424(ⓒ 『사진으로 보는 경복궁』)

였다. 왼쪽 여인은 두레박으로 뜬 물을 큰 귀함지에 붓는다.

⑦ 명동明洞

사진 425는 서울 명동 제3지구 도시환경 정비사업부지(중구 을지로 2가 161-1)에서 드러난 일제강점기의 널쪽 우물이다. 동서쪽보다 남북이 조금 긴 ㅍ자꼴이다.

벽은 길이 90×97센티미터이다. 벽마다 널을 여러 장 쌓아올린 뒤 각목(4.5×4.5센티미터)으로 버텨놓았다. 널은 90×17센티미터에, 두께 3센티미터이다. 바닥에서 잉크병 한 개가 나왔다.

사진 426이 널벽 모습이다.

사진 425(ⓒ 오승환)

사진 426(ⓒ 오승환)

⑧ 연신내延臣川

사진 427은 은평구 불광동佛光洞에 있던 것으로 보이는 우물이다.

내 왼쪽에 우물을 파고 함석지붕을 올렸다. 내가 워낙 깨끗해서 가까이 있어도 마실 수 있었다. 우물결으로 어린 아기를 업은 여인이 다가간다.

우물은 빨래 터 구실도 하였다. 1950년대 초까지도 아낙들이 양쪽에 줄지어 앉아서 옷 따위를 빠느라고 법석을 떨었다.

사진 427

내 이름 '연신'은 1623년의 인조반정仁祖反正 때, 이서李曙(1580~1637)의 지원군이 늦게 온 탓에 '지각한 이서' 곧, 신하를 늦게 만난 내라고 부른 데서 왔다는 말이 있다.

⑨ 탑골공원

우리나라에 첫 선을 보인 도시공원으로 1908년에 영국인이 설계하였다. 본디 파고다공원으로 불리다가 1922년에 옛 지명대로 바꾸었다.

조선시대에 마련한 우물은 일제강점기에 버려졌다가 근래 되살렸다(사진 428). 입 지름 1.3미터에 깊이 5.3미터이다.

사진 428

안내판에 '시굴조사 전에는 우물 보호용으로 상부에 장대석으로 추정되는 사각형 틀을 짜서 올렸는데 수리하면서 지금처럼 만들었다'는 대목이 있다. 이 가운데 '사각형 틀'은 우물 전 임이 분명하다. 그렇다면 본디 모습을 살려야 하거늘 '수리하면서 지금처럼 만들었다'니 도대체 무슨 소리인가? '수리'가 아니라 유적 파괴행위를 저지른 것이다.

근래 복원한 서울시립박물관 뒤뜰의 것(☞ 사진 249)이나, 경복궁의 소주방(☞ 사진 232)과 태원전(☞ 사진 235·239) 등지의 우물도 본디 모습이 아니라 다른 곳의 것을 본떴을 가능성이 아주 높다.

2. 충청도

1) 제천

사진 429는 제천시堤川市 수산면水山面 전곡리全谷里의 샘이다.

사진 429   사진 430

사진 430의 향나무 두 그루 가운데 수백 년 묵은 오른쪽 것은 지기를 연상시킨다. 이 나무의 향은 모기 따위를 쫓는 데 특효가 있어서 옛적에는 샘이나 우물곁 어디서나 눈에 띠었다. 지금은 샘을 쓰지 않지만 나무를 사가려는 장사꾼들이 끊이지 않는다고 한다.

사진 431은 같은 면 구곡리九谷里 샘으로 향나무 두 그루가 보인다. 샘 앞에 긴 도랑을 파서 물이 도로 건너로 흐르며(사진 432), 식수는 안쪽에서 뜨고 바깥쪽에서는 채소를 씻거나 빨래를 한다(사진 433).

사진 431   사진 432   사진 433

2) 충주

사진 434는 충주시 엄정면嚴政面 목계리牧溪里의 우물이다. 두레박이나 물동이를 놓기 위해 한쪽에 넓적 돌을 붙여 놓아서 뚜껑샘이라 부른다.

입 지름 90센티미터에 깊이 4미터이며, 물 깊이는 1미터이다. 시멘트 노관路管의 전은 높이 1.3미터이다(사진 435).

사진 434

사진 435

사진 436은 같은 면 용산리龍山里의 것이다. 가을이면 물이 마르는 탓에 2010년, 시멘트 노관 두 개를 16만원에 사 박아서 깊이를 늘렸다. 노관은 두께 10센티미터에 지름 90센티미터이고 높이는 80센티미터이다.

현재의 깊이 10미터에, 물 깊이 3미터이고, 입 지름은 1미터쯤이다. 우물에 나무로 짠 둥근 덮개를 얹고 반쪽만 열거나 닫는다.

청소는 3년에 한 번쯤 여름철에 모터로 물을 퍼낸 뒤, 허리에 줄을 매고 내려가서 가랑잎 따위를 건져내는 것으로 대신한다.

사진 436

이 마을에는 1972년에 집마다 펌프를 설치하였으며, 상수도는 2000년에 들어왔다.

사신 437은 충주시내 곧은골直洞 밖 동쪽 계곡의 샘이다. 샘은 왼쪽 함석지붕 아래에 있으며, 지기에게 소원을 비는 때 외에는 물을 뜨지 않는 까닭에 철판으로 가려놓

사진 437

사진 438

사진 439

사진 440

았다. 사진 438이 샘 안이다.

오른쪽에 지붕을 따로 세웠다. 돌단 위의 제물은 (위 왼쪽에서부터) 부채·소주·
캔디·요구르트 한 묶음·흰 남자 고무신·종이 커피 잔(커피는 말라붙었다)·사탕·해
장국집주인 명함·500원짜리 동전 세 닢 따위이다. 이밖에 크고 작은 돌과 사람의
형상을 나타낸 듯한 기둥 모양의 돌도 보인다(사진 439).

지붕 위로 맨 줄에 오색 천 오래기가 펄럭이며, 샘 안쪽과 왼쪽밖에도 뾰족한 잔돌
들을 촘촘하게 쌓아올렸다(사진 440). 멀리 떨어진 곳에서 치성을 드리러 오는 이들이
오늘날에도 끊이지 않는다고 한다.

3) 옥천

사진 441은 옥천군 옥천읍 교동리校洞里 육영수陸英修(1925~1974) 생가의 우물이다. 전을 반듯하게 다듬은 돌 세 켜를 정井자꼴로 쌓았다. 오른쪽은 부엌이다. 물 뜨는 이의 편의를 위해 눈썹지붕을 붙인 것이 눈길을 끈다.

사진 442는 같은 읍 문정리門井里 춘추민속관春秋民俗館의

사진 441

도르래우물로 어엿한 맞배지붕을 올렸다. 오른쪽이 안채 부엌이다. 네모 우물 전은 동서 1.5미터에 너비 12센티미터, 높이는 60센티미터이며 위에 양쪽열개의 널문을 달았다. 전에서 수면까지는 2.2미터이다(사진 443).

사진 442

사진 443

사진 444는 들보에 달린 도르래로 높이 24센티미터에 너비 17센티미터이다. 이처럼 집 하나에 세 개의 도르래를 설치한 것은 매우 드물지만 한꺼번에 두레박 셋을 쓰지는 못한다. 사진 445는 우물 안 모습이다.

사진 444   사진 445

4) 청주

사진 446은 청주시 문의면文義面 압실마
을 우물이다(1977년). 오른쪽 두 여인은 빨
래에 여념이 없고, 왼쪽에서는 씻은 나물
을 소쿠리에 담는다. 우물 오른쪽 벽 위에
아기를 안고 걸터앉은 여인의 얼굴에는
웃음꽃이 활짝 피었다. 앞에 등을 보이고
앉은 어린이는 엄마가 왜 저렇게 웃는지
궁금한 듯 고개를 치켜들고 쳐다본다. 우
물가 어디서나 눈에 띄던 풍경이다.

사진 446(ⓒ 김가운)

사진 447은 청주시 오창면 어느 마을의
두레우물에서 한 여자 어린이가 손가락을
입에 문 채 울음을 터트린다. 집에 엄마가
없으면 우물에 가서 만나기 마련인데, 이
날은 엄마는 물론이고 아무도 없었기 때
문이다. 대야며, 두레박이며, 물동이며 평
소 그대로임에도 사람들만 보이지 않아
겁이 났던 것이다.

사진 447(ⓒ 김가운)

사진 448도 앞과 같은 곳의 섯밭마을 우물이다(1978년). 시멘트 전이 길이로 갈라져서 위를 철사로 동여매 놓았다. 두레박이나 물동이 따위를 두려고 전 왼쪽에 걸쳐놓은 빨래판처럼 생긴 돌이 보인다.

생철 두레박의 물을 누이가 두 손으로 바쳐 든 동생의 찌그러진 대야에 붓는 모습이 정겹다. 이를 더 가까이 보려는 듯, 왼쪽 담 위의 용마름이 우물 쪽으로 축 늘어졌다.

사진 448(ⓒ 김가윤)

5) 괴산

사진 449는 괴산군 칠성면七星面 태성리太星里 각연사覺淵寺의 감로수甘露水이다. 낮은 단 위에 세운 네모 돌집 주위에 구름무늬를 새겼다. 왼쪽 벽에 표주박을 걸어놓았다.

물은 벽에 붙인 용의 입에서 나온다(사진 450). 염주를 둘러 감은 동자상童子像 앞에 사람들이 동전을 바쳤다(사진 451).

사진 449

사진 450

사진 451

3. 전라도

1) 나주

사진 452는 나주시羅州市 남내동南內洞 박경중朴炅重네 정재(부엌) 앞의 안시암(안샘)이다.

바닥 주위에 돌을 깔고 두 짝으로 짜 맞춘 네모 전을 올려놓았다. 크기는 120×120센티미터이며, 두께 12센티미터에 높이 120센티미터이다(사진 453). 틀 안쪽에 걸쇠를 걸어서 두레박을 걸게 한 것과, 전 가운데 양쪽의 살을 저며서 각을 살려 맵시를 낸 것이 눈에 띈다. 또 전 가에 돌을

사진 452

놓아서 어린이가 물을 뜨게 한 것도 돋보인다. 사진 454의 스테인리스 요강 밑에 놓인 돌이 그것이다. 지금은 두레박 대신 모터로 물을 푸는 까닭에 덮개로 덮었다.

사진 454는 맷돌·확돌·대야·빨래그릇 따위의 살림살이들이다.

걸레 빠는 돌그릇(사진 455)과 대야는 다른 집에 없는 것들이다. 걸레 그릇은 80×58센티미터이며, 가운데 지름 38센티미터에, 깊이 7센티미터이다. 허리를 깊이 굽혀야

사진 453

사진 454

사진 455

사진 456

하는 불편이 따르고 물구멍이 없어서 손이나 바가지로 퍼내야 하는 것이 흠이지만, 걸레 따위를 빠는 데는 안성맞춤이다.

① 박씨 어머니 설명이다.

이것은 걸레 빠는 돌이에요. 빨래하는 빨래 빠는. 이름요? 뭐 그냥 빨래 빠는 데지요. 걸레 빠는 데지 여그서. 그전에는 대우(야)가 귀허니까. 귀허고 그냥한께 인제 돌을 (파서) 인제 만들었죠. 그 사람들이 집 질 때게 갖다가 돌장을 쓰드니 놔줬어요. 참 좋아요 요것이. (바닥에 물 빼는 구멍이 없지만) 그냥 째간한 께, 손으로 이렇게, 이렇게 (물을) 바가치나 손으로 퍼요(김광언 2009 ; 254~261).

돌 대야는 46×46센티미터에, 지름 36센티미터이고, 깊이는 11센티미터이다(사진 456). 앞의 것과 달리 바닥에 물구멍이 있다. 이 또한 손을 씻거나 세수를 할 때 허리를 깊이 굽혀야 하는 것이 단점이다.

② 앞 사람 말이다.

요것은 세숫대야여라, 요것이. 그것이 세수하고는 그 물을 빼면 빠지는 거이, 빼버리면 인자 하고. 원래부터 (빨래 그릇과) 같이 있었어요. 고거 요것이 그냥 여

가 있었죠. 그냥 요놈하고 같이 있었어요.

———

세수 대야 남쪽의 큰 맷돌은 안사랑채에 있던 것이다. 위짝 지름 24센티미터에, 두께 7센티미터이다.

③ 앞 사람 말이다.

———

이것은 맷돌이구만. 맷돌. 이것은 인자 두부도 만들고, 머 콩 거시기도 하고 하는 맷돌인데요. 그것은 안 써 봐서. 이것은 여그 없었어요. 요것이 두부도 만들라믄 콩을 갈아서 내려다가 있지 않아요? 그래서요, 그런 거 갈아서 하는 맷돌.

———

④ 맷돌 남쪽의 확독(56×60센티미터에, 지름 42센티미터, 깊이 17센티미터) 설명이다.

———

요것은 확독이죠. 이거 두 개, 네. 네. 저것은 보리 가는, 고추 가는 확독이고요. 이건 확독. 예. 고추 갈고 거기다 보리쌀 갈고 그런 데에요.
여그는 또 쌀 시친(씻는) 독(돌)이고요. 여그 밑에 동글동글한 놈은 거그다 저 쌀을 거시기를 놓고, 쌀을 시쳐서 물을 요리빼제.

———

사진 457은 박씨 어머니가 고추를 가는 모습이다.
안시암 남쪽의 돌확은 매우 크다. 150×68센티미터이며, 높이 37센티미터에, 안쪽 깊이 28.5센티미터이다(사진 458). 본디 바깥 사랑채에 있었다.

⑤ 앞 사람 말이다.

———

사진 457　　　　　　　　사진 458

그것은 쩌 (바깥)사랑채가(에) 있던 놈이 일로 들어왔어요, 지금. 옛날에 거기다
가 사랑채에가 심은 나무가 높으고, 시원한 물이 아주 실해요. 거그다 놓고 목욕
도 하지만 김칫독을, 여름 김칫독을 거그다가 물을 채(워)서 시원하니 당가두믄,
나무 밑이라 빛이 안 들거든요. 그래서 우리도 거그다가 김칫독 갖다가 여름 김
치 담어 가지고 고추 갈아 담아 가지고, 거그다 갖다 물 채서 담워 논디요.
돌 확독이지요, 돌 확독. 구녕이랑 있어요 여그 막고. 그것이 물 좋은 샘가에 있
었어요. 샘가에 있어 갖고, 거그서 목욕도 하고, 또 그 옆에 또 하나 째깐하게
또 붙어 있어요.

———

이밖에 바깥사랑채 뜰에도 펌프 시암이 있었다.

⑥ 앞 사람 말이다.

———

펌프샘이라고 해요. 그렇죠. 일제 때부터 있었어요. 1930년대(에) 있었죠. 그랬다
가 인자 펌프샘을 별로 안 썼어요, 그 다음에는. (물이) 잘 안 나오니까. 물이
모자란 게 아니라 고장도 나고 하니까요. 있었어요. (바깥)사랑채(에)만 펌프샘이
있어요. 사랑채는 신식으로 만든 디, 그때는 샘이 참 좋았는데. 처음부터 펌프샘
이었어요. 우물도 있고 딸려있는 펌프샘이여요. 우물에 펌프를 박았죠. 그런 다
고 바(보아)야죠. 우물 안에가 펌프가 있다니까요. 우물이 그대로 있고 그 옆에
그렇게 돼 있어요. 그러니까 (고등공민)학교 지으면서 없어졌으니까, 한 70년 후
반에나 없어졌죠. 70 몇 년도. 73~74년도에요. (☞ 57)

———

집안 아낙의 살림 대부분이 우물가에서 이루어지도록 필요한 기구를 두루 갖춘 것
이 돋보인다.

고등공민학교는 박씨 할아버지 준삼準三(1898~1976)이 1960년에 자신의 돈으로 세
운 중학교 과정의 야간학교이다. 1963년에 정부에서 나주한별고등학교로 인가하였으
며, 1980년에 문을 닫을 때까지 2,000여 명이 졸업하였다.

1929년에 광주학생운동을 일으킨 준채準埰(1914~2001)는 동생이며, 그 빌미가 되었
던 여학생 박기옥朴己玉(?~?)은 사촌이다.

2) 보성

보성군寶城郡 득량면 오봉리 강골마을의 소리샘(사진 459의 동그라미)은 서쪽의 이용욱네 집에서 담에 낸 네모 구멍을 통해 샘터 아낙들이 지껄이는 소리를 엿들은 데서 왔다. 이로써 마을 사정과 세상 물정을 알았을뿐더러, 아무개 집 끼니가 떨어졌다고 들리면 양식을 보냈다고 한다. 전라도 특유의 도타운 정서가 느껴진다.

샘 자체도 이씨네 것이었으나 마을을 위해 담을 들여쌓았다. '물 공덕이 가장 크다'는 부처의 가르침을 실천한 외에 어려운 사람을 돕기까지 하였으니 대대로 복을 누렸을 터이다.

사진 460의 왼쪽이 이씨네이고, 샘은 대문 오른쪽 골목 안에 있다.

사진 461의 네모꼴 샘은 깊이 1.5미터이며, 전에서 물까지는 61센티미터이다. 입은 1.97×1.8미터로 정방형에 가깝고, 높이 57센티미터에 너비 25센티미터이다. 지금도 맑은 물이 고인다(사진 462).

사진 459(ⓒ 문화재청)

사진 460

사진 461

사진 462

사진 463

　앞쪽에 허드렛물로 쓰는 작은 샘(사진 461의 앞)을 따로 마련하였다(110×97센티미터에 깊이 1미터). 사진 463이 이씨네 담 구멍으로 크기는 27×32센티미터이며, 우물 전에서 1.4미터 떨어져서 샘가의 소리가 들린다.

　아낙네들은 하루 한두 번 이상 마을우물에서 만나 정을 나누고 화합을 이루며 마을 안팎과 세상의 소식도 나눈다. 따라서 여성의 여론이나 비판도 이곳에서 이루어졌으며 '우물 소문'이라는 말대로 빠르게 퍼져 나갔다. 양반네가 딸이나 며느리는 말할 것도 없고 종까지 우물가에 자주 가는 것을 꺼린 까닭이 이것이다.

3) 해남

　사진 464는 해남군海南郡 북평면北平面 와룡리臥龍里의 짜우락 샘이다. '짜우락'이 무슨 뜻인지 현지에도 아는 이가 없었다. 용의 두 눈에서 솟는다는 뜻의 용루정龍淚井이라는 별명은, 나란히 있는 샘 둘을 용의 눈으로 여긴 데서 왔다. 1800년대 말부터 써

온 샘은 밀물 때 물속에 갈아 앉았다가 썰물이 되면 다시 모습이 드러냈다. 그리고 물이 늘 넘쳐흘러서 바가지로 조금만 퍼내면 곧 깨끗하고 맑은 샘물로 바뀌었고 물맛도 좋았다.

사진 464

버려두었던 샘을 2005년에 되살린 까닭이 있다.

지나가던 한 노인이 '누가 누운 용의 두 눈을 가렸는가?' 중얼거려서 까닭을 물었더니 '바닥에 엎드려 잠시 쉬는 용의 두 눈을 가린 탓에 변고가 일어난다'며 '용이 두 눈을 떠야 마을이 무사하다'고 덧붙였다. 아닌 게 아니라 한 해 사이에 젊은이 일곱이 갑자기 죽은 일이 있었던 터이라 부녀회에서 나서서 되살렸다. 마을이 바닷가에 있는 탓에 지하수에 짠 맛이 돌아서 샘이 필요했던 터이기도 하다.

앞의 큰 샘은 주위에 높이 1.3미터의 돌담을 두르고 샘에도 높이 54센티미터에 너비 45센티미터의 두터운 전을 쌓아서 지금은 바닷물에 잠기지 않는다.

사진 465

사진 466

입 지름 1.2미터에 깊이 1.8미터이며, 전에서 수면까지는 90센티미터이다. 2015년 여름에도 맑은 물이 솟았다(사진 465). 지금은 쓰지 않음에도 맑은 물이 고인다(사진 466).

작은 샘은 입 지름 1.12미터에 깊이 175센티미터이고, 수면까지는 90센티미터이다. 전은 높이 64센티미터에 너비 27센티미터이다.

4) 순천

사진 467은 순천시順天市 낙안면 낙안樂
安읍성의 큰샘이다. 동서 1.2미터에 남북
14미터이고, 깊이는 63센티미터로 이름처
럼 크지는 않지만, 읍성 한가운데 있는 중
요한 샘이라는 뜻이다. 샘 위를 반쯤 가리
는 큰 돌이 거북을 닮은 것은 물이 그치지
않고 솟기를 바라는 뜻이 담겨있다. 남쪽
의 오봉산鰲峰山 이름도 마찬가지이다.

샘에서 긴 도랑을 내고 중간에 큰 웅덩
이를 마련한 것이 돋보인다(사진 468). 이

사진 467

곳에서 채소를 씻거나 빨래도 하는 등 여러 가지로 이용하는 까닭이다. 지름 1미터에

깊이 25센티미터이므로 샘이나 마
찬가지이다.

사진 469는 샘에서 남쪽을 바
라본 것으로, 오른쪽 끝에 대나무
로 짠 빨래 걸이도 마련하였다.

사진 468

사진 469

읍성의 형세가 풍수에서 이르는 행주형行舟形인 까닭에 샘을 깊고 너르게 파지 않
았다는 말이 있다. 곧, 무등산無等山(1,187미터)에서 뻗어 내린 마을 뒤의 금전산金錢山

(682미터)과 동남쪽의 옥산玉山(96미터), 남쪽의 오봉산(592미터)과 서쪽의 백이산伯夷山 (584미터)이 뱃전을 닮았으며, 마을 복판의 큰 버드나무가 돛이고(사진 470), 동북쪽 가 장자리의 거목들이 노라고 한다.

그러나 남문 안쪽에 마련한 큰 우물을 보면 꾸며낸 말이 분명하다(사진 471).

사진 470

사진 471

5) 강진

사진 472는 강진군康津郡 강진읍 동성 리東城里 사의재四宜齋의 샘이다. 정약용丁 若鏞(1762~1836)이 1801년부터 4년 동안 귀 양살이하며 지낸 곳으로, 오갈 데 없는 그 의 딱한 사정을 안 동문 밖 밥집東門賣飯家 의 술어미가 웃방을 내주었다고 한다.

'사의재'는 '생각·용모·말·행동을 올바로 하는 집'이라는 뜻이다. 그는 이곳 에서 이상적 국가를 세우려는 불후의 명 작 『경세유표經世遺表』를 지었다.

사진 472

사진 473

사진 474

지금의 집과 샘은 강진군에서 2007년에 다시 세웠지만 현판은 그의 글씨이다(사진 473).

샘 주위에 막돌로 낮은 전을 두르고(높이 25센티미터에 너비 36센티미터), 나무 덮개를 마련해서 반쪽을 열거나 닫는다. 물이 차면 아래쪽에 낸 구멍으로 흘러내린다(사진 474). 입 지름 1.57미터에 깊이 67센티미터이며, 전에서 물까지는 35센티미터이다.

사진 475에 샘과 도랑 사이에 마련한 웅덩이가 보인다. 사람의 오른쪽 발바닥처럼 생긴 이곳은 쌀이나 채소 따위를 씻기 알맞다(사진 476).

사진 475

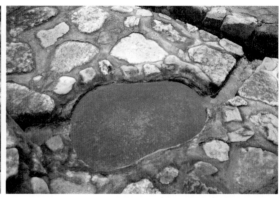

사진 476

사진 477

사진 477은 강진읍 남성리의 두레샘으로 '탑골샘'이라는 현판을 달았다. 지붕을 짚으로 덮은 것도 그렇거니와, 맨 위 가운데를 상투처럼 모아 묶은 것이 눈을 끈다. 이는 1960년대 초까지 전라남도 동남지역에 퍼져 있던 독특한 양식이었다.

우물 깊이 1.5미터이며 전에서 수면까지는 1.2미터이다. 막돌로 쌓은 네모 전은 2.3×2.4미터에, 높이 90센티미터이다.

6) 신안

사진 478의 샘은 신안군新安郡 흑산면 사리沙里 언덕배기에 있다. 정약용의 형 정약전丁若銓(1758~1816)이 1801년에 귀양을 살며 우리나라 최초의 물고기 백과사전인 『자산어보玆山魚譜』를 지었다.

흑산이라는 이름에 겁을 먹은 그는 집으로 보내는 편지에 흑산을 자산으로 고쳐 썼다. '자玆자는 흑黑자와 같다'고 한 것이 그것이라고 한다. 그러나 동생

사진 478

이「선중씨 묘지명先仲氏墓誌銘」에 '상스러운 어부들이나 천한 이들과 가까이 지내며 교만을 떨지 않은 덕분에 사람들이 다투어 자기 집에 머물러 주기를 바랐다'고 하였을 정도로 환대를 받았다. 어린이들의 훌륭한 선생님이었기 때문이다. 이밖에 그들은 1816년 6월, 그가 흑산도 앞 우이도牛耳島에서 숨을 거두자 장례를 정성껏 치러주었다.

사진 479는 형에게 써준 정약용의 서당 현판이고, 사진 480은 우물이다. 사진 478의 왼쪽 위로 서당 지붕이 보인다. 지금도 물이 넉넉하게 솟는다.

사진 479

사진 480

사진 481은 도초면都草面 죽련리竹連里의 마을 샘으로 해태우물海苔井이라 부른다. 고광민은 '일제강점기에 조합을 결성해서 해태를 양식하였고, 그 조합기금으로 샘을

단장하였던 모양이라'고 적었다
(2013 ; 48). 그의 말대로 돌기둥과
판석에 '도초면 죽련리 해태조합
정호都草面竹連里海苔組合井戶'라고
새긴 글이 보인다('정호井戶'는 우물
의 일본말이다). 따라서 이 샘은 사
람을 위한 것이 아니라 바다에서
건져 올린 김 따위의 해조류를
씻으려고 마련한 것이다.

사진 481

가장 먼저 눈에 들어오는 것이 네모 전이다. 모퉁이마다 같은 꼴로 다듬은 돌기둥
을 세우고 가운데를 짧은 받침돌로 받쳤으며, 위에 장대석을 걸어서 난간으로 삼았
다. 그리고 받침과 기둥 사이에 벽 삼아 판석을 끼웠다. 네 귀의 돌 위를 몸보다 조금
너르게 다듬은 것도 특징의 하나이다. 이곳에 두레박을 비롯한 기구를 올려놓거나,
기둥과 기둥 사이에 널을 걸고 해조류를 말리기도 하였을 터이다.

사진 482는 앞과 같은 섬
의 발매리 것으로, 논에 있다
고 하여 논샘이라고 불렀다
(고광민 2013 ; 50). 이것도 식수
용이 아니라 해조류 세척을
위해 마련하였을 터이다. 논
바닥에 마련한 까닭을 알만
하다.

사진 482

논 한쪽에 막돌로 2단 축대를 낮게 쌓고 전을 둘렀다. 형식은 앞에 것과 같지만,
네 귀에 세운 기둥 위가 훨씬 넓다.

사진 483은 신의면新衣面 남쪽의 고평사리高平沙里 샘이다. 네 귀에 여덟모로 다듬
은 기둥을 박고 사이사이에 얇은 판석을 끼운 것은 앞의 것들과 같다. 왼쪽 기둥에
올려놓은 두레박이 보인다. 사진 484는 옆모습이다. 지금의 70~80대 노인들이 어린
적에 팠다고 한 것으로 미루어, 도초도처럼 일제강점기에 김을 비롯한 해조류 처리를
위해 마련하였을 터이다.

사진 483(ⓒ 신안문화원)　　　　　　　　사진 484(ⓒ 신안문화원)

같은 형태의 것이 도초면에 딸린 우이도牛耳島 돈목마을에도 있다(사진 485).

사진 485(ⓒ 전경애)

사진 486은 자은면慈恩面 구영리舊營里의 것이다.

네모기둥 사이사이에 가로 끼웠던 판석은 위쪽에만 남았으며, 앞 기둥 양쪽에 자리가 보인다.

사진 487의 기둥은 높이 60센티미터이며, 가로와 세로의 길이는 2.4×2.53미터이다(최성환).

마을 이장(이홍도 71세)은 어린 적에 일본사람들이 마련하였다는 말을 들었으나 김 따위의 해조류와는 연관이 없다면서, 마을에서 해안까지 4킬로미터 떨어진 점을 이유로 들었다. 그러나 일본사람들이 많은 경비를 들여가며 동민을 위해 샘을 팠다고는 꿈도 꾸기 어렵다. 샘이 이것 하나 뿐이 아니었거니와, 같은 유형의 우물이 일본에 보이지 않는 것을 생각하면 분명히 다른 목적이 있었을 터이다. 그것은 단 하나, 바로 수산물 생산이 아닐까? 해조류는 겨울에 생산되므로 지게나 손수레로 나를 수 있다. 워낙 오래 전 일이라 기억에서 사라졌을지도 모른다.

앞의 것처럼 지금도 물이 고이지만 허드렛물로 쓸 뿐이다.

사진 486(ⓒ 신안문화원)   사진 487(ⓒ 신안문화원)

닮은 유형은 완도군 청산도 부흥리에도 있다(사진 488). 북쪽의 것은 네 귀에 기둥을 박고 판석이 아닌 시멘트 전을 둘렀다. 샘 바닥과 벽도 네모이다. 물이 차면 흘러나가도록 한쪽 전 가운데에 가로로 구멍을 뚫었다. 그리고 동북쪽 기둥 바깥쪽에 같은 크기의 기둥을 덧 박아서 두레박 따위를 올려놓기도 한다.

왼쪽 낮은 벽 안쪽의 것은 빨래용이다.

이 마을에서도 샘과 해조류 생산과는 연관이 없다고 하므로, 다른 곳의 샘을 본떴을 가능성이 있다.

사진 489는 광주민속박물관 뜰에 옮겨 놓은 전이다. 조금 작을 뿐 형태는 앞의 것들을 빼닮았다. 오른쪽 기둥은 높이 87센티미터에 너비 21센티미터이며, 위의 넓이는 27×27센티미터이다. 우물 입은 78×108센티미터로 기름하며, 기둥 사이에 박

사진 488(ⓒ 김경옥)

사진 489

사진 490

사진 491

은 판석 높이는 64센티미터
이다.

사진 490도 같은 곳의 것
으로, 뒤의 기둥 두 개의 중
상부를 깃봉처럼 둥글게 다
듬어서 맵시를 살렸다(높이
1.2미터).

앞의 네모기둥은 높이 89
센티미터에 너비 21센티미
터이며 꼭대기는 21×19센
티미터이다. 입은 동서 58센티미
터에 남북 66센티미터로 조금 기
름하며 판석은 높이 52센티미터
이다. 사진 491은 오른쪽 뒤의 기
둥이다.

사진 492는 온양민속박물관에
있다. 전은 앞의 것들을 닮았지만
물을 뜨기 편하도록 한쪽 높이를
낮추었다.

두 박물관의 것이 어디 것인지

사진 492

알 수 없지만, 신안군에서 나왔을 터이다. 신안군의 수산업, 그 중에도 해조류 양식이
빚은 독특한 우물문화라고 하겠다.

7) 진도

사진 493은 진도군珍島郡 군내면 용장리 용장산성龍藏山城 궁터이며 샘은 오른쪽 아
래에 있다(사진 494).

사진 493(ⓒ 목포대학교 박물관)   사진 494

『동국여지승람』 기사이다.

지금의 치소治所 동쪽 25리에 있다. 돌로 쌓았으며 둘레 38,741자(1.2킬로미터쯤)에 높이 다섯 자(1.6미터)이다. 고려 원종元宗(1259~1274) 때, 삼별초三別抄가 모반하여 강화부에서 이곳으로 들어와 궁궐을 크게 지었으나 김방경金方慶(1212~1300)이 토벌하였다(권제37 진도군 「고적」).

'모반'은 장군 배중손裵仲孫(?~1217)이 이끈 삼별초군이 항복하라는 정부의 지시를 따르지 않은 것을 가리킨다. 그들은 원종의 육촌인 온溫(?~?)을 임금으로 받들고, 2년쯤 몽골군 및 정부군에 맞섰다.

삼별초는 본디 1219년에 최충헌崔忠獻의 뒤를 이은 최우崔瑀(1166~1249)가 정치적 권력을 오래 누리려고 조직한 특수수대인 야별초夜別抄가 바탕이다. 수가 늘어나자 좌별초左別抄・우별초右別抄로 나누었으며, 몽골군에 잡혔다가 달아나온 군사들은 신의군神義軍이라고 불렀다.

궁터 앞 샘은 입 지름 80센티미터에 깊이 90센티미터이며, 물 깊이는 40센티미터이다(사진 494). 지금도 맑은 물이 솟아서 아랫마을에서 이용한다. 우물 뒤가 석벽(높이 1.14미터)이다.

성안에도 어정御井이 있었다고 한다.

사진 495는 임회면 남동리 바닷가의 남도석성南桃石城 샘이다.

왜구를 막으려고 성을 쌓았으나, 앞에서 든
배중손이 이곳에서도 몽골군과 항전을 벌였
다. 둘레 526미터에 높이 5.3m쯤이며 너비는
2.5~3미터이다. 동·서·남 세 곳을 터서 문
으로 삼았으며 지금도 성 안의 주민들이 드나
드는 외에, 관아도 복원하였다.

사진 495

샘은 안에 둘, 밖에 하나가 있다.

사진 496의 왼쪽 아래가 안
샘이며, 오른쪽으로 관아 지붕
이 보인다.

사진 497의 샘은 입 지름 70
센티미터에 깊이 5.2미터이며,
물 깊이는 4.1미터나 된다. 관아
에서 쓰려고 크고 깊게 팠을 터
이다. 시멘트로 쌓은 네모 전은
본디 것이 아니다.

사진 496

사진 498은 성안의 다른 샘으로 입 지름 80센티미터에 깊이 5미터이다.

사진 497

사진 498

사진 499는 남문 앞의 것이다. 지금(2017년 11월)은 물이 줄어서 벽 중간에 반쯤 덮
은 돌 아래에 호스를 박았지만, 물이 넉넉한 때는 바가지로 뜰 수 있다(사진 500). 입

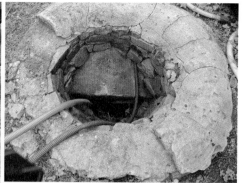

사진 499

사진 501

사진 500

지름 1.06미터에 깊이 4.1미터이며, 물 깊이는 3.2미터이다.

사진 501은 임회면 삼막리三幕里의 샘이다. 170×180센티미터에 깊이 84 센티미터이며, 전에서 수면까지는 37 센티미터이다.

샘 바로 위의 수백 년 묵은 후박나 무는 여름에 그림자로 샘을 뒤덮는다. 지금의 나무는 원 나무 가지에서 싹이 터 자란 것으로, 군내에서 두 번째로 오래되었다고 한다.

한눈에 보아도 신령스러운 기운이 넘친다. 샘 바로 곁에 살던 대금산조 창시자 박종기朴種基(1879~1941)는 대금 에 이 나무의 기운을 불어넣은 뒤에 불 었다는 말도 있다. 또 진양 하씨 문중 에서 봄가을 제사를 올릴 때도 이 물을 바쳤다.

진도 샘의 가장 큰 특징의 하나는 전이 없는 점이다.

8) 무안

사진 502는 무안군務安郡 삼향면三鄕面 유교리柳橋里 나상렬羅相悅네 도르래 샘이다. 오른쪽 안채 부엌 옆으로 절구가 보인다. 1920년대에 지은 부농의 집 답게 시멘트로 만든 도르래 틀도 높고 우람하다.

도르래 기둥은 높이 2.64미터에 너비 23센티미터에 이르며 기둥과 기둥 사이는 1.21미터이다. 네모꼴 전은 높이 72센티미터에 너비 13센티미터이고, 한 변 길이는 1.19미터이다(사진 503). 이러한 규모는 전국을 통틀어 으뜸이다.

우물도 깊이 5미터를 넘는다(사진 504).

사진 505는 도르래이다. 들보 사이에 박은 쇠고리(길이 40센티미터)에 굵은 철사를 감고 그 끝에 걸었다(지름 30센티미터).

바닥에 사방 4.5미터의 단을 쌓고 주위에 빨랫돌과 물확 따위를 마련하였다. 지붕을 올리지 않은 것은 도르래 틀이 높고 바닥 주위가 지나치다고 할 만큼 너른 탓이다.

사진 502

사진 503

사진 504

사진 505

9) 담양

사진 506은 담양군潭陽郡 남면 지곡리芝谷里 소쇄원瀟灑園 북문에 해당하는 오곡문五曲門 밖에 있다(지금은 담을 터놓았을 뿐, 문은 없다). 막돌로 쌓은 전은 매우 낮으며 계곡 옆이라 전 바닥 일부가 무너졌다(사진 507).

| 사진 506 | 사진 507 |

이곳은 양산보梁山甫(1503~1557)가 마련한 정원으로, 1597년의 정유재란丁酉再亂 때 불을 만났으나 뒤에 다시 지었다. '소쇄'는 제나라 공덕장孔德藏(447~510)이 지은『북산이문北山移文』에서 온 말로 '깨끗하고 시원하다'는 뜻이다. 송순宋純(1493~1582)·김인후金麟厚(1510~1560)·고경명高敬命(1533~1592)·정철鄭澈(1536~1593) 등 당대의 문인들이 자주 드나든 것으로도 유명하다.

10) 구례

사진 508은 구례군求禮郡 토지면土旨面 오미리五美里 운조루雲鳥樓에 있다. 왼쪽이 안채 부엌이고, 오른쪽이 우물이다. 입 지름 75센티미터에 깊이는 5미터가 넘으며, 전 높이는 70센티미터이다.

사진 509의 정井자쌀 놓은 본디 없던 것을 문화재수리업자들이 돈을 긁어내리려고 올려놓은 것이다. 실제로 물을 푸려면 여간 불편하지 않다. 크기는 두께 30센티미터

사진 508   사진 509

에 가로 1.22미터 세로 1.52미터에 이른다.

안주인에게 물었더니 '군청에서 하는 일이라 그대로 두었다'는 대답이었다. 관련 기관에서 업자에게 속았다면 눈뜬장님 노릇을 한 것이고, 알았다면 다른 꿍꿍이가 있었을 터이다.

경주시 남간사 우물에서도 같은 속임수를 썼다. (☞ 149)

4. 경상도

1) 경주慶州

(☞ 154~159)

2) 고령

사진 510

사진 510은 고령군高靈郡 고령읍 연조리延詔里 고령초등학교 운동장의 샘이다. 대가야大伽倻

(42~562)시대의 왕들이 마셨다고 하여 왕정王井으로도 불린다. 1977년의 발굴조사 때, 부근에서 가야시대의 항아리들이 나왔다.

『동국여지승람』에 '현 남쪽 일리一里에 있는 대가야국 궁궐터 옆의 석정石井을 어정御井이라 부른다'는 기사가 보인다(권29 고령현 「고적」).

우물 벽을 네모로 쌓았으며(1×1미터), 깊이는 50센티미터이다(사진 511). 2000년에 동쪽을 제외한 세 방향에 돌담을 쌓고 판석을 덮는 외에 지붕도 마련하였다.

사진 511

3) 성주

사진 512의 우물은 성주군星州郡 성주읍 경산京山 3리에 있다.

사진 512(ⓒ 박재관)

이에 대한 『성주군지』 기사이다.

군창郡倉 서쪽 사창司倉마을의 성산재星山齋는 고려 개국공신이자 성산이씨 시조인 이능일李能一(?~?)의 집터였으나 뒤에 절을 세웠다고 한다. 조선시대에 절이 없어지면서 사창이 들어섰지만 이마저 자취를 감추고 이공이 썼다는 우물도 무너졌다.

1680년, 목사 신학申學(?~?)의 꿈에 나타난 신인神人이 '내가 쓰던 우물을 되살리라'고 이름에 따라 우물을 다시 정비하고 동서 다섯 칸에 남북 두 칸인 삼오당三五堂과 부속 건물을 지으면서 우물 이름을 이공신정李公神井이라고 붙였다.

이 삼오당이 지금의 성산재이다(1996 ; 678~679).

사진 513이 우물이고, 사진 514는 옆에 세운 비이다. 사공정司空井의 '사공'은 고려 때 삼공三公의 하나인 정1품 자리로, 공조판서工曹判書를 이렇게도 불렀다.

사진 513(ⓒ 박재관)

사진 514(ⓒ 박재관)

주인공이 실제로 벼슬을 살았는지 확인하기 어렵지만, 조상이 쓰던 우물을 되살린 아주 드문 보기이다.

4) 봉화

봉화군奉化郡 봉화읍 석평리石坪里 선돌 마을에서는 수백 미터 떨어진 당재의 샘물을 길어 먹었다. 권헌조權憲祖(1928~2010)의 말이다.

물은 샘이 깊으도 안 하고요. 요만한 게 얼마 안 됩니다. 가짓근(기껏) 깊어 봐야 물 한 너덧 말 정도 깊었는데. 이 동리가 다 갖다 퍼다 먹어도, 그 물이 따린(떨어진) 법은 없었어요. 너비도 얼매 안 돼요. 요 돌 틈에서 나온 물이. 네 사람이 앉아서 퍼 담죠.

여갠(여기는) 물은 파도 안 나요, 물이 요 앞에 샘이. 이 동네도 지금 울(우리) 논가에 있고, 저짝 모퉁이에도 있고, 저 건네 여 안에 우물이 세 개가 논 가운데 있었는데, 다 다섯 질(길) 이상인데요. 겨울기고 여름이고 되게 가물면, 물이 떨어져요, 떨어지고. 가끔 딴 데 파 봐야 물이 안 났어요. 안 나서, 못 팠는데. 여 저 수도 박은 데 뭐 기계가 와서 뚤브이(뚫으니까), 암 데(아무데나) 뚤브이 다 물이 나요. 아, 깊이 뚤브이.

애 많이 썼죠, 사방 파야 안 나요. 지주결망蜘蛛結網이라 안 판 게 아니구요. 물 수맥水脈이란 게 알 수 없어요. 요쯤 파서 안 나는데, 요게 이 발로 밟아서 두어 번 나가 파면, 똑 물 난(나는) 데가 있어요. 수맥이란 알 수 없어요(김광언·김홍식 2008 ; 170~173).

_____

그의 집松石軒에도 우물이 없어서 정주(부엌) 왼쪽에 묻은 물두멍이 구실을 대신하였다. 날마다 아침 일찍, 종이나 일꾼 둘이 수백 미터 떨어진 당재 너머 마을 샘에서 다섯 지게씩 길어다가 부으면 온 식구가 세수를 하였다. 손님이 하도 많아서, 하루 일고여덟 지게로도 빠듯하였다. 이밖에 안방에도 두멍을 놓고 추울 때 썼으며, 물 소비가 많은 여름철에는 뜨락에도 물두멍을 두었다. 정주의 물두멍은 겨울에 얼지 않도록 반쯤 땅에 묻었고, 어깨 부위도 솔가지를 두텁게 감았다. 수십 년 전, 정주 옆에 작두식 펌프를 시설하였다가 자동 펌프로 바꾸었다.

안채 오른쪽에 뒤안 샘이 있어서 큰 도움이 되었다. 산에서 내려오는 물이 솟아오른 덕분에 허드레 물로 이용한 것이다. 그러나 겨울철에는 얼어붙었으며, 안상방 마루 밑으로 드나들어야 하는 것도 큰 불편이었다.

'지주결망'은 '거미가 친 그물'이라는 뜻으로, 풍수에서는 이러한 터에 땅을 파면 그물이 찢어져서 재물이 쌓이지 않는다고 이른다.

사진 515는 논가에 마련한 충청북도 문의면의 샘으로, 아낙이 빨래를 한다.

사진 515(ⓒ 김가운)

5) 대구

대구광역시 동구 둔산동 옻골에서는 20세기 초까지 도랑물을 먹었다.

이 마을 최완식崔完植(1939~?)**의 말이다.**

———

옛날에는 우물보다도 여 동민들이 동쪽 고랑 서쪽 고랑물을 갖다가 길러(어) 가지고 많이 썼기 때문에. 동쪽 고랑 서쪽 고랑 그래 가지고, 그 고랑물을요. 누가 어디 꺼 먹는다 카는 정해진 건 없십니다. 동쪽에 치우쳐 사는 사람은 동쪽 고랑물, 서쪽에 치우쳐 가까운 사람은 서쪽 고랑물요. 그때는 뭐 환경오염도 없고 하니까. 고랑물 많이 썼는데. 고게 마 1900년도까지는, 1800년도까지는 마 그렇고, 한일합병 이후부터 1910년 이후에, 그, 동네 사람들이 각자 수입이 괜찮을 때, 자기가 자기 우물을 갖다가 만들었는데, 그 이후에 만든 우물이 한 여섯 개, 예, 여섯 개쯤 됐습니다. (…)

1900년도에 들어와서는 이게, 식구가 점점 붓(늘)고, 동네 사람들도 점점 붓고 하니까. 고랑물을 먹으면은 전염병에 걸릴 수 있다. 일제日帝 들어(오)니까. 계몽을 했기 때문에, 고랑물을 안 먹기 위해서 괜찮은 사람은 자기 집에서 우물을 단독으로 먹었다. 이렇게 보시면 됩니다(김광언 2008 ; 45).

———

마을(2008년에 22호)은 팔공산八公山(1,193미터) 자락으로 이루어진 좁은 골짜기에 들어서 있으며, 동으로 황사골·흰도골·검도골·산다골 따위가, 서쪽으로는 새갓·못안골 실거듬 따위의 낮은 능선이 이어 내린다. 따라서 검도골(372미터)이, 실거듬(169미터)보다 높은 탓에 동쪽 개울은 물이 끊이지 않고 흐르지만(사진 516), 서쪽은 마르는 때가 많다.

사진 516

6) 영주

영주시榮州市 문수면 수도리水道里의 사정도 마찬가지였다.

이 마을 박종우(1931~?)의 말이다.

우물을 사실 우리 동네에서는 사실은 우물은 안 팠습니다. 안 파고, 여 인제 강변의 오씨(요즈음)는 오염돼 그러지. 강변에서 샘을 파 가주고, 연화부수형蓮花浮水形이기 때무레 그런 거죠. 그래서 인제 뺌뿌를 박는 사람이 더러 있었는데
"별로 좋지 않는 증세가 나타난다. 뺌뿌 박으마."
그래서 안 박았습니다. 사실은. 박은 집이 한 두 집뿐이고, 나머진 전부 강에서 물을 길러다 먹었습니다. 지금은 오염이 돼 그러지 그 당시에는, 우리가 겨울 되면은 여 이쯤 와서 아주 깊이 팝니다. 요 가까이에서 팠고, 모래밭에다요. 여름에는 깊이 파도 물이 많이 져 삐리마 묻혀 부지 않아요? 그래서 물가에서 어느 정도 떨어져서 샘을 파 가주고, 물을 여다 먹었습니다. 여다 묵고, 여 인제 겨울 되마, 물이 안 지니까, 여 가까이에 우물을 팠습니다. 모도 이 동네서 여럿이 해 가주고, 여도 파고 저 웃마을에도 파고, 저 아랫마을도 파고, 이래 파 가주고 물을 길러다 먹었습니다. 여기에 많이 팔 때는 저 우에 하나 하고, 모도 한 세 개죠, 세 개 정도 팠습니다. 그 당시엔 아마 한 150(명) 정도에요. 마지막 팠는 거는 그게 한 15년, 70년대까지요. 해마다 겨울에만 팠어요.
여름에는 도내기라는 게 있습니다. 도내기라 그러는데 우리말로. 여기서 돌아나 가서 쌓이는 찬물을 도내기라 그래요. 그 찬물을 쪼그맣게 우물을 만들어서 그걸 냉수로, 식수로 사용했어요. 여름에는 (물이) 많죠. 가까이서. 겨울에는 도내기보다 안쪽에 와서 팠죠. 겨울에는 물이 안 쓸어가니까. 여 동네 가까이요, 깊이가 한 5메다(미터) 넘죠. 소 가주고, 막 끌어 가주고, 사람도 같이 두레를 하죠. '두레 묻는다' 꼬요. 해마다 파죠. 여름 되마 또 묻혀 뿌니까요(김광언 2009 ; 199~200).

마을이 풍수에서 이르는 '물에 뜬 연꽃형蓮花浮水形'인 까닭에 우물을 파면 해롭다고 여긴 나머지 우물을 파지 않고 강물을 먹었다는 말이다. 도내기는 마을을 휘돌아 흐르

사진 517(ⓒ 김홍식)

는 낙동강 한쪽에 해마다 낮은 담을 두르고 그 안에 고이는 물을 떠먹은 시설이다.

마을 이름 '수도리水道里'도 '강(낙동강 상류)이 마을을 감돌아 흐른다'는 뜻으로, 일제강점기(1914년)에 한자로 표기하면서 바뀌었다(사진 517).

이처럼 냇물을 바로 길어먹은 것은 낙동강의 지류이자 마을 앞으로 흐르는 내성천乃城川(길이 106.29킬로미터)의 잔모래(지름 1밀리미터 미만)가 정수작용을 해 준 덕분이다. 물이 모래에 잠겼다가 솟는 과정을 거치면서 깨끗한 물로 바뀐 것이다.

뒤에 설명하는 하회河回마을도 마찬가지이다.

7) 안동

(1) 하회마을

안동시安東市 풍천면 하회河回마을의 본디 이름은 '물돌이 동'으로 '강(낙동강)이 휘돌아 나가는 마을'이라는 뜻이다(사진 518). 이곳에서도 '배가 떠가는 형行舟形'이라는 풍수이론에 따라 우물 파기를 꺼리고 돌담도 치지 않았다. 땅을 파면 배에 구멍이 뚫어지고 짐이 많으면 배가 뒤집히기 쉬운 까닭이다. 이에 따라 삼신당의 느티나무를 돛대(사진 519), 강가의 만송정晚松亭을 닻으로 삼았다. (이밖에 연화부수형蓮花浮水形,

사진 518(ⓒ 문화재청)　　　　　　　　　　　　　　　　　　　　사진 519

곧 '물 위에 뜬 연꽃형'이라는 설도 있다.) 이 때문에 일본인들이 형국을 파괴하려고
주재소와 풍남면 면사무소, 그리고 풍남초등학교 등 다섯 곳에 우물을 팠다는 말까
지 돌았다. 그러나 이 시기에 수가 늘어난 것이 사실이지만, 우물을 파는 기술이 좋
아진 덕분일 터이다.

　따라서 이전에는 모두 강물을 이용하였다. 상류층에서는 배를 타고 가운데로 가서
두레박으로 바닥의 물을 펐고 이를 중수重水라고 불렀다는 말도 있지만, 마을의 유왕
근님은 자신은 듣거나 본 적이 없다고 하였다.

　지금과 달리 일제강점기에는 마을에 면사무소 따위의 기관이 있었으며, 소금배가
낙동강을 거슬러 올라 왔고 닷새장이 섰던 큰 고을이었다. 1970년대 초의 주민은
1,000여 명에 호수는 200여 호였다. 이 무렵에는 마을 서북쪽 강가에 위치한 40~50여
호에서 강물을 길었다. 마을 두레우물로 가기보다 가까웠기 때문이다. 장마철에 물이
불어나서 흐려졌을 때는 모래톱을 조금 파면 물이 솟았고 바가지로 조금 퍼내면 곧
맑아졌다.

　본디 우물 여덟 개가 있었으나 풍남초등학교와 주재소 자리에 있던 것은 메웠으며,
충효당忠孝堂의 안채의 것은 1970년대 초에 자동펌프로 바꾸었다. (☞ 56~57)

사진 520은 옛 면사무소가 있던 유진네 것으로 1987년에 정#자꼴 돌전을 새로 쌓았다. 깊이는 5미터가 넘으며, 전은 1.1×1.03미터에 높이 1미터이다(사진 521).

사진 520

사진 521

사진 522는 유한걸네 우물이다. 입 지름 93센티미터이며 전에서 물까지는 2.2미터이다. 시멘트 노관路管으로 대신한 전은 높이 89센티미터에 너비 7센티미터이다.

본디 마을 공동우물이어서 반달꼴 담 밖에 있었으나, 집 주인이 담을 길쪽으로 내어 쌓는 바람에 담 사이에 끼어버렸다. 물을 뜨려고 대문으로 드나들기가 불편했던 탓인가?

사진 523은 유동진네 개인 우물이다. 입 지름 62센티미터에 깊이 2미터이다.

사진 524는 유시억네 가게에 있는 까닭에 도가우물이라 부른다. 본디 밭가 호두나무 밑에 있던 두레우물이었으나, 1950년대 후반에 가건물을 지으면서 땅 주인이 차지하였다.

사진 525의 도르래우물은 1960년대에 생겼다. 입 지름 1미터에 전 높이 1미터이다. 근래에 파이프를 박고 물을 모터로 끌어올린다.

사진 526은 들보에 걸린 도르래이고, 사진 527은 우물 안 모습이다. 풍남초등학교에도 같은 우물이 있었다.

사진 522

사진 523

사진 524

한때 면소재지이기도 하였던 이 마을 우물의 수가 적고 규모도 작은 것은 앞에서 든 대로, 낙동강 물을 이용하였기 때문이다.

사진 526

사진 525

사진 527

(2) 법흥동 고성이씨 탑동파 종택

이 집은 풍수에서 이르는 용用자 형국을 이룬 덕분에 재물을 아무리 써도 마르기는 커녕 더 불어난다고 일컬어 왔다.

또 '영실靈室'·'도적의 눈을 빼는 문'·'불사의 방'처럼 신비한 이름을 지닌 공간이 많지만 그 중 안채 동녘의 '우물 방'도 빼놓을 수 없다. 이를 영천靈泉이라고도 한다.

① 『안동의 비보풍수 이야기』 기사이다.

이씨 집에서 이 방을 우물방이라 한다. 방 바로 앞에 우물이 있는 까닭이다. 이 우물의 정기를 받아서 비범한 인물이 나온다는 것이다. 풍수적 관점에서 보자면 이 우물은 혈구穴口이다. 영남산嶺南山의 지맥으로 형성된 뒷산에서 내려온 지기地氣가 이 혈구 앞에 맺혀 있기 때문이다. 지기가 혈구를 지나칠 수 없으므로 혈구 앞에는 지기가 뭉쳐 있다는 것이다. 그러므로 산세의 신령한 기운이 어려 있는 터는 거의 그 앞에 우물이나 작은 연못과 같은 혈구가 배치되어 있게 마련이다(임재해 2004 ; 59).

앞의 말대로 이 집에서 큰 인물이 줄줄이 태어났다. 약봉藥峯 서성徐渻(1558~1631), 매산梅山 유후조柳厚祚(1798~1876), 석주石州 이상룡李相龍(1858~1932)을 포함한 아홉 명의 독립 유공자가 그들이다.

서성은 임진왜란 때 선조를 등에 업고 피난 갔고, 좌의정 유후조는 대원군 시절 폐정개혁의 선봉에 섰다. 이들이 모두 외손인 점도 특징이다. 출가했던 딸들이 친정의 동녘방에서 낳은 까닭이다. 유심춘柳尋春(1672~1834)도 상주시 낙동면으로 시집갔던 어머니가 친정의 반대를 무릅쓰고 이 방에서 낳은 덕분에 영의정이 되었다고 한다. 그러나 며느리들이 이방에서 낳은 인물 중에는 정승 감이 나오지 않았다.

② 『조용헌의 사주명리 이야기』 기사이다.

방 앞의 영천靈泉이 응진수應眞水이다. 이것은 지기地氣가 뭉쳐 있는 곳에서 솟아서 용의 기세를 타고 뿜어 나오므로, 물을 마시면 부귀를 누린다. 따라서 이 집에

서 태어나고 자란 여성이라야, 물의 정기를 받아 위대한 인물을 낳을 수 있다. 따라서 외손이라야 가능하다(조용헌 2002 ; ?).

───────

신령스러운 물을 마셔야 큰 인물을 낳는다는 말은 거짓이 아니다.

근래의 인물로는 의병운동가 이상동李相東(1865~1951), 만주 신흥무관학교장新興武官學校長 이봉희李鳳義(1868~1937), 만주 서로군정서西路軍政署의 이승화李承和(1876~1927), 만주 유하현柳河縣 경학사耕學社에서 활동하다 자결한 이준형李濬衡(1875~1942), 신흥무관학교 군관양성을 위한 자금 모으기에 힘쓰면서 비밀결사 신흥사新興社에서 활약한 이형국李衡國(1883~1931), 서로군정서 특파원 이운형李運衡(1892~1972), 재만 한족노동당 중앙집행위원 이광민李光民(1895~1946), 압록강 연안의 일본 경찰주재소와 세관을 공격한 이병화李炳華(1906~1952) 등이 있다. 이들 일가는 모든 재산을 독립운동에 털어 넣은 것으로도 유명하다.

이 집의 건축은 중종 때의 형조좌랑 이명李洺(1496~1572)이 안동시 남문 밖의 살림집

사진 528

을 오가며 군자정君子亭을 세운 것이 실마리였다. 1694년의 큰물로 남문 일대가 물에 잠기자, 1685년에 안채를 짓고 옮아왔으며 나머지는 그 뒤에 지었다. 오늘날에는 흔히 이명의 호를 따라 임청각臨靑閣이라 부른다.

사진 528의 뒤가 우물방이고, 앞에 우물이 있다. 입 지름 95센티미터에, 깊이 2.4미터이다. 전은 높이 60센티미터에 너비 35센티미터로 너른 편이다.

사진 529

사진 530

5. 제주도

1) 물통

바닷가의 물이 나오는 곳을 물통이라 부른다. 한 해 내리는 비의 60퍼센트인 1,975 밀리미터가 6~9월에 쏟아지는데다가, 그의 반(15억 8천만 입방밀리미터)이 바로 땅 속으로 스몄다가 여러 물길을 거쳐서 해안에서 솟아오르는 것이다.

물통의 '통'은 우물 전처럼 물이 솟는 터를 돌담(현무암)을 두른 데서 왔다. 주민들의 젖줄이자 생명수였던 까닭에 마을은 이것이 가까운 바닷가에 생겼으며, 조선시대에는 현청도 부근에 두었다.

그림 86은 1999년에 제주도에서 조사한 분포도이다. 다음의 표처럼 제주시 540개, 서귀포시 371개로 모두 911개이다.

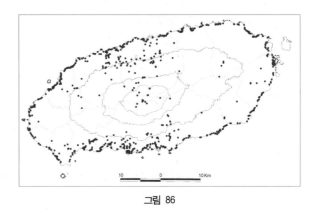

그림 86

시 군별	합계	저(해안)지대	중산간지대	산간지대
합계	911	841(92.3퍼센트)	49(5.4퍼센트)	21(2.3퍼센트)
제주시	142	111	23	8
북제주군	398	378	14	6
남제주군	203	201	–	2

해안지역(해발 200미터 이하)에 841개(92.3퍼센트), 중산간지역에 49개(5.4퍼센트), 산간 지역(해발 600미터 이상)에 21개(2.3퍼센트)가 있는 것은 마을 대부분이 물통을 따라 해안가에 자리 잡은 것을 나타낸다. 바닷가에서는 50여 호에서 물통 하나를 쓰지만 다른 지역에서는 백여 호가 넘는다. 이는 한 연자매를 쓰는 집보다 두 배가 된다(『제주의 물 용천수』).

사진 531(ⓒ 홍정표)

물통은 남자들이, 손보는 일은 여자가 맡는다. 물통의 물이 떨어지면 이웃 마을로도 가며, 이때는 보답으로 돌담 쌓는 일을 돕는다.

특히 물이 귀한 중산간지대에서는 처마에서 흐르는 빗물(이를 지싯물 또는 지셋물이라고 한다)을 받아 두었다가 식수로 삼았다. 짚을 소녀 머리채처럼 땋아서 나무에 걸고 큰 항아리(통)에 받았으며 '참 받은 물'이라고 따로 불렀다. 뚜껑을 덮어서 2~3일 두면 불순물이 갈아 앉아서 맑아진다(사진 531). '하늘에서 받은 물奉天水'이 바로 이것으로, 항아리가 크고 많을수록 부자로 여겼다(사진 532). 일본 오키나와제도에서도 같은 방법을 썼다. (☞ 1161~1162)

한편, 1930년대에는 마을에서 공동으로 큰 저장소를 만들어서 빗물을 모으기도 하였다(사진 533).

바닷가 마을에서는 물통을 우물이라고도 하며(사진 534), 물을 아끼려고 물이 흐르는 첫 자리는 먹는 물로, 둘째 것은 남새를 씻으며, 마지막 자리에서는 빨래를 한다(사진 535).

사진 532

사진 533

사진 534   사진 535

2) 물통의 별명

　㉠ 엉물

　　해안이나 냇가의 바위[엉덕] 밑에서 솟는 물로 엉덕물이라고도 한다.

　㉡ 생이물

　　새나 먹을 만큼 양이 적은 물이다. '물이 살아 있다'는 뜻이라고도 한다.

　㉢ 큰물

　　양이 넉넉하게 솟는 물이다.

　㉣ 구멍물

　　비가 많이 내릴 때만 솟는 물이다. 이것이 많은 데를 구멍굴이라 부른다.

　㉤ 할망물

　　집에서 치성을 드리거나 아기 젖이 모자라는 산모가 마시며, 이로써 젖이 잘

　　나온다고 한다.

　㉥ 엉덕물

　　'엉물'과 닮은 뜻으로 큰 바위에서 솟는 물이다.

　㉦ 빌레물

　　너럭바위 사이에서 솟는 물이다.

　㉧ 말물

　　말斗로 뜰 만큼 넉넉하게 솟는 물이다. 한 되는 됫물, 두 말은 두말치물이라고

　　부른다.

그러나 『탐라지耽羅志』의 기사는 다르다.

———

주州 서쪽 병문천屛門川 밖에 있으며 그 모양이 말과 같아서 그렇게 부른다.
세상에서 이 물을 마시면 백 걸음 날아 갈 수 있다고 하였는데, 호종조胡宗朝
(호종단이라고도 한다)가 와서 기운을 눌러버린 탓에 날지 못한다는 말이 있다.
가물면 물이 맑고 비가 오려면 금기金氣가 돈다(제주 「산천」).

———

ⓩ 고망물

바위틈이나 움푹한 땅에서 솟는 물이다. 고망은 구멍의 제주 말이다.

ⓒ 절물

절집이나 그 주위에서 솟는 물이다.

ⓚ 웃물

둘이나 셋으로 나뉜 샘 가운데, 위의 것은 웃물, 아랫것은 아래물이라 한다.

ⓔ 궷물

바닷가나 냇가의 동굴처럼 안으로 들어간 곳(궤)의 바위에서 솟는 물이다.

ⓟ 가락천嘉樂泉

이에 대한 『탐라지』 기사이다.

———

주州 남쪽 성 밖에 있다. 큰 돌 아래의 구멍에서 물이 솟으며 깊이는 한 발이
다. 성안에 물이 없어서 주민들이 따로 두 겹의 둑을 쌓고 긷는다. 지금은
성 안에 있다(제주 「산천」).

———

지명에 따라 새곳물·빌레물·전중당물·제주자리물이라고도 이르며, 사람의 이름
을 딴 것도 있다. 1520년에 귀양 온 김정金淨(1486~1521)이 산지천 중류에 판 판서정判
書井과 철종(1834~1849) 때, 소섬牛島에 들어간 김석金錫(?~?)이 두 곳에 마련한 김진사통
이 그것이다.

그림 87은 1702년 11월 13일, 제주시 한림읍 명월리에 있던 명월진明月鎭에서 군사
훈련과 말을 점검하는 모습을 그린 것(「明月操點」)이다. 오른쪽 서별창西別倉 앞쪽에 물

그림 87

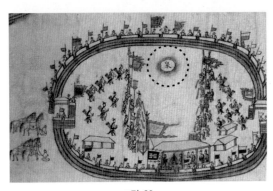

그림 88

통이 보인다. 바닷물이 흘러드는 물길까지 넣고 '천泉'이라고 적었다. 물이 들어찬 것을 보면 들물인 것이 분명하다.

그림이 실린 『탐라순력도耽羅巡歷圖』는 제주목사 겸 병마수군절제사 이형상李衡祥(1653~1733)이 1702년 한 해 동안, 각 고을에서 벌인 행사 장면을 기록한 채색 화첩이며, 그림(41폭)은 이곳 출신의 화공 김남길金南吉이 그렸다(국립제주박물관 소장).

그림 88은 그림 87보다 하루 앞서 그린 「수산성조首山城操」이다. 성은 서귀포시 성산읍 수산리에 있었으며, 근래 수산의 '머리 수首'를 '물 수水'로 바꾸었다. 중산간지대인 까닭에 물통은 오늘날의 우물처럼 좁고 깊다.

사진 536은 제주시 구좌읍 대평리 바닷가의 물통으로 왼쪽을 웃물, 오른쪽을 아랫물이라 부른다. 사진 537은 웃물에서 채소를 씻고 빨래도 하는 늙은 아낙이다. 사진 538은 한라산 중턱에서

사진 536

사진 537

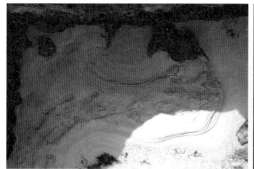

사진 538

땅속으로 스몄다가 이곳에서 다시 솟는
맑은 물이고, 사진 539는 앞 사람 모습이다.

사진 539

3) 물통 유래담

물통이 귀했던 만큼 특별한 유래담이 전한다.

(1) 금둘애기물(제주시 귀덕리)

옛적 귀덕리 앞바다의 인어人魚는 낮에 바다에서 놀다가 어둠이 깔리면 방파제 구
실을 하는 여(물속에 잠기는 바위)에서 쉬었으며, 마을에서는 모른 체 하였다. 어느 때인
가 몸집이 큰 물고기들의 습격을 받아 상처투성이가 되자 굼둘애기물로 헤엄쳐가서
씻었다.

주변의 빨래꾼들은 깜짝 놀랐지만 입을 다물었고, 인어는 다시 바다로 돌아갔다.
그 뒤부터 이 물에 몸을 씻으면 잔병이 없어져서 금둘애기물이라 불렀다. 이는 먹이
를 잡으려는 오리처럼 재빨리 바다로 뛰어든다는 뜻이다(「금둘애기물 안내문」).

(2) 장수물(제주시 애월읍 장전리)

항몽抗蒙 유적지인 항파두리성缸坡頭里城 북문 밖에 있다(사진 540). 삼별초의 김통정

金通精(?~1273)장군이 성벽에서 뛰어내릴 때 생긴 발자국(40×60센티미터에 깊이 200센티미터)에서 솟는 이 물을 마시면 장수를 누린다고 한다(사진 541). 또 물을 먹으면 '장군을 낳는다'더니, 어느 때부터인가 '역적'을 낳는다는 말로 바뀌었다(「장수물 안내문」).

사진 540

사진 541

(3) 지장智藏샘(서귀포시 서흥동)

고려 예종睿宗(1105~1122) 때, 탐라에서 인재가 태어난다는 소문이 중국 송나라에 돌자 황제가 호종단胡宗旦(?~?)에게 심삼혈을 막으라는 명을 내렸다. 그는 지금의 의귀리衣貴里(귀포시 남원읍)를 거쳐 홍로洪爐(서귀포 지역의 옛 지명)에 있는 샘을 찾았다(사진 542).

사진 542

그가 이곳에 오기 전, 밭 갈던 농부에게 나타난 백발노인이 물을 가득 담은 행기(점심 그릇)를 소의 참바구니 속에 감추며 '내일 누가 와서 물을 찾으면 모른다'고 대답하라고 일렀다. 물 찾기에 실패한 호종단은 자신의 술서術書를 찢어버리고 돌아갔고, 농부가 감추었던 물을 가져다가 붓자 맑은 물이 솟았다. 샘 이름은 이처럼 '물을 지혜롭게 감추었다'는 뜻이라고 한다(「지장샘 안내문」).

호종단은 고려 예종 때 귀화한 송宋나라 사람이다. 임금의 사랑과 두터운 대접을 받아 권직한림원權直翰林院을 거쳐 보문각 대제寶文閣待制에 올랐다. 총명하고 학문에 밝은 한편, 잡예雜藝에 능해서 마술재주도 보였다. 인종仁宗(1122~1146)은 그를 기거사인起居舍人으로 뽑았다.

심삼혈은 무슨 뜻인지 모른다.

그에 대한 또 다른 민담이다.

────

중국 진시황이 제주도에서 자신을 해칠 인물이 나온다는 풍수의 말을 듣고 호종단에게 혈맥血脈을 끊으라는 명을 내렸다. 종달리(제주시 구좌읍) 바닷가에서 '물징거'의 혈을 막았으나 화북(제주시 화북동)의 '행기물'은 실패하였다.

또 서귀포 서홍리의 '생이물'은 성공했지만, 토산리(서귀포시 표선면)의 '거슨샘이'와 '단샘'은 수호신인 뱀의 방해로 뜻을 못 이루었다. 그가 각지로 돌아다니며 쇠꼬챙이로 혈맥을 찌른 탓에 임금이 나오지 못하고 생수도 솟지 않았다(『한국민속문학사전』 2).

────

이들 설화는 물이 워낙 귀한 고장이라, 물이 끊어지거나 하는 현상을 외국사람 탓으로 돌리려고 지어냈을 터이다.

4) 물긷기

아낙의 가장 중요한 일과는 물긷기였다. 물을 허벅에 채운 뒤(사진 543), 물구덕(사진 544)에 넣고 물배(줄)를 걸어서 어깨로 메어 나른다(사진 545). 거리가 멀면 밭가에 쌓은 돌담에 올려놓고 숨을 돌린다(사진 546). 부엌 한 귀퉁이나 바깥

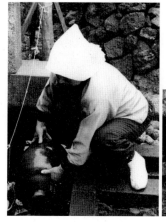

사진 543

사진 544

| 사진 545 | 사진 546 | 사진 547 |

에 놓인 물항(물두멍)에 쏟을 때는 선채로 어깨를 한쪽으로 기울인다(사진 547).

허벅은 배가 부른 대신 목이 아주 좁아서 손으로 잡기 쉽고, 물이 흘러넘치지도 않아 안성맞춤이다 어린이용은 대바지 또는 대배기라 한다. 이를 내려놓기 위해 부엌 입구나(사진 548) 양쪽에 높이 1미터쯤으로 쌓아놓은 넓적한 턱이 물팡이다(사진 549). 사진 550은 부엌의 물항이다.

| 사진 548 | 사진 549 |

빈 허벅을 지고 걸을 때는 남을 앞지르거나, 남의 집에 들어가지 않는다. 농부는

쟁기 보습이 부러지고, 학생은 시험에 떨어지며, 장사꾼
은 손해를 본다고 하여 마주치기를 몹시 꺼린다.

또 물긷기가 아낙의 일인데서, 아내와 헤어지고 싶은
남편은 빈 허벅을 지고 마을로 돌아다녔다. 이처럼 게으
른 여자와 더 살 수 없다는 뜻이다.

사진 550

① **최부**崔溥(1454~1504)**의 시**(「삼십오절三十五絶」)**이다**(부분).

革帶芒鞋葛織衣	가죽 띠와 짚신에 칡베 옷차림
石田茅屋矮柴扉	돌밭 가의 집 싸리문 낮고 자그만하네
負瓶村婦汲泉去	허벅 진 아낙 샘물 길어가고
橫笛提兒牧馬歸	피리 부는 목동 말 먹이고 돌아오누나

『탐라지耽羅志』 제주 「제영題詠」

1487년에 추쇄경차관推刷敬差官으로 제주에 갔던 시인은 이듬해 부친상을 맞아 돌아오
다가 풍랑을 만나 중국 저장성 영파寧波로 떠밀려갔다. 반년 만에 한양으로 와서 왕명에
따라 쓴 것이 『표해록漂海錄』이다. 또 현지에서 본 무자위를 만들어 뒤에 충청도지방
가뭄에 큰 도움을 주었으나 갑자사화甲子士禍 때 쫓겨났다. 그가 제주에 한 해쯤 머무는
동안 53편의 시를 지은 것도 그렇지만, 그 가운데 물긷는 아낙을 읊은 것은 놀랍다.

한편, 이원진李元鎭(1594~?)의 『탐라지耽羅志』에 실린 120여 편의 시 가운데 백성들의
물긷는 어려움을 담은 것이 단 한 편도 없는 것은 차라리 이상하다고 여겨야 옳다.

제주도에서 모두 허벅으로 물을 길은 줄 알지만, 이전에는 나무통을 썼다.

② 『**남사록**南槎錄』 **기사이다**.

『풍토록』에 따르면 짐은 등에 지고 나르며 머리에 이지 않는다고 한다. (…) 물
은 통나무를 파서 만든 통으로 길으며木爲桶負而汲水, 땔나무나 물은 모두 여자들
이 나른다. (…)
우물과 샘이 매우 적어서 촌민이 모두 5리 밖에서 길어오며 5리가 못 되면 가깝

다고 여긴다. 그 중에는 하루 한 번, 또는 두 번 긷지 못하는 곳도 있다. 그나마 짠 샘이 많고 물은 반드시 여자가 나무통으로 등에 져 나른다(권1 「9월 22일」).

———

김정金淨의 『제주풍토록』은 처음 나온 제주도 관련 기록이지만, 『탐라문헌집』에 실린 『제주풍토록』에는 앞의 기사가 보이지 않는다. '본문은 『충암집冲岩集』에서 고르고 (…) 원문은 규장각 장서에서 추렸다'는 해제를 보면 이 과정에서 빠진듯하다.

'나무를 팠다'니 통나무를 단지처럼 팠을 터이다.

허벅은 크기·형태·용도에 따라 다양하며, 종류는 무려 36종이나 된다. 주문에 따른 맞춤허벅 가운데 가장 큰 바릇허벅이라 하며, 널리 퍼진 물허벅 외에 소녀들의 대배기, 어린이의 아기대배기 따위가 있다. 그리고 용도에 따라 물허벅·술허벅·죽허벅·씨허벅·오줌허벅으로 나눈다(이경효 2008 ; 94).

사진 551은 반백의 여인이 졸졸졸 흘러내리는 샘물을 돌에 기대놓은 허벅에 받고 있다. 쭈그려 앉은 채 물이 차기를 기다리는 모습이 기도라도 올리는 듯하다.

사진 551(ⓒ 홍정표)

5) 옛 기록의 물 사정

(1) 『조선왕조실록』의 간추린 기사이다.

	때	기사
1	세종 4년(1422)	정의현 최흥우를 비롯한 138명이 성 안에 샘이 없다며 진사리로 떠나기 청하다.
2	세종 12년(1430)	정의와 대정에 샘이 없어 정의는 15리 밖에서, 대정은 5리 밖에서 물을 길으니 정의는 토산으로, 대정은 감산으로 옮기기를 청하다.
3	세종 25년(1443)	정의현 남쪽 내는 물이 깊고, 대정도 동쪽에 샘이 있어 옮기기 좋으며, 감산리(甘山里)의 샘도 안성맞춤이라고 하다.

4	성종 13년(1482)	제주와 대정에 샘이 없으나 제주는 동문 밖에, 대정은 남문 밖에 깊은 내가 있어, 옹성을 쌓고 물을 성안으로 끌면 급할 때 쓸 수 있다고 보고하다.
5	중종 20년(1525)	정의와 대정에 (…) 모두 샘이 없어 추위나 더위를 무릅쓰고 5리 밖에서 물을 길어오는 폐단이 아주 크다고 하다.

① **세종 4년(1422) 11월 9일**

공조工曹에서 아뢰었다.

————

정의현旌義縣 사람 전 부정副正 최홍우崔興雨(?~?) 등 138명이 현성縣城 안에 샘이 없고, 또 큰 산 밑에 있어 화살을 쏘거나 돌팔매를 치면 날아든다며 진사리晉舍里로 옮기기를 청합니다.

————

의정부와 각 조曹에서 사람을 보내 살펴보고 결정짓기로 하였다.

정의현은 지금의 성산읍 고성리에 있었으며, 사람들의 말대로 현청을 진사리로 옮겼다.

② **세종 12년(1430) 6월 4일**

제주 경차관濟州敬差官 사복 소윤司僕少尹 박호문朴好問(?~1453)이 아뢰었다.

————

정의·대정大靜 두 현縣 성안에 샘이 없어, 정의현에서는 15리 밖에서, 대정현에서는 5리 밖에서 물을 길어옵니다. 만일 왜구가 들어와서 성을 여러 날 에워싸면 바다 속의 외로운 섬이라 목숨을 구할 길이 없습니다. 정의현은 토산兎山으로, 대정현은 감산甘山으로 옮기게 하소서.

————

판부사 최윤덕崔潤德(1376~1445)과 공조참판 박곤朴坤(1391~1454) 등이 경차관과 안무사按撫使에게 좋은 자리를 찾으라고 일렀다.

토산은 남제주 지역의, 대정현은 서귀포시에 있던 옛 지명이다.

고려에 이어 이 무렵에도 왜구의 세력이 거세어서, 세종 때부터 진도와 같은 큰 섬조차 90여 년이 넘도록 비워두었다.

③ 세종 25년(1443) 1월 10일

제주 안무사가 아뢰었다.

———

정의현의 성안은 물이 나올 데가 전혀 없지만, 성 밖 남쪽에 깊고 마르지 않는 내가 있어서 이곳으로 옮길 만합니다. 대정현도 마찬가지이나 읍성邑城 동쪽 39 리에서 샘이 솟습니다. 물이 끊이지 않고 적군도 엿볼 수 없으니 옮기게 하소서. 또 읍성 동쪽 16리의 감산리甘山里는 동남쪽의 높은 산이 성을 내리누르지만 가물어도 마르지 않는 샘이 있는데다 화살도 미치지 못하니, 옮길 만합니다.

———

감산리는 서귀포시 안덕면에 딸린 법정法定 마을(리)이다.

④ 성종 13년(1482) 12월 4일

목사 최경례崔景禮(?~?)가 '제주 대정성 안에 샘이 없지만, 밖에 작은 시내가 있으므로 옹성甕城을 쌓아서 끌어들이면 급할 때 이용할 수 있다'는 보고를 올렸다.

⑤ 중종 20년(1525) 10월 9일

목사 김흠조金欽祖(?~?)가 아뢰었다.

———

도읍을 두고 성을 쌓으려면 반드시 지리를 가리고 형세를 살피며 인화人和를 구해야 합니다. 정의와 대정이 너른 들판에 있는 것은 지리를 가리지 않은 것이고, 두 성의 둘레가 1천여 보步나 되는데, 광막하여 지키기 어려운 것은 형세를 보지 않은 탓입니다. 또 두 고을의 성 밖이 아득한 황야인지라, 20리 안에 집이 보이지 않아서 변고變故를 만나면 어찌할 도리가 없는 것은 인화를 무시한 것임이 분명합니다. 두 성이 모두 안에 수원水源이 없어 5리 밖에서 물을 길어오므로 추위와 더위를 무릅쓰는 폐단이 이루 말할 수 없습니다. 화재를 만나거나 뜻밖에 일을 당하면 지킬 도리가 없습니다.

———

이곳에 정배 온 김정희金正喜(1786~1856)도 물 고생을 겪었다.

『완당전집阮堂全集』 기사이다.

물과 샘水泉은 과연 좋지 않습니다. 이 때문에 여름에는 빗물, 겨울에는 눈 녹인 물로 밥을 짓기도 합니다. 올 여름은 그리 가물지 않았는데도 샘이 먼 5리 밖에 있어 길어오기가 아주 어렵습니다. 따라서 충암沖庵 판서정判書井의 고사故事처럼 우물을 파면 매우 다행이지만, 이 위리圍籬 밑 어디에서 샘을 찾겠습니까?

또 읍邑이 들 가운데 있어 토성土性이 더욱 메마른 탓에, 물길泉脈을 찾아도 마시지 못할 것이 분명합니다. 읍 밑에 우물이 하나도 없는 까닭이 이것입니다. 이는 3백 60개 고을을 통틀어도 들어보지 못한 일입니다.

산수공山水公이 읍에서 창천滄泉으로 가서 판 샘물은 맛도 좋고 수석水石도 있어서 이리저리 거닐만 하였습니다. 그러나 나 같은 죄인으로서는 감히 상상도 못할 일입니다(제3권 「書讀」).

그는 쉰다섯이던 1840년부터 9년 동안이나 이곳에서 지냈다. 위리는 위리안치圍籬安置의 준 말로, 죄인이 달아나는 것을 막으려고 가시 울을 치고 그 안에 가둔 형벌이다.

충암沖庵은 기묘명현己卯明賢의 한 사람인 김정金淨의 호이다. 형조판서로 있다가 기묘사화己卯士禍를 만나 제주에 갇혔을 때 자신의 초막誚廬 곁에 우물을 팠더니 매우 맑고 찼으며, 뒤에 그를 사모한 이들이 판서우물判書井이라 불렀다는 고사이다(『沖庵集』 「年譜」 상).

산수공은 영조英祖 때 문신이자 산수헌山水軒이라는 호를 쓴 권진응權震應(1711~1775)인가?

1422년부터 1425년 이르는 97년 동안, 현지 관리들이 한결같이 호소하였음에도 물 부족이 해결되지 않았으니 참으로 개탄할 일이다. 그 동안 백성들의 뼈골만 빠졌을 터이다.

사진 552는 20세기 중후반의 뜨거운 여름날, 물 허벅을 지고 허리를 잔뜩 굽힌 채 언덕으로 올라가는 사람들이다.

사진 552(ⓒ 홍정표)

(2) 『남천록』의 간추린 기사이다.

기사
① 정의현 성 안에 작은 샘이 하나 있지만 가물면 마른다.
② 현 동쪽 수리 떨어진 개로천(介路川)은 한라산에서 내려온 물이 성 동남쪽을 안고 흘러 2리 밖에 깊은 못을 이룬 덕분에 모두 길어 먹는다. 경내의 크고 작은 하천은 비 오면 넘치지만 개이면 마른다.
③ 현 서남쪽 10여 리 떨어진 토산면의 작은 샘은 물맛이 좋아 관인이 밥을 짓지만 공력이 많이 든다.
④ 제주 서쪽 병문천 밖 50보 지점의 두천(斗泉)은 말(斗)을 닮았다. 이를 마시면 백 걸음을 날아갈 수 있었지만, 호종단(胡宗旦)의 방해로 없어졌다.

앞 기사에 대한 설명이다.

———

정의현은 주위 3,030척에 높이 여덟 척임에도 (…) 성안에 물이 없습니다. 오직 하나 있지만 가뭄에 말라붙습니다. 현 동쪽 수리數里의 개로천介路川은 한라산에서 내린 물이 성 동쪽을 끼고 흘러갑니다. 이것이 2리쯤 떨어진 곳에서 깊은 못을 이루는 덕분에 주민들이 모두 길어 먹습니다.

경내의 크고 작은 내는 비가 오면 넘치지만 개자마자 곧 마릅니다. 현 서쪽 10리 떨어진 토산면의 작은 샘은 물맛이 좋아서 관인이 조석으로 떠온 물로 밥을 짓지만 공력이 많이 듭니다.

———

개로천은 오늘날의 천미천川尾川으로 제주시 동남부와 서귀포시 성산읍 및 표선면을 거쳐 흐른다. 제주 하천 가운데 가장 복잡하고 길며, 한라산 동쪽 돌오름에서 솟아 표선면 하천리에서 바다로 들어간다.

저자 김성구金聲久(1641~1607)는 수찬修撰·정언正言 등을 지냈으며, 1679년에 남인이 청남淸南과 탁남濁南으로 나뉘면서 제주도 정의旌義로 쫓겨났다. 그 뒤 강원도 관찰사·호조참의에 올랐다.

(3) 『남환박물南宦博物』의 간추린 기사이다.

기사
① 도내에 감천이 없어 백성들은 10리 안에서 떠올 수 있으면 가깝게 여기며, 먼 곳은 40~50리에 이른다. 물이 짜서 마시기 어려워도 그대로 지내지만, 외지인은 번번이 토하고 헛구역질 끝에 병에 걸린다.
② 제주 동성 안의 산지천(山地泉) 석조(石槽)는 길이 세 칸에 너비 한 칸으로 맛이 좋고 차다. 3천여 호에서 쓰지만 한 번도 마르지 않았다. 옴이나 토질에 걸린 사람도 마시면 낫는다.
③ 섬에 생수가 나는 곳이 없어 두 못의 고인 물을 먹는다. 땅이 들뜨고 메말라서 조금만 가물어도 말이 모두 죽을 것이다. 옛 못을 더 파거나 새로 둑을 쌓아서 가을·겨울의 물을 가두어 두려고 한다.

앞 기사에 대한 설명이다.

———

물을 40~50리 밖에서 길어온다는 내용은 믿기 어려울 정도이다. 그나마 짜서 외지인이 마시면 구역질 끝에 병에 걸린다니 주민들의 고통은 이만저만이 아니었을 것이다.

『탐라지』에는 산지천이 '성 동쪽 1리에 있는 가락천嘉樂川(가락굿물이라고 한다)의 하류로, 2리쯤 흘러서 바다로 들어가 건리포가 된다. 지금은 성 안에 있다'고 적혔다. 동성 안에 있는 산지천의 물확이 길이 세 칸에 너비 한 칸 크기여서 3천여 호에서 쓴다니 이만한 다행이 없다. 그 위에 한 번도 마르지 않은 것은 축복이라고 해야 옳다. 산지천은 제주시 2도 1동에 있다.

———

이 책은 목사 이형상李衡祥이 제주본도 및 주변 도서의 자연·역사·산물·풍속·방어 따위를 적은 책이다. 그는 1702년 3월, 51세 때 왔다가 이듬해 6월에 돌아갔다.

(4) 『제주도濟州道』 기사이다.

기사
양(陽) 산촌의 우물(168~177쪽)
이들 지역의 용수는 물웅덩이가 아니라 땅을 조금 파서 이용하므로 우물인 셈이다. 지름에 견주어 깊이가 얕다. 수기동(水基洞)의 샛물통(東洞水)은 주위 132센티미터에 깊이 63센티미터이다.

저자 이즈미 세이이치泉靖一(1915~1970)는 일제강점기의 경성제국대학(지금의 서울대학교) 산악반 반장으로 1936년 1월 한라산에 올랐다가 동료가 조난을 만나 목숨을 잃는 슬픔을 겪었다. 이때부터 30여 년 뒤 다시 제주도를 찾아와서 사회인류학적 조사를 한 결과물이 이 책이다.

물터진골이라는 뜻의 수기동에는 산으로 둘러싸인 작은 터(315미터)에 '짐승 못'이라는 웅덩이가 있다. 서귀포시 남원면 의귀리에서 살던 경주김씨 김명천이 270~250년 전, 살림이 궁색하여 살 곳을 찾아 헤매다가 이곳에 자리를 잡았다고 한다. 마을 이름 '물터진 골'은 바눌오름 왼쪽에서 흘러든 물이 짐승 못에 모였다가 아래로 흐르는 데서 왔다.

지금의 물통은 여러 사람이 들어오면서 물이 모자라자 그 옆에 식수가 고이게 한 것으로 새통이라 부른다.

사진 553은 백중날 제주시 도두동 포구에서 물맞이 하는 모습이다. 이날 물을 맞으면 한 해 동안 질병에 걸리지 않는다고 한다. 제주도에서는 서귀포시의 돈내코 계곡 원앙폭포와 소정방폭포를 첫 손에 꼽는다.

사진 554는 1970년, 아낙네들이 제주시 부근의 물통에서 빨래를 하는 모습이다.

사진 553(ⓒ 홍정표)

사진 554

(5)『제주의 물 용천수』기사이다.

기사
정의면 수산리에서 1921년 개인용 탱크를 마련하고, 최근 공동용 탱크 세 개도 설치하다. 탱크에 딸린 집마다 나무에서 흘러내리는 빗물을 탱크에 모아서 가뭄에 대비하여 천 석들이 탱크를 1930년에 800원을 모아 짓다. 1933년과 1934년에 같은 크기의 것 둘을 마련하였지만 갈수기에는 음료수를 4킬로미터 떨어진 용천지대에서 날랐다.

제주도의 샘이나 우물에 관해 우리가 처음 조사한 결과를 담은 보고서이다. 일제강점기인 1921년, 최초로 마을 단위의 물탱크를 설치하였다는 기사가 눈을 끈다. 이어 1930년에는 800원을 모아서 천 섬들이를 세웠으며 이어 여러 곳에서 뒤 따랐다. 그러나 갈수기에는 4킬로미터나 떨어진 곳에서 길어오는 일이 그치지 않았다. 이 섬의 물 부족은 최근에야 해결된 셈이다.

김정희金正喜의 시(「옛 샘물로 차를 달임汲古泉試茶」)이다.

獰龍頷下嵌明珠	사나운 용의 턱 밑 여의주
拈取松風磵水圖	솔바람 돌샘 그림 따라 팠네
泉味試分城內外	성 안팎 샘물 맛보려니
乙那亦得品茶無	을라도 이 차 마셨으리

『추사 김정희 시전집』

을라乙羅는 제주도의 시조, 곧 고高을라 부夫을라 양良을라의 세 성씨를 가리킨다. 옛 그림을 보고 샘을 파서 그 물로 차를 달여서 맛을 본다는 말이다. '옛 그림'은 누구의 것인지 모른다.

『신증동국여지승람』에 '탐라국에 처음 신인神人 셋이 내려와 각기 혼인하였으며 샘이 달고 땅이 기름진 곳泉甘土肥을 찾아가 살았다'는 기사가 있다.

6. 북한

2008년에 나온 『조선향토대백과』에 앞에서 든 용드레우물 외에 ① 자강도 드레우물, ② 강원도 드레우물, ③ 강원도 박우물, ④ 평안남도 정자우물, ⑤ 평안북도 쌍드레우물, ⑥ 양강도 박우물, ⑦ 평안남도 박우물, ⑧ 평안북도 드레우물, ⑨ 함경북도 드레우물 따위의 그림 아홉 개를 실었다. 이 가운데 여섯 개와 고산동의 우물을 소개한다.

1) 함경북도 물레우물

'함경도 드레우물'로 올랐지만 물레우물로 고쳐 적는다. 이 우물은 용두레처럼 중국에서 들어왔을 터이다.

그림 89의 전이 오늘날의 노관路管을 닮은 것을 보면 근래까지 쓴 것이 분명하다. 바닥 주위에 물매를 잡고 테를 두른 모습도 마찬가지이다.

전 양쪽에 세운 낮은 기둥에 굴대를 걸고 한 쪽에 손잡이를 붙박았다. 우리도 이 형식의 우물을 쓴 것을 알려주는 귀중한 자료이다.

그림 89

2) 평안남도 정자우물

철凸자꼴로 다듬은 좌우 양쪽 돌에, 그 두께만큼의 홈을 판 돌을 위아래에 끼워서 맞추었다. 그리고 흙이 파이지 않도록 주위에 같은 종류의 평평한 돌을 깔았다.

이 같은 형태의 우물은 경상북도 구미시의 모례네 우물과 같아서 눈길을 끈다. (☞ 240~242)

그림 90

3) 평안북도 도르래우물

'쌍드레우물'은 도르래 양쪽에 걸린 두레
박 줄을 두 사람이 마주 서서 당긴다는 뜻일
터이다(그림 91). 동구리나무로 엮은 전을 잣
대로 삼으면 '귀틀우물'인 셈이다.

지붕은 낯설지 않다. 통나무에 박은 지붕
의 기둥이 움직이지 않도록 아랫도리 양쪽에
버팀목을 박았다. 밑이 뾰족한 두레박은 우
리도 근래까지 썼다.

그림 91

4) 평안북도 드레우물

지붕 형태는 앞의 것과 같다. 전을 널쪽
두어 개로 아래는 조붓하게, 위는 조금 너르
게 짠 덕분에 물을 뜨기 편하다. 앞의 우물
처럼 두레박을 기둥에 걸어두었다(그림 92).

그림 92

5) 강원도 드레우물

지붕 외에 우물 주위 삼면에 울을 두르고,
덮개까지 마련한 것이 눈에 들어온다. 앞의
세 우물 지붕이 닮은 것은 우연이 아닐 것이
다(그림 93).

그림 93

6) 평안남도 박우물

샘 위로 돌을 쌓고 흙을 덮어서 무덤을 연상시
킨다. 바가지로 물을 뜬다고 하여 박우물이라 불
리지만, 여간한 공력을 들인 것이 아니다. ㄷ꼴의
돌문도 볼거리이다(그림 94).

그림 94

7) 수산리 고분벽화 북쪽의 우물

『남북공동 고구려벽화고분 보존실태 조사보고서』 기사이다.

———

(평안남도 남포시 강서구역) 덕흥리德興里 고분벽화 북쪽에는 정비된 묘역의 바
깥으로 몇 채의 민가가 조성되어 있는데 그 사이에는 돌로 짠 우물이 있다. 시멘
트로 둘레를 정비한 이 우물은 근년에 만들어진 것으로 보이는데, 구릉의 높은
곳에 조성된 우물임에도 불구하고 조사 당시 물이 차 있었다(「V 수산리 벽화고분」
2006 ; 38).

———

시멘트로 쌓은 전과(사진 555), 막돌로 올린 벽(사진 556)은 오늘날의 우물과 다르지
않다.

사진 555

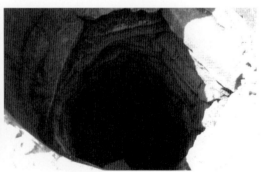

사진 556

8장

기이한 샘과 우물

—

1. 우통수于筒水

우통수는 강원도 평창군 진부면 동산리 오대산五臺山(1,563미터)의 오대五臺 가운데 서대西臺인 수정암水精庵에 있다. 우동수于洞水라고도 하며, 조선시대에는 한강의 발원 지로 여겼다.

사진 557이 우통수의 내력을 알리는 비이고, 사진 558이 샘이다. 둥글게 판 벽 위 가장자리에 돌을 네모로 둘렀으며, 앞 돌 가운데의 홈을 파서 물이 차면 흘러내린다. 우물에 통나무로 엮은 덮개를 얹고 그 위에 새茅자리까지 덮은 정성이 놀랍다. 왼쪽 으로 쪽박이 보인다.

사진 557(ⓒ 평창군청)

사진 558(ⓒ 평창군청)

1) 옛 기록

(1)『세종실록 지리지』기사이다.

————

오대산 서대 아래의 수정암 곁에서 솟는 귀틀 샘檻泉이다. 빛과 맛이 특별하고 무게 또한 그러하여 우통수라 부른다. 금강연金剛淵은 한강漢水의 근원이다. 봄·가을로 고을 관원이 제사 지낸다. 한강이 비록 여러 곳의 물을 받아 흐르지만 우통수가 중심이고 빛과 맛도 변치 않는 것이 중국 양자강楊子江을 닮아서 한수漢水라는 이름을 붙였다(강원도 강릉 대도호부「名山」).

————

'무게 또한…'은 물이 다른 곳보다 무겁게 느껴진다는 뜻이다.

한 해 두 번 고을의 관원이 제사를 올린 것은 일찍부터 신령스럽게 여긴 까닭이다. 신정神井이라는 이름도 이에서 왔다.

(2)『기언記言』의 기사이다.

————

오대산 상왕산 서남쪽이 장령봉長嶺峯이고 그 위가 서대이다. 이곳의 신정神井을 우통수라고도 한다. 한송정寒松亭의 선정仙井과 함께 영험이 높다고 알려졌다(제28권하「山水記」).

————

한송정은 강원도 강릉시 강동면 하시동리에 있었던 정자이다. 신라 적부터 화랑들이 모여 들어 차를 마셨다고 한다. 지금은 강릉비행장 안으로 들어갔다. (☞ 355)

(3)『신증동국여지승람』기사이다.

————

우통수는 부府 서쪽 1백 50리에 있다. 오대산 서대 밑에서 솟는 샘으로 한강의 근원이다(제44권 강원도 강릉 대도호부「산천」).

————

사진 559가 우통수가 있는 서대, 곧 신라의 두 왕자가 선禪을 닦았다는 수정암이다.

왕자는 신라 마지막 임금敬順王(927~935)의 아들 마의태자麻衣太子(?~?)일터이다. 강원도 산간일대에 그가 찾았다는 곳이 곳곳에 남아 있으며, 실제로 이 샘은 신라 때부터 널리 알려졌다.

지금은 보기조차 어려운 너와로 지붕을 덮었다. 처마로 돌아가며 장작을 쌓아 겨울 채비를 하였다. 앞쪽은 뒷간이다.

사진 559(ⓒ 평창군청)

(4) 『양촌선생문집陽村先生文集』 기사이다.

강원도 경계에 (…) 오대산이 있다. (…)

서대 밑의 샘檻泉은 빛깔과 맛이 보통 것보다 좋고 또 무겁다. 우통수라 불리는 이 물은 서쪽 수백 리의 한강을 거쳐 바다로 들어간다. 한강으로 여러 곳의 물이 흘러들지만 우통수가 중령中泠이 된 덕분에 빛깔과 맛이 바뀌지 않는다. (…) 우통수의 뿌리는 수정암에 있다. 신라의 두 왕자가 이곳에서 선禪을 닦아 도를 깨쳤으며, 지금도 중들이 모여든다. 임신년壬申年 가을에 불이 나서 (…) 계유년 봄에 다시 세웠다.

영낙永樂 2년(1404) 2월 16일(권14 記類 「오대산 서대 수정암 중창기」).

한편, 성현成俔(1439~1504)의 『용재총화傭齋叢話』에는 '우중수于重水'로 올랐다.

'중령中泠'은 중국 강소성江蘇省 진강현鎭江縣 서북쪽 양자강揚子江에 있는 샘이다. 강물과 함께 흐르면서도 섞이지 않아서 찬 맛을 그대로 지녔다고 한다. (☞ 1057~1059)

2) 옛 시

(1) 김시습金時習(1435~1493)의 시(「서대西臺」)이다.

西巘高峰甚孤絶	서산의 높은 봉우리 외로이 솟았지만
于筒水潭氣淸冽	우통샘물 기운은 맑고도 차네
上人携瓶自煎茶	상인의 병에 담아 차 끓여
禮拜四方極樂佛	서방 극락세계 부처께 올리네

『매월당전집』 제4권

———

물맛이 하도 뛰어나서 차를 끓여 부처에게 바친다고 한다.

상인은 지덕智德을 갖춘 불제자佛弟子를 이르며, 중에 대한 높임말도도 쓴다. 불이문不二門은 불이법문不二法門의 준 말로, 상대적이고 차별적인 것을 모두 뛰어넘어 절대적이고 평등한 진리를 깨우치는 가르침을 나타낸다.

(2) 앞 사람은 같은 이름의 시(「서대西臺」)에서 '우통의 맑은 물 옥처럼 흐르고于筒淨水涓如玉 / 상서로운 기운 흐르는 골짜기 꽃 바퀴처럼 크다네瑞應香花大似輪'라고 읊조렸다 (『매월당전집』 제10권 「遊關東錄」).

(3) 정두경鄭斗卿(1597~1673)**의 시**(「현 상인을 보내며送玄上人」)**이다.**

———

妙法從來不二門	묘한 불법 예부터 불이문인 줄 알거니
五臺歸去與誰論	오대산에 돌아가면 뉘와 논하려나
山前正有于筒水	그 산 앞에 바로 우통수 있으니
漢水江心是發源	한강은 바로 거기에서 솟는다네

『동명집東溟集』 제2권 「칠언절구」

———

우통수를 신비롭게 여긴 나머지 오묘한 불법에 견주었다.

(4) 윤증尹拯(1629~1714)**의 시**(「금강연에서 율곡의 시에 차운함金剛淵次栗谷韻」)**이다.**

———

新羅世後二千年	신라 이후 이천 년 흘러
王子修禪事杳然	왕자의 참선 알 수 없으나

唯有于筒泉底水	오직 우통샘 남아서
月精門外湛空淵	월정사 문밖 맑은 못 이루었네

『명재유고明齋遺稿』 제2권 「시」

권근權近(1352~1409)의 기記에 '우통수의 근원 되는 곳에 월정月精이라는 암자가 있으며, 옛적 신라의 두 왕자가 은둔하면서 선도禪道를 닦아 득도得道하였다고 이른다'는 내용이 보인다.

앞에서 든 대로, 우통수 근처의 암자는 '월정'이 아니라 수정암이다. '월정'은 월정사일 터이다.

이에 대한 『삼국유사』 기사이다.

신라 정신왕淨神王(?~?)의 태자 보즐도寶叱徒(보천寶川 ?~?)와 아우 효명孝明(?~?)은 1천 명씩 거느리고 대관령을 (…) 넘어 오대산으로 숨어 들어갔다. 따르던 일부는 태자 형제를 찾지 못하고 서울(경주)로 돌아갔다. (…) 보천은 오대산 중대中臺 남쪽 진여원眞如院(상원사)터 아래쪽 산에 푸른 연꽃이 핀 것을 보고, 그 곳에 암자를 지었다.

아우 또한 북대北臺 남쪽 산 밑 푸른 연꽃 자리에 암자를 마련하고 살았다. (…) 진여원에 날마다 이른 아침, 문수보살이 나타나자 둘은 함께 예배하고 새벽에 골짜기의 우통수로 차를 달여서 1만 진신眞身의 문수보살文殊菩薩에게 공양하였다. (…)

보즐도 태자는 항상 골짜기의 신령스러운 물于洞之靈水을 마시더니 몸이 하늘로 날아올랐다(권제3 탑상 제4 「溟州 五臺山 寶叱徒太子 傳記」).

신라에 '정신왕'이라는 임금은 없다. 다만 이본異本에 보천寶叱徒을 정신태자라 부르고, 보천태자寶川太子의 어린 적 이름이라고 한 것을 보면 정신은 곧 보천으로 생각된다(『역주 삼국유사』 권Ⅲ 297).

'신령한 골짜기의 물'은 우통수이며, 그의 몸이 하늘로 날아간 것은 차 공양 덕도 있지만 물 자체에 신령스러운 기운이 깃든 것을 나타내기도 한다.

같은 기사가 「오대산 만진신五臺山萬眞神」에도 들어 있으나 샘은 동중수洞中水로 바뀌었다. 이는 우리 말 샘물을 한자로 바꾼 결과일 터이다(권제3 탑상 제4).

샘 이름은 문헌에 따라 따르다.

『삼국유사』에는 동중수洞中水(「오대산 만진신五臺山萬眞神」)·우동수于洞水(「명주 오대산 보즐도 태자」)·우동영수于洞靈水(「명주 오대산 보즐도 태자 전기」) 따위로 올랐지만, 『세종실록지리지』·『신증동국여지승람』·『양촌선생문집』 들에는 우통수于筒水 하나뿐이다.

이에 대해 염중섭이 '『삼국유사』의 이름들은 특정 지역 샘에 대한 고유명사가 아니라 일반 계곡으로 흐르는 물을 가리키며, 우통수는 보천의 유훈에 따라 세운 수정사의 물 공급원이므로 조선시대에 따로 붙인 고유명사'라고 한 것은 그럴듯하다(2011 ; 272~273).

아닌 게 아니라 우통수는 『삼국유사』 기사와 아주 다르다.

　　㉠ 우물 주위에 귀틀檻을 놓고

　　㉡ 관원이 봄·가을로 제사를 올리며

　　㉢ 이러한 사실이 『조선왕조실록』에 적힌 점

따위이다.

또 우통수가 '한강의 발원지'라는 말도 신격화, 곧 왕조의 무궁한 발전을 비는 뜻이 담겨 있을 터이다.

이처럼 조선초기부터 우통수를 한강의 발원지로 여겨 왔으나, 1918년 조선총독부 임시토지조사국의 실측 결과에 따라 금대산金臺山(1,096미터) 밑 검룡소儉龍沼로 바뀌었다. 이어 하천연구가 이형석李炯石(?~?)이 한강까지의 최장 길이를 잣대로 삼아 태백시 금대산 북쪽계곡의 고목나무 샘이라고 밝혔으며, 1987년에는 국립지리원(지금의 국토지리정보원)에서도 확인하였다. 과학적 숫치가 어떻든지 우통수가 한강의 발원지라는 우리네 정서는 사라지지 않을 것이다.

수정암 입구에 있는 네모꼴 우통수는 가로×세로 60센티미터에 깊이 20센티미터이다.

2. 몽천蒙泉

이황李滉(1501~1570)은 도산서원陶山書院 동쪽에 몽천을 마련해서 어리석은 제자를 이끄는 스승의 의무를 강조하는 한편, 한 방울의 물이 모여서 바다를 이루듯 제자도 끊임없이 노력하기를 일깨웠다.

사진 560이 도산서원 남쪽에서 본 전경이다. 사진 561은 2000년대 초에 찍은 담 안 동쪽의 몽천으로 물이 차 있었으나 2013년에는 말라붙었다(사진 562).

이 샘은 1970년에 도산서원 성역화사업을 벌일 때 새로 복원하였으며 「몽천 비」도 마찬가지이다. 안동시 세계유산 팀장(손성락)에 따르면, 본디 것은 작은 옹달샘에 지나지 않았으며 그나마 오랜 세월이 지나면서 흙에 묻혀서 정확한 자리는 모른다고 한다. 현장에 이러한 사실을 알리는 글이 있어야할 터이다. 사진 563은 우물 안 모습이다. 누가 쓰레기를 던져 넣었을까?

사진 560

① 이에 관한 글#銘과 시이다.

사진 561

사진 562

사진 563

㉠ 글

서당 동쪽에 판, 작고 네모난 연못에 연꽃을 심고 정우당淨友塘이라는 이름을 붙였다. 또 그 동쪽에 몽천을 마련하였다. 샘 위의 기슭을 파고 관란헌觀蘭軒 맞은 쪽에 평평한 단을 쌓았다. 그 위에 매화 · 대 · 솔 · 국화를 심어 절우사節友社라 하였다. 서당 앞으로 드나드는 곳은 사립문으로 가리고 유정문幽貞門이라 부른다.

㉡ 시(「몽천」)

書堂之東	서당 동쪽의 샘
有泉曰蒙	그 이름 몽천이라네
何以體之	어떻게 본받으랴
養正之公	바르게 기르는 공

山泉卦爲蒙	산 아래 샘 괘 몽이니
厥象吳所服	내 그 상을 따르리라
豈敢忘時中	어찌 잊으랴 알맞은 때
尤當思果育	더 힘써 덕 기를 생각이네

도산서당 동쪽의 몽천을 잘 살펴보면 올바름을 키우는 공을 얻을 수 있다. 『주역』「산수몽山水蒙」의 괘상은 위에 산山이, 아래에 물水이 있는 형상이다. 지금 도산 아래의 샘이 그것이다. 이와 꼭 맞게 내가 그 가르침과 연관된 괘상을 따라 이곳에 서당을 열었다. 『주역』에서 '가르쳐서 형통하려면 때에 맞추어 움직이라'고 일렀으니, 내 어찌 감히 그 뜻을 잊으랴? 또 몽괘의 '군자는 과단성 있는 행동으로 덕을 기른다'고 한 대목을 더욱 마음 깊이 새겨야 할 것이다(『퇴계집』 권3 「陶山雜詠」).

———

'위의 산'은 도산陶山이고 '아래의 물'은 낙동강이다.

'산천괘위몽'은 『주역』의 '산 아래에서 솟는 샘이 몽괘'라는 기사에서, 입신立身과 행동이 때에 맞아서 지나치거나 모자라지 않는다는 뜻의 '시중'은 『주역』의 '가르침에 따라 깨달으면 때에 맞추어 실행에 옮긴다'는 기사에서 왔다(몽괘 「단사」). 이에 대해 당의 공영달孔穎達(574~648)은 '몽에 거할 때 사람들이 모두 형통하기를 바라지만, 형통한 도를 베풀어 때에 맞추면 중용中庸의 경지에 이르는 것을 가리킨다'고 하였다. 『중용』에도 '군자가 중용을 지키는 것은 군자답게 때에 맞추어 알맞게 움직이는 것'을 이른다는 기사가 보인다(제2장).

 '과육'은 『주역』의 '군자가 이것蒙卦을 본떠 열심을 다하여 덕을 기른다果行育德'는 말에서 왔다(「몽괘」).

 ② 정조正祖(1752~1800)의 말이다.

———

 감坎의 생김새는 속이 차서 활에 살을 메우는 형상이고, 간艮은 하체가 비어서 길이 두 갈래로 갈라진 꼴이며, 간의 하체와 감의 상체를 합치면 곤坤으로 변한다. 이는 건곤乾坤이 서로를 돕는다는 뜻이다.
 또 둘을 통합하면 산 밑에서 샘물이 솟는 몽괘가 된다. 이는 행동을 과감히 하고 덕을 기르는 것을 상징하므로, 모든 학사들이 덕행德行을 잘 닦아 어리석음을 깨치려고 애쓴다는 뜻이다(『弘齋全書』 제10권 序引 3 「太學恩杯 詩序」).

———

 ③ 이황은 다른 시(「다시 도산 동남쪽을 가보고 지음再行陶山南東」)에서 몽천을 이렇게 읊었다(부분).

———

衆綠靄霧霏	온갖 녹색에서 안개 피어오르고
粉紅絢爛曤	여러 분홍꽃 그물 씌운 듯 곱구나
鳥鳴思雅詩	새 우니 소아의 시 생각나고
泉靜玩蒙卦	샘물 고요하니 주역의 몽괘로세
躊躇足佳賞	천천히 아름다운 풍광 즐기고
辦此感大塊	이를 이룬 땅 신기하게 여기네

———

 '조명사아시'는 『시경』의 '나무 쩌렁쩌렁 베는데伐木丁丁 / 새들 지지배배 우는구나 鳥鳴嚶嚶'는 구절에서 왔다(소아 「벌목」).

④ 몽괘는 『주역』의 다음 대목에 있다.

몽괘는 산 아래에 험한 것이 있고 그것을 만나 몽에 멈추는 것을 나타낸다. 어린
이를 깨우치면 (마음)이 트이므로 때에 알맞게 실천한다. 내가 어린이들에게 가
르침을 구하는 것이 아니라, 그들이 내게 가르침을 바라는 것은 뜻이 통하기 때
문이다. (…) 가르쳐서 바르게 하는 것은 성인의 공덕이다(蒙卦「彖辭」).

---

⑤ 몽천에 관한 세 번째 시(「서당을 고쳐 지을 땅을 도산 남쪽에서 찾음改卜書堂得地於陶山南東」)이다(부분).

陶丘南伴白雲深	도산 언덕 남쪽 흰 구름 깊은데
一道蒙泉出艮岑	한 줄기 몽천 동북 언덕에서 솟네
晚日彩禽浮水渚	해질녘 고운 새 물가로 떠돌고
春風瑤草滿巖林	봄바람에 아름다운 풀 봉우리와 숲에 들어찼네
自生感慨幽棲地	감개 절로 떠오르니 그윽이 깃들어 사는 곳
眞愜盤桓暮傾心	참으로 즐겁네 저무는 해를 향해 서성이는 마음
萬化窮心吾豈敢	내 어찌 만 가지 변화 끝까지 알리오?
願將編簡誦遺音	책 묶어 들고 성현이 남긴 소리 외우리라

도산 언덕구비 남쪽 끝에 흰 구름 더없이 깊고, 『주역』의 「몽괘」를 떠올리는 샘
물 한 줄기가 동북쪽 간艮 언덕에서 졸졸 흐른다. 해질녘, 고운 빛의 날짐승이
물속 모래 섬 가에 둥실 뜨고, 봄바람 살랑살랑 불자 옥처럼 아름다운 풀이 바위
산 봉우리와 숲에 온통 가득 차누나. 이들을 보려니 은자처럼 깊숙이 숨어 사는
이곳에 대한 나의 즐거움이 절로 솟고, 도연명陶淵明(365~427)이 저녁 해지는 것을
보고 솔을 어루만지며 서성이던 모습이 내 마음에 와 닿는 것을 느낀다. 우주
만물의 온갖 변화를 끝까지 파헤치는 일이야 나와 같은 사람이 어찌 해내랴마는,
옛 성현들이 남긴 책들을 가지고 그들의 목소리를 외우며 여생을 조용히 보내고
자 한다.

'반환모경심'의 반환은 머뭇거리며 멀리 떠나지 않는 모습을 이르는 말이다. 도연명陶淵明(365~472)의 「귀거래사歸去來辭」 가운데 '해가 어둑어둑 해져 지려하니景翳翳以將入 / 외로운 소나무 어루만지며 서성이노라撫孤松而盤桓'는 구절이 그것이다.

'만화…기감'은 주자朱子(1130~1200)의 시(「서재에서 느끼는 즐거움齋居感興」)에 '어찌하여 산림에 숨어 사는 이처럼豈若林居者 / 만 가지 변화를 뿌리 깊이 파헤치랴猶探萬化原'는 구절에서, '편간송유음'은 앞 사람의 시(「사제 지낸 다음 날 지음社後一日作」)에 '천 년 전 일 논하려니尚論千載前 / 책에 남은 향기 있구나簡編有遺芳'라는 구절에서 왔다. 이들은 퇴계가 비로소 후진을 가르칠 터를 잡은 것을 기뻐하며 읊은 절구이다.

몽천이라는 이름의 샘은 다른 곳에도 있었다.

⑥ 황준량黃俊良(1517~1563)의 시(「금양정사錦陽精舍」)이다.

石竇蒙泉出	돌구멍에서 몽천 솟고
屛顔錦樹開	산에 비단 빛 나무 들어차니
秋風故山興	가을바람에 고향 산천 흥겨워
一醉絳仙臺	강선대에서 흠뻑 취하였네

『금계집錦溪集』 내집 제3권 「시」

금양정사는 경상북도 영주시 풍기읍 금계리에 있다. 황준량은 이황의 아낌을 받던 만큼 안동의 몽천을 염두에 두고 지었을 터이다. 강선대의 위치는 모른다.

3. 효감천孝感泉

전라북도 고창군 신림면 외화리의 효감천은 이름 그대로 조선 3대 효자의 하나라는 오준吳俊(1444~1494)의 효성에 감동한 하늘이 마련해주었다고 일러온다.

『신증동국여지승람』에 '오준은 아버지의 종기를 입으로 빨았고, 병이 깊어지자 똥을 맛보았으며, 죽은 뒤에는 몹시 슬퍼하며 상례를 정성껏 치렀다. 이 일이 알려져

나라에서 정문을旌門을 세웠다'는 기사가 있다(제34권 흥덕현 「인물」).

사진 564는 북쪽에서 본 효감천 담장과 정문이다. 소나무 한 그루가 지기처럼 서서 샘을 내려다보는 듯하다. 사진 565가 샘으로 전은 동서 1미터에 남북 94센티미터이며 너비는 17센티미터이다. 깊이는 1.9미터로 샘이라기보다 우물에 가깝다. 오른쪽에 「효감천」 비가 있으며, 소나무 아래의 무덤을 닮은 흙더미 앞에도 「신위토神位土」라고 새긴 비가 보인다. 소나무가 샘을 지키는 지기라는 뜻인가?

사진 566은 샘에서 본 정문이다.

사진 564

사진 565

사진 566

그는 어머니마저 세상을 뜨자 묘 아래에 여막廬幕을 짓고 하루 죽 한 그릇만 먹으며 소금과 간장은 입에 대지 않아 온몸에 흰 털이 났다. 범 한마리가 그의 집에서 따라온 개와 함께 매월 초하루와 보름 제사 때, 사슴을 잡아다 주어서 제수로 바쳤다. 또 5리 떨어진 산중턱에서 물을 긷자 하늘이 맑은 날임에도 뇌성벽력을 쳐서 물이 솟게 하였다는 말이 있다.

이에 연관된 다른 이야기이다.

운이雲伊(?~?)가 샘에서 빨래를 하다가 벼락을 맞아 죽은 뒤부터 샘이 두려움의 대상으로 바뀌었다. 오준의 꿈에 범이 나타나 백암마을(전남 장성군 북일면) 함정에 빠졌으니 살려달라고 하자 상복 차림 그대로 새벽길 30리를 달려가 '내 범에게 해를 끼치지 말라'고 소리쳤다. '살리려면 안으로 들어가라'는 사람들의 말에 따랐더니 범은 주인 만난 개처럼 꼬리를 쳤으며, 그는 범을 타고 여막으로 되돌아왔다.

———

운이가 벼락에 맞은 것은 성스러운 샘에서 더러운 빨래를 한 탓이라는 뜻이다.

성종成宗은 통선랑 군자감직장通善郎 軍資監直長 벼슬을 주고 복호復戶시켰으며, 51세에 죽자 정려旌閭를 내리는 외에 예조에서 제문을 지어 향사에 모시고 창효사彰孝祠를 세웠다. 외화리 창효마을에 있는 건물은 흥선대원군興宣大院君(1820~1898)의 명에 따라 헐었다가 뒤에 다시 세웠다. (복호 ☞ 276)

4. 완사천浣紗泉

고려 왕건王建(847~918)은 전라남도 나주羅州를 903년부터 10년 동안 네 번이나 찾았다. 어느 때 목이 말라 샘을 찾다가, 금성산金城山(451미터) 남쪽에서 상서로운 기운이 이는 것을 보고 말을 달렸다. 마침 샘가에서 빨래하는 처녀에게 물을 청하자, 바가지에 버들잎을 띄워서 건넸다. 이들을 후후 불어 가면서 마신 뒤, 까닭을 묻자 대답하였다. "목이 타는 장군께서 급히 마시면 체할까 염려되었습니다." 슬기에 감동한 왕건이 아비 오다련吳多憐(?~?)에게 청혼하자 곧 들어주었다. 며칠 전 딸이 금강(영산강의 옛 이름) 하구와 바다가 만나는 곳에서 황룡 한 마리가 구름을 타고 날아와 자기 몸으로 들어오는 꿈을 꾸었다는 말을 들은 까닭이다. 태어난 아이가 제2대 임금 혜종惠宗(943~945)이다.

그 빨래터가 사진 567의 완사천으로 나주시청을 짓는 탓에 바닥이 6~7미터 낮아졌다. 샘은 달걀을 닮은 타원형으로 짧은 지름 1.35미터에 긴지름 1.55미터이고, 깊이는 66센티미터이다. 잡석으로 둘러놓은 전의 너비는 30센티미터이며, 전에서 수면까지는 30센티미터이다. 오늘날에도 맑은 물이 솟는 것이 놀랍다(사진 568).

사진 567　　　　　　　　　　　　　　　　　　　　사진 568

(1) 김종직金宗直(1431~1492)**의 시(「금성곡**錦城曲」**)이다.**

龍孫當日艤戈船　　　용의 자손 이날 배를 대고
忽夢朝雲暮雨仙　　　아침에 구름, 저녁에 비 되는 신녀神女 만났지
千載薄姬眞合轍　　　천 년 전 박씨 처녀와 참으로 같으니
行人指點浣紗泉　　　사람들 그곳을 완사천이라 부르네

『점필재집佔畢齋集』「점필재시집」 제22권

'용의 자손'은 왕건의 할머니가 용궁으로 드나든 용녀인 데서 왔다. 박씨 처녀薄姬
는 진秦 말, 위표魏豹(?~전 204)의 궁중에 있던 미천한 신분의 여자이다. 위표가 패망한
뒤, 한漢 고조高祖(전 206~전 195)의 부름을 받아 문제文帝(전 179~전 157)를 낳았으며, 문
제가 대왕代王에 봉해지자 대태후代太后가, 제위帝位에 오르자 황태후皇太后가 되었다.
이 시에서는 그네를 태조의 장화왕후莊和王后(894?~934?)에 견준 것이다.

① 『고려사절요』 기사이다.

장화왕후 오吳씨는 나주사람으로 (…) 대대로 목포木浦에서 살았다. (…) 그네는
일찍이 물가의 용浦龍이 뱃속으로 들어오는 꿈을 꾸었다. (…) 얼마 뒤 목포에
닻을 내린 수군장군水軍將軍 태조가 시냇가를 바라보니 오색구름이 피어올랐다.
그곳에서 빨래하는 왕후를 만나 밤에 같이 자다가 상대의 가문이 하찮다는 생각

이 들어서 임신을 막으려고 정액을 침석寢席에 쏟았다. 그러나 왕후는 곧 핥아서 빨아 삼켰고 마침내 낳은 아들이 혜종이다. 얼굴에 돗자리 무늬가 났다고 하여 그를 '주름 임금皺主'이라 불렀다.

용의 아들(왕의 자손이라는 뜻)이라 늘 침석을 물로 닦았으며, 큰 병의 물로 팔을 씻겨도 젖지 않았다. 일곱 살이 되자, 태조는 (…) 낮은 어미 신분 탓에 왕위를 잇지 못할까 염려하여, 상자에 자황포柘黃袍를 담아 보냈다. 왕후가 대광大匡 박술희朴述熙(?~?)에게 보이자, 속을 알아차리고 (태조에게) 정윤正胤(태자)으로 삼을 것을 청하였다. 그네의 시호는 장화왕후이다(권제88 열전 권제1 「후비 장화왕후 오씨」).

———

그가 태어난 마을이름에 왕을 상징하는 '용龍'자를 붙여서 흥룡동興龍洞이라 불렀고, 흥룡사興龍寺라는 큰 절도 완사천 앞에 지었다. 자황포는 산뽕나무桑柘木 즙으로 물들인 노란색 윗옷을 가리켰으나, 수隋나라 문제文帝(581~604)가 처음 입으면서 임금이나 황제의 곤룡포를 상징하게 되었다.

② 장유張維(1587~1638)의 시(「시사에 느낌感時書事」)에 '포육천교자 갈수록 기승부리더니飽肉天驕氣轉豪 / 짐승 털옷을 자황포로 바꾸려 드는구나氈裘欲換柘黃袍'라는 구절이 있다(『谿谷先生集』 제31권 「칠언율시」). '포육천교자'는 평생 고기만 먹어 비린내 나는 교만한 북방 오랑캐라는 말이다. 이 시에서는 야만국 청淸나라가 중국 황제노릇을 하려고 덤빈다는 뜻이다.

(2) 이유원李裕元(1814~1888)의 시(「추왕시皺王詩」)이다.

———

고려 혜종 얼굴의 돗자리 무늬를 보고 세상에서 그를 추왕皺王이라 불렀다. 그에 대한 시이다.

濯錦江邊舅氏鄕	탁금강 기슭 외가의 마을
興龍寺裏藹祥光	흥룡사에 상서로운 빛 넘치네
至今父老懷遺德	이제껏 부로들 유덕 흠모하여
簫鼓懽娛皺大王	추대왕 위해 북치고 피리 부누나

　　나주가 혜종의 외가인지라 임금이 된 뒤 특별히 돌보아준 까닭에, 고을에서 흥룡사 안에 혜종사惠宗祠를 세우고 제사를 받들었다. 추대왕皺大王은 혜종이다.

　　고려 태조 왕건은 여러 호족을 손아귀에 넣으려고 그들의 많은 딸들을 이처럼 아내로 삼았다.

5. 사현정四賢井

　　경상북도 영주시 순흥면 읍내리에 있다. 사진 569의 앞 오른쪽이 우물이고 뒤가 비각이며, 사진 570은 우물 전이다. 두툼한 돌을 써서 두 단의 귀틀을 올렸다. 우물은 깊이 4미터쯤이며, 귀틀은 높이 70센티미터에 너비 1미터이다. 비각은 정면과 측면 한 칸씩이고 안에 '사현정'이라고 새긴 비가 있다.

　　이것은 마을에서 대를 이어 살아온 순흥 안씨 밀직공密直公 안석安碩(?~?)이 벼슬살이 대신 세 아들, 곧 문정공 축文貞公 軸(1282~1348), 문경공 보文敬公 輔(?~?), 좨주공 집 祭酒公 輯(?~?) 등을 훌륭히 키우면서 쓴 우물인 데서 왔다.

　　이 사실을 안 풍기군수 주세붕周世鵬(1495~1554)이 인종仁宗 원년(1545), 비를 세우고 네 사람의 덕을 기렸으며, 1636년에 안응창安應昌(1603~1680)이 비명을 쓰고, 1821년에 목사 안성연安性淵(?~?)이 비각을 세웠다.

사진 569

사진 570

① 「사현정 비각 영건기四賢井碑閣營建記」 내용이다.

―――――

태백산 아래 죽계竹溪 땅에 고려국 증 밀직제학贈密直提學 안공安公, 휘諱 석碩이
사시던 터 곁에 우물이 있으니 우물 속에 나는 고기가 있다고 전한다. 제학공提學公이
어려서부터 학업에 힘써서 과거에 합격하고도 벼슬길에 오르지 않고 물러앉아
산수山水 사이에 살며 그 아드님 문정공 축, 문경공 보, 좌주공 집과 더불어 배우고
가르치셨다. 이들은 공자문하孔子門下에 모인 제자들처럼 뛰어났고 맹모삼천孟母三遷
과 같지는 않아도 문정공과 그 형제가 문장과 덕행이 세상에 크게 드러났다. 이에
따라 대제학의 벼슬과 조정의 벼슬이 높아져서 역사에 기록되었다.
가정嘉靖 때(1522~1566) 주신재周慎齋 세붕世鵬선생이 우물 옆에 비석을 세우고 적
으시다.

―――――

'우물 속의 나는 고기'는 우물의 신령스러움을 더하려고 덧붙인 말이다.

② 이곳을 찾은 이익李瀷(1681~1763)의 글이다.

―――――

광풍대光風臺에 올랐다가 돌아오며 취한대翠寒臺를 거쳐 문성공 옛터에 들렀다.
사현정에 이르니 옆에 비가 있고 '안석安碩과 아들 축軸·보補·집輯이 모두 여기
서 태어났다'는 기사가 음각 되어 있었다(『星湖全集』제53권 記「訪白雲洞記」).

―――――

광풍대와 취한대는 영주시 순흥면 내죽리의 소수서원紹修書院 부근에 있으며, 광풍
대라는 이름은 이황李滉이 지었다고 한다.

③ 후손 안성연安性淵(?~?)의 글이다.

―――――

한 집안이 충성스럽고 효도하며 우애가 넘치고 깨끗한 가풍이 있어 지금까지 사
현정이라고 불러왔다. 여러 백 년 동안 가림이 없이 우뚝 서서 이끼가 끼고 글자
가 파여서 밭두렁에 묻힐까 걱정이었다. 아는 이 탄식하고, 나그네 애석해하니
하물며 자손임에랴.

불초不肖가 안동安東 영장英將으로 온 이듬해 재목을 모아 비각을 세움에, 다행히 근처 일가들이 도와서 며칠 걸리지 않았다. 이로써 위로 비바람을 가리고 아래로 밭가는 보습이 미치지 않아 영구히 남게 되기를 바란다.

기록은 반드시 훌륭한 문장을 기다려야 하나, 내 장차 갈려 갈 것이기에 (…) 더 미루지 못하고 전말을 간단히 적음에 (…) 사모함을 이기지 못하나이다.

崇禎 四辛巳(1821) 季冬

후손後孫 목사 성연

————

'영장'은 용맹스런 장수라는 뜻으로 자신이 무장임을 나타낸 것이다. '밭가는 보습이 미치지 않는다'는 말은 사람이 일부러 없애지 않는다는 뜻이다. 흔히 남의 나라를 멸망시키는 것을 '그들의 궁궐을 쟁기질 한다'고 이른다.

안석의 아들 가운데 정당문학政堂文學을 거쳐 첨의찬성사僉議贊成事에 오른 안축安軸(1282~1348)은 벼슬보다 경기체가景幾體歌 형식의 「관동별곡關東別曲」과 「죽계별곡竹溪別曲」을 지은 것으로 유명하다.

6. 명정明井

경상남도 통영시 명정동에 있는 네모 우물 둘이며, 긴 네모꼴의 웅덩이水槽가 딸렸다.

'명정'은 명明자의 일日과 월月자를 따서 붙인 이름으로, 현지에서는 '정당새미'라고 한다. 처음에는 하나뿐이었으나 물이 흐린데다가 말라붙어서 하나를 더 팠더니 물이 넉넉하고 맑아졌으며, 이 뒤부터 위의 것을 일정日井, 아래 것을 월정月井이라 불렀다는 것이다.

일정은 '숫물', 월정은 '암물'이라는 뜻이다. 말라붙은 우물에 짝을 채우자 물이 다시 솟으며 맑아진 것은 음양화합의 원리 그대로이다. 위의 것이 수日, 아래 것이 암月인 것도 마찬가지이다.

일정은 충무공 이순신李舜臣(1545~1598) 제사에, 월정은 민가에서 썼다는 말도 있다.

따라서 본디 이름은 '숫물'과 '암물'이었으며, 지금의 이름은 유식자들이 바꾸었을 가능성이 높다.

사진 571의 오른쪽이 일정, 왼쪽이 월정이다.

사진 571

일정(사진 572)은 깊이 1.26미터에 물 높이 53센티미터이다. 입은 1.44×1.82미터이며, 높이 31센티미터에 너비 16센티미터이고 한쪽 길이는 2.5미터이다.

월정은 깊이 1.35미터에 물이 찬 부위는 52센티미터이다. 입은 1.7×1.76미터이며 전은 높이 21센티미터에 너비 14센티미터이다. 사진 573은 우물 안 모습니다.

사진 572

사진 573

사진 574의 돌 위아래의 구멍은 두레박줄을 꿰어두려고 마련하였을 터이다. 이로써 사람들은 두레박을 들고 다닐 필요가 없어지고 우물에 빠뜨릴 염려도 사라졌다.

제45대 통제사 김시성金是聲(1620~1676)의 문집(『錦浦實記』)에 '명정리明井里·명정동明井洞·명정서당기明井書堂記' 따위가 실린 것을 보면 늦어도 1663년에 '명정明井'이라는 지명이 있었음이 분명하다. 따라서 1606년, 통제사 이운룡李雲龍(1562~1610)이 왕명으로 웅렬사忠烈祠를 세울 때 판 것으로 생각된다.

사진 574

이들은 문학작품에도 등장한다.

(1) 백석白石(1912~1996)의 시(「통영統營」)이다(부분).

蘭이라는 이는 明井골에 산다든데

明井골은 山을 넘어 冬柏나무 푸르른 甘露 같은 물이 솟는 明井샘이 있는 마
을인데

샘터엔 오구작작 물을 긷는 처녀며 새악시들 가운데 내가 좋아하는 그이가 있을
것만 같고

내가 좋아하는 그이는 푸른 가지 붉게붉게 동백꽃 피는 철엔 타관 시집을 갈 것만
같은데

『백석 시전집』

'새악시'를 만나기에 우물가처럼 알맞은 곳도 없다.

'오구작작'은 사람이 한곳에 오밀조밀 모여서 떠들거나 붐비는 모양이고, '타관 시
집'은 다른 곳으로 시집을 간다는 뜻이다.

시인이 서울에서 여학교를 다니던 명정동 처녀 박경련, 곧 '난이'를 만나려고 신현
중과 통영에 온 것이 1936년 1월 8일이다. 친구 허준의 결혼피로연에서 그네를 보고
한눈에 반해서, 방학을 틈타 고향에 내려온 상대를 뒤따라 왔던 것이다. 그러나 뜻을
못 이루고 그네 외사촌 서병직의 대접만 받고 발걸음을 돌렸다고 한다.

(2) 박경리朴景利(1926~2008)의 소설 『김약국의 딸들』의 한 대목이다.

충렬사에 이르는 길 양 켠에는 아름드리 동백나무가 줄을 지어 서 있고 아지랑
이가 감도는 봄날 핏빛 같은 꽃을 피운다. 그 길 연면에 명정골 우물이 부부처
럼 두 개가 나란히 있었다. 음력 이월 풍신제를 올릴 무렵이면 고을 안의 젊은
각시, 처녀들이 정화수를 길어내느라고 밤이 지새도록 지분 내음을 풍기며 득실
거린다.

'부부처럼 두 개가 나란히 있었다'
는 말도 '암·수' 우물임을 나타낸다.
이렇게 불리는 우물은 여러 곳에 있
다. (☞ 449)

사진 575는 웅덩이이다.

사진 575

7. 천은사泉隱寺 샘

전라남도 구례군 광의면 방광리의 천은사泉隱寺는 828년, 인도의 중 덕운德雲(?~?)이
세웠다고 한다. 처음에는 경내에 있는 이슬처럼 맑고 차가운 샘의 이름을 따서 감로
사甘露寺(또는 感露寺)라 부르다가, 1679년에 단유祖裕(?~?)선사가 중수하면서 지금의 이
름으로 바꾸었다.

이 물을 마시면 흐렸던 정신이 맑아진다고 하여 많은 사람이 몰려들었으며, 고려
충렬왕忠烈王(1274~1308) 때는 남방 제일의 사찰로 불렸다. 임진왜란으로 불에 타서
중건할 때, 샘가에 자주 나타나는 큰 구렁이를 죽였더니 그 뒤부터 말라붙었으며,
1677년에 절 이름을 천은사로 바꾼 까닭이 이것이라 한다.

사진 576의 번듯한 기와지붕 건물 안에 감로천이 있다. 물이 끊임없이 콸콸 흘러
드는데다가 '감로천'이라고 새
긴 둥근 확이 아주 커서 우물
못지않다(사진 577). 전 주위에
보시 삼아 저마다의 소원을 적
은 쪽박을 엎어놓았다(사진 578).
사연도 '소원성취'·'업장소멸業
障消滅'·'시험합격'·'꼭 필요한
곳에 재목이 되게 해 주세요' 등
가지가지이다.

사진 576

사진 577

사진 578

이에 대한 전설이다.

사진 579

샘가에 큰 구렁이가 자주 나타난 탓에
사람들이 두려워하자 스님이 죽였더니
물이 말라 절 이름을 '샘이 숨었다'는 뜻
의 천은사로 바꾸었다. 이 뒤 이상하게도
여러 차례 불이 일어나는 따위의 불상사
가 잦았으며, 사람들은 절의 수기水氣를
지키던 이무기가 죽은 탓이라 하였다.

이를 들은 조선 4대 명필의 한 사람인 이광사李匡師(1705~1777)가 물이 흐르는 듯
한 필체로 '지리산 천은사'라고 쓴 현판을 일주문에 걸자 불이 멎었다. 지금도
새벽에 고요한 시간이 되면 현판에서 물 흐르는 소리가 들린다고 한다.

구렁이나 이무기를 죽인 탓에 물이 마른 것은 당연한 일이다.
이들은 물을 상징하는 용의 다른 이름이기 때문이다. 따라서 천
은사가 아니라 '용은사龍隱寺'가 더 그럴듯할 터이지만 '샘'을 '부
처의 말씀'으로 보면 크게 벗어난 것은 아니다.

사진 580은 일주문에 걸어놓은 이광사의 글씨이다.

그것은 그렇거니와 이광사의 필법을 드러내려는 사람들이 지
어낸 이야기일 가능성도 없지 않다. 지리산, 그것도 깊은 계곡
아래에 자리 잡은 이 절에 샘이 끊기다니 믿어지지 않는다.

사진 580

8. 청운각靑雲閣 우물

사진 581은 경상북도 문경시 문경읍의
청운각 우물이다. 박정희朴正熙(1917~1979)
전 대통령이 1937년 4월부터 3년 동안 문
경공립보통학교 교사로 있을 때 이 집에
하숙을 하였다. 집은 바뀌었지만 우물, 디
딜방아, 장독대는 옛 모습을 그대로라고
한다.

사진 582는 우물 안에서 자란 오동나
무이다. 전에서 94센티미터 떨어진 돌 벽
동쪽에서 ㄴ자꼴로 구부러져서 곧게 솟
았다. 돌 벽에서 저처럼 오동나무 싹이
트다니 믿기 어려운 일임에 틀림없다. 나
무 지름은 24센티미터쯤이며 전에
서 우물 수면까지는 6미터로 매우
깊다. 입 지름 1미터에 전 높이 72
센티미터이며 너비는 15~ 20센티
미터이다.

사진 581

2007년 무렵에 제18대 대통령후
보를 고를 때, 우물 안 돌 벽에서
싹이 튼 오동나무가 밖으로 모습을
드러내면서 사람들의 관심을 모았

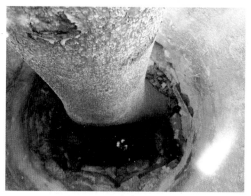

사진 582

다. 이어 박근혜朴槿惠(1952~)가 대통령이 후보로 뽑히자 모두 '박근혜 오동나무'라
불렀고 '오동나무에 봉황이 깃든다'는 고사를 들어 대통령에 당선되리라고 기대하였
다.

9. 주천酒泉

1) 김천시金泉市

'금이 나는 샘金之泉'이라는 경상북도 김천시 남산동南山洞의 '김천金泉'은 과하주過夏
酒라는 명주를 빚은 우물로 널리 알려졌다. 이를 과하천過夏泉이라고도 부른 것은 임진
왜란 때 명明의 이여송李如松(1549~1598)이 물맛을 보고 중국 금릉金陵(강소성 남경시南京市)
의 과하천과 같다고 한 데서 왔다는 말도 있다. 실제로 김천을 금릉이라고 불렀다.
이밖에 '금릉주천金陵酒泉'이라는 별명도 있었다.

『규곤시의방閨壼是議方』·『음식디미방』·『규합총서』·『증보산림경제』등에 오른 것
을 보면 널리 알려진 것이 분명하다. 『동의보감東醫寶鑑』에도 '술 한 병에 황납黃臘 두
전錢, 후추胡椒가루 한 전錢을 넣고 입을 막은 뒤, 젖은 쌀 한 움큼을 위에 놓고 중탕해
고다가 쌀이 밥이 되면 차게 식혀 마신다'는 기사가 있다.

조선시대에 술이 진상품이 되면서 요구가 점점 늘어나자 견디지 못한 주민들이 메
워 버렸다는 이야기도 전한다.

이만부李萬敷(1664~1732)는 『식산
집息山集』에 '김천의 별명이 주천酒
泉인 것은 술 맛이 아주 좋기 때문
이다. 술 빚는 샘 셋 가운데, 둘은
우촌郵村에, 하나는 섬봉蟾峰에 있
다'고 적었다(권12 「蟾峰日錄抄」). 우촌
이나 섬봉의 위치는 모른다.

사진 583이 과하천이다.

사진 583(ⓒ 김천문화원)

김천을 주천에 견준 정두경鄭斗卿(1597~1673)**의 시**(「주천의 관소에서 조휴휴에게 줌酒泉館贈趙休休」)**이다**
(부분).

四月靑梅滿玉盤　　사월이라 푸른 매실 옥 소반에 가득
開窓醉向竹林看　　술 취해 창 열고 대숲 바라보노라

金泉酒味偏多美　　김천의 술맛 특별하거니

更爲持杯問井官　　다시금 술잔 잡고 정관에게 묻네

『동명집東溟集』 제3권 「칠언절구」

———

'술 잔 잡고…'는 술맛이 뛰어난 것은 물이 좋은 덕분이고, 이는 곧 고을 원이 정사를 잘 살펴서 하늘이 특별한 선물로 내린 것이라는 뜻이다.

조휴휴趙休休(1600~1654)는 조휴趙休의 자이며, 정관은 우물을 맡은 관원이자 고을 원을 가리킨다.

2) 강원도 영월군 주천면

주천면 신일리 망산望山(304미터) 기슭에 있다(사진 584).

사진 584

(1) 『신증동국여지승람』 기사이다.

———

주천현 남쪽 길가에 술통을 닮은 반이 깨진 돌酒泉石이 보인다. 이 돌 술통은 본디 서천西川가에 있던 것으로, 누구든지 마음껏 마셨다. 읍의 아전이 거기까지 오가는 것을 귀찮게 여긴 나머지 현 안으로 옮기려 할 때, 갑자기 떨어진 벼락으로 세 동강이 나더니 하나는 못에 잠기고, 하나는 간 곳을 모르며, 나머지 한 개가 이것이라 한다(제46권 원주목 고적 「酒泉石」).

———

술로 패가망신하는 어리석은 자들이

사진 585

하도 많아서 하늘이 참다못하여 벼락을 내려
쳤을 터이다. 사진 585는 관광객에게 보이려
고 꾸며 놓은 것이고, 사진 586이 바위틈에 고
이는 옛적 샘이다. 오른쪽 위로 '酒泉(주천)'이
라고 새긴 글씨가 보인다.

사진 586

(2) 주천에 대한 시이다.

① 성임成任(1421~1484)의 시(「술샘의 돌酒泉石」)이다
(부분).

不是無懷卽葛天	이는 무회씨나 갈천씨여서
有酒有酒如流泉	술이 샘처럼 줄줄 흐른다네
滴瀝纔從巖石注	방울져 바위틈으로 떨어지는가 싶더니
激激已向罇罍傳	곧 철철 넘쳐 통술에 차누나
醞釀非因麴糵力	누룩의 조화 덕이 아니라
至味不和歸自然	자연이 빚은 지극한 맛이라네
一飮神遊沆瀣上	한 잔 마시면 하늘에 노니는 듯하고
再飮夢到蓬萊堧	두 잔이면 꿈에 봉래산 빈 터에 이르지
源源自是用不渴	줄줄 흘러, 흠뻑 마셔도 그칠 줄 모르니
旦應取醉何論錢	취기를 즐길 뿐 어찌 값 따지랴?
我欲回天返舊脈	하늘을 되돌려 옛 샘 길 살리려하니
莫敎世人流饞涎	세상이여 미리 군침 흘리지 말라
願爲蟠桃遷明主	반도 안주 삼아 임금께 바치리니
應傾一酌當千年	한 잔에 천년 수 누리시고
萬酌更期萬萬歲	일만 잔에 영원을 안으시고
長於法宮朝群仙	법궁에서 뭇 신선과 즐기소서

『동국여지승람』 제46권 원주목 「고적」

'한 잔에 하늘에 노닐고 / 두 잔에 봉래산 간다'는 구절은 주선酒仙다운 말이다.

무회씨는 태고시절의 제왕이고, 갈천씨는 전설에 나오는 원고遠古 때 사람이다. 그가 다스릴 때는 말하지 않아도 사람들이 믿었으며, 음악은 모두 여덟 곡으로 세 사람이 쇠꼬리를 잡고 노래 불렀다고 이른다. 반도는 도교의 신화에 나오는 복숭이다. 서왕모西王母의 정원에서 자라며 3,000년마다 한 번씩 열리는 열매를 먹으면 영원한 생명을 얻는다고 한다. '취기를 즐길 뿐 어찌 값 따지랴?' 하였지만, 값을 내야한다면 결코 취하지 않을 것이다.

주천은 고구려시대에 주원현酒淵縣이었다가, 신라 경덕왕敬德王(742~765) 때 주천현酒泉縣으로 바뀌었다.

② 강희맹姜希孟(1424~1483)의 시(「주천역 벽에 적음次酒泉驛壁上韻」)이다(부분).

星君以酒名於天	별은 술로 하늘에 이름나고
坤靈釀液流於泉	땅지기는 술 빚어 샘물에 흘려보내네
原城部曲古縣西	원성 부곡 옛 고을 서쪽
斷峰突兀臨蒼然	깎아 세운 봉우리 우뚝 솟고
崖下泓澄瞰黔碧	벼랑 아래 물 깊고 맑아 검푸른데
石槽破碎橫江突	돌 술통 부서져 강가에 가로 놓였네
人言槽在蒼崖巓淸濁自湧休論錢千鍾爲堯百斛	
	벼랑 위 술통 청주도 탁주도 절로 솟고 술값 말 않으며
	천 종鍾 마시면 요堯, 백 곡斛 마시면 공자 된다더니
孔玉山自倒春風前	옥산이 봄바람에 스스로 무너졌네
天工意在合自然	하늘의 뜻 자연 그대로인데
何人强慾村中遷	왜 마을로 옮기려 들었던가
群靈爲怒償神物	노한 여러 신령들 신통으로
擘取槽石歸重淵	술통 부수어 깊은 못에 던졌구나
我欲鼓浪遡淸冷	물결 타고 맑고 서늘한 원천에 올라
打起霹靂如當年	예대로 벽력 두드려 일으키고
井取途中一片石	남은 돌 한 조각도 강에 던져

盡水水府供謫仙　　이적선에게 바치리라

『동국여지승람』 제46권 원주목 「고적」

———

'별은 술로 하늘에 이름나고 / 땅지기는 술 빚어 샘에 흘린다'는 구절도 쉽게 잊을 수 없는 명구이다. 신선이나 마시는 술을 어찌 사람이 빚으리오? 이는 땅지기의 비법이 아니고서는 좀체 맛보기 어려운 까닭이다. 다만 앞 사람이 임금을 들먹이고, 뒤에서 이적선을 끌어댄 것은 옥의 티임이 분명하다.

원성은 강원도 원주시의 옛 이름이고, 적선은 술을 즐겨 마신 당 이백李白(701~762)의 별명으로 이 세상에 귀양 온 신선이라는 뜻이다. '천 종鍾 마시면 요堯임금이, 백 곡斛 마시면 공자가 된다'는 말은, 술에 취하면 무위자연無爲自然의 신선이 된다는 말이다. '종'은 한 되, '곡'은 한 말이다.

③ 앞의 시를 읽고 이황李滉(1501~1570)이 지은 시(「주천현 주천석·강진산이 지은 시의 각운 자를 그대로 써서 지음酒泉縣酒泉石姜晉山韻」)이다.

———

神槽雷劈已上天	술주자 벼락 맞아 하늘로 올라가고
至今以酒名其泉	지금껏 샘솟아 술샘이라네
人言土俗信荒怪	시골 풍속 허황하다지만
繼之好事非眞傳	호사가의 허풍 또한 거짓이네
我疑造物本難測	조물주 이치 알기 어렵거늘
厥初安知有由然	하물며 아득한 옛적 일이랴
當時仙釀非世法	그때의 술 빚기 세속 솜씨 아닌지라
糟牀日注靈波堧	술주자에서 쉬지 않고 빈 땅에 흘렀지
慢亭虹橋降眞侶	만정봉 무지개 타고 신선 내려오고
瀛尊嶽豆無論錢	바다는 술, 산은 안주그릇이라 걱정 없었네
瓊漿如流樂且湛	맛좋은 술 물처럼 흐르자 즐겁고 편안하여
官府久廢玉皇前	옥황의 관청 일 흐지부지 된 탓에
上界有謫一念差	하늘이 하계로 귀양 보내
赫然下命六丁遷	엄명 받은 여섯 귀신 이곳으로 왔다네

區區反爲龍所貪	이러구러 다투다가 용이 탐내어
一片誤落金沙淵	한쪽은 금모래 못에 빠졌지만
復留一片豈無意	또 한쪽 남았으니 어찌 뜻 없다 하리
天戒衆飮官途邊	관가 옆에서 마시지 말라는 하늘의 경계일세
世人不曉靈眞跡	신령하고 참된 자취 모르는 세상
渴喉但覺流饞涎	목마르면 술 생각에 침만 흘리네
謂神之怒坐一吏	신의 노기 어찌 한 사람 탓이랴
謾說相誇今幾年	부질없이 떠들어댄 지 벌써 오래 전
徵奇詰異竟誰是	이상한 일 따져 볼 이 과연 누구인가
我欲就問騎鯨仙	내 고래 탄 신선에게 물으리라

『퇴계집』 퇴계선생문집 권1 「시」

———

도학자답게 술샘은 신선의 허황된 이야기에서 나왔다면서, 그것은 어떻든 관청 옆에서는 술 마시지 말라는 교훈까지 곁들였다. 세상에 이러한 성인만 있다면 숨 막혀 죽을 노릇 아닌가?

강진산은 강희맹의 별명이고, 육정은 도교의 귀신 이름이다. 고래 등에 앉은 신선은 이백을 가리킨다.

④ **김시습**金時習(1435~1493)**의 시(「술이 떨어져**無酒」)**이다**(부분).

———

李白把酒問月飮	술잔 잡고 달과 말 걸며 마신 이백
塊然一斗詩百篇	홀로 앉아 한 말 술에 시 백편 지었지
而我千載猶爲人	천년 뒤 태어난 나는 어떠한가
獨對靑山無酒錢	쓸쓸히 청산 마주하고도 술사지 못하네
安得盡捻書籍賣	어찌해야 책 모두 팔아
卜築移家居酒泉	터 잡고 집 옮겨 주천에서 지내랴

『매월당전집』 제5권

———

청산을 앞에 두고도 술잔을 잡지 못하는 처량한 신세를 이백에 견주며, 차라리 책을 팔아서라도 주천으로 이사를 가야겠다고 중얼거린다. 술잔이나 즐기는 사람은 그 심정을 알고도 남는다.

일찍이 우리 한글학자 한 분은 집까지 팔아 술을 사 자시고 난 뒤, '지금까지는 내가 네 집에 살았지만, 앞으로는 네가 내 뱃속에 살렷다'고 준엄하게 이르셨다.

⑤ 최립崔岦(1539~1612)의 비문(「증 자헌대부 이조판서 겸 지의금부사 성균관진사 이공 묘갈명贈資憲大夫吏曹判書兼知義禁府事成均進士李公墓碣銘」)이다(부분).

족인族人의 집이 주천酒泉이라는 옛 고을에 있었다. 공이 여덟 살 적에 찾아갔다 가 '주천에 술은 없고 견문만 새롭더라酒泉無酒見聞異'고 읊조려서 모두 놀랐다 (『簡易集』 제9권 「稀年錄」).

어린 나이에 벌써 세상 이치를 깨쳤으니 재주가 놀랍고, 그가 누구인지 궁금하다.

주천은 경상북도 예천에도 있었다. 사진 587이 현판이고, 사진 588이 우물이다. 술 이 샘처럼 솟아오르기를 바란 사람 이 오죽이나 많았으랴?

사진 587   사진 588

10. 도천盜泉

(1) 이색李穡(1328~1396)의 시(「고풍古風」)이다(부분).

盜泉渴不飮	도천은 목말라도 마시지 않고
惡木熱不息	악목에는 아무리 더워도 쉬지 않아
危邦與亂邦	위태하거나 어지러운 나라에서는
聖轍留不得	성인의 발길 잡지 못하였네
用我爲東周	나를 써주면 동주를 하겠다던
出語何惻惻	그 말씀은 어찌 그리 가련한가

『목은고牧隱藁』「목은시고牧隱詩稿」 제27권

'성인'은 공자이며, 동주東周는 동쪽 노魯나라에 주周의 도를 세운다는 뜻이다. 계씨季氏의 가신家臣 공산불요公山弗擾(?~?)의 부름을 받은 공자가 떠나려는 즈음, 자로子路가 못 마땅히 여기는 것을 보고 이렇게 일렀다.

"나를 어찌 공연히 부르겠느냐? 나를 써주기만 하면 동주를 하고 싶다."(『논어「陽貨』)
시인도 공자의 이러한 기대가 허망하다고 본 것이다.

(2) 『고려사절요』 기사이다.

지주사知州事 정습인鄭習仁(?~?)은 영주榮州의 불탑佛塔 이름이 무신無信이라는 말을 듣고 '악목惡木 밑에 쉬지 않고 도천을 마시지 않는다는 옛글은 이름 때문인데, 고을에서 모두 우러르는 큰 탑을 이렇게 부르는 것은 옳지 않다'며 탑을 헐고 빈관賓館을 세웠다.

이를 들은 신돈辛旽(?~1371)은 그를 전법옥典法獄에 가두고 온갖 고통을 주었으며 어머니 상喪을 당했음에도 죽이려 들었다. 조정 신하들의 도움으로 죽음을 면하자 백성이 되어 다시 탑을 쌓았다. 신돈이 죽은 뒤, 지영주사知榮州事와 지밀성군사知密城郡事에 올라 권세가들을 억누르고 음사淫祀를 막았다(제28권 공민왕 15년 [1366] 열전「정습인」).

'악목'은 『관자管子』의 '마음이 깨끗한 선비는 악목 그늘에서 쉬지 않는다夫士懷耿介之心 不陰惡木之枝'는 구절에서 왔다. 진晉 육기陸機(260~303)의 시(「맹호행猛虎行」)에도 '목이 말라도 도천 물 마시지 않고渴不飮盜泉水 / 더워도 악목 그늘에서 쉬지 않는다熱不息惡

木隂'는 구절이 있다. (☞ 1043~1046)

정습인에 대한 『고려사』 기사이다.

그는 기개가 높아 술을 마시면 그 힘을 빌려 거리낌 없이 곧은 말을 쏟았다. 공
민왕恭愍王(1351~1374) 때 과거에 급제하고 (…) 지영주사로 일을 보려할 때, 주리
州吏가 전례에 따라 소재도消灾圖에 분향을 권하자 '신하가 떳떳하지 않은 도리를
따르지 않는다고 하여 어찌 재앙이 내리겠는가? 그렇지 않더라도 순순히 받아들
일 뿐'이라며 치우라고 일렀다(「열전」).

소재도는 악귀를 쫓는다는 부적의 한 종류일 터이다.
강직하기로 이보다 더한 인물을 찾기도 쉽지 않을 것이다.

(3) 『추강집秋江集』 기사이다.

내 증조부 제학공提學公(?~?)이 (…) 일찍이 충의위忠義衛로 입직入直할 때, 저녁
음식이 모자라자 평소 알던 부엌사람餐人이 상을 올렸으나 받지 않았다. 이를 먹
은 족형 남경우南景祐(?~1467)가 너스레를 떨자 '대형大兄은 참으시오. 목이 말라
도 도천은 마시지 않는 법입니다'고 타일렀다(제7권 雜著 「冷話」).

제학공은 누구인지 모른다.
남경우는 형조참판·사헌부지평·경주부윤·병조판서 등을 거쳤으나, 성품이 조급
하고 특별한 재주 또한 없음에도 관품이 종1품에 이르러 좋지 않은 평판을 들었다.

(4) 『청장관전서靑莊館全書』 기사이다.

우연히 생긴 지명을 어찌 억지로 끌어대느냐는 사람이 있지만, 옛적 군자는 도천
을 마시지 않았으며, 마을 이름이 승모勝母라 하여 수레를 돌렸다. 따라서 이름은
반드시 상象이 있는 것이요 우연만은 아니다(제3권 嬰處詩稿 1 「陽厓記」).

'승모'는 글자 그대로 어미를 이긴다는 뜻이다.

추양鄒陽(전 206~전 129)의 『어옥상서자명於獄上書自明』에 '증자曾子는 현縣 이름이 승모인 것을 보고 들어가지 않았다'는 기사가 있다. 공자도 해가 저물고 배가 몹시 고팠음에도, 이곳에 머물면 어머니에 대한 불경과 불효를 저지르게 된다며 발길을 빨리 하였다고 일러온다.

(5) 이규보李奎報(1168~1241)도 일찍이 이에 연관된 시(「전주에서 효자리에 세운 비석에 적음題全州孝子里立石」)를 남겼다.

立石標孝子	비 세워 효자 기릴 때
不曾鐫姓氏	성씨 본디 넣지 않아
不知何代人	어느 때 사람인지
孝行復何似	무슨 효행인지 궁금하네
伊昔魯曾參	옛적 노나라 증삼
不入勝母里	승모 마을에 들어가지 않았으니
脫令見此石	이 비석 보았더라면
絶欲卜隣寄	이웃 삼으려 애썼으리라

『동국이상국전집』 제9권 「고율시」

참으로 옳은 말이다. 까닭 없이 생긴 땅 이름은 하나도 없다. 오늘날에는 땅 이름을 모두 한글로 적는 탓에 뜻은 사라지고 소리만 남고 말았다. 지금도 전라북도 전주시 완산구 삼천동 3가에 효자리가 있다.

(6) 지규식池圭植(1850~?)의 일기이다(부분).

땔나무 값 석 냥 닷 전, 짚신 값 두 냥 넉 전, 붓 공전 여덟 냥, 도리깨 값 한 냥 닷 전이다. 밤에 시律詩 한 수 읊다(부분).

臨渴尙嫌泉號盜	목말라도 도천 마시지 않으니
卜居只合谷稱愚	살 곳은 우곡뿐이리
種桑待得蠶成日	뽕 심어 누에 잘 크기 바라고
織錦擬裁無逸圖	비단 짜 무일도 그리려네

『하재일기荷齋日記』(1895년 5월 24일자)

무일도는 『서경書經』의 내용을 담은 풍속화이다(「無逸篇」). 주공周公(?~전 1032)이 성왕成王(?~?)에게 향락에 빠지지 않도록 경계한 글을 송宋 인종仁宗(1022~1063) 때, 학사 손석孫奭(962~1033)이 그림으로 그려 바쳤다.

(7) 김시습金時習의 시(「봄에 옛 시골집을 그리는 시에 화답함和書懷古田舍」)에도 '도천과 악목이 곁에 있으나盜泉惡木傍 / 군자는 가지 않는다君子窮不踐'는 구절이 있다(『매월당전집』 제8권).

11. 탐천貪泉

(1) 이규보李奎報(1168~1241)의 시(「조아경 충이 화답한 시에 차운함次韻趙亞卿冲見和」)이다(부분).

淸節那一移	맑은 절개 한 번인들 꺾이랴
貪泉寧百酌	탐천을 백 번 마신들
欲奉壽山書	수산의 편지 받들고
東峯待金鶴	동봉에서 금학 기다리겠네
此語勿輕傳	이 말 함부로 전하지 마오
恐落儕輩譴	친구들 조롱하리니

『동국이상국전집』 제9권 「고율시古律詩」

'친구들이 조롱하리라'는 구절에 웃음 난다. 자신은 한 번이 아니라 아주 여러 번 절개를 꺾었다는 뜻이 들어있는 듯한 까닭이다.

조충趙沖(1171~1220)은 문신이면서도 거란의 침입을 염주鹽州(포항)에서 물리친 외에, 서북면 병마사로 인주麟州에 들어온 여진족도 쫓아냈으며, 몽골군과 함께 거란군의 강동성을 공격, 항복을 받았다.

수산은 누구인지 모른다.

(2) 앞 사람은 이연수李延壽(?~1227)의 인품을 들어 '깨끗한 마음은 탐천을 마셔도 바뀌지 않았다. (⋯) 그가 말고삐 당기는 권세를 잡자 재물 탐내는 이속吏屬들이 기가 꺾여 감히 숨을 못 쉬었고, 밖에서 가마의 휘장을 걷는 교화를 펴자 지친 백성들이 모두 손뼉 치며 노래하였다'고 적었다(『동문선』 제25권 「制誥 麻制」).

이연수는 1216년, 거란의 유종遺種(?~?)이 쳐들어왔을 때, 우승선右承宣으로 행영중군도지 병마사行營中軍都知兵馬事를 지냈으며 뒤에 문하시중門下侍中에 올랐다.

(3) 민사평閔思平(1295~1359)의 시(「우곡의 은 술잔 시에 차운함次愚谷銀杯詩韻」)**이다**(부분).

曾事先生似所天	일찍이 어버이처럼 섬긴 선생
況今屋宅卜隣遷	하물며 이웃으로 오심에랴
樂道獨堪居陋巷	도를 즐겨 홀로 외진 곳에 살고
渴時雅不酌貪泉	목말라도 탐천 마시지 않으시네
每陪杖屨聞高論	늘 뵙고 고상한 말씀 듣나니
深感氷翁結社緣	인연 이어주신 장인께 감사드리네

『급암시집及菴詩集』 제3권 「시」

우곡은 조선 초기의 문신 정이오鄭以吾(1347~1434)일 터이다.

(4) 이곡李穀(1298~1351)의 시(「양주 누대의 시에 차운함次襄州樓上詩韻」)**이다**(부분).

李君起廢事超前	이군의 중건 전에 없던 일이니
敗瓦書存天慶年	깨진 기왓장에 천경의 연호 있었네
滿簾秋氣山圍屋	산으로 둘린 집 주렴에 가득한 가을 기운

隔岸濤聲浪接天　　물결이 하늘에 잇닿은 언덕 너머 파도 소리
寄語新除賢太守　　새로 온 어진 태수님께 말씀 하노니
隱之何害酌貪泉　　은지야 탐천 마셔도 아무렇지 않으리

객사는 고故 이군 임종李君林宗이 중건하였다. 천경天慶(938~947) 연호는 그의 기문記
文에 자세히 적혔다. 부령副令 최재崔宰(1303~1378)가 수령으로 간다기에 지었다.

『가정집稼亭集』 제19권 「율시」

———

은지는 진晉의 청백리 오은지吳隱之(?~413)이다. 광주廣州자사 시절, 자신의 마음을
굳게 다지며, 아무리 탐천이라지만 사람의 곧은 마음이 어찌 바뀌느냐는 내용의 시
(「貪泉」)를 남겼다. (☞ 1044~1045)

양주는 강원도 양양의 옛 이름이고, 천경은 발해부흥국가 흥료국興遼國의 연호로
1029년이다. 이임종은 이승휴李承休(1224~1300)의 아들이다.

(5) 『성종실록』 기사이다.

———

임금이 물러나려는 대사성 노자형盧自亨(1414~1490)에게 일렀다.
학교는 풍속과 교화의 바탕이고(…) 사표師表는 인재 양성의 뿌리이다. (…) 성품
이 온순하고 행실이 단정한 그대는 (…) 탐천을 마셔도 마음이 더 맑고, 어두운
방에서도 속임이 없었다. (…) 나이 들었지만 병이 깊지 않으니 굳이 사양하지
말라(18년[1487] 2월 1일).

———

임금의 간곡한 권고가 마음에 와 닿는다.
노자형은 대사성 등을 거치면서 성균관에서 인재양성에 힘쓰다가, 70살 때 물러나려
하였으나 허락을 못 받았다. 성리학에 밝았으며 정신적인 지조도 본보기가 되었다.

(6) 『동문선東文選』 기사이다.

———

금천衿川(서울시 금천구 시흥동) 동쪽 산은 형세가 북으로 내닫는 범을 닮은 데다가

높아서 호암虎巖이라 부른다. 술가術家가 범의 기세를 꺾으려고 바위 북쪽 모퉁이에 호압사虎押寺를 세우는 외에, 북쪽에 궁교弓橋와 사자암獅子菴을 지었다.

경오년庚午年 봄, 고을에 부임한 나는 백성들에게 '광천狂泉·음천淫泉·탐천貪泉 따위가 무슨 까닭에 있는가? 마신 자가 미치고, 음란하고, 욕심이 커서 이름을 얻은 것이다. 따라서 이 바위 아래에서 태어나 살아온 자들이 어리석다 할지 모르나 반드시 그렇지 않다'고 일러주었다.

옛적의 태수 오은지吳隱之는 탐천 물을 마시고도 욕심이 없었으며 '백이伯夷와 숙제叔齊가 마셔도 마음을 바꾸지 않는다'는 시도 지었다. (…) 따라서 바위 때문에 어리석은 것이 아니라, 그렇게 생각하는 자가 참으로 어리석은 것이다.

당의 유자후柳子厚(773~819)가 염계冉溪에 집 짓고 우계愚溪라 불러 스스로 어리석다 하였지만 실제로는 그렇지 않은 것이다. 나는 우계의 '우愚'를 따서 호암虎巖을 우암愚巖으로 고쳤다. 내가 실제로 어리석다고 여긴 까닭이다. 이에 감히 어리석음에 관한 설을 지어 현명한 군자를 기다리노라(제98권 虎巖說 「尹慈」).

————

(7) 앞 사람은 다른 시(「앞의 운을 써서 남양南陽, 차공次公 두 분에게 부침」)에 '곧은 활시위 어찌 굽히랴絃直何由曲 / 샘 탐해도 깨끗함 잃지 않으리라泉貪不改廉'는 구절을 남겼다(『四佳詩集』「詩類」).

경주시 교동에 있는 최부자집에서도 사랑채 대청에 '큰 바보 집大愚軒'이라고 쓴 현판을 걸었다. 똑똑한 사람은 자신을 바보라 일컫고, 바보들은 자신들이 똑똑하다고 뽐내는 것이 오늘날의 세상이다.

(8) 『간이집簡易集』 기사이다.

————

단천端川(함경북도)군수로 가는 벗 자민子敏에게 모두 오은지의 탐천시를 들며 '백이숙제가 끝내 마음 바꾸지 않았듯이, 은광銀鑛을 거름더미처럼 여기고 백금白金은 아예 볼 생각조차 말라'고 일러주었다(제3권 序 「送端川郡守 李子敏」).

————

조선시대의 적지 않은 벼슬아치들이 깡촌에서도 재물 긁어모으기에 눈에 불을 밝혔거늘, 하물며 광산고을이야 더 말할 것이 있으랴?

이자민은 인조仁祖 때의 문신 이안눌李安訥(1571~1673)의 자이다.

(9) 『기언記言』의 기사이다.

쌍석봉雙石峯은 (강원도 인제군 북면) 용대龍坮 미수파彌首坡 못 미친 북쪽에 있다. (…) 동해에서 물고기와 소금을 지고 대관령을 넘는 등짐장수들은 암벽 사이로 흐르는 적담賊潭을 지난다. 이 이름은 어떤 자가 사람을 죽여 물에 던진 데서 왔다. 아, 악계惡溪나 탐천이 어찌 물의 죄일 것이랴? (…) 이를 적어 세속에 붙여서 악명을 뒤집어쓰고도 부끄러워하지 않는 자의 경계로 삼는다(『記行』 제24권 중편).

옳은 말이다. 자연은 낱말 뜻대로 자연일 뿐이다. 모두 사람 탓이다.

이 글의 대관령은 한계령寒溪嶺의 잘못이다. 대관령을 넘으면 용대가 아니라 평창군 도암면 횡계리橫溪里에 닿는다.

(10) 이항복李恒福(1556~1618)의 시(「이종사가 연도에서 지은 시에 차운함次李從事沿途之作」)이다(부분).

宦情無味孰加鹽	벼슬살이 씁쓸하니 누가 소금 주려나
渴飮貪泉喪舊廉	목말라 탐천 마시고 옛 절개 잃었네
何日乞將骸骨去	언제인가 벼슬 그만두고 고향에 가
白茅爲屋竹爲簷	새로 새 잇고 대 처마 두르리라

『백사집白沙集』 제1권 「시」

벼슬을 살며 깨끗하기가 얼마나 어려운 가를 일깨우는 시이다. '백모白茅'는 지붕에 새를 갓 덮으면 한 동안 흰 빛이 나는 것을 가리킨다.

(11) 장유張維(1587~1638)의 시(「배천으로 가는 이사군에게送白川李使君」)이다.

| 隱之酌貪泉 | 은지는 탐천 물마시고도 |

猶自淸如水	여전히 맑기가 물 같았지
使君向白川	사군이 가는 황해도 배천
白川佳可喜	고을 이름 참으로 듣기 좋구려
人白勝川白	깨끗한 인품 냇물보다 더하니
名實信兩美	참으로 모두 아름답도다

『계곡집谿谷集』「계곡선생집」 제25권

———

사람의 깨끗한 마음人白과 자연의 흰 내白·川를 교묘하게 이어 붙인 명시이다.

(12) 『유씨삼대록』 기사이다.

———

초란의 인도를 받고 후원에 올라가 두루 살펴보니 가파른 전각에 층층이 꽃 심은 계단이 있었다. (…) 이 화단 사이는 작은 샘 자리인데 어지러운 돌과 모래가 가득하여 막힌 지 오래였다. 소저가 친히 모래를 치우고, 초란이 돌을 들어내며 땅을 파자 이윽고 물이 점점 고였다. 그러나 더럽고 맛이 없었다. '이 물을 차마 부인께서 어찌 마시겠습니까?' 하는 초란의 말에 이렇게 덧붙였다.

"우스운 말 말거라. 고인이 탐천을 마시면 마음이 더욱 맑다고 하였다. 내 이 물로 갈증에서 벗어나는 것이 무슨 대수이냐?"

그 뒤 그릇을 내 와서 목마른 것을 해결하고 구멍으로 들어오는 음식을 하루 한 번씩 받아 주인과 종이 간신히 시장기를 면하였다. (…) 소저가 들어온 후에는 사나운 기운이나 괴이한 돌, 귀신의 휘파람 소리가 없었으니 가히 바르지 못한 것은 바른 것을 그르치지 못한다는 사실을 잘 알 수 있었다(제13권).

———

옳은 생각이다. 사람의 마음이 문제이지 물을 가릴 것이 무엇인가? '탐천을 마시면 마음이 더 맑아진다'는 말은 영원한 진리이다. 온갖 잡귀가 놀라 달아난 까닭도 이것이다.

18세기 무렵에 나온 것으로 보이는 이 소설은 중국 명나라 유씨 일가의 3대에 걸친 가정소설이다. 앞 대목은 반란이 많아 진왕(세형)이 출전하자, 앙심을 품은 유원수가 6년 만에 화락하게 지내는 공주를 죽이려다 발각되어 감옥에서 지내는 장면이다.

12. 자오천子午泉

(1) 『임하필기林下筆記』 기사이다.

———

청淸 문달공文達公 기균紀昀(1724~1805)의 옛집에 섭동경葉東卿(?~?)과 섭지선葉志詵 (1779~1863)이 산다. 이 집의 자오천은 맛이 짜지만, 하루 가운데 자초子初 및 오 정午正 사이 두 시간은 맑은 물이 솟아서 특이하게 달고 시원하다. 그러나 이때가 지나면 다시 짜다. 사신 이조원李肇源(1758~1831)이 돌아올 때, 섭동경이 우리네 제영題詠을 두루 구경시켜 달라고 졸랐다.

나는 물에 대해 남다른 감각을 지녔다. 승가천僧伽泉의 자정수子正水가 가장 차 다. 자子는 하늘이 물을 내는 시각을 가리키는 지지地支이고, 자子와 오午는 연관 이 있으므로 오도 역시 자와 같다. 또 동정수東井水의 자정수 한 사발을 마시면 학질도 떨어진다. 춘천春川 봉의산鳳儀山 밑의 자오천도 마셔 보았다(제33권「華東 玉糝編」).

———

승가천은 서울특별시 종로구 구기동에 있는 승가사僧伽寺에 있으며 자정은 하루를 24시로 나눈 자시子時의 한 가운데 곧, 밤 12시를 가리킨다. 자정수子正水가 만물을 영물로 바꾸는 신비한 물이라고도 하지만, 명산의 명천을 밤 12시 정각에 긷는다고 하여 이렇게 부른다.

사진 589가 승가천 약사전藥師殿이고, 사진 590이 승가천이다. 절까지 길을 내어서 자동차가 오르내리는 탓에 사람이 모여들자 건물을 바위에 지어 붙였다.

사진 589

사진 590

(2) 조수삼趙秀三**(1762~1849)의 글이다.**

――――――

자오천은 설동경네 있다. (…) 연경燕京의 물은 모두 짜고 흐리지만 오직 이곳은 하루 가운데 자오子午시 두 차례 맑고 맛좋은 물이 솟는다. 그러나 그대 집의 자오천은 언제나 맑으며 밤중에는 아주 차다(『秋齋集』 권5 「시」).

――――――

(3) 서경순徐慶淳**(1804~?)의 여행기에도** '섭씨네 자오천은 집 뒤 담 밑에 있으며, 둘레는 작은 독만 하지만, 깊이는 두서너 길'이라는 기사가 보인다(『夢經堂日史』).

(4) 김정희金正喜**(1786~1856)의 시(「자오천**子午泉**」)이다.**

――――――

吾邦九州外	구주 밖 우리나라
奇勝誰與讓	기이한 경치 어디보다 뛰어나
洌陽及馯域	열양과 한역의
於泉亦多狀	샘 또한 갖가지 형상이로세
佛池湧異品	불지에 놀라운 것 솟아
金屑相儕行	금가루 망천輞川과 겨루네
	(양산梁山 원적산圓寂山에 있는 불지는 금수굴金水窟이라고
	도 이른다. 굴속이 모두 금가루인지라 망천의 금설천金屑泉
	과 같다)
青松與一牟	청송과 일모文義는
	(일모는 문의文義의 옛 이름이다)
琅城之東嶂	낭성清州 동쪽 기슭
	(낭성은 지금의 청주이다)
名以椒水者	초수라는 샘
	(청송·문의·청주에 다 초수가 있다)
所在卽一樣	모두 한 모양일세
湯井任所記	탕정에 임원준의 「기記」가 있고

(온양溫陽 온정溫井에 대해 임원준任元濬이 적었다)

神水甜合釀　　　신수는 달콤해 술 빚기 좋네

(온정 곁의 신수에 대해 임원준이 적었다)

種種潮汐泉　　　여러 곳의 조석천潮汐泉

覯歷非蕢妄　　　가보았더니 빈말 아니로세

鳥岾志兩穴　　　문경이라 새재의 두 구멍 샘

(우리는 재嶺를 참岾이라 하는데 이는 옥편字書에도 없는 글
자이다. 문경 조참鳥岾에 조석천 두 곳이 있으며, 하루 두세
번 솟는다. 이를 밀물推水이라 이르는 것은 사투리이다)

葱倉誇三漲　　　총창에서는 세 번 솟는다 자랑이네

(총령창蔥嶺倉은 수안군遂安郡에 있으며 창 곁의 조천潮泉은
하루 세 번 솟는다)

昔聞郴州水　　　예부터 빈주龍岡의 물

分半冷與湯　　　반은 차고 반은 끓는다더니

(곧 용강龍岡에도 차고 뜨거운 두 샘이 있으며 빈주와 같은
듯하다)

若較於增地　　　이를 증지에 견주면

厥理竟誰長　　　어느 쪽이 더 나을까

馬靈沸甑饙　　　마령 샘 떡 기운 솟고

(증연甑淵은 진안鎭安에 있으며 마령은 옛 이름이다. 현지縣
誌에 '큰 구멍이 산마루턱으로 뚫려서 물 기운이 늘 쌀을 씻
어 시루에 찌는 듯하다'고 적혔다)

咸羅聚墨浪　　　함라에 묵랑이 모여든다네

(함라는 함열산咸悅山의 이름으로 묵정墨井이 있다)

酸則江陰在　　　신 샘은 강음에 있고

(강음은 김천金泉의 옛 이름으로 신 맛이 나는 샘이 있다)

鹹者栗口旁　　　짠 샘은 율구에서 솟나니

(율구는 은률殷栗의 옛 이름이다)

富寧古石幕　　　부령은 옛적 석막군인데

(부령은 옛 석막군이다)

資莊淸演漾	자장못의 물 맑기도 하이

(부령에 자장담資莊潭이 있으며 물이 맑아 겨울에도 얼지 않는다)

瀲汍隨地別	깨끗하기 고장 따라 다르니
天一費巧匠	하늘의 묘한 솜씨 덕분이라네
拈起諸泉理	모든 샘의 이치 손꼽으니
奧妙不可暢	깊고도 묘해 다 알 수 없구나
況復中州大	더구나 중국처럼 크나큰 땅은
無非聞見刱	듣도 보도 못한 새로운 샘 넘치니
去訂子午泉	직접 다니며 자오천 두루 살펴서
聊以博采訪	모두 찾아내리라

『추사 김정희 시전집』「자오천」

열수는 지금의 한강이고, 한역은 동이족東夷族의 별명으로 곧 우리나라이다. 망천은 중국 섬서성 남전현藍田縣 남쪽 골짜기에서 북쪽의 패수覇水로 흐른다. 당의 시인이자 화가 왕유王維(699?~759)의 별장이 있던 곳으로 유명하다.

임원준(1423~1500)은 조선시대 문신이며, 조석천은 물이 들고 남에 따라 물의 양이 바뀌는 샘이다. 수안군은 충청북도 충주시 수안보水安堡이고, 빈주는 중국 호남성에 있다. 증지는 평안남도 용강의 옛 이름이다. 전라북도 익산시 함라면에 있는 함라산咸羅山(241미터) 서쪽의 묵정은 모래와 돌이 검은 데서 왔다. 강음은 황해도 금천金川으로 우봉牛峰이라고도 한다.

조천潮泉에 대한 『신증동국여지승람』 기사이다.

'조천은 둘이 있다. 하나는 현 남쪽 소둔산所屯山의 것으로 바위 구멍에서 나온다. 근원은 실처럼 가늘지만 날마다 아침저녁으로 넘쳐서 3리里를 적신 뒤에야 그친다. 이는 바닷물이 들고 나는 것과 같다.

또 하나는 현 남쪽 정곡리井谷里에 있다. 매일 세 차례씩 동구洞口로 나와 소야천所耶川으로 흘러든다. 사람들이 이를 물밀이水推라고 한다(제29권 聞慶縣 「산천」).

『고전국역총서』에서는 수추를 물밀이로 옮겼으나(권Ⅳ), 『대동운부군옥』 번역본에서는 '물방망이'로 고쳤다. 원본도 '水推'이다. 그러나 '물밀이'나 '물방망이'는 궁색하기 짝이 없다. 이는 각자공刻字工의 잘못일 터이다. 물방아를 가리키는 '수대水'를 '수추'로 판 것이 아닐까? 물이 넉넉한 산간지대에서는 이 방아를 양쪽에 놓으므로 물이 확에 담겼다가 쏟아지는 모습을 바닷물이 들고나는 것에 견준 것이다.

물방아는 큰 통나무의 한 끝에 긴 네모꼴의 확을 파고, 다른 끝에 공이를 박은 방아이다. 골짜기에서 떨어지는 물이 확에 가득차면 그 무게로 아래쪽으로 기울어서 물이 쏟아진다. 이때 위로 올라갔던 반대쪽의 공이가 아래로 떨어져서 곡식을 찧거나 빻는다. 공이가 밤낮을 가리지 않고 스스로 오르내리므로 사람이 지켜 앉을 필요가 없는 것도 장점이다.

사진 591이 온양의 온정 비각이고, 사진 592는 그 안에 있는 임원준이 썼다는 비이다. 사진 593은 우물의 돌 귀틀이다. 본디 것은 아니고 구색을 갖추려고 땅을 조금 파고 마련한 것이다. 전 높이 85센티미터에 너비 30센티미터이며 길이 170센티미터이다. 입은 동서 60센티미터에 남북 78센티미터이다. (☞ 273~274 · 642~643)

사진 591

사진 592

사진 593

(5) 『약천집藥泉集』 기사이다.

경자년(1640) 8월 22일, 어버이慈親께서 두풍頭風 증세가 있어 온양군溫陽郡 온탕에
모시고 갔다. 이튿날 옛 궁터를 둘러보니, 담장이 무너지고 섬돌도 온전한 것이
하나도 없었다. 선왕先王의 유풍을 생각하니 (…) 마음이 서글펐다. 궁전 앞 찬
우물곁의 작은 비碑는 서하군西河君 임원준이 앞뒤에 새긴 것으로 획이 닳아서
'내수사內需司 재물로 공인工人들을 사서 새겼다'는 내용만 알 수 있었다. (…)
사람들은 '본디 궁터 아래에서 솟았으나 물이 너무 뜨거워 구리홈통으로 끌어대
고 오른쪽에 남탕南湯, 왼쪽에 북탕北湯을 지었다'고 하였다. 궁터 오른쪽 앞의
지붕을 갖춘 남탕은 세조대왕께서 거둥하신 곳으로 지금은 백성들이 목욕한다.
궁전 뜰 왼쪽 섬돌 아래의 북탕은 샘이 둘이며 남탕과 같지만 더 아름답게 꾸몄
다. 동양도위東陽都尉가 '삼대비三大妃가 행차한 곳임에도 황폐가 더 심하다'고 이
른 그대로이다.

그가 다녀가고 20년이 지난 지금은 깨진 기와 조각과 자갈이 샘에 가득차고 풀
뿌리가 무성해서 분별하기 어렵다. 더구나 외탕外湯은 갖바치皮匠들이 더럽혀서
숨을 쉴 수도 없다(제28권 「溫陽溫泉 北湯記」).

동양도위는 선조宣祖의 부마 신익성申翊聖(1588~1644)의 봉호이다.
남탕이나 북탕의 자취는 찾을 수 없다.

13. 한우물

전라북도 남원시 화정동花井洞은 1625년에 김해김씨가 처음 터를 잡았다. 연화리蓮
花里라 부르다가, 마을의 한우물에서 교룡산蛟龍山의 정기가 솟는다고 하여 한우물 마
을大井里로 바꾸었다. 지금 이름은 1914년의 행정구역 통폐합 때, 서봉면의 화산리花
山里와 한우물을 합친 결과이다. 주민은 163명이다(2007년).

우물 전은 259×252센티미터에 높이 52센티미터이다. 우물 깊이는 3.45미터이고

전에서 수면까지는 60센티미터이다
(사진 594).

사진 595는 우물을 고친 일자, 진행자, 시주자, 석공 따위를 새긴 정명井銘이다.

이 우물에 주검을 넣으면 자손이 잘 된다고 한다.

사진 594

『남원의 마을 유래』 기사이다.

사진 595

———

우물이 천하 명당임을 안 도사가 아들 삼형제에게 '내가 죽었을 때 목을 베어 우물에 넣으면 3년 뒤 발복하여 부귀를 누릴 것'이라 일러서 그대로 따랐다. 3년이 될 무렵, 이들의 계모가 마을에 사실을 털어놓았다.

사람들이 여러 날 물을 퍼 올리자 앞발을 쳐들고 승천하려던 검은 암소가 연기 속으로 사라졌다. 이때부터 우물에서 귀곡성이 나면서 변고가 잇따랐다. 무당을 불러 우룡신牛龍神의 한을 풀어준 뒤 메우고, 위쪽에 새 우물을 마련하였다. 오늘날에도 해마다 정월 대보름날 부녀자들이 불을 밝히고 소원을 빈다.

———

주검을 우물에 넣으면 잘 된다니 믿기지 않는다. 우물이 생명의 원천이라 다시 살아난다는 뜻인가? 우룡신이 나왔다는 말도 의심스럽기는 마찬가지이다.

사진 596이 우룡신상이다. 전면에 보이는 '전설의 고장 한무물'이라는 글자가 어설프기만 하다.

사진 596

14. 말세末世우물

충청북도 괴산군 증평읍 사곡리 사청射廳마을에
있다(사진 597). 깊이 5.4미터이며 귀틀 입은 2.6×
2.6미터에 높이 95센티미터이다.

사진 597

유래담이다.

세조世祖(1455~1468)가 조카 단종端宗(1452~1455)
을 쫓아낸 탓에 서너 해 동안 심한 가뭄이 들
었다. 1456년 어느 날, 한 도승이 물을 청하자 물동이를 가지고 나간 아낙이 두
어 시간 뒤에 돌아왔다. 마을에 샘이 없어 10리 밖에서 길어온 것이다.

감복한 도승이 지팡이로 두드리며 다니다가 마을 한복판을 파라고 일렀다. 물은
닷새 만에 솟아 곧 한길 우물을 채웠다. 사람들이 기뻐하자 도승은 물이 넘치면
나라에 큰 일이 일어난다고 일렀다. 그렇다면 차라리 10리 밖의 개울물을 먹겠
다는 말에, 세 번 넘쳐서 말세가 되거든 떠나라고 덧붙였다.

백여 년 뒤 어느 날 새벽, 물이 넘치더니 임진왜란(1592년)이 터졌고, 4백 년 뒤인
1910년에 나라를 일본에 빼앗기는 일이 일어났다. 그리고 1950년 6월 24일에는
우물이 1미터쯤 불어나 6.25사변을 알렸다. 1995년 11월에도 넘쳤
지만 무슨 일에 대한 예고인지 모른다.

이 우물은 신령스러운 덕분에 장옥분(16세)·연기남(13세)·연규인(14
세)·연경세(11세) 등 넷이 빠졌었지만 모두 무사하였다.

이야기가 오락가락이다. 세조
의 왕위 찬탈은 연관이 전혀 없
을 뿐더러 말세가 세 번 겹쳤어
도 사람들은 태평하게 지내는 까
닭이다. 우물에 빠진 청소년 이
야기도 개칠에 지나지 않는다.

사진 598

사진 599

사진 598은 우물 안이고, 사진 599는 유래비이다.

15. 사명당四溟堂 우물

———

경상북도 상주군尚州郡 공성면功城面 도곡리道谷里의 우물은 사명당의 덕을 보았다. 그가 목이 말라 어떤 집에 들어가 물을 청하자, 부엌에 물이 없어 밥 짓던 며느리가 뜨러 갔다. 우물의 물이 마른 탓에 동안이 걸렸음에도 시어미는 게으르다며 꾸짖었다. 이를 가엾게 여긴 대사가 지팡이로 땅을 세 번 땅 두드리자 우물에서 많은 물이 솟았다.

———

사명당(1544~1610)의 다른 이름은 유정惟政으로, 임진왜란 때 스승 서산대사西山大師 휴정休靜(1520~1604)과 함께 큰 공을 세운 승병장이다. 왜국倭國에서 돌아온 그가 앞마을을 지나다가 꽂은 석장錫杖이 큰 나무로 자랐다고도 한다.

유명한 중이 지팡이나 석장으로 우물터를 찾아주는 민담은 중국에도 있다. 이것은 우리에게 불교가 들어올 때 묻어온 것으로 보이며, 일본에는 헤아리기 어려울 정도로 많다.

16. 구정봉九井峰

전라남도 영암군 월출산月出山 천황봉(711미터) 남서쪽에 있다. 『고려사』에도 같은 기사가 보인다(지리지 「영암」).

(1) 『세종실록지리지』와 『신증동국여지승람』 기사이다.

———

구정봉은 월출산 최고봉이다. 꼭대기에 우뚝 솟은 바위는 높이 두 길이다. 겨우 사람 하나가 드나들 만한 옆 구멍을 따라 꼭대기에 올라가면 20여 명이 앉을 수 있다. 평평한 곳에 물이 담긴 동이 같은 구멍 아홉 개가 있어 구정봉이라 부른다. 물은 아무리 가물어도 마르지 않으며 구멍마다 용이 깃들었다고 한다(제35권 영암군 「월출산 구정봉」).

———

오랜 세월 풍화風化를 거치면서 웅덩이가 생겼으며 가장 큰 것은 지름 3미터에 깊이 50센티미터이다(사진 600). '용이 깃들었다'는 말은 신령스럽다는 뜻이다. 그러나 '구정봉이 최고봉'이라는 대목은 잘못이다.

세조世祖 때 온 나라에 가뭄이 들자 수미須彌선사가 구정봉 물을 가져다가 도갑사道岬寺 법당에서 기우제를 지낸 덕분에 큰 해를 면했다는 설화도 전한다.

사진 600(ⓒ 영암군청)

(2) 이현보李賢輔(1467~1555)의 시(「구정봉」)이다.

———

天爲九龍居	조물주 아홉 용 살리려고
峩峩作高峯	드높은 봉우리 마련했지만
變化曾幾年	바뀌어 사라진 지 여러 해
蜿蜒空舊蹤	꿈틀대던 옛 자취 가뭇없구나
尙疑一斛水	물 한 섬 저 아래로
下與滄溟通	바다가 통하는지 모르겠네

『농암집聾巖集』 제1권 「시」

———

앞에서 든 대로, 여러 개의 웅덩이가 그대로 남았음에도 '바뀌어 사라진 지 여러 해'라고 한 까닭이 무엇인지 알 수 없다.

'물 한 섬… 바다'는 『두시비해杜詩批解』의 '백 년짜리 죽은 나무 거문고 짜기 알맞고

百年死樹中琴瑟 / 옛 물 한 섬에 교룡 숨었다네―斛舊水藏蛟龍'는 구절에서 왔다(권18 「君不見簡蘇倿」). 구정봉의 용들이 우물로 들어가 바다로 갔을지 모른다는 말이다.

(3) 『기언記言』의 기사이다.

9월에 비로소 탑산塔山에서 내려와 월악산月嶽山으로 들어가 도갑사를 둘러보았다. 이 절은 신라 중 도선道詵(827~898)이 머물던 곳이다. (…) 또 용암사龍巖寺 구층탑을 보고 구정봉에 올랐다가 구룡정九龍井에서 운무雲霧를 만났다. 그곳의 종처럼 생긴 큰 바위는 한 사람이 흔들어도 움직이는 듯하고, 열 사람이 흔들어도 그쯤에 지나지 않았다. 고을 이름 영암靈巖은 이에서 왔다고 한다. 이 같은 돌 셋 가운데 하나는 도갑사 아래에, 또 하나는 용암사 아래, 나머지는 소년대少年臺 위에 있다(제24권 記行 1662년 정월 「기행문」).

이 글의 '월악산'은 '월출산'의 잘못이다.
구룡정은 물이 고인 구덩이로, 그 안의 물을 용에 견준 것이 돋보인다.

(4) 기대승奇大升(1527~1572)의 시(「구정봉에 올라 사방을 바라봄登九井峯四望」)에도 '바위에 떨어지는 물웅덩이 파이고巖溜滴成坎 / 용 발자국 또한 기괴하구나龍跡亦奇詭'라는 구절이 보인다(『고봉집』 제1권 「시」).

부산시 금정구 금정산金井山(801미터)에도 구정을 닮은 금샘金井이 있다(사진 601·602).

사진 601(ⓒ 김재신)

사진 602(ⓒ 김재신)

(5) 『신증동국여지승람』 기사이다.

현 북쪽 20여 리에 있다. 산마루에 높이 서 발쯤 되는 돌 위에 우물(둘레 3미터에, 깊이 23센티미터쯤)이 그것이다. 물이 늘 가득차서 가뭄에도 마르지 않으며 물은 황금빛이다. 하늘에서 오색구름을 타고 온 금빛 물고기가 이곳에서 놀았다고 하여 산 이름을 금정이라 하였고, 이로써 절을 지어 범어사梵魚寺라 불렀다(제23권 동래현 「산천」).

이 절은 신라 문무왕文武王 18년(678)에 의상義湘법사가 세웠으며, 임진왜란 때 불탄 것을 조선시대에 두 차례에 걸쳐 중수하였다. '범어'는 '범천梵天'의 물고기라는 뜻이다.

17. 전복우물鰒井

경상남도 함안군 산인면 모곡리의 고려동高麗洞유적지는 고려가 망하고 조선왕조가 들어서자 이오李午(?~?)가 고려에 대한 충절을 지키려고 터를 잡은 곳이다.

그의 손자 이경성李景成(?~?)에게 조식曺植(1501~1572)이 '왜 벼슬을 더 하지 않는가?' 묻자 '노모老母를 모시기 위해서 입니다' 대답하여 '양지지효養志之孝'라는 칭찬을 들은 적도 있다.

그의 아내 여주이씨驪州李氏도 시어미에 대한 효성이 지극하였다.

병에 걸린 시어미가 전복鰒魚이 먹고 싶다고 했지만 산골이라 구할 길이 없었다. 그러나 효심에 하늘이 감동한 결과, 우물에서 전복이 떠올랐다. 회를 맛있게 먹던 환자가 권했으나 자신은 먹을 줄 모른다고 둘러댔다.

그 뒤 경상감사 유척기兪拓基(1691~1767)는 자신의 부임기념 백일장에 '평생 복허회를 먹지 않는다平生不食鰒魚膾'는 시제詩題를 냈다는 일화가 있다.

이오가 팠다는 우물은 안채 뒤꼍에 있다. 사진 603이 우물이고, 사진 604는 돌에 새긴 우물이름으로, 전을 고쳐쌓을 때 붙였다.

사진 603(ⓒ 작은문학)　　　　　　　　　　사진 604(ⓒ 작은문학)

18. 소금우물

(1) 『신증동국여지승람』 기사이다

───────

전라북도 고창군 심원면 월산리 금당포黔堂浦에 소금우물이 있다. 물이 희고 짜서 사람들이 썰물을 기다렸다가 다투어 용두레桔槹로 퍼 올려서 소금을 낸다. 볕에 말리는 덕분에 힘들이지 않고 많은 이익을 거두는 곳은 여기뿐이다(제36권 全羅道 茂長縣 「鹽井」).

───────

바닷가인 덕분에 용두레로 길어 올린 것이다.

(2) 『고창군지』 기사이다

───────

1400년 전, 선운사禪雲寺를 세운 검단선사黔丹禪師가 부근의 도적들에게 절에서 3 킬로미터쯤 떨어진 바닷가에 웅덩이를 파고 소금 내는 법을 가르쳤으며 (…) 마을에서 보답으로 해마다 봄가을로 소금 두 가마를 바쳤다. 이곳에서 1960년대까지도 3백여 가구에서 소금을 내어 높은 소득을 올렸다.

───────

이 기사는 앞 책의 내용과 같은 소금우물일 터이다.

(3) 『경세유표經世遺表』 기사이다.

(경기도) 남양南陽소금은 세금을 가마釜로 메기지 않고 간수滷水구덩이의 크기로 셈한다. 큰 구덩이는 넉 냥, 중간은 두 냥, 작은 것은 한 냥, 아주 작은 것은 닷 전이다. 그러나 광주廣州에서는 구덩이마다 두 냥을 거두었다(제14권 均役事目追議 제 1 「鹽稅」).

남양에서 소금물 웅덩이에 대한 잣대가 없이 눈대중으로 '큰 것·중간 것·작은 것'을 가렸다니 어처구니없는 일이다. 차라리 광주처럼 구덩이마다 일정액을 거두는 것이 낫다.

(4) 다음은 소금우물 생성에 대한 두 가지 의견이다.

홍대용洪大容(1731~1783)은 '허공은 물의 정기精氣이고 태양은 불의 정기이며, 땅의 세계는 물과 불의 찌꺼기이다. 물과 불이 없으면 땅은 능히 살아 움직일 수 없다. 스스로 돌아 위치를 정하고, 만물을 이루고 키우는 것은 물과 불의 힘이다. 온천과 염정도 물과 불이 부딪쳐 생기는 것'이라 하였다(『湛軒書』「醫山問答」). 정기론을 들어 대자연의 법칙을 설명한 이 내용은 북학파의 선구자이자 과학사상가의 대답으로는 모라라는 데가 있다.

이와 대조적으로 정약용丁若鏞(1762~1836)은 '바다에서 멀리 떨어진 곳에 염지鹽池나 염정이 생긴 것은 이상하지 않다. 대지 전체가 바닷물에 잠겨서 물이 통하지 않는 곳이 없으므로 석맥石脈과 바위틈에 흙이 빽빽하게 차면 염분이 스며들어 맑은 샘이 된다. 또 석맥이 뚫려서 바닷물이 직접 들어오면 염지나 염정을 이루기도 한다. 바다에서 멀리 떨어진 곳에 반드시 이들이 있는 것은 만물을 기르는 자연의 이치'라고 적었다(『經世遺表』 제10권 地官修制「賦貢制」 4). 홍대용의 이론보다는 훨씬 그럴 듯하다.

한편, 우리네 기록에 등장하는 염정은 우물이 아니라 바닷물을 모아둔 구덩이에 지나지 않는다.

19. 초정椒井

『조선왕조실록』에 충청도 청원淸原·전의全義·목천木川, 경기도 광주廣州, 경상도 청송靑松, 서울 인경궁仁慶宮(인왕산 아래) 등지의 초수椒水 관련 기사가 실려 있다(앞으로는 초정椒井으로 적는다). '초정'은 라듐이 많이 섞인 천연탄산수인 까닭에 후추처럼 톡 쏘는 맛이 나는 데서 왔다. 고혈압·당뇨병·위장병·피부병·안질 따위에 효험이 있다고 한다. 사진 605가 충북 청주시 청원구에 있는 초정 위의 건물이고, 사진 606은 1978년의 우물 안 모습이다.

사진 605

사진 606(ⓒ 김가운)

이곳은 10여 년 동안 눈병을 앓은 세종世宗(1418~1450)이 더러 거둥하였다.

사진 607은 충청남도 아산시 온천동溫泉洞의 어의정御醫井이다. 세종이 눈병을 고치려고 온양에 왔을 때 썼다는 말이 전한다. 지금도 용이 물을 뿜어낸다(사진 608).

네모로 두른 돌 전은 1.07× 1.2미터이며, 높이는 50센티미터이다(사진 609).

사진 607

| 사진 608 | 사진 609 |

1) 충청북도 청주시 청원구 내수읍 초정리

『조선왕조실록』의 간추린 기사이다.

	때	내용
1	세종 20년(1438) 1월 27일	병 고친다는 초수를 알린 자에게 상을 주고 안질 치료 위해 행궁 세우다.
2	세종 26년(1444) 2월 5일	전 목사 김췌와 전 만호 유면 등이 초수리에 다녀와서 눈병이 조금 좋아졌다고 하다.
3	세종 26년(1444) 2월 20일	집현전 부제학 최만리 등이 언문 창제의 부당함을 아뢰다.
4	세종 26년(1444) 2월 28일	임금과 왕비 그리고 세자 초수리에 거둥하다.
5	세종 26년(1444) 3월 6일	신개가 행궁에서 초자소 찾은 일에 하례 하자, 외방의 하례도 받지 말라고 이르다.
6	세종 26년(1444) 3월 20일	초수리 백성들에게 술과 음식 베풀다.
7	세종 26년(1444) 4월 12일	도승지가 더 머물자고 하였으나 처음 정한대로 하다.
8	세종 26년(1444) 4월 13일	경기 관찰사에게 초수 찾으라고 이르다.
9	세종 26년(1444) 5월 1일	행궁 때문에 논이 길로 바뀐 초수리 근처 토지 주인에게 쌀과 콩 주다.
10	세종 26년(1444) 5월 2일	가을에 다시 초수리로 올지, 목천의 초수로 갈지, 승정원과 논의하다.
11	세종 26년(1444) 5월 7일	백성들의 거가 구경 막은 경기감사 이선(李宣 ?~?)과 사헌부를 형조에서 조사케 하다.
12	세종 26년(1444) 6월 7일	충청도 관찰사에게 초수가 효험이 있는지 조사하라 이르다.
13	세종 26년(1444) 7월 13일	초수에 가지 않겠다고 하다.
14	세종 26년(1444) 7월 16일	이승손이 초수 거둥 다시 권하다.

	때	내용
15	세종 26년(1444) 7월 28일	가뭄으로 초수에 가지 않기로 하다.
16	세종 26년(1444)윤7월 15일	가뭄을 만나 초수에 거동할 때 생육을 올리지 않게 하다.
17	세종 26년(1444) 7월 29일	승정원에서 초수 거둥 간청하였으나 듣지 않다.
18	세종 26년(1444) 7월 30일	영의정 황희(黃喜, 1363~1452) 등이 다시 간청하다.
19	세종 26년(1444) 9월 15일	초수리 감고 이인방(李仁邦, ?~?) 등 세 사람에게 무명을 주다.
20	세종 26년(1444) 9월 26일	이승손 등에게 명년, 초수에 안 간다고 하다.
21	세종 30년(1448) 3월 28일	초수행궁이 불타다.
22	세종 30년(1448) 5월 21일	초수 방화범을 놓아주다.
23	세조 10년(1468) 2월 21일	세조가 초정에 거둥하자 목사 등이 맞이하다.
24	영조 26년(1750) 9월 1일	온천 거둥 때 제사 지내다.

앞 기사에 대한 설명이다.

① 병 고친다는 초수를 알린 자에게 상을 주고 눈병 치료 위해 행궁行宮 세우다.

———

어떤 사람이 '청주淸州의 물맛이 후추胡椒와 같아서 초수椒水라 부르며 모든 병을
고칩니다. 목천현木川縣과 전의현全義縣에도 이러한 물이 있습니다'고 아뢰었다.
임금이 장차 가서 안질眼疾을 고치려고 내섬시윤內贍寺尹 김흔지金昕之(?~1455)를
보내 행궁을 짓게 하고, 이 물을 가져와서 알린 자에게 무명 열 필을 내렸다.

———

눈병으로 고생하던 임금은 귀가 번쩍 띄었을 터이다. 『청파극담』에 찾은 과정이
신비롭게 적혔다. (☞ 661)

② 전 목사 김췌金崒(?~?)와 전 만호 유면柳沔(?~?) 등이 청주 초수리에 다녀와서 눈병이 조금
좋아졌다고 하다.

———

임금은 자신이 가기에 앞서 신하를 보내 효과가 있는지 알아본 것이다.

———

③ 집현전 부제학 최만리崔萬理(?~1445) 등이 언문諺文 창제創製가 옳지 않다고 아뢰다.

또 이번 청주 초수리 거둥에 농사가 흉년임을 염려하시어 모든 일을 힘써 줄였으므로, 전일에 견주면 10에 8, 9도 안 됩니다. (…) 언문 같은 것은 국가의 급한 일도 아니고 반드시 기한에 맞출 것도 없는데, 어찌 이것만은 행재行在에서 서두르셔서 성궁聖躬의 조섭에 번거로움을 끼치십니까? 신 등은 까닭을 모르겠습니다.

『세종실록』에는 보이지 않지만 전일보다 여러 가지를 많이 줄였다고 한 것으로 미루어 그동안 거둥했던 것이 분명하다.

앞의 말은 한글 창제를 그렇게도 반대한 것으로 유명한 최만리의 말이다. 그 일이 급한 국가적 과제도 아니고 또 기일에 맞추어야 까닭도 없는데 어째서 온천에 가서까지 손을 놓지 않느냐는 항의이자 임금을 위한 걱정이다.

한글창제에 대한 세종임금의 집념이 어느 만큼인지 알고도 남는다.

④ 임금·왕비·세자 등이 청주 초수리에 거둥하다.

효과가 있다는 말에 왕비와 세자까지 따라 나선 것이다. 거가車駕가 3월 2일에 이르렀으니 서울에서 사흘 걸린 것이다.

⑤ 우의정 신개申槩(1374~1446)가 행궁에서 초자소 발견한 것에 대해 하례賀禮하려들자 밀막으며 외방外方의 하례도 받지 말라고 이르다.

신개가 행궁에서 '광무光武 때 장안長安에서 예천醴泉이 솟아서 이 물을 마신 자는 오래된 병이 모두 나았다고 하였습니다. 초수의 냄새와 맛이 옛 글에 실린 바와 같아서 즐거움과 기쁨을 이길 수 없습니다' 아뢰었다. 이에 임금은 '과연 예천과 비슷하지만, 「지리지」에 청주 땅에 초자소椒子所가 있다고 하였으니, 이번에 처음 나온 것은 아니라'고 덧붙였다.

민폐를 끼치지 않으려는 임금다운 말이다. 광무는 후한後漢의 초대 황제 세조世祖

(25~57)의 연호이고, 중국에서는 예천이 태평한 시절에 솟는다고 이른다.

⑥ 초수리 백성들에게 술과 음식을 베풀다.

———

노인과 어린이 280명에게 술과 음식을 내리고, 24일에는 근처 농가 38호에 같은
것을, 초수리 감고監考 박배양朴培陽(?~?) 등에게 목화를 차등 있게 주었다. 이밖
에 21일에는 본주本州 백성 집마다 벼 두 섬씩을, 청주淸州 지경 안의 나이 여든
이 넘은 노인 26명에게 벼 두 섬씩과 콩 한 섬씩, 일흔 이상의 30명에게는 벼와
콩 한 섬씩 내렸다.

———

이런 저런 일로 고초를 당하는 백성에 대한 임금의 배려가 도탑기 그지없다.

⑦ 도승지 이승손李承孫(1394~1463) 등이 더 머물 것을 청했으나 처음 정한대로 있겠다고 이
르다.

———

'전과 차이가 없지만 남들은 조금 나은 듯하고 말한다'는 임금의 말에, 이승손
등이 내달 열흘이 지난 뒤에 돌아가자고 하였으나 '처음 60일로 정한 것을 서울
과 지방에서 다 알고 있으니 어기지 못한다. 두 달 되는 내월 초사흘에 돌아가겠
다'고 막았다.

———

임금 자신은 미심쩍었지만 남들이 조금 나은 것 같다 일렀고, 이에 따라 주위에서
더 머무르기를 권하였으나 듣지 않은 것이다. 이로써 임금은 두 달 만에 돌아왔다.
어찌 더 머룰 생각이 없었으랴?

⑧ 경기 관찰사에게 초수를 찾으라고 이르다.

———

임금의 말이다.
"청주·목천·전의 등지에 다 초수가 있는데, 어찌 본도本道(경기도)에만 없는가?
만약 알리는 사람이 있으면 상을 준다고 이르고, 각 고을 수령들이 찾아보되, 소

란 떨지 말며 소식이 오면 빨리 알리라."

———

온천에 대한 임금의 관심이 아주 높다.

⑨ 행궁 때문에 논이 길로 바뀐 초수리 근처 농민에게 쌀과 콩 주다.

———

병조에 '초수리 근처 백성들의 토지를 밟아 뭉갠 탓에 지름길이 되어 씨를 못 뿌리게 되었으니 논 한 짐—負마다 쌀 닷 되를, 밭 한 짐마다 콩 닷 말을 주라'고 일렀다.

———

삼국시대에는 벼 한 줌을 파把, 열 파를 단束, 열 단을 짐負, 백 짐을 결結이라 하였다. 조선초기에는 밭 한 짐에 벼 서 되를 세금으로 받았다. 이때는 모내기가 퍼지기 전이어서 볍씨를 밭에 뿌렸다.

⑩ 가을에 다시 초수리로 올지, 목천으로 갈지 승정원과 논의하다.

———

임금이 '올 가을에 다시 초수에 올지는 서울에 가서 정하겠다. (…) 이곳은 거리도 멀어서 큰일이 있으면 여러 번 오가며 의논해야 하고 (…) 역로驛路도 번거롭고 시끄럽다. 이보다 가까운 목천은 왕래가 편하나 행궁을 새로 지으려면 백성들에게 수고를 끼쳐야 하니 어찌 하면 좋은가?' 물었다.
도승지 이승손 등이 '거리가 먼 것만 빼면 이곳이 가장 좋습니다. 목천은 물이 적고 행궁 지을 땅도 마땅치 않지만, 높은 산과 깊은 물이 없고 길도 가까운 것은 장점입니다. (…) 올은 이곳으로 오시고 행궁을 짓는 후년에 목천으로 가소서' 하였다.

———

그러나 서울에서 목천은 청주보다 3분의 2쯤 되는 거리이므로 큰 차이가 없는 셈이다.

⑪ 거가가 돌아올 때 백성들의 구경을 막은 경기감사 이선李宣(?~1459)과 사헌부를 형조에서

조사케 하다.

임금이 처음 초수에 거둥할 때는 원근 백성들이 거가를 바라보려고 길을 메우더니, 돌아올 때는 한 사람도 와서 보는 자가 없었다. 임금이 승정원에 까닭을 묻자 (…) 양지현감陽智縣監이 감사의 첩문牒文을 올렸다.

이에 앞서 감사 이선이 각 고을에 '종자와 식량이 부족한 백성들이 거가 앞에서 하소연할까 염려되니 현재 있는 잡곡을 고루 주고, 하소연하는 자를 막으라'고 일러둔 탓이었다.

임금은 '거가 앞 하소연을 법으로 막았지만, 이를 듣는 것은 임금의 도리이다. 사헌부도 마찬가지였다니 형조에서 밝히라'는 명을 내렸다.

윗사람에게 잘 보이려는 자들이 날뛰는 것은 그제나 이제나 마찬가지이다.

⑫ 충청도 관찰사에게 초수가 효험이 있는지 알아보라 이르다.

초수로 눈을 씻어서 효험을 본 사람이 많다. 전에 갔을 때, 따라간 자가 물을 마시고 효험을 보았지만 그렇지 않은 자도 있고, 또 설사가 났다가 곧 멈추었다고도 들었다. 전 중추원사中樞院使 윤번尹璠(1384~1448)은 한 달 동안 마셨지만 효과가 없었다니 낫는다고 장담할 것이 아니다.

지난번 초수를 마시고 병 고친 자가 여럿이라니 누가 무슨 병을 고쳤는지 자세히 알리라.

임금이 오죽 답답했으면 이렇게 일렀겠는가? 짐작이 되고도 남는다.

⑬ 초수에 가지 않는다고 이르다.

임금이 '지난해 흉년이 들고 올 또 가뭄이 들었다. 내가 무슨 마음으로 병을 고치러 초수에 가랴? 병조兵曹에서 준비하지 말라'고 일렀다.

도승지 이승손이 다시 권하자 '내 병은 이미 여러 해가 되어 초수에 가더라도 낫지 않을 터이니 거둥에 폐해만 클 것'이라며 듣지 않았다.

─────

이 뒤로 여러 사람이 여러 말로 아뢰었지만 모두 물리쳤다.

⑭ 도승지 이승손이 초수 거둥을 다시 권하다.

─────

'충청도 물가의 고을은 비록 가물었지만, 충주忠州와 청주 등지에는 벼가 잘 익었습니다. 초수 거둥을 그만두지 마소서' 하였다.
이에 임금은 '올 가뭄은 병진년보다 심하다. 거둥할 때 지방 수령들이 핑계 삼아 금품金品을 거둬들이면, 백성들의 폐해가 적지 않을 것이므로 내가 접은 것이다. 그러나 너희들이 굳이 청하니, 비용과 시위 무사를 금년 봄의 반으로 줄이면 가겠다'며 마음을 바꾸었다.
이승손은 '반드시 간편한 방법을 찾겠습니다' 아뢰었다.

─────

⑮ 가뭄으로 초수에 가지 않기로 정하다.

─────

임금이 '가뭄이 이처럼 심하고 동풍까지 부니, 오늘 비가 오지 않으면 초수에 가지 않는다. 거둥으로 백성에게 폐를 끼치고 싶지 않다'고 하자 승지들이 아뢰었다.
"날짜를 정하지 않았는데 백성들이 어찌 걱정 하겠습니까? 다만 어떤 사람이 '태안泰安 등지의 한재旱災가 더욱 심하여 쌀 한 말로 소금 21말을 사고, 보리 한 말로 소금 17말을 산다'고 하였습니다. 이에 감사나 수령은 어떻게 할 바를 모르고 눈물을 흘릴 뿐입니다."

─────

이러한 형편이니 어찌 떠나겠는가?

⑯ 가뭄에 근신하는 뜻으로 초수 거둥 때 날고기生肉를 올리지 말라고 이르다.

가뭄을 걱정한 임금이 초정에 갈 때, 날고기를 올리지 말라고 하자, 경기 관찰사 허후許詡(?~1453)가 가마가 지나가는 곳 어디서나 사냥할 수 있어 백성이 수고롭지 않으므로 노루 한 마리만 올리겠다고 하였다. 그러나 그마저 막았다. 조선 초에 이 같은 임금이 나온 것은 백성에 대한 축복이다.

⑰ 승정원에서 초수 거둥을 간청하였으나 듣지 않다.

승정원에서 '가뭄이 들기는 하였지만 (…) 충청도 홍주洪州를 제외한 고을은 농사가 잘 되고, 경상·전라·평안·함길도의 밭곡식도 풍년입니다. (…) 올 가을에 가지 않으면 명년은 더욱 어렵겠습니다'고 하자, 임금이 일렀다.

"(…) 내 병은 여러 가지 방법을 썼지만 효험이 없고, 가뭄 또한 심하니 이는 천명天命이다. 이를 어기고 어찌 복을 받으랴? 너희들의 말을 듣지 않는 까닭을 알아다오."

사람의 명도 그렇지만, 좀체 낫지 않는 병도 천명으로 받아들이면 오히려 마음이라도 편할 터이다.

⑱ 영의정 황희黃喜(1363~1452) 등이 다시 간청하다.

———
초수 거둥을 다시 생각 하신다니 매우 기쁩니다. 그러나 여러 가지 준비를 막으신 것은 (…) 부당합니다. 올 가뭄이 심하다지만 청주 부근은 곡식이 꽤 잘 익었고, 비용은 모두 경중京中에서 실어가므로 백성들에게 폐가 되지 않습니다.
———

이에 임금은 '경 등이 두세 번이나 굳이 청하니 오는 윤7월 10일에 가겠다'고 마음을 바꾸었다.

백성의 괴로움을 생각하여 가지 않겠다는 임금이나, 부디 다녀와서 건강을 되찾아야 한다는 신하들의 간곡한 권유나 모두 감동적이다.

⑲ 초수리의 감고監考 이인방李仁邦(?~?) 등 세 사람에게 무명 주다.

감고는 도감고都監考의 준말이다. 조선시대에 궁가宮家 및 여러 관아官衙에서 돈·곡식·물품 따위를 들이거나 내고 또 보관하는 일을 보았다.

⑳ 도승지 이승손 등에게 명년에 초수에 가지 않겠다고 하다.

———

도승지 이승손 등이 명년의 초수 거둥을 청하자 임금이 '결코 가지 않는다. (…) 감히 와서 청하는 자가 있거든 막으라'고 일렀다

다음날 승손 등이 세자에게 '초수에 안 가신다며 아뢰는 것도 막으십니다. 지난 달 모든 것을 줄였고 비용도 서울에서 댄 까닭에 본도本道는 무관합니다. 신의 말씀을 상감께 올려 주소서' 간청하였다.

그러나 임금은 '내 병을 내가 어찌 모르랴? 초정 다녀온 뒤 조금 나았지만 그만 두겠다'며 밀막았다.

———

온천 거둥을 지성껏 권하는 신하나 백성을 생각하는 임금이나 마음이 한 가지이다.

㉑ 청주 초수의 행궁이 불타다.

어떤 사람이 불을 잘못다룬 탓이다.

㉒ 초수 방화범을 놓아주다.

———

임금이 충청감사에게 '초수 행궁에 불을 낸 사람을 잡아 가두고 국문한다는데, 지금 같은 농사철에 여러 날 가두면 아주 어려울 터이니 빨리 놓아 주라'고 일렀다.

———

고마운 일이다.

㉓ 세조가 초정에 거둥하자 목사 고태필高台弼(?~?)과 판관 곽득하郭得賀(1445~1501)가 맞았었다. 이때 가벼운 사고가 있었다.

———

어가 앞 횃불의 크기가 고르지 않아 아예 꺼버리고 경력經歷 고태정高台鼎(?~?)과 진천 현감鎭川縣監 남척南倜(?~?)을 가두었다.

또 길상산吉祥山(충청북도 진천읍에 있다) 활터射場에서 군사를 잃은 부장部將 이몽석

李夢石(?~?) 등을 옥에 넣었다. 뿐만 아니라 병조兵曹의 표기標旗와 교룡기交龍旗와
의 거리가 지나치게 뜬 탓을 물어 정랑正郎 민정閔貞(?~?)과 진무鎭撫 조숭지趙崇智
(?~?)의 갓을 벗기고 걸어서 따르게 하였다.

———

모처럼의 거둥에 여러 가지 작은 일들이 터졌으니 임금의 마음이 편치 않았을 터이
다. 그것은 그렇거니와 벼슬아치가 갓을 벗은 채 걸어서 어가를 따랐으니, 차라리 옥
게 갇히기를 바랐을지도 모른다.

㉔ 임금의 온천 거둥 때 여러 곳에 제사 지내다.

———

온천 거둥 때 길가의 명산대천에 제사를 지냈습니다. 한강은 9월 12일 새벽에,
과천 관악산冠岳山(632미터)과 직산稷山 성거산居山(579미터)은 대가大駕가 묵는 날에,
온정제溫井祭는 같은 달 보름 새벽입니다. (…) 헌관獻官은 따라가는 관원이, 여러
집사執事는 본도 수령이 맡습니다. 성거산과 온정의 향축香祝 · 폐백 · 제물은 전
사관典祀官이 서울에서 가져가며, 관악산 · 성거산 · 온정 세 곳의 제물犧牲은 각 도
에서 마련합니다(26년[1750] 9월 1일).

———

임금의 거둥이 무사히 끝나기를 바라는 뜻에서 길가의 강과 산을 비롯하여 온천에
서도 지낸 것이다.

예조에서 '왕세자 온천 거둥에 지내는 온정제를 전례에 따르겠다'고 한 앞 책의 기
사도 마찬가지이다(36년[1760] 7월 12일).

2) 충청북도 전의·목천, 경기 광주, 경북 흥해, 서울 인경궁仁慶宮의 초수

『조선왕조실록』의 간추린 기사이다.

	때	내용
1	세종 26년(1444) 1월 27일	충청도 목천현과 전의현의 초수 알려지다.

	때	내용
2	세종 26년(1444) 2월 20일	전 만호 유면과 전 현감 정중건 등을 전의현 초수에 보내 병 치료 시험하다.
3	세종 26년(1444) 4월 15일	두 곳 초수에 다른 물(雜水)이 흘러들지 않게 하다.
4	세종 26년(1444) 5월 19일	경기관찰사 허후에게 초수를 찾아 알리라고 다시 이르다.
5	세종 26년(1444) 5월 20일	김흔지를 보내 목천 초수 살피게 하다.
6	세종 26년(1444) 6월 1일	가을에 청주 초수에 가기로 하다.
7	세종 26년(1444) 7월 4일	충청도 관찰사 등에게 초수 올려 보내는 일에 대해 알리다.
8	세종 26년(1445)윤7월 22일	눈병환자들 초수에 보내 치료시키다.
9	세종 26년(1444)윤7월 23일	장택과 중 신정을 전의의 초수에 보내다. 정의 초수를 역마로 날랐지만 물은 근원 떠나면 바탕 잃는다며 청주 초수로 가기를 권하다.
10	세종 26년(1444) 9월 6일	초수를 지키는 진선·송윤을 복호 시키다.
11	세종 27년(1447) 2월 18일	충청감사 김조가 초수 거둥 청하였으나 듣지 않다.
12	명종 18년(1563) 6월 4일	영의정 윤원형 광주 초수로 가다.
13	명종 18년(1563) 8월 4일	헌부에서 폐해가 큰 광주 냉천 메우기 청하다.
14	선조 39년(1606) 5월 18일	날라 온 온양의 온수에 손가락 담그다.
15	광해군 7년(1615) 3월 26일	흥해 초수로 가겠다는 영의정 청원 막다.
16	광해군 9년(1617) 9월 3일	병조에서 인경궁 뒤 초수 주변 경계를 살피겠다고 하다.
17	인조 7년(1629) 7월 27일	자전이 인경궁 안 초정에서 목욕하자 승지를 보내 문안하다.
18	인조 7년(1629) 8월 19일	우승지 윤지경이 신병 치료차 광주 초수로 가겠다고 하다.
19	효종 5년(1654) 8월 17일	인경궁 초수에서 목욕하다.

앞 기사에 대한 설명이다.

① 목천현木川縣과 전의현全義縣에 초정이 있다고 하였다.

세종이 눈병으로 온천을 찾는다는 소문이 퍼지자 여기저기에서 알렸을 터이다.

② 전 만호 유면柳沔(?~?)과 전 현감 정중건鄭仲虔(?~?) 등을 전의현 초수에 보내 병 치료시험 하다.

신중한 임금이라 사람을 보내 효험을 살피게 한 것이다.

③ 전의 초수와 목천 초수에 표를 해서 허드렛물이 스며들지 않게 하다.

———

병조에서 '전의 초수椒水 네 곳과 목천 초수 두 곳을 모두 정리하고 금지구역 안
으로 허드렛물이 흘러들지 않게 하며, 나머지 구역의 논은 갈게 하소서' 아뢰자
그대로 따랐다.

———

물구멍이 여럿이어서 다른 물이 섞이자 물길을 정리한 다음, 다른 곳은 농사를 짓
게 한 것이다.

④ 경기관찰사 허후許詡(?~1453)에게 초수를 찾아 알리라고 다시 이르다.

———

임금의 말이다.

통진현通津縣에서 물이 솟는다기에 판승문원사判承文院事 이사맹李師孟(?~1396)과
대호군大護軍 박강朴薑(?~1460) 등을 보냈으나 초수가 아니었다. 그러나 김포에서
알렸음에도 통진현에서 잠잠한 것은 수령이 백성들 구하기에 바빠서 초수를 보
고하라는 말을 널리 알리지 못한 탓일 터이다. 마땅히 각 고을에 알리되 소란피
우지 말며, 알리는 자가 있으면 바로 보고하라.

———

근무태만 죄를 물어야 마땅하거늘, 오히려 백성들 돕느라 바빴던 탓이라고 감쌌다.
그리고 다시 널리 알리되, 소란 피우지 말라는 당부까지 곁들였다. 영명한 임금 세종
이 태어난 것은 조선왕조 뿐 아니라 온 역사상 다시없는 겨레의 축복이다.

⑤ 내섬시윤內贍寺尹 김흔지를 보내 목천의 초수를 살피게 하다.

———

전의에서 돌아온 김흔지가 초수는 수원이 깊고 길며 궁궐 지을 재목도 부족하지
않다고 하자, 임금이 곧 병조판서 정연鄭淵(1389~1444)을 불러 일렀다.
"전의의 궁궐은 가을에 지어서 내년에 가고, 올 가을은 청주의 초수로 가겠다.
어가를 따를 인마人馬와 비용을 줄이라."

———

바로 병조판서를 부른 것은 궁궐 공사를 막기 위해서이다. 그러나 음력으로 가을은 양력으로 겨울과 같아서 가을건이가 끝나므로 공사를 해도 백성에게 끼치는 피해가 적게 마련이다.

사진 610은 전의 초수이다. 가뭄 탓인지 2017년 5월 중순에는 말라붙었다. 그러나 샘 위의 가게에서 맛을 보았더니 쌉쌀한 기운이 돌았다.

사진 610

⑥ 가을에 청주 초수에 가기로 하다.

⑦ 충청도 관찰사 등에게 초수 올려 보내는 일에 대해 알리다.

———

지금 그곳으로 가는 김흔지의 말을 듣고 다음의 사목事目을 살펴본 뒤, 초수 올려 보내는 일을 잘 의론하라.

ㄱ 전의 초수는 각 역의 잘 달리는 말 두 바리씩 뽑아 나르며, 다른 일에는 부리지 말라.

ㄴ 초수에는 부지런하고 조신하며 사리를 잘 아는 두 사람을 감고監考로, 건장한 사람 셋을 관리자押直로 삼아, 매일 한 사람씩 돌아가며 지키게 하되, 관官에서 아침저녁을 먹이라.

ㄷ 연도沿途의 역마다 초수를 관리하고 나르는 사람 셋을 두어라.

ㄹ 초수 나르는 일은 역마다 말 두 바리와 관리자 셋을 골라 돌아가며 맡게 하라.

ㅁ 초수는 담당 감고가 매일 해질녘에 사기그릇에 담아 기운이 새지 않도록 봉함하고 서명한 뒤, 시각과 역마 이름을 적어서 관리자에게 주며, 그는 다음 역의 관리자에게 넘긴다. 이로써 하룻밤 사이에 서울에 이르게 하라. 만일 늦어지면 찰방과 역승驛丞을 바로 처벌하라.

ㅂ 그러나 찰방과 역승 등을 함부로 가두지는 말라.

ⓐ 지금 보내는 사복시司僕寺의 말 여덟 바리는 각 역의 가난한 마부에게 나누
    어 주어 초수를 나르게 하라.

_____

초수 왕복에 시간이 걸리고 그에 따르는 여러 가지 번거로움을 줄이려고 현지에서
길은 물을 밤을 도와 날라서 이튿날 아침 대궐에 이르도록 한 것이다. 분초를 다투는
군사 작전과 다르지 않다.

⑧ 눈병환자들 초수에 보내 치료시키다.

_____

임금이 눈병 앓는 이내은동李內隱同(?~?)·김을생金乙生(?~?) 등을 전의 초수에 보
    내 낫는가 보고 고을에서 옷을 주라고 일렀다.

_____

효력을 알아보는 외에 두 사람에게 옷을 주라고 한 것은 어려운 사람을 도운 아름
다운 선행이다.

⑨ 장택張澤(?~?)과 중 신정信玎(?~?)을 전의 초수에 보내다.

_____

전 경시서령京市署令 장택과 중 신정을 전의 초수에 보내 효과가 있는지 살펴보라
    고 이르는 한편, 고을에서 끼니를 내게 하였다.

_____

하루 전에 간 사람이 효력을 보았는지 살피라고 일렀다. 임금도 어지간히 조바심이
났던 모양이다. 그러나 달이 다 가도록 다른 기사가 눈에 띠지 않는 것을 보면 효험이
없었던 듯하다.

⑩ 초수를 지키는 진선陳善(?~?)과 송윤宋尹(?~?)을 복호復戶시키다.

복호(☞ 276)

⑪ 충청감사 김조金銚(?~1455)가 초수 거둥에 대해 아뢰었다.

"지난해 봄 초수 거둥에 효력이 있어서 신하들과 백성들이 기뻐하였으나, 가을에는 그렇지 않은 것은 추운 가을철의 물이 온화한 봄철의 물만 못하기 때문인 듯합니다.

요사이 역마로 초수를 서울로 날라 오지만 물은 근원을 떠나면 본성을 잃어버립니다. 지난 해 흉년이 든 충청도의 폐해를 걱정하셔서 봄 거둥을 그만두시려 하나, 곡식을 쌓아두었으니 굶주린 백성을 어찌 그대로 두겠습니까? 더구나, 지난번 거둥에 여러 가지를 줄여서 본도는 아무 영향이 없습니다. 부디 오셔서 신민들의 소망을 들어주소서."

그러나 임금은 '전일 정부와 여러 사람의 권유를 듣지 않았으니 다시 꺼내지 말라'고 일렀다.

병이라는 것이 마음먹기에도 달려서 나은 듯 싶다가도 더 한 듯도 하여 종잡기 어려운 것이 사실이다. 임금의 초수 거둥도 마찬가지였을 터이다. 물이 근원을 떠나면 본성을 잃는다는 말은 진리이다.

⑫ 영의정 윤원형尹元衡(?~1565)이 말미를 청하다.

신이 근래 큰 병을 여러 번 겪으면서 원기가 떨어져 백가지 병이 번갈아 일고, 다리가 차서 걷기도 어렵습니다. (…) 이달 스무날부터 그믐 사이에 광주廣州 초수에 가서 목욕을 하면 좋겠습니다. 법대로(…) 식량을 싸가지고 가서 고을에 폐단을 끼치지 않겠다고 하였지만, 첩 난정蘭貞(?~?) 탓이다. 두 집의 겸종傔從이 논밭을 뒤덮고 기전畿甸이 모두 비용을 마련하느라 백성들이 심한 고통을 겪었다.

이에 대한 임금의 말이다.

"대신의 체모는 무거워야 하거늘 어찌 음식을 싸가지고 가는가? 경기 감사는 음식물과 모든 기구를 갖추어 주고 병조에서는 말馬을 내주어라."

사신史臣은 논한다.

식량을 가져간다는 그의 말은 대신답지만, 농사철임에도 온 집안이 다 갔으니 어찌된 일인가? 더욱이 목욕탕에 임시 거처를 짓느라고 백성의 논밭을 메우고, 관원이 끊임없이 오가느라 온 고을이 소란스러웠으며 밭에는 호미 잡은 백성이 없었으니 (…) 누가 폐를 끼치지 않는다고 하였던가? (…) 식량을 가져간다는 것은 오히려 음식을 내라는 말과 같다. 아, (…) 위로 임금을 속이고 아래로 백성을 골려서 (…) 나라의 근본이 무너져도 돌아보지도 않는 저런 정승을 어디에 쓸 것이랴?

———

사관의 논평은 한 가지도 그른 데가 없다. 그제나 이제나 세력을 쥔 자들은 거들먹거리게 마련이다. 겸종은 청지기, 기전은 조선시대에 경기도를 일컬은 말이다.

⑬ 헌부에서 폐해가 큰 광주 냉천을 메우자고 하다.

———

헌부에서 아뢰었다.

"광주 논에서 솟는 평범한 냉천冷川을 갑자기 초수라 하여 목욕꾼들이 몰려듭니다. 효과는커녕 병을 얻은 자가 많음에도 지난달에는 부녀들의 가마가 30여 채나 들어차 인가人家에 못 들어가고 들에서 자며 법석法席을 떨었습니다.
광주 한 고을의 피해는 그만두더라도 백성들이 모두 광나루廣津로 떠나는 바람에, 나루터 사공들까지 달아나서 서로 먼저 배를 타고 건너려고 다투다가 죽기도 하였습니다. 빨리 냉천의 근원을 끊고 왕래도 막으소서."

———

부녀들이 들에서 자는 모습이 눈에 선하다. 권력자를 등에 업은 그네들의 횡포가 얼마나 심했으면 백성들이 집을 버리고 달아났겠는가? 사공들까지 자취를 감춘 것도 시달림 탓이다. 나루를 건너려다 죽기까지 하였다니 기가 찬다.

⑭ 약방藥房에서 초정수 대신 온수 사용을 건의하다.

———

전날 신들이 '손가락을 초수에 담그겠다'는 전교를 받고 의관들과 거듭 상의하니

'초수는 부당하고 만약 온수溫水에 씻으면 근맥筋脈이 풀어져 효험이 있으리라' 하였습니다. '어제 본원의 관원이 온양溫陽에 갔다가 오늘 새벽 물을 가져 왔습니다. 아직도 온기가 있으니 시험해 보소서' 하자 이에 따랐다.

그러나 23일 오히려 통증이 도졌다.

약방에서 전일 왼편이 시고 아파서 침을 맞으셨고 온천수에 담근 후에 다리에서부터 어깨와 귀밑까지 기운이 오르내리며 시고 아프다고 하셨다니 큰 걱정이라고 하자 임금이 말하였다.

"특별한 증세는 없으나 습냉濕冷한 기운 때문인 듯하니 급히 침을 맞고 쑥뜸을 뜨고 싶다."

———

앞에서 든 대로, 멀리서 떠온 온천물로 병을 고치려는 것은 옳지 않다.

⑮ 영의정 기자헌奇自獻(1567~1624)이 한 달의 병가를 청하자 듣지 않다.

———

영의정이 '신이 매년 온천초수溫泉椒水에 목욕 하였는데, 지난해 걸렸더니 왼쪽이 저리는 증세가 몹시 심합니다. (…) 흥해興海로 가서 초수에 목욕하고 4월 그믐께 돌아오겠습니다'고 하자, 임금은 들어주지 않았다.

———

뒤에 드는 대로 우승지는 보내준 것을 보면, 초수에 약효가 없다고 여긴 탓이 아니라 다른 연유가 있었을 터이다.

⑯ 병조에서 인경궁仁慶宮 뒤의 초수 주변 경계를 다짐하다.

———

병조에서 아뢰었다.

"인경궁 뒤의 초수에서 백성들의 집이 내려다보이니 장막으로 가리라고 하셨습니다. 상께서 이곳에 올라가 살펴보신 대로, 산골짜기가 깊어서 여러 장수들이 시위를 엄하게 할 필요가 있습니다."

———

인경궁은 광해군 때, 인왕산仁王山(338.2미터) 아래에 지은 궁궐로, 지금의 경희궁이

다. 지금도 샘이 남아 있다. (☞ 204~212)

⑰ 자전이 인경궁 초정에서 목욕하자, 임금이 승지를 보내 문안하다.

『승정원일기』 7월 28일자에도 같은 기사가 있다.

⑱ 우승지 윤지경尹知敬(1584~1634)이 병 치료차 광주 초수로 가겠다고 하다.

———

윤지경이 '신은 중병을 앓고 난 뒤 (…) 오른쪽 팔다리가 (…) 불편하여 광주 초수로 가고자 합니다. 목욕한 사람들이 효험을 많이 보았다고 합니다' 아뢰자, 임금은 '사직하지 말고 편안한 마음으로 다녀오라'고 일렀다.

———

이 기사는 『승정원일기』에 실렸다. 초수가 앞서 헌부에서 말한 '평범한 냉천'인지, 또 다른 곳인지는 알 수 없다.

⑲ 임금이 인경궁에 거둥하여 목욕하다.

3) 초수에 관한 다른 기록들

(1) 『동국여지승람』

———

청주목 동쪽 39리에 있는 초정은 후추처럼 톡 쏘는 맛이 나고 차며, 그 물로 씻으면 병이 낫는다. 세종과 세조가 일찍이 거둥하였다(제15권 청주목 「산천」).

———

(2) 『용재총화慵齋叢話』

———

(충청도) 온양온천은 온도가 알맞아 세종과 세조世祖(1455~1468)가 여러 번 갔고,

(세조의) 정희왕후貞熹王后(1418~1483)는 이곳 행궁에서 세상을 떠났다. 청주 초정은 뜨겁지 않지만 후추 냄새가 나며 눈병이 잘 낫는다고 한다(제9권). (☞ 642)

---

(3) 『청파극담靑坡劇談』

(충청도) 서원西原의 초정을 안찰사按察使 때 맛보았더니 아주 차고 썼다. 뱀이나 개구리가 뛰어들면 곧 죽었다. 세종이 만년에 눈병을 고치려고 행궁을 짓고 가서 씻었더니 며칠 뒤 효험이 있었다. 이로써 목사 박효성朴孝城(?~?)이 당상관堂上官에 올랐다.

언덕 위에서 잠들었던 한 늙은 농사꾼이 가늘게 들리는 군마軍馬 소리에 깨었다가, 평지에서 물이 솟는 것을 보고 사또에게 알리면서 소문이 널리 퍼졌다고 한다. 끓이면 맛이 없고 독도 없으며 씻으면 가려움이 바로 가신다. 하류 수십 경頃의 논에 물을 대자 땅이 크게 걸어졌다고 한다.

초수 발견 경위가 처음 밝혀졌다.

서원현은 1658년 6월 16일, 효종孝宗이 청주목淸州牧을 강등시켰을 때의 이름이다. 이 뒤에도 여러 번 강등과 회복이 거듭되었다. 서원은 지금의 청주시 청원구이다.

경은 면적의 단위로 조선시대 전지田地 4방方 5척尺을 1보步, 24보를 1분分, 10분을 1무畝, 백무를 1경頃, 5경을 1자정字丁으로 삼았다.

(4) 『지봉유설芝峯類說』

초정은 여러 곳에 있으며 광주·청안淸安 등지의 것이 가장 유명하다. 해마다 7, 8월이면 물에 후추 기운이 돌아서 몹시 맵다. 병자가 목욕하면 자못 신기한 효험이 있다고 한다.

『본초本草』에 '온천 밑에 유황硫黃이 있어 물이 무겁다'고 적혔으며, 『의감醫鑑』에서도 '냉천冷泉 밑 백반白礬 때문에 맛이 시고·떫고·차고·맵다'고 하였다. 이 냉천이 지금의 초수이다(권2 지리부 「수」).

(5) 『연려실기술練藜室記述』

———

청주의 초정은 뜨겁지 않으나 냄새가 후추 같으며, 눈병에 효험이 있다고 한다.
세종이 일찍이 거둥하였고, 세조도 (속리산) 복천암福泉庵으로 가다가 들렀다. 문의
文義에도 후추 냄새 나는 샘이 있으며, 눈병에 효과가 있다(별집 제16권 地理典故 「溫泉」).

———

이로써 조선시대 초기부터 널리 알려진 것이 분명하다. 세조가 복천암으로 가다가
들린 것이 아니라 그곳에서 초정으로 왔다. (☞ 405~406)

오늘날에는 초정약수 또는 초정탄산수라 부른다.

(6) 이승소李承召(1422~1488)의 시(「초수부椒水賦」)이다(부분).

———

吾聞淸州之境	충청도 청주 부근의
椒水之里	초수 마을
山高水麗	산 높고 물 맑으며
風淳俗美	인심 좋고 아름다운 고장
偉泉甘而土肥	물 맛 달고 땅 기름지니
匪盤谷之所如	반곡 골짜기와 다르네

『삼탄집三灘集』 제1권 「부賦」

———

반곡은 중국 산서성山西省과 하북성河北省 경계 남쪽의 태항산太行山(1,500~2,000미터)
자락에 있으며, 깊고 험준해서 은자가 살기 알맞다고 일러온다.

한편, 『신증동국여지승람』에 경상도 영천군榮川郡 북쪽 42리에 초수정이 있다는 기
사가 보이며(제25권 경상도 영천군 「산천」), 『송자대전宋子大典』에는 정경세鄭經世(1563~1633)
가 목욕하였다는 내용이 실렸다.

영천군은 영주시榮州市의 옛 이름이다.

9장

속담 · 꿈

1. 우물의 속담

① 갑갑한 놈이 우물 판다.

② 같이 우물 파고 혼자 먹는다.

③ 금 귀틀 놓았더니 여우가 먼저 지나간다.

④ 김씨가 한몫하지 않은 우물은 없다.

⑤ 똥 누고 간 우물도 다시 먹을 날 있다.

⑥ 우물 밑에 똥 눈다.

⑦ 침 뱉은 우물물 다시 마신다.

⑧ 목마른 송아지 우물 들여다보듯 한다.

⑨ 소금 먹은 소 우물 들여다보듯 한다.

⑩ 우물가에 애 보낸듯하다.

⑪ 우물고누 첫 수이다.

⑫ 우물귀신 잡아넣듯 한다.

⑬ 우물 길에서 반살미 받는다.

⑭ 우물물은 퍼내야 고인다.

⑮ 우물 안 개구리이다.

⑯ 우물에서 숭늉 찾는다.

⑰ 우물에도 샘구멍이 따로 있다.

⑱ 우물 옆에서 말라 죽겠다.

⑲ 우물을 파도 한 우물을 파야 한다.

⑳ 두레박 두고 우물 들어 마신다.

㉑ 우물에 든 고기이다.

———

앞 기사에 대한 설명이다.

①은 무슨 일이나 필요한 사람이 먼저 나서게 마련임을, ②는 욕심이 지나침을, ③은 애쓴 일이 허사로 돌아간 것을 나타낸다. 금 귀틀은 중국의 금정金井에서 왔다.

④는 김씨가 워낙 많다는 뜻으로 '남산에서 돌 던지면 반드시 김씨가 맞는다'는 속담도 있다.

⑤·⑥·⑦은 내용을 강조하려고 똥과 오줌을 들먹였지만 중국이나 일본에는 없다. 판소리 「흥보가」에서도 놀부가 '우물 밑에 똥 눈다'는 대목이 나온다.

⑧은 애타게 바라는 것을 손에 넣지 못하는 안타까움을, ⑨는 한 가지 일을 골똘히 생각함을 나타낸다. ⑩은 몹시 불안한 마음을 가리키는 것으로 중국이나 일본에도 있다.

⑪은 상대를 꼼짝 못하게 만드는 방법이고, ⑫는 어려움에서 벗어나려고 남을 해코지 한다는 뜻이다.

⑬은 뜻밖에 귀한 대접을 받는다는 말이다. 반살미는 혼인한 뒤 친척들이 신부나 신랑을 불러서 음식을 대접하는 일이다.

⑭는 귀한 것일수록 베풀어야 함을, ⑮는 세상 물정 모르는 애송이를 일컫는다.

⑯은 일의 순서를 모르고 덤벙대는 것을, ⑰은 무슨 일에나 중요한 구실을 하는 이가 따로 있음을, ⑱은 융통성이 없어서 답답하다는 말이다.

⑲는 무슨 일이든 꾸준해야 이룬다는 말로 중국과 일본에도 있다.

⑳은 지나치게 급한 성격을, ㉑은 어찌할 도리가 없다는 뜻이다.

2. 샘의 속담

―――――

① 맑은 샘에서 맑은 물이 솟는다.
② 샘고누의 첫 구멍을 막는다.
③ 샘을 보고 하늘을 본다.
④ 술 샘 나는 주전자

―――――

앞 기사에 대한 설명이다.

①은 심성이 고와야 복을 누린다는 말이며, ②는 상대를 꼼짝 못하게 만든다는 뜻으로 앞의 ⑪과 같다.

③은 우연한 기회에 새롭게 깨달음을, ④는 되지 않을 일이 이루어지기 바란다는 말이다.

3. 우물의 꿈

―――――

① 우물물이 넘쳐흐르면 뜻밖의 이익을 본다. 수돗물이 흐르는 꿈도 마찬가지다. 물은 맑을수록 좋다.
② 우물이 마르면 재물이 줄고 집에 근심걱정이 떠나지 않는다. 그러나 물이 조금이라도 남아 있으면 다시 좋아진다. 수돗물도 같다.
③ 우물이 무너지면 돈을 돌려대기 바쁘며 마침내 파산한다.
④ 우물에 물건을 빠뜨리면 큰 손해를 보지만 되찾으면 회복된다. 그러나 바닥이 마르면 거듭 손해가 난다.
⑤ 우물에 비친 자신의 얼굴을 보면 지위가 높아지며, 사업가는 남의 도움으로 일이 잘 풀린다. 그러나 우물에 남의 얼굴이 비치면 파산하기 쉽다.

⑥ 우물에서 사람소리가 들리면 가족 사이에 말다툼이 일어난다.

⑦ 우물 속에 집이 있으면 갇힌 몸이 된다.

⑧ 사람에게 쫓기다가 우물에 숨거나 빠지면 옥살이한다.

⑨ 우물에서 물고기가 놀면 이익을 얻는다.

⑩ 우물에 빠지면 머지않아 큰병에 걸린다.

———

앞 기사에 대한 설명이다.

①은 재운財運인 물이 넘치면 부자가 되고, ②는 재물이 줄면 걱정되게 마련이라는 말이며, ③과 ④도 마찬가지이다.

⑤는 지기가 자신을 찾는 사람에게 보답한다는 뜻인가?

⑥은 지기는 고요를 즐기며, ⑦은 좁고 깊은 우물이 감옥을 연상시킨다는 말로, ⑧도 앞과 같다.

⑨ 중국에서도 흔히 잉어를 키운다.

⑩ 얼이 빠졌으니 병이 날만도 하다. ⑩처럼 바닥이 마른 우물은 가난을 나타낸다.

10장
—

두레박

—

1. 어원

① 『어원사전』 설명이다.

———

드레박은 '들+에+박'으로 이루어진 것이다. 옛날에는 '드레'를 '들에'라고 썼다. 드레라는 말은 들어 올린다는 뜻을 나타내는 '들(다)'에 접미사 '에'가 붙은 것으로서 드는 것을 의미한다. '드레박'은 '물을 들어내는 박'이라는 뜻이다(안옥규 1989 ; 121).

———

이 사전에서는 '드레박'을 으뜸꼴로 삼았다.

② 『우리말의 뿌리를 찾아서』 기사이다.

———

드레는 '들다擧'의 어간 '드레汲器'에 접사 '-에'가 붙고 다시 '박'이 더한 말이다. 물을 뜨는 바가지라는 뜻이다. 중세어 '드레水斗'의 어근 '들'은 '들다擧~달다懸'와 뿌리가 같다. 원구형圓球形을 이르는 '박瓢'은 바가지, 바구니, 바퀴輪의 어근과 같다(백문식 2006 ; ?).

———

앞의 사전처럼 두레박의 '박'이 '바가지'에서 왔다는 말은 그럴 듯하지만, 샘이라면 모를까 깊은 우물에서는 쓸모가 없다. 또 인도 및 아프리카의 박을 중국에서 2천여 년 전부터 길렀지만 뒤웅박으로만 썼으며, 우리처럼 물을 뜨지는 않았다. 바가지는 우리 발명품으로 일본에도 없다. 다만, 샘에서 쓰던 바가지가 뒤에 우물물 뜨는 기구의 대명사로 되었을 가능성은 없지 않다.

1) 드레의 용례

———

① 드레 爲 汲器(『훈민정음해례』 25)

② 우믌 ᄀᆞ애 드레와 줄 다 잇ᄂᆞ니라 井邊頭酒子 井繩都有(『노걸대 번역』 상 ; 32)

③ 드레 罐子(『박통사 언해』 중 ; 11)

④ 井繩 들엣줄(『역어유해』 하 ; 4)

⑤ 드레박(『악장가사』 중)

⑥ 水斗 드레박(『물명고』 5 ; 10)

⑦ 경繯 드레줄(『훈몽자회』 초간본)

———

질두레박瓦罐은 딜드레(『역어유해』 하 ; 14), 물 뜨는 두레박은 믈드레(『淸語老乞大新釋』 2 ; 20), 물통把桶은 통드레(『韓漢淸文鑑』 11 ; 42), 줄이 달린 두레박은 줄드레(『노걸대 번역』 상 ; 36)라 불렀다. 이밖에 『물보物譜』에서는 호두扈斗를 '통드레' 또는 '고리두레'라 하였으며(「경농」), 눈이 잔 그물은 깁드레細絲粘網였다(『한한청문감』 10 ; 24).

그러나 심재기沈在箕(1938~   )는 두레박이 몽골말에서 왔다고 하였다.

———

'두레박'과 관계되는 항목을 『역어유해』에서 찾으면 다음과 같다.

水斗 쉬투 / 쉬듈	○ 드레	
瓦罐 와권 / 와권	○ 딜드레	
柳罐 루권 / 링권	○ 버들로 겨른 드레	
鐵落 텨로 / 틸랄	○ 드레	○ 元話

위의 네 낱말은 모두 '두레(박)'의 각기 다른 중국어 존재를 알려 준다. 이들은 '쉬두 · 와권 · 류권 · 텨로'로 정리할 수 있다. 앞의 세 개는 중국어 낱말이지만 마지막 '텨로'는 후주後註에 원화元話라고 밝힌 것으로 보아, 본래는 몽고말이었음을 알 수 있다. 그 '텨로'가 우리말로 들어와서는 '드레'가 되고, 오늘날에는 맞춤법의 정리로 '두레'가 되었다. 원래 '두레'가 아니라 '드레'임은 『훈민정음』(해례본 용자례)에서 '드레 爲汲器'라고 분명하게 밝혀 있으니 달리 의심할 필요가 없다. 그러므로 오늘날의 두레박은 몽고말 '드레'와 우리말 '박(아지)'과의 결합에서 비롯하였다.

드레+박 → 드레박 → 두레박 (…)

(1999 ; 79)

──────

『역어유해』는 신이행愼以行 등이 1690년에 사역원司譯院에서 낸 중국 낱말사전으로 각 단어를 문항별로 늘어놓고, 중국어 발음과 뜻을 한글로 적었다.

본디 몽골은 샘이나 우물과는 인연이 없는 나라이다. 주민의 대부분이 집짐승을 이끌고 풀과 내를 따라다니며 사는 유목민인 까닭이다. 또 우리가 몽골의 영향을 받은 것은 적어도 고려 말 이후이다. 따라서 '드레'가 몽골말이라면 그 전에는 두레박이 없었던 것이 되고 만다. 중국말이 몽골을 거쳐 우리에게 들어왔다는 가설도 받아들이기 어렵다.

2) 두레박의 분포

『한국방언사전』 내용이다.

──────

① 두레박
중심지역은 전라북도(무주 · 김제 · 정읍 · 진안 · 장계)이며, 충청남도 · 강원도 · 제주도 일부지역에 퍼졌다.

② 두루박

경상남도 거의 전 지역에 분포하는 반면, 경상북도 및 평안북도의 아주 좁은 지역에만 나타난다.

③ 두룸박

전라북도 거의 전 지역과 전라남도의 많은 지역에 분포한다.

④ 드레박

중부 이남에서 전라남도 및 제주도에 한정되는 것과 대조적으로, 이북에서는 주 분포지역이 함경남도이며 평안북도는 버금간다.

⑤ 뜰박

경상북도 거의 전 지역에서 쓴다.

⑥ 타래박

주 분포지역은 전라남도이며 충청남도가 뒤를 잇는다(최학근 1975 ; 847-849).

———

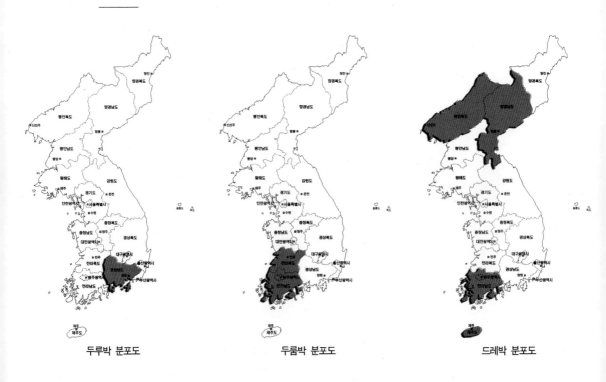

두루박 분포도 · 두룸박 분포도 · 드레박 분포도

한편, 충청남도 논산시 일대에서는 두레박으로 뜨는 우물을 두름박샴, 바가지우물을 바가지샴, 펌프를 작수샴(작두샴)이라 부른다.

2. 삼국시대의 두레박

1) 서울 풍납동 대진연립주택터

이 유적은 4세기 후반~5세기 초의 것이다.

사진 611은 귀틀로 짠 우물 벽 가운데 4단으로, 질두레박 세 개가 보인다. 오른쪽에 새끼로 꼰 듯한 줄도 있다. 이밖에 똬리와 우물에 빠진 두레박을 건질 때 쓰는 끝이 새 발처럼 갈라진 작대기도 나왔다.

같은 곳에서 거의 완전한 모습을 드러낸 사진 612는 목에 아직 줄이 감겨 있어서 이제라도 물을 길을 듯하다. 줄은 양쪽에 걸었을 터이다. 함께 나온 나머지 둘도 마찬가지이다. 줄을 매려고 목을 좁혔지만 배는 불룩하고 입은 나팔꽃처럼 벌어졌다.

사진 613은 앞에서 나온 것 가운데 하나로 배에 물결무늬를 베풀었다. 앞의 것에 견주어 목이 길고 바닥은 좁다.

가운데에 긴네모꼴 구멍을 뚫은 나무 두레박 반쪽도 나왔다. 줄이 달린 작대기를 가로 꿰었을 터이다.

사진 611

사진 612

사진 613

2) 대구 시지동時至洞 유적

7세기의 유적인 이곳에서 나무 두레박이 나왔다. 사진 614가 5G-3호 우물의 것이다. 뒷박을 닮은 네모꼴로 한쪽에 붙인 턱에 구멍(1.5×1.8센티미터)을 뚫어서 줄을 꿰었다(사진 615). 구멍은 반대쪽에도 뚫었을 터이다. 양쪽에 걸은 줄은 조금 위에서 하나로 묶고 물을 긷는다. 사진 616·617은 옆모습이고 그림 95는 복원도이다.

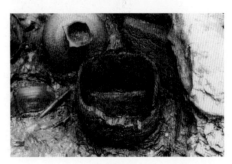

사진 614

사진 615 사진 616 사진 617

소나무를 파서 만들었으며, 입은 14.2×15.7센티미터에 깊이 14.4센티미터인 소형이다.

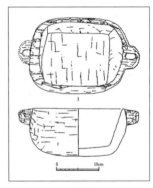

그림 95

3) 국립경주박물관 유적

통일신라시대 우물에서 소나무 두레박 일곱 개가 나왔다. 이들 가운데 몇 가지를 살펴본다.

사진 618은 16.8×16.5센티미터로 둥글게 팠으며 깊이는 18.5센티미터이다. 크기는 높이 21.5센티미터에 너비 29.5센티미터이고 두께는 2.6센티미터이다. 양쪽 어깨에 줄을 꿰거나 손잡이로 쓰기 위한 귀를 붙였다.

그림 96은 복원도이고, 사진 619는 양쪽에 펜 줄을 하나로 모아서 연결한 두레박줄과 두레박이다.

사진 618

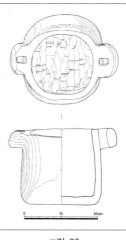 

그림 96   사진 619

사진 620은 통나무를 12.4×10.8센티미터의 긴네모꼴로 팠으며 깊이는 16센티미터이다. 어깨 양쪽에 네모 구멍을 뚫고 줄을 매는 작대기를 건너질렀다. 두레박 자체도 작거니와 줄을 가운데 한 곳에만 걸면 한쪽으로 좀체 기울어지지 않는 탓에 물을 뜨기가 아주 어렵다.

높이 19.5센티미터에 입은 22.4×20.4센티미터이며 두께는 0.3센티미터이다. 사진 621은 옆모습이다. 1300여 년이 지났음에도 나이테가 뚜렷하게 드러났다.

사진 620   사진 621

사진 622는 입 주위 4분의 1이 없어졌으며 평면은 둥글지만 입면은 네모이다. 16.9×15.3센티미터의 긴 네모꼴로, 깊이는 15.8센티미터이다. 두 어깨에 구멍을 뚫고 작대기를 펜 것은 앞의 것과 같다. 그림 97은 복원도이다.

 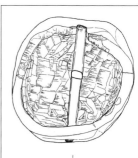

사진 622

사진 623은 높이 15~16.3센티미터에 너비 17.5~20.3센티미터이며, 두께는 2.5센티미터이다. 양쪽에 줄을 꿰기 위한 쇠고리(지름 1.3~0.4센티미터)를 박았다.

사진 624는 높이 14~16.3센티미터에 너비 28센티미터이며 두께는 3.5센티미터이다. 배처럼 앞이 조금 높고 아래로 내려가면서

그림 97

굽어들었다. 길이도 다른 것들에 견주어 긴 편이다.

이들과 함께 두 개의 상수리나무로 깎은 두레박자루도 선보였다(그림 98). 하나는 길이 43센티미터에, 너비 3센티미터, 두께 2.3센티미터이고, 다른 하나는 길이 38.4센티미터에, 너비 4센티미터, 두께 1.4센티미터이다. 이들은 두레박에 박은 작대기에 걸었을 것이다(『국립경주박물관부지내 발굴조사보고서』).

사진 623

사진 624

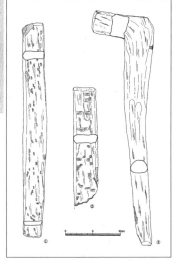

그림 98

나무두레박은 17세기 초에도 썼다.

① 『아우야담於于野談』 기사이다.

———

중종中宗(1516~1544)의 부마 여성군礪城君의 계집종 돌개石
介는 (…) 물담살이이다. 그네는 우물에 가서 나무통木桶을 귀틀에 올려놓고 종
일 노래만 부르다가 (…) 날이 저물면 빈 통을 가지고 돌아왔다. 매를 쳐도 고치
지 않았고 이튿날도 마찬가지였다.

———

이 글의 목통이 통나무를 파서 만든 것인지 널조각으로 짠 것인지는 알 수 없다.

여성군은 송인宋寅(1516~1584)이다.

②『증보문헌비고』의 「두레박 노래」이다.

───────

박 나무 가지 잘라 두레박 하나 만들자
느티나무 가지 잘라 두레박 하나 만들자
(…)
서리 내리기 전에 낫 갈아 삼 베러 가자(권11 상위고象緯考 「동요童謠」).

───────

'박나무 두레박'은 바가지이다. 단단한 느티나무 가지를 파서 바가지를 만들려면
여간한 공력이 들지 않는다.

사진 625

3. 근대의 두레박

사진 625는 좌우 양쪽만 나무를 쓰고 몸체를 함석
으로 꾸민 두레박이다. 밑이 뾰족해서 물에서 한쪽으
로 기울이기 쉽고 또 가벼워서 여간 편리하지 않다.
손잡이 위에 구멍을 뚫어서 줄을 꿰었다. 중국 연변조
선족자치주 민속박물관 소장품이다.

사진 626은 위에 넓적한 가로대를 걸고 손잡이를 붙
박았다. 입은 26.6×18.6센티미터에 높이 41.6센티미
터이다. 자루를 가로대에 박지 않고 생철 조각을 구부
려 붙였으며 바닥에도 작대기를 덧대어 보강하였다(국
립민속박물관 소장).

사진 627은 1920년대의 우물 풍경이다. 오른쪽 아낙
은 앞의 두레박으로 길은 물을 동이에 붓고, 왼쪽에 쭈
그려 앉은 여인은 물동이를 머리에 이려는 참이다. 다

사진 626

른 아낙은 머리에 인 동이를 두 손으로 잡았으며, 왼쪽에는 밀짚 모자를 쓴 남자가 물지게를 지고 걸어가는 것이 보인다. 한 어린이가 전을 부여잡은 채 얼굴을 찡그리고 있다. 어서 집으로 가자는 뜻이리라.

사진 627

사진 628의 왼쪽 두레박은 농촌의 손재주꾼이 사람이 만들었다. 반달꼴로 자른 나무 두 쪽을 마주 세운 뒤, 생철로 감싸고 양쪽에 구멍을 뚫어서 철사로 꼰 줄을 꿰었다. 손잡이가 없는 것이 흠이지만 그런대로 쓸 만하다. 두레박을 살 형편이 못 되거나, 가게가 가까운 곳에 없거나 하면 이렇게 만들어도 썼다.

오른쪽은 앞의 것과 형태가 같지만 기름한 손잡이를 달았으며, 끝에 줄 구멍도 뚫었다. 이것은 1960년대까지 널리 썼다. 23×22.5센티미터에 깊이 15센티미터이다. 손잡이는 길이 34센티미터에 너비 4센티미터이다.

사진 629의 왼쪽은 말斗을 닮은 네모꼴이다. 줄을 철사로 대신한 것은 앞의 것과 같지만, 오른쪽 줄 아래에 철물鐵物을 잡아맨 것이 다르다. 바닥이 네모이면 물 위에서 기울이기 어려운 까닭에 한쪽에 무게를 덧실은 것이다. 크기는 24×23센티미터에 깊이 20센티미터이다.

사진 628

사진 629

사진 630의 왼쪽은 플라스틱 두레박이다. 이것은 가벼운데다가 어디 부딪혀도 쭈그러지거나 하지 않아 오래 간다. 위와 바닥에 쇠테를 둘러서 보강하였다. 지름 5~6밀리미터의 굵은 철사를 한 번 비틀어서 고리를 지은 줄 걸이도 그럴듯

사진 630

하다. 줄도 지름 2센티미터의 밧줄로 꼬았다. 윗지름 22센티미터에 바닥지름 15.5센티미터이며 깊이 15.5센티미터이다.

오른쪽의 양철통은 못 쓰게 된 바케쓰(버킷의 일본말)를 두레박으로 삼았다. 양철은 가벼운 것이 장점이지만 약해서 수명이 짧다. 윗지름 22센티미터, 바닥지름 14센티미터이며, 깊이 18센티미터이다.

사진 631은 1970년대의 충청북도 어떤 마을 우물 아래에 놓인 플라스틱 두레박이다. 이 무렵부터 두레박도 플라스틱 세상으로 접어들었다.

사진 632는 충청북도 청원군 문의면 섯밭 마을의 우물이다(1973년). 머리에 수건을 쓴 아낙이 플라스틱 두레박의 물을 시원스레 플라스틱 함지에 쏟아 붓는다. 어린 아기를 등에 업은 젊은 아낙이 이를 내려다보지만, 왼쪽에서는 모르는 체 나물을 다듬는다.

사진 631(ⓒ 김가운)

사진 632(ⓒ 김가운)

우물에 두레박을 빠뜨리는 일도 자주 일어난다. 줄의 약한 부위가 끊어지거나 겨울에 손이 얼어서 줄을 놓치기 쉬운 탓이다.

그림 99는 앞에서 든 서울 풍납동 연립주택 터에서 나온 나무 갈고리이다. 왼쪽의 것은 가지가 둘이고, 가운데 것은 하나, 오른쪽에는 셋이 달렸다.

사진 633은 같은 곳에서 나온 질두레박과 갈고리이다.

사진 634는 쇠갈고리로 왼쪽에 가지가 셋, 오른쪽에 넷이 달렸다. 오른쪽 것은 긴 장대에 끼워 쓰고, 왼쪽 것은 고리에 줄을 맨다. 장대를 손으로 잡으면 마음먹은 대로 휘

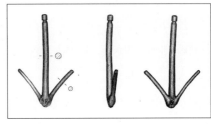

그림 99

사진 633

저을 수 있어 건져 올릴 확률이 높다.

사진 635는 가지 끝에 미늘을 붙인 덕분에 한 번 걸리면 빠져 나가가기 어렵다.

사진 634

사진 635

4. 상징

1) 신령스러운 두레박

『조선민족설화의 연구朝鮮民族說話의 研究』의 간추린 기사이다.

———

늙은 어머니와 살던 나무꾼 총각이 포수에게 쫓기던 노루를 숨겨준 공덕으로 산상山上 金剛山上 못가에서 목욕하던 선녀天女(또는 八仙女)를 아내로 맞았다. 세월과 더불어 어린애가 둘(또는 셋) 생기자, 아내를 믿고 날개옷羽衣 감춘 곳을 알려주었다.

이를 찾아 입은 여자는 아이들과 하늘로 돌아갔다. 그 뒤 노루의 가르침을 받은 남편은, 전날의 못으로 가서 하늘에서 내려온 두레박을 타고 올라가 가족을 다시 만났다(「금강산 선녀설화」).

———

중국과 일본을 비롯한 전 세계에 퍼진 「백조처녀설화白鳥處女說話」이다. 내용은 지역에 따라 조금 다르다. 선녀가 아이 둘을 낳기도 하고, 용마龍馬를 타고 내려온 남편이 어머니가 끓여준 뜨거운 호박죽을 먹다가 흘리자 놀란 말이 날뛴 탓에 떨어져 홀아비가 된 뒤, 수탉이 되어 지붕에 올라가 하늘을 향해 울기도 한다. 또 선녀가 그를 하늘에 불러올리지 않거나, 하늘로 올라가는 두레박줄을 끊고 하늘에서 행복하게 살았다는 곳도 있다.

일본에는 남편이 아이 둘 낳기까지 믿지 못하다가 셋을 낳자, 옷을 주었더니 둘은 겨드랑이에, 하나는 사타구니에 끼고 하늘로 달아났다는 전설도 퍼졌다.

2) 눈물과 두레박

이규보李奎報의 시(「이 날 원흥사에서 옛 벗 규사를 만나서 보냄是日入元興寺 見故人珪師 贈之」)이다(부분).

———

憶昔共遊長安中   장안에서 놀던 옛적

算來一十四春風	벌써 열 네 해 지났구려
相逢一笑撫銅狄	서로 만나 한 번 씩 웃고 동적 어루만지며
缾淚無言意不窮	두레박 눈물에 말 못하니 뜻만 한없구나
師今已非昔日容	대사는 이미 옛 얼굴 잃고
瘦如松頭老鶴同	솔 위의 늙은 학처럼 야위었도다

『동국이상국전집』 제6권 「고율시」

―――

14년 만에 그리던 벗을 만난 감격에 눈물을 두레
박의 물을 물두멍에 쏟아 붓듯이 흘렸다니, 이만저
만한 사이가 아니다.

동적은 구리 인형으로 그만큼 오래 되었다는 말
이다.

『신선전神仙傳』에 '신선술神仙術을 배운 후한後漢
의 계자훈薊子訓(?~?)이 장안 동쪽 패성霸城에서 한
노인과 동적을 어루만지면서 이를 5백 년 전에 굽는
것을 보았다고 일렀다'는 기사가 있다(권5).

그림 100은 김홍도金弘道(1745~?)의 풍속도 가운데
두레박을 손에 들고 물을 마시는 장면
이다. 바가지처럼 보이는 그릇 가운데
에 막대기를 가로 지르고 손잡이를 붙
박았다. 바가지만 보면 우물이 아니라
샘에서 쓰는 듯하다. 오른쪽 위의 아낙
도 같은 것을 들었다.

그림 101은 19세기 말의 풍속화가 김
준근金俊根(?~?)의 작품이다. 오른쪽 아
낙이 왼손에 든 두레박은 놀랍게도 앞
그림과 똑 같다. 적어도 200여 년 동안
한 가지를 써 내려온 것이다.

그림 100

그림 101

3) 옛정과 두레박

윤두수尹斗壽(1533~1601)의 시(「경진년[1580] 2월 15일, 해주 고산사에서 해주목사 황경문과 사제 유수 월정과 묵다. 회암 선생의 '열두 봉우리 앞에서 바다의 달이 밝도다十二峯前海月明'라는 구절을 크게 읊조린 뒤, 그 운을 따라 각각 세 수 짓다. 감사 최복초도 왔다가 공무 때문에 먼저 돌아감庚辰二月十五日。海州高山寺。與海牧黃景文及舍弟留守月汀同宿朗詠晦庵先生十二峯前海月明之句逐步其韻 各得三首 監司崔復初亦來會 因公幹先歸」)이다.

황경문 정욱 시에 붙임附黃景文廷彧詩

臥聞古甃轆轆聲   옛 우물 두레박 소리 누워서 들으니
却喜胡僧亦有情   스님도 정 있음 도리어 기쁘네
解我淸水因病渴   소갈 앓는 처량한 심사 풀어 주려고
一瓶新汲露華明   이슬처럼 맑은 새 물 한 병 길어 보내셨네

「오음유고梧陰遺稿」 제1권 「시」

황경문黃景文의 '경문'은 황정욱黃廷彧(1532~1607)의 자字이다. 그의 시는 '품격이 웅장해서 나약한 시들을 모두 씻어낸 듯하다'는 평을 들었다.

소갈은 오늘날의 당뇨병으로 늘 목이 마른 것이 특징의 하나이다. 이 환자에게 물처럼 반가운 선물은 없을 터이다.

4) 농사와 두레박

정약용丁若鏞(1762~1836)의 시(「절에 머물다가 유월 삼일 비를 만나滯寺六月三日値雨」)이다.

田家憫苗枯   타는 모, 앓는 농부 마음
君子所悲酸   군자도 가슴 아프네
有如孩兒病   어린 자식 병들면
萎黃焦母肝   어미 애간장 끊어지듯

枯橰竟夜鳴	두레박 밤새 삐걱대고
百夫爭井欄	백 사람 우물 귀틀에서 다투지만
點滴救燋釜	물방울로 타는 솥 식히는 셈이라
力浩功則屏	힘만 들뿐 효과는 거의 없네

『다산 시문집茶山詩文集』 제5권 「시」

농부에게 타들어 가는 모는 어린 자식의 병이 나날이 깊어가는 듯한 느낌을 줄 터이다.

5) 헛됨과 두레박

① 이규보李奎報(1168~1241)의 시(「밤에 진화의 집에서 흠뻑 취해 벽에 적음野宿陳澕家大醉書壁上」)이다(부분).

子雲鉅儒好文字	큰 선비 자운의 글 좋아 하면서도
陳設酒客與法師	주객과 법사 모아 술잔치 베풀었네
空瓶獨在井之眉	우물가에 홀로 놓인 빈 두레박
腹盛水漿何所爲	배에 물만 가득 차니 무엇에 쓰리
攜入井中誰復悲	굴려서 빠뜨린들 아쉬울 것 없네
滑稽可愛唯鴟夷	즐거울 때 요긴한 것 술 항아리 뿐이지

『동국이상국전집』 제11권 「고율시古律詩」

쓸모없는 빈 두레박보다 술 항아리가 요긴하다는 뜻이다.

자운은 전한前漢 양웅揚雄(전 53~18)의 자이다. 어린 적부터 배우기를 즐겨서 많은 책을 읽었으며 사부辭賦에도 뛰어났다. 청년시절, 선배 사마상여司馬相如(전 179~전 117)의 시문을 통해 배운 문장력을 인정받아, 성제成帝(전 32~7) 때 궁정문인으로 뽑혔다.

② 이윤李胤(1462~?)의 시(「망해望海」)이다(부분).

병인년(1506) 9월 6일, 공석택지 및 세 아우 전·육·여와 함께 거제도 주봉에 올라 바다를 바라보며 호毫자 운을 얻다丙寅九月六日與公碩擇之曁三弟腆育督登巨濟主峰望海得豪字.

我欲測以蠡	나 조개껍질 되려하고
我欲汲以樺	두레박 되어 물 길으려 들고
亦欲抗以葦	또 조각배로 건너려 하고
亦欲刺以篙	삿대로 찔러보려 들었네
疏狂不量力	어리석어 제 힘 생각 못하니
無乃祇自勞	부질없는 수고일 뿐이로세

『속동문선』 제3권 「오언고시五言古詩」

넓고 너른 바다를 내려다보니 자신이 품었던 모든 일이 아무 것도 아닌 것을 깨달았다는 푸념이다.

③ 장유張維(1587~1638)의 시(「원오상인의 시권에 차운하여次韻題元悟上人卷」)이다(부분).

衰容覰青鏡	청동 거울 부끄러운 늙은 얼굴
壯志頓成非	장한 뜻 온 데 간 데 없구나
世情經冷熱	달고 쓴 세상 물정 다 맛보았으니
身計任從違	앞으로는 되는대로 살아가리라
定被鴟夷笑	이를 두고 치이가 비웃을 터이니
如瓶在井眉	우물 귀틀의 두레박 신세로세

『계곡집谿谷集』 계곡선생집 제28권 「오언율시」

치이는 치이자피鴟夷子皮의 준말로, 춘추시대 월越의 신하 범여范蠡(전 517~?)가 바닷가에서 밭 갈며 살 때 바꾼 이름이다. 월왕 구천을 20여 년간 받들며 갖은 고생을 겪은 끝에 오吳나라를 멸망시킨 공을 세웠음에도 앞으로 쫓겨나기 전에 물러나야 한다며, 제濟나라로 달아나서 숨어 살았다. 시인은 자신의 은거를 범려에 견주면 '귀틀에 놓인 두레박'처럼 하찮은 일이라고 한다.

사진 636은 철모의 안 껍질로 만든 두레박이다. 손잡이에 뚫은 구멍에 바로 엮은 줄을 꿰었다.

농가에서는 똥오줌을 푸는 데에도 썼다.

사진 636(국립민속박물관 소장)

6) 사랑과 두레박

① 「쌍화점雙花店」 노래이다(부분).

드레우물에 므를 길라 가고 신딘	두레우물에 물을 길으러 갔더니
우믓 龍이 내 손모글 주여이다	우물의 용이 내 손목을 쥡디다.
이 말ᄉ미 이 우물 밧씌 나명들명	이 말이 우물 밖에서 퍼지면
다로러거디러 죠ᄀ맛간 드레바가 네 마리라 호리라	작은 두레박아, 네 말이라 하리라.
더러둥셩 다리러디러 다리러디러 다로러거디러 다로러	
긔 자리예 나도 자라 가리라	그 자리에 나도 자러 가리라
위 위 다로러거디러 다로러	
긔 잔 디ᄀ티 덦거츠니 업다	그 잠자리처럼 어수선한 데 없으리라

『악장가사樂章歌詞』

『악장가사』는 고려 적부터 조선 초기 사이의 가곡歌曲을 모은 16~17세기의 노래집이다. '쌍화'는 만두의 소리 값을 한자로 빌려 적은 낱말이고, 두레우물은 한데우물, 곧 마을 공동우물이다. '우물 용'은 만두가게 주인을 가리킬 터이다.

만두의 원산지는 터키이고 이것이 실크로드와 중국을 거쳐 우리에게 들어 왔다. 고려 말에는 몽골의 영향으로 서역사람들이 많이 와 살았으므로 손목을 잡은 상대도 그쪽 작자일 터이다.

세상의 소문이 우물가에서 퍼지는 것을 잘 아는지라 '작은 두레박'에게 이 말이 돌면 틀림없이 네 짓인 줄 알 것이라고 윽박지른다.

한편, 자신도 자러 가겠다며 '그 잠자리처럼 지저분한 데 없다'고 덧붙여서 쓸데없는 상상력을 불러일으킨다.

② **김종직**金宗直(1431~1492)의 시(「미인을 대신하여 용궁에 화답함代美人和龍宮」)이다.

玉蟲金粟帳中燃　　옥충 금속 휘장 안에서 타던 때
一夜波澄伴醉眠　　파징에서 하룻밤 취해 잠든 이와 보냈네
愧把銀鉼收覆水　　은 두레박으로 엎지른 물 거두기 부끄럽지만
郎心應戀艶陽年　　낭군은 분명 늦은 봄 시절 그리워하리라

『점필재집佔畢齋集』「점필재시집」 제12권

옥충이나 금속은 모두 등불燈火을 가리키며, 파징은 경상북도 구미시 해평海平의 옛 이름이다. '하룻밤에 맛 본 모처럼 만의 애타는 사랑'을 은두레박에 견주며 자신의 입으로 되뇌기가 쑥스럽다고 한다.

③ 『**청구영언**靑丘永言』의 **사설시조이다.**

밋남편 廣州 뿌리뷔 쟝ᄉ　　　　　　본남편은 광주의 싸리비장수
소딕 남진 朔嶺 닛뷔 쟝ᄉ　　　　　　샛서방은 삭령의 잇비장수
눈情에 거른 님은 쑥닥 두르려 방마치 쟝ᄉ　눈 맞은 님은 뚝딱 두드려 방망이장수
돌호로 가마 홍도깨 쟝ᄉ　　　　　　도르르 감아서 홍두깨장수
빙빙 도라 물레 쟝ᄉ　　　　　　　　빙빙 돌아서 물레장수
우물 전에 치다라 근댕근댕 ᄒ다가 위령충창 풍덩 빠져 물 담복 써내는 드레쪽지 쟝ᄉ
　　우물 전에서 간당간당 하다가 위렁충창 풍덩 빠져서 물 가득 떠내는 두레박장수
어듸가 이 얼골 가지고 됴리박 쟝ᄉ 못 어드리
　　어디 가서 이 얼굴 가지고 조리笊籬장수 못 얻으랴

본남편과 샛서방은 물론이고 방망이장수·홍두깨장수·물레장수·두레박장수 따위를 다 거쳤으니 내 얼굴 가지고 조리장수쯤이야 얻고도 남는다는 말이다. 조리를 틀기가 쉬워서 맨 마지막 자리에 둔 것인가?

'위령 충창 풍덩'이라고 하여 두레박으로 물을 푸는 동작을 실감나게 그렸다. 삭녕朔寧은 경기도 연천 및 강원도 철원일대의 옛 지명이며, 잇비는 메벼 짚으로 엮은 비이다.

『청구영언』은 1728년에 가인歌人 김천택金天澤(?~?)이 고려 말 무렵부터 불러온 여러 사람의 시조를 모아 엮은 옛시조집이다. 18세기 중반에도 두레박을 드레로 부른 것을 알 수 있다.

7) 벼슬살이와 두레박

정약용丁若鏞의 시(「오월 칠일 보은 산방으로 장공이 술을 들고 찾아주어, 주역 감괘 육사의 운을 따서 주고받음五月七日余在寶恩山房 藏公携酒相過厚意也 拈周易坎六四韻 與之酬酢」)이다(부분).

―――――

功名本畫餠	공명은 본디 그림의 떡이라
宰相多鳩酒	재상 자리 시비 끊이지 않네
百年眞一瞬	백년은 눈 깜짝 사이
短綆休繫缶	어찌 짧은 두레박줄에 장군 매달리
消搖天地間	하늘과 땅 사이 노닐며
洒落無愆咎	깨끗하고 흠 없이 지내리라

『다산 시문집茶山詩文集』 제5권 「시」

―――――

'장군'은 가로로 퍼진 둥근 오지그릇으로 위에 입이 달렸으며, 물을 나르는 외에 농가에서는 논밭에 거름도 옮겼다. '짧은 두레박줄'은 자신의 재주가 모자란다는 겸손의 표현이다.

8) 불과 두레박

『만기요람萬機要覽』 기사이다.

―――――

내삼청內三廳은 네 계절 첫 달에 기구를 점검한다. 이 규례는 영조英祖 30년(1754)에 정하였다. 불잡는 기구는 괭이廣伊 12자루·세발 갈고랑이三枝틀鉤金 12자루·삽 12자루·도끼 12자루·낫鎌子 12자루·쇠스랑小時郎伊 12자루·물통 12개·들것擔木 12개·두레박 12개·두레박줄務乤 12줄·떡메餠椎 12개·사다리雲梯 12개이다(군정편2 「내삼청 융기점고內三廳戎器點考」).

――――――

물이 아무리 많아도 두레박으로 물을 뜨지 않으면 불길을 잡지 못하므로 방화구로 삼은 것이다. 내삼청은 17세기 중반, 내금위內禁衛·겸사복兼司僕·우림위羽林衛를 하나로 묶은 군영이다,

9) 학문과 두레박줄

① 최항崔恒(1409~1474)의 시(「일본 중에게贈日本僧」)이다(부분).

――――――

顧我將頑鈍	어리석은 나
憑渠庶切磋	스님 만나 학문 닦았지만
汲深羞短綆	두레박줄 짧아 깊이 못 깨쳐서
造奧愧蒸砂	모래를 찌는 듯, 안에 못 들어갔네
鼠唧空鑽仰	쥐 찍찍거리듯 바라보고 말았으니
龜毛謾琢磨	거북 털 다룬들 무엇이 되리

『동문선』 제11권 「오언배율五言排律」

――――――

'모래를 찌는'은 『능엄경楞嚴經』의 '음욕淫慾을 끊지 않고 선정禪定을 닦으려는 자는, 마치 모래·돌 따위로 밥을 지으려는 드는 것과 같다'는 구절에서 왔다. 불경佛經에서 '거북 털'이나 '토끼 뿔'은 본디 없는 것을 나타낸다.

② 김종직金宗直의 시(「가야의 옛 집으로 돌아가는 선원에게送善源還伽倻舊居」)이다(부분).

――――――

吾年近不惑	내 나이 불혹에 가깝건만
昧昧尚面墙	담처럼 아직도 캄캄하네
與君久比隣	그대와 이웃한 지 오래
夜夜同燭光	밤마다 한 촛불 아래에서
脩練汲古井	긴 두레박줄로 물 긷고
幽思回剛腸	깊은 생각으로 참 뜻 찾았네

『점필재집佔畢齋集』「점필재시집」 제5권

―――

'긴 두레박줄로 물 긷고'는 '그 동안 닦은 깊은 학문으로 진리를 캔다'는 말이다.

③ 『고산유고孤山遺稿』의 기사이다(부분).

―――

사서史書를 지으면 절로 문자가 있지만, 글의 유행은 사람마다 다른 점이 보인다. 혹은 민간에서 전하고, 혹 저자에서 드러난다. 일가의 서적으로 빛나서, 이름 난 산에 간직한 이 누구인가? 내가 훗날을 기다리는 것에 대해 느낀 바 있으니, 어찌 유독 우수한 사관에게서만 얻겠는가? 넓고 큰 기세로다. 우마주牛馬走라고 스스로 부른 이 사람이여. 책의 수풀에 노닐고 뜰의 가르침을 잇는다. 손으로 가전家傳을 들추고, 입으로 국승國乘을 읊는다. (…) 경전을 꿰뚫고 고금을 넘나든다. 쇠몽치로 쪼는 듯하고, 두레박으로 긷는 듯하다. 귀에는 옛 말이 넘치고, 눈에는 지난 자취가 뚜렷하다. 대개 장한 행동에 뜻을 두었으니 이를 품고 어찌 경계를 궁구하였다고 이르지 않으랴?(「지은 글을 명산에 감춘다」에 대한 부 著書藏名山賦」)

―――

'두레박으로 긷는 듯하다'는 진리 캐기를 두레박으로 물을 길어 올리는 것처럼 한다는 뜻이다.

우마주牛馬走는 스스로를 낮춘 말로, 태사공太史公 사마천司馬遷(전 145?~전 86?)이 자신을 가리킨 말이다. 『문선文選』에 실린 그의 「보임소경서報任少卿序」에 '태사공은 우마와 같은 종太史公 牛馬走'이라는 대목과 함께 '주는 종과 같다走, 猶僕也'고 덧붙인 주가 보인다.

④ 이덕무李德懋(1741~1793)의 시(「유검서의 영보정 장편에 차운하여 철재 정학사에게 드림次柳檢書永保亭長篇韻奉獻徹齋鄭學士」)이다(부분).

惟公降精東壁星	오직 영공은 동벽성 정기로 태어나
主盟詞垣赤幟舉	문원文垣을 주름잡아 붉은 깃발 들었구려
吾曹生幷右文世	우리들 숭문崇文 세대에 함께 나와서
伴直隨行今五暑	휘하에 따라다닌 지 다섯 해로세
汲深端合資脩綆	깊은 우물물 길으려면 긴 두레박 필요하니
懷大那能容小褚	어찌 작은 주머니에 큰 물건 넣으랴

『청장관전서靑莊館全書』 12권 「아정유고雅亭遺稿」

우물이 깊으면 두레박줄도 길어야 하듯이, 학문을 깊이 꿰뚫으려면 지식을 고루 갖추어야 한다는 말이다.

『예기禮記』에 '중동中冬의 달이면 해는 두수斗宿에 있고, 저녁에는 동벽성東壁星이, 새벽에는 진수軫宿가 남중한다'는 구절이 있다. 또 『진서』에 '동벽성은 문장을 주관하는 별'이라는 기사가 보이며(「천문지상天文至上」), 이로써 많은 책을 모아둔 곳을 가리키기도 한다.

문원은 서적을 관리하고 국왕의 자문을 맡은 홍문관弘文館이고, '숭문세대'는 문학을 드높이는 태평성대를 이른다.

⑤ 『임하필기林下筆記』 기사이다.

우리네 예악禮樂 문물은 중국과 맞먹어서 단군檀君 적부터 지금 임금 원년(1863)에 이르기까지 4,261년이다. 세상에 나온 문헌만도 수천 질帙에, 그 요점만 간추려도 수백 권이다. 따라서 아무리 두레박줄이 길어도 깊은 물을 긷지 못한다(제11권 「文獻指掌編 序」).

1863년은 고종이 임금이 된 해이다.

10) 능력과 두레박줄

① 『계원필경집桂苑筆耕集』 기사이다.

> 짧은 두레박줄로는 깊은 우물의 물을 긷지 못하고, 무딘 칼로는 엉킨 덩어리를
> 베지 못합니다. 주임周任(?~?)이 제대로 할 수 없으면 그만두고 떠나야 한다고 말
> 한 까닭이 이것입니다. 반드시 자기의 재주를 알아야 하며, 마음 내키는 대로 움
> 직이면 안 됩니다(제18권 「長啓」).

② 『논어』의 기사이다.

> 공자가 말하였다.
> "구求야, 주임은 '능력을 펴서 지위에 나아가 제대로 할 수 없으면 그만두라'고
> 하였다. 위태로운데도 붙잡아주지 못하고, 넘어지는데도 붙들어주지 않는다면
> 장차 저 보좌의 신하를 어디에 쓰겠느냐?"(「季氏篇」)

주임은 주周나라 대부大夫를 가리킨다.

또 시인 최치원崔致遠(857~?)은 동면도통東面都統 회남절도사淮南節度使 고병高駢(?~?)
을 들어 '두레박줄이 짧은 탓에 긴 채찍을 휘두르려 해서가 아니라, 선성先聲만 믿은
나머지 뒤에 욕심을 채우려고 (…) 밖으로 군위軍威를 떨치려 들었습니다. 이는 어디
까지나 전규(前規)를 따른 것으로 큰 잘못은 아닙니다' 하였다(『孤雲集』 제1권 「謝恩表」).

고병은 당唐말기의 장군으로 당항黨項 및 남조南詔토벌에 공을 세웠으나 황소黃巢
(?~884)의 난 때, 양주揚州에 머물며 장안의 황소군 동정만 살피다가 반역의 의심을 받
아 내쫓겼다.

③ 이색李穡(1328~1396)의 시(「앞의 운을 써서 스스로 읊음用前韻自詠」)이다(부분).

病不吟詩恐亂心　　병으로 시 못 읊어 마음 흔들릴까 두렵네

數年長臥到于今	여러 해 누운 채 오늘에 이르렀구나
吹壁白波長對畫	흰 물결이 벽 치는 그림 보고
滿窓明月獨鳴琴	밝은 달 창가에서 홀로 거문고 뜯노라
箇中樂處誰能識	내 즐거운 곳 아는 이 있을까
短綆由來古井深	예부터 우물 깊어도 두레박줄이 짧으니

『목은고牧隱藁』「목은시고牧隱詩稿」 제7권

———

'흰 물결'은 당 두보杜甫(712~770)의 시(「봉환 엄정공무청사 민산 타강화도奉歡嚴鄭公武廳事泯山沱江 畫圖」) 가운데 '타수는 중좌에 이르고沱水臨中座 / 민산은 북당에 닿으니泯山到北堂 / 흰 물결 흰 벽에 불어 대고白波吹粉壁 / 푸른 산봉우리 아로새긴 들보에 꽂혔구나靑嶂揷雕 梁'라는 구절에 들어 있다.

또 '밝은 달'은 진晉 완적阮籍(210~263)의 시(「영회詠懷」)의 '밤중에 잠 못 이루어夜中不能 寐 / 일어나 거문고 타노라니起坐彈鳴琴 / 얇은 휘장에 밝은 달 비치고薄帷鑑明月 / 맑은 바람 내 옷깃에 부네淸風吹我衿'라는 구절을 빌렸다.

'예부터'는 짧은 두레박줄로 깊은 샘물을 긷지 못한다는 고사에서 온 말로, 학식이 얕은 자와는 도리道理를 논할 수 없음을 견준 것이다.

④ 앞 사람의 시(「과거에 급제한 느낌을 읊음登科有感」)이다(부분).

———

淸明氣猶存	청명한 기운 아직 남아
澹若深淵靚	깊은 못처럼 맑고 고요하다가도
俄而物來攻	살며시 사물이 다가들면
逐外肆馳騁	밖을 향해 제멋대로 달리네
取暎逼明鑑	비춰 보려고 거울 가까이하지만
汲古嗟短綆	물 길으려 해도 두레박줄 짧네

『목은고』「목은시고」 제3권

———

마음이 아무리 맑아도 밖의 사물이 다가오면 흔들려서 주체하기 어렵다는 고백이다. 그가 그렇다면 보통 사람들이야 더 말할 것이 없다.

⑤ 이달충李達衷(1309~1384)의 시(「양주관사 시운을 빌려서次襄州官舍詩韻」)이다(부분).

此樓風景僅瞻前	다락의 풍경 앞으로만 보았더니
來往登臨又一年	오가며 오른 지 또 한 해이네
淸閑可喜壺中日	한가하여 병 속 세월 즐겁지만
阨塞還嫌瓮裏天	땅 좁아 독 안의 하늘이 딱하구나
欲和諸公氷雪句	얼음처럼 맑고 서늘한 시 화답하려고
羞將短綆汲深泉	짧은 두레박줄로 깊은 샘물 긷듯하네

『동문선』 제16권 「칠언율시」

'거문고 곡조'는 당唐 이상은李商隱(812~858)의 '남전의 날 따듯하자 옥에서 연기 나누나'는 시(「금슬시錦瑟詩」) 구절에서 온 것으로, 곡조가 잘 어울린다는 뜻이다.

'병 속의 세월'은 한漢의 비장방費長房(?~?)이 신선을 따라 병 속에 들어가 별천지를 구경하였다는 고사에서 왔으며, '독 안의 하늘'은 술독에서 생긴 해계醯鷄가 그 안에서만 산다는 뜻으로, 작자가 자신을 낮추어 이른 말이다.

⑥ 정경세鄭經世(1657~1899)의 시(「제천 관사에서 퇴도의 시에 차운하여 주인에게 바침堤川館舍次退陶韻呈主人丈」)이다(부분).

承恩況非分	임금의 은혜 분수에 넘치고
短綆妨深井	짧은 두레박줄 물ㅍ긷기 어렵네
回車故山路	수레 돌려 고향으로 가는 길
帝闔日以逈	임금 계신 대궐 날로 멀어지네
浮生能幾何	거품 인생 얼마나 더 살랴
長年逐萍梗	오랜 동안 평경 신세였노라

『우복집愚伏集』 제1권 「시」

'두레박줄 짧아'는 재주가 부족하여 임금의 정사를 돕지 못한다는 고백이다. 『순자荀子』에 '짧은 두레박줄로 깊은 샘물 긷지 못한다'는 기사가 있다(「영욕榮辱」). '평경萍梗'

은 물 위에 이리저리 떠다니는 부평초浮萍草나 나무로 깍은 작은 인형으로, 한 곳에 머물러 있지 못한 것을 나타낸 말이다.

⑦ 이가환李家煥(1742~1801)의 시(「연광정의 증별운으로 서경으로 돌아가는 조진범을 보내고 아울러 옛 벗에게 편지 씀用鍊光亭贈別韻 送趙生晋範還西京 兼柬舊知」)이다(부분).

未耕安箕井	밭가는 농부 기자정전 편히 여기고
詩書慕國賓	시서 읽은 선비 국빈 사모하리
吹噓慙短綆	남 이끌 두레박줄 짧은 것 부끄럽지만
歷賢恨歸輪	초의를 이룩한 것 짓고 나서
羞爲醜女嚬	추녀의 찡그림 부끄러이 여겼네

『이가환시전집』「시문초詩文艸」 권1

기자정전箕子井田은 은殷의 기자箕子가 조선에 정전법井田法을 편 유적이라는 전설이며, 국빈은 서경西京 平壤으로 돌아가는 조진범을 가리키는 듯하다.

'초의'는 벼슬하기 전에 입었던 포의布衣이고, '이룩했다'는 벼슬자리에서 물러났다는 말이다. '추녀의 찡그림'은 춘추시대(전 8~전 3세기) 월越의 미녀 서시西施(?~?)가 심장병으로 얼굴을 찡그리자 그 모습이 아름답다고 여긴 이웃 추녀醜女가 본떴다는 고사로, 덮어놓고 남의 흉내만 내는 것을 일컫는다.

⑧ 엄세영嚴世永(1831~1900)의 사직 상소문이다.

재주 없는 신이 다시 임명된 지 어느덧 한 달 되었습니다만 (…) 그만두겠다는 생각을 하루라도 버리지 못했습니다. (…)

낮은 벼슬 하나도 지키기 버거워 걱정한 터에 참의參議를 어찌 맡겠습니까? 가벼운 덕망에 견주어 맡은 책임이 무거운 것이, 두레박줄 짧은데 우물은 깊기만 한 격입니다. 이로써 (…) 성상께 누를 끼치고, 아래로 (…) 비웃음과 원망을 살터이니 크게 두려울 뿐입니다(『승정원일기』 고종 15년[1878] 2월 12일).

참의는 조선시대 육조六曹에 딸린 정3품正三品 벼슬이다.

그는 김홍집金弘集(1842~1896) 내각에서 농상아문대신農商衙門大臣과 판중추부사判中樞府事를 지내고, 대한제국 때는 중추원 일등의관中樞院一等議官·경상북도 관찰사·궁내부 특진관宮內府特進官에 올랐다.

⑨ 박제관朴齊寬(1834~?)의 상소문이다.

———

왕세자 저하께서 처음 묘궁廟宮에 참배하는 예식이 있었습니다. (…)

뜻밖에 (…) 신에게 궁궐 지키는 책임을 맡기시고 자헌대부資憲大夫로 올리셨습니다. (…) 공이 없음에도 벼슬이 분에 넘치면 뭇사람들에게 부끄럽고, 재능이 없음에도 지위가 뚜렷하면 반드시 재앙이 따릅니다. (…)

옛사람이 '벼슬 한 등급 높아지면 인품은 한 등급 낮아진다' 하였습니다. (…) 이는 허약한 말을 타고 먼 길을 달려가고, 짧은 두레박줄로 깊은 우물물을 긷는 것처럼 위태롭습니다. (…) 새 품계와 직급을 거두어 주소서(『승정원일기』 고종 19년 [1882] 3월 25일).

———

'벼슬 한 등급 높아지면 인품은 한 등급 낮아진다'는 말은 만고의 진리이다.

묘궁은 공자의 사당이다. 속마음이야 어떻든지, 이즈음에는 벼슬을 물려달라는 말이라도 꺼냈으니 오늘날과는 사뭇 다른 세상이었다.

⑩ 호조판서 김병시金炳始(1882~1898)의 상소이다.

———

저는 벼슬을 만 번 내려놓아야 마땅합니다. (…) 나귀 발자국 사라져 지나온 자취 잃고 수레 끄는 망아지 앞 자국 잃듯이, 반드시 낭패할 것을 누구나 잘 압니다. 더구나 지금 호조(戶曹)는 힘이 빠지고 곳간도 텅 비어 씀씀이에 맞출 도리가 없습니다. 짧은 두레박줄은 깊은 샘에 넣지 못하고, 걸레조각은 새는 배에 아무 보탬이 못 됩니다(『승정원일기』 고종 19년[1882] 9월 28일).

———

아닌 게 아니라, 힘 빠진 호조와 텅 빈 곳간을 떠올리면 누구라도 걱정이 앞을 가렸을 터이다.

11) 남의 도움과 두레박줄

① 이규보李奎報의 시(「평장사 최당에게 올림上崔平章讜」)이다(부분).

吾生大嶮巇	내 평생 몹시 험난하여
久爲莊轍鮒	오랜 가난에 허덕이네
深坑無計出	깊은 구렁에서 헤어나지 못함에
長縻肯誰施	긴 두레박줄 뉘라서 내려 주랴
天高難自達	하늘이 너무 높아 오르지 못하니
願綴薦衡辭	상공의 예형禰衡 추천을 바랄 뿐이요

『동국이상국집』 제7권 「고율시」

예형(173~198)은 동한東漢 말의 문인이다. 어려서부터 재주와 변론이 남달랐고 성격이 강직, 오만하였으며 공융孔融(153~208) 및 양수楊修(175~219)와 어울렸다. 그때 공융은 마흔이고 예형은 스무 살이었지만 공융은 나이를 접어두고 사귀었고 재주가 뛰어나다며 조조曹操(155~220)에게 천거도 하였다.

시인은 이를 들며 자신을 최당에게 추천해 달라고 한다.

② 유희춘柳希春(1513~1577)의 시(「귀양에서 풀린 이야기와 허연의 꿈 이야기를 듣고聞放謫人又聞許演夢」)이다.

誰將烏獲千尋縻	누가 오획의 천 길 두레박줄로
拯却三塗墜塹人	삼도 구렁에 빠진 나 건져주랴
只解成湯全解網	성탕이 그물 모두 푼 것 알고
孤臣盡被放魔仁	외로운 신하 마귀에서 빠져나온 사랑 받았네

『미암집眉巖集』 제1권 「시」

오획은 전국시대 진秦 무왕武王(전 311~전 307) 때의 장사로, 그와 솥 들기를 겨루던 왕이 맥이 끊어져 죽었다. 삼도三塗는 불교의 삼악도三惡道 곧, 지옥도地獄道·아귀도餓鬼道·축생도畜生道이다, 이글에서는 귀양객을 가리킨다.

성탕(?~전 1588 ?)은 하夏를 멸망시키고 상商을 세워서 인정仁政을 베풀었으며 시호諡號는 무왕武王이다. 무탕武湯·은탕殷湯·천을天乙·성당成唐 따위로도 불리는 외에, 갑골문甲骨文에는 당唐·태을大乙·고조을高祖乙로 적혔다.

③ 그에 대한 『사기』의 기사이다.

들판 사방에 그물을 친 사냥꾼이 '하늘에서 내려오고 땅에서 나오는 놈들은 모두 걸리라'고 소리치는 것을 본 탕 임금이, 그물 세 곳을 터놓고, '피하기 싫은 새와 짐승만 걸리게 하소서' 빌었다. 이를 들은 제후諸侯들은 모두 그의 성덕聖德을 찬양하였다(「은본기殷本記」).

④ 『백사집白沙集』 기사이다.

저는 험한 길에서 걷기를 익히다가 진흙 구덩이에 빠졌습니다. 벗어나려고 버둥거릴수록 더욱 더러워져서 온몸이 진흙투성이입니다. 긴 두레박줄 가진 사람을 불렀지만 너무 더디 와서 도움을 못 받았습니다. 임금님의 명령下諭은 갈수록 더하고, 저의 혼란은 한없이 깊어집니다(제6권 「箚子」).

이 글의 임금은 선조宣祖(1552~1608)이다. 임진왜란 때, 그가 내리는 갈피를 잡기 어려운 여러 가지 명을 따르기 어려워 혼란스럽다는 말이다.

⑤ 김정희金正喜(1786~1856)는 '형이 때로 이끌어주지 않으면 가슴속의 글자가 장차 두레박줄 없는 마른우물眢井이 되고, 썩어 버섯이 되고, 묵어 나비가 되었을 것'이라 하였다(『완당전집』 제4권 「서독書牘 김동리 경연에게 줌與金東籬 敬淵」).

'마른 우물'을 장님에 견주었다.

⑥ 이남규李南珪(1855~1907)의 시(「불행하게도 과거에 일찍 붙어 목은 선조 시에 삼가 차운함不幸登科早 敬次牧隱先祖詩」)이다(부분).

此心本如水	내 마음 본디 물 같아
表裏澹自靚	안팎 맑고 고요하네
行藏隨時義	시대를 보아 드나들 뿐
寧藉汲引綆	어찌 두레박줄 이용하리
聖訓在方策	성인 가르침 역사에 실렸으니
自可尋綱領	스스로 도리 찾을 뿐이네

『수당집修堂集』 제1권 「시」

벼슬을 달라는 앞의 이규보와 대조적이다.

12) 헛됨과 두레박줄

① 정온鄭蘊(1569~1641)의 시(「성 모퉁이의 외로운 우물에서城隅獨井」)이다(부분).

海眼何年鑿	이 우물 언제 팠나
深湫數丈洿	깊이 서너길 되지만
綆長難汲引	두레박줄 길어도 긷기 어렵고
源淺已乾枯	근원 얕아 이미 말랐구나
孤城虛築日	외로운 성 부질없이 쌓을 때
呼怨幾夫痡	수많은 인부의 원한 샀으리

『동계집桐溪集』 속집 제1권 「시」

'외로운 성'은 후한 때의 소륵성疏勒城이다.

경공耿恭(?~?)이 성 곁에 내를 보고 안에 군사를 두었더니, 공격해온 흉노가 물길을 끊었다. 깊이 15발丈을 팠지만 물이 나오지 않아 병사들이 목이 말라 말똥을 짜서 마실 지경이었다. 옷갓을 한 그가 기도를 올렸더니 한참 뒤 물이 솟았다는 고사에서 왔다(『후한서』 권19 「경공열전」).

두레박줄이 길면 우물도 그 만큼 깊으련만, '근원이 얕아 이미 말랐다'니 무슨 뜻인지 모르겠다.

② 충청북도 관찰사 박규희朴珪熙(?~?)의 상소이다.

———

지난번 살펴 주십사는 상소를 올렸지만 정성이 모자라 성상을 감동시키지 못하였습니다. (…) 신이 직임을 받은 것은 (…) 조금이나마 성상께 보답하기를 바랐던 까닭입니다. 마른 우물에 긴 두레박줄 내려도 쓸모없듯이, 늙은 천리마는 (…) 남들의 비웃음만 사고 말았습니다(『승정원일기』 고종 34년[1897] 3월 5일).

———

물 마른 우물에 두레박 쓸 일 없듯이, 재주 없는 자신은 임금에게 아무 도움이 되지 못한다는 겸손의 말이다.

13) 구설수와 두레박줄

윤선도尹善道의 시(「동지 정여린을 위한 만사挽鄭同知如麟」)이다(부분).

———

始信嗜好與世殊	비로소 알았네 공의 기호 세상과 달라
義則如薺不義蓼	의는 단 냉이로, 불의는 쓴 여뀌로 여김을
庖人繼肉廩繼粟	푸줏간 고기와 곳간의 곡식 대고
日敞華筵勸淸醥	날마다 자리 마련, 맑은 술 권했지
謂我幽州分外寒	유주에서 외로우리라는 점과
恐我轆轤重縈繞	다시 두레박줄에 휘감길까 염려한 것이지

『고산유고孤山遺稿』 제1권 「시」

'푸줏간'은 정여린鄭如麟(1564~1640)이 귀양 온 자신에게 생필품을 대면서도 내색하지 않아 부담 없이 받았다는 말이다. 『맹자』에 '곳간에서 곡식을 붓고, 푸주에서 고기를 댈 뿐, 윗사람의 이름이 알려지지 않게 한다'는 대목이 있다(「만장萬章」 하).

'유주幽州'는 시인이 쫓겨났던 함경도關北이다. 『주례周禮』에 '동북지방을 유주라 한다'는 기사가 보이고(「하관사마夏官司馬 직방씨職方氏」), 『서경書經』에도 '공공을 유주로 정배 보냈다'고 적혔다(「순전舜典」 9).

'날마다'는 술이 깨면 다시 우울해지지 않을까 근심되어 늘 술자리를 베풀어 주었다는 말이다. 송宋 소식蘇軾(1037~1101)의 시(「정월구일유미당음正月九日有美堂飲」)에 '석 잔 술에 온갖 걱정 잊었다가도三杯忘萬慮 / 깨면 다시 또렷해지는 것이醒後還皎皎 / 한 번 풀렸던 두레박줄에有如轆轤索 / 다시 휘감기는 듯하다已脫重縈繞'는 구절이 있다.

정여린은 임진왜란 때 수사水使 이억기李億祺(1561~1597)에게 군량을 보내고, 김덕령金德齡(1567~1596)을 도와 왜군과 싸웠으며, 이원익李元翼(1547~1634)을 따라 부산에서 전공을 세워 임금이 「승전도勝戰圖」를 내렸다.

14) 새 각오와 두레박줄

이규보李奎報의 글(「진강후에게 직한림을 사례함上晋康侯謝直翰林啓」)이다.

> 저는 마음에 가득한 풀茅을 없애버리고, 묵은 우물의 두레박줄을 고쳐서 정신을 가다듬고 업을 닦아 임금의 말씀을 빛내며, 손 씻고 공을 받들어 밝게 비춰 주신 거울을 더럽히지 않겠습니다. 구구한 마음, 더듬는 말로 다 못 올립니다(『동국이상국전집』 제27권 「書」).

직한림 벼슬을 살게 해준 진강후 최충헌崔忠獻(1149~1219)에게 보낸 인사말이다. 자신의 능력을 세상에 알릴 기회가 거의 없던 옛적에는 선비들이 이처럼 힘 센 자에게 벼슬자리를 부탁하였다. 중국도 마찬가지였다.

사진 637은 1920년 무렵, 우물 전에 올라선 사나이가 두 손에 감아 쥔 두레박줄이

다. 한 눈에 보아도 줄이 굵고 또 길다. 물 뜨러 갈 때마다 들고 다녀야 하는 것은 여간 귀찮은 일이 아니지만 오래도록 두고 쓸 것이다. 웃는 어린이 왼쪽으로 장옷을 입은 할머니가 서 있다.

사진 637

15) 끈기와 두레박

『성종실록』 기사이다.

———

작은 두레박줄 하나가 나무귀틀을 끊고, 낙수 한 방울이 돌을 뚫는 것은 꾸준하기 때문입니다. 저희가 거듭 아뢰는 것도 마찬가지입니다. 김진金鎭(?~1711)에게 경관 3품 도호부사都護府使를 내리실 것이 아니라, 4품 이하 벼슬을 맡기셔서 앞으로 닥칠 폐단을 막으소서(10년[1474] 8월 23일).

———

'두레박줄이 나무귀틀을 끊는다'는 두레박으로 물을 풀 때 줄을 귀틀에 대고 끌어 올리는 까닭에 마침내 그 자리가 파이는 것을 가리킨다.

임금은 이에 따랐으며, 뒤에 김진은 김해부사와 전라수사를 거쳐 오위도총부五衛都摠府 부총관에 올랐다.

16) 도리와 두레박줄

이현일李玄逸(1627~1704)의 시(「홍백원이 보여 준 시에 차운하여次洪百源示韻洪百源」)이다(부분).

———

狂夫汲古綆千尋	미친 선비 두레박줄 천 길이더니
自見大方知所欽	대방 만나 공경하는 일 알았네
秋江謾許魚龍蟄	추강은 그저 숨는 어룡 받아들이지만

山木誰憐歲月深	산목은 뉘 늙었다고 가여워하랴
收拾猥蒙相唯諾	나를 거두어 과분하게 벗으로 삼아주니
片辭奚啻雙南金	한마디 말씀 쌍남금과 맞먹노라

『갈암집葛庵集』제1권 「시」

―――――

'미친 광부狂夫'는 시인 자신이다. '급고'는 옛 전적典籍 연구를 깊은 우물에서 물 긷는 일에 견준 것으로, 당唐 한유韓愈(768~824)의 시(「추회시秋懷詩」)의 '마음 비우자 길 평탄함 알겠고歸愚識夷途 / 옛 우물의 물 긷는 긴 두레박줄 얻었노라汲古得脩緶'는 구절 에서 왔다.

'대방大方'은 대가大家의 뜻이다. 『장자莊子』에 '자신이 다스리는 하수河水의 물이 불 어나는 것을 뽐내던 하백河伯이, 북해北海에 이르러 끝없이 펼쳐진 물을 보고 대방지 가大方之家가 두고두고 나를 비웃을 것이라'며 한탄한 대목이 있다(「추수秋水」). 이 시에 서는 홍백원을 가리킨다.

백원은 홍여하洪汝河(1620~1674)의 자이다. 효종孝宗의 하문에 따라 올린 상소에 이 후원李厚源(1598~1660)을 논박한 것이 문제가 되어, 이조판서 송시열宋時烈(1607~1689)이 물러나는 따위의 파동이 일자 황간黃澗에 유배되었다. 그러나 1674년에 송시열이 제2 차 복상문제服喪問題로 쫓겨난 뒤, 남인이 정권을 잡음에 따라 병조좌랑을 거쳐 사간司 諫에 올랐다. 특히, 주자학에 밝아서 사림의 종사宗師라고 불렸다.

'추강秋江'은 홍백원, 산목山木은 작자 자신일 터이다. 곧, 홍백원은 강물이 온갖 물 고기를 품는 것과 같은 포용력을 지녔지만, 자신은 산목처럼 나이만 들었을 뿐 쓸모 가 없다는 뜻이다. 『장자』에 '산목은 재목감이 못 되어 수명이나 오래 누리는 고목'이 라는 기사가 있다(「산목」).

쌍남금雙南金은 값이 곱절인 고금 품질의 금이다.

17) 아쉬움과 두레박줄

① 윤두수尹斗壽(1533~1601)의 시(「남익위를 찾았다가 못 만나고又過南翊衛不遇」)이다(부분).

―――――

久識湖翁不出城　호옹이 오래 성 밖에 나서지 않은 것 알기에
尋春直走叩柴荊　꽃구경 하려고 곧 가 사립문 두드렸네
院外風飄花萬点　바람에 날리는 뜰 밖의 꽃 만 점에 이르고
甕頭繩斷井深淸　두레박줄 끊어진 우물은 맑고도 깊네
徘徊何事忘歸去　무슨 일로 서성이며 돌아가기 잊었나
滿地松陰似有情　땅에 가득한 솔 그림자 정 있는 듯 하이

『오음유고梧陰遺稿』 제2권 「시」

'두레박줄 끊어진 우물은 맑고도 깊네'는 불현듯 그리워서 바로 걸음을 재촉했건만 만나지 못해 아쉽다는 뜻으로 상대를 우물에, 자신을 두레박줄에 견주었다. 그러함에도 바로 돌아서지 못하고 서성이려니, 자신의 허탈한 마음을 솔 그림자가 알아주는 듯싶다고 덧붙였다.

남익위南翊衛는 남상문南尚文(1520~1602)으로, 호가 쌍홍雙湖인 데서 호옹이라고 적었다.

② 『선조실록』 기사이다.

―――――

그의 집을 찾은 명明의 양호楊鎬(?~1629?)가 경학經學을 논하다가 뛰어난 학식에 감동되어 그의 문하로 들어갔다. 향리에서 행동거지를 천거하여 의금부도사義禁府都事와 고성군수高城郡守를 거쳐 통정대부에 올랐다(33[1600] 3월 19일).

―――――

18) 옥구슬과 두레박줄

김정희金正喜(1786~1856)의 시(「물 긷기汲井」)이다.

―――――

轉玉轆轤碧濙生　옥 구르는 두레박에 푸른 김 뭉게뭉게
老虹飮盡晚霞晴　무지개 물마시네 저녁노을 갠 하늘에

鐵函苦得蘭亭本	철함에서 난정본 얻는다면
定武神龍作一行	정무라 신룡이라 한 줄 읊으리

『완당전집阮堂全集』 제10권 「시」

———

'물레우물 두레박에 푸른 김 뭉게뭉게'라고 하여, 물 긷는 소리를 굴러가는 옥에 견주었다. 『고금운회거요古今韻會擧要』에 '녹로는 우물 위에 달린 두레박轆轤 井上汲水 器'이라고 적혔다. '목이 마른 무지개가 물을 마시려고 우물에 박혔다'는 구절은 놀라운 착상이다.

철함은 송의 정사초鄭思肖(1241~1328)가 지은 『심사心史』이다. 한 때 보이지 않다가 명 숭정崇禎(1628~1644) 때, 오吳의 승천사承天寺 우물 속 쇠 상자에서 나온 까닭에 철심사라 한다. 난정본은 진晉 왕희지王羲之(303~316)가 쓴 시서詩序이다. 워낙 귀해서 모사본이 많이 나돌며, 그 가운데에도 정무본을 첫 손에 꼽는다.

5. 속담

① 남편은 두레박, 아내는 항아리

② 두레박 놓아두고 우물 들어 마신다.

③ 짧은 줄이 달린 두레박으로 깊은 우물물을 뜨려고 한다.

④ 말라버린 우물에 두레박줄을 드리운다.

①은 남편이 밖에서 돈 벌어오면 아내는 잘 모아서 재산을 늘리는 일을, ②는 몹시 서두름을 나타낸다. ③은 능력이 모자람에도 높은 관직을 바라는 것을, ④는 아무리 애써도 보람이 없음을 가리킨다.

동아시아의 우물 - ⑭ 한국 終

그림 이만익

김
광
언 金光彦

1939년 서울 출생
서울대학교 사범대학 국어교육과 졸업
서울대학교 문리과대학 고고인류학과 졸업
일본 도쿄대학 대학원(문화인류학) 졸업
국립민속박물관장
문화재위원회 민속문화재 분과위원장
현재 인하대학교 명예교수

■저서
『한국의 농기구』(1969, 문공부 문화재관리국)
『정읍 김씨 집』(1980, 열화당)
『한국의 옛집』(1982, 마당)
『한국의 민속놀이』(1982, 인하대 출판부)
『한국농기구고』(1986, 한국농촌경제연구원, 출판문화상 저작상 수상)
『한국의 주거민속지』(1988, 민음사)
『한국민속학』(1988, 새문사, 공저)
『풍수지리』(1993, 대원사)
『몽골/바람의 고향, 초원의 말발굽』(1993, 조선일보사, 공저)
『아! 고구려』(1994, 조선일보사, 공저)
『김광언의 민속지』(1994, 조선일보사)
『한국의 부엌』(1997, 대원사)
『운반용구』(1998, 국립문화재연구소)
『기층문화를 통해 본 한국인의 상상체계』 상·중·하(1998, 민속원, 공저)
『한국의 집지킴이』(2000, 다락방, 2000년 문화관광부 우수학술도서)
『우리 생활 100년·집』(2000, 현암사, 중앙일보사 올해의 좋은 책)
『우리 문화가 온 길』(2001, 민속원)
『민속놀이』(2001, 대원사)
『디딜방아 연구』(2001, 지식산업사, 2002년 대한민국학술원 우수학술도서)
『동아시아의 뒷간』(2002, 민속원, 2003년 대한민국학술원 우수학술도서)
『지게연구』(2003, 민속원, 2004년 대한민국학술원 우수학술도서)
『동아시아의 놀이』(2004, 민속원, 2004년 문화관광부 우수학술도서)
『동아시아의 뒷간』(2007, 대한민국학술원 우수학술도서, 중국에서 번역 출간)
『한·일·동시베리아의 사냥』(2007, 민속원, 2008년 대한민국학술원 우수학술도서)
『송석헌』(2008, 민속원, 공저, 2008년 문화관광부 우수학술도서)
『백불고택』(2008, 민속원)
『박장흥댁』(2009, 민속원)
『바람·물·땅의 이치』(2009, 기파랑)
『뒷간』(2009, 기파랑)
『쟁기연구』(2010, 민속원, 2011년 대한민국학술원 우수학술도서)
『동아시아의 부엌』(2015, 눌와, 2016년 세종도서 우수학술도서)
『신라우물』(2015, 민속원, 공저)
『우리네 옛 살림집』(2016, 열화당)

■수상
1986년 출판문화상 저작상(『한국농기구고』)
2005년 월산민속학술상
2006년 대한민국 문화유산상(학술 부문)